AF548601

Ernst J. van Jaarsveld
U. de Villiers Pienaar

Aizoaceae

Ernst J. van Jaarsveld
U. de Villiers Pienaar

Aizoaceae

Mittagsblumen Südafrikas
Les Mésembs d'Afrique du Sud

Übersetzt aus dem Englischen ins Deutsche
durch Urs Eggli

Traduit de l'anglais en français
par Pascale Adeline

Ulmer

Inhalt
Sommaire

Widmung
Dédicace

Wir widmen dieses Buch unseren Ehefrauen Erma und Annette als Dank für ihre unschätzbare Hilfe beim Sammeln, Sortieren und Dokumentieren der Unterlagen für dieses Manuskript, für ihre ermutigenden Worte und ihre Geduld während des Schreibens dieses Buches, vor allem aber für ihre andauernde Begleitung, Liebe und Unterstützung während all dieser Jahre.

A nos épouses, Erma et Annette, en remerciement pour leur aide inestimable lors de la collecte, du choix et de la documentation des éléments nécessaires à ce manuscrit. Egalement pour leurs encouragements et leur patience durant la rédaction de ce livre mais, par dessus tout, pour leur présence permanente, leur amour et leur soutien pendant toutes ces années.

Einleitung

Die weltweit grösste Konzentration sukkulenter Pflanzen ist in Südafrika zu finden, vor allem in den halbtrockenen Winterregengebieten des Subkontinents. Sukkulente Pflanzen sind Pflanzen mit fleischigen Blättern, Trieben oder Wurzeln, die zum Speichern von Wasser angepasst sind und den Pflanzen das Überleben langer Trockenzeiten ermöglichen. Sukkulenten kommen in verschiedenen Pflanzenfamilien vor. Die Familie der Mittagsblumen-Gewächse (»Mesembs«; *Aizoaceae* oder *Mesembryanthemaceae*) ist eine solche Familie und umfasst eine grosse Zahl typischer sukkulenter Pflanzen – mehrheitlich Blattsukkulenten. Sie sind in Südafrika unter ihrem Afrikaans-Namen »Vygies« (= »kleine Feigen«, wegen der kleinen, jung feigenähnlichen Früchte) gut bekannt. Diese äusserst interessante Familie ist die grösste Sukkulentenfamilie der Welt und umfasst eine Vielfalt zahlreicher, faszinierender und sogar bizarrer Pflanzenformen. 95 % der Arten sind vor allem auf die Winterregengebiete von Südafrika beschränkt. Sie bilden auch einen Teil des Kap-Florenreiches (Capensis), d. h. eines der sechs Florenreiche der Welt. Gleichzeitig ist die Familie der Mittagsblumen die artenreichste Verwandtschaft der Region der Capensis. Sie ist auch eine der farbenprächtigsten Pflanzengruppen der Welt, und die ansehnlichen, oft fast blendend glänzenden Blütenblätter (tatsächlich Staminodien) sind im Pflanzenreich unübertroffen. Die Farben variïeren von rot, orange, purpurn, malvenfarben, rosa, gelb bis zu weiss und allen Farbtönen dazwischen. Das Fehlen von blauen Blüten ist eine bemerkenswerte Tatsache, obwohl es vielleicht blau blühende Vorfahren gegeben haben könnte.

Die Fruchtstruktur der Mittagsblumen gehört zu den komplexesten im Pflanzenreich und dient der möglichst erfolgreichen Samenverbreitung an ihren Wuchsorten. Zu diesem Zweck wird die Geschwindigkeit von Regentropfen ausgenutzt. Die Fruchtkapseln öffnen sich bei feuchtem Wetter, und die Samen werden durch aufprallende Tropfen herausgeschleudert. Wenn die Pflanzen nach dem Regen trocknen, schliessen sich die Kapseln wieder um die verbleibenden Samen. Die Samen behalten ihre Keimkraft für mehrereJahre.

Die Mehrheit der Mittagsblumen ist das Produkt der Umweltbedingungen der Kapregion, und ihre Morphologie spiegelt die lokalen Klimabedingungen und andere Stressfaktoren wider. Dank ihrer Langlebigkeit und der kräftig gefärbten Blüten wurden sie zu sehr beliebten Garten- und Topfpflanzen und werden heute in der ganzen Welt kultiviert. Die oft als »Blühende Steine« bezeichneten Zwergarten sind bei den Sukkulentenliebhabern in aller Welt sehr populär, besonders aber in Deutschland und anderen europäischen Ländern, in Japan sowie den USA. Unerklärlicherweise finden sie in Südafrika nicht die gleiche Beachtung.

Mittagsblumen lassen sich leicht durch Stecklinge oder Samen vermehren, und einige Formen wie z. B. Arten von *Carpobrotus* werden in Kalifornien, Australien und Südafrika zur Festigung von Sandflächen eingesetzt. Viele südafrikanische Arten haben sich dadurch und aus weiteren Gründen in anderen Teilen der Welt eingebürgert.

Die sogenannten »Sour Figs« [Saure Feigen] der südafrikanischen Kapregion (*Carpobrotus acinaciformis* und *C. deliciosus*) sind in Bezug auf ihre Früchte einzigartig: Diese sind roh verzehrt sehr schmackhaft, können aber auch zu einer köstlichen Marmelade verarbeitet werden.

Das »Worcester Vygie« (*Drosanthemum speciosum*) in Blüte in der Succulent Karoo bei Robertson. Die Mehrheit der Mesembs ist auf das Gebiet der Succulent Karoo in Südafrika beschränkt, die zum grösseren Teil im Winterregengebiet liegt.

Introduction

C'est en Afrique du Sud que l'on observe la plus forte concentration au monde de plantes succulentes, surtout dans les zones semi-arides à hivers pluvieux du sous-continent. Les plantes succulentes possèdent des feuilles, tiges ou racines charnues capables de stocker l'eau et leur permettant donc de survivre lors de longues périodes de sécheresse. Les succulentes se répartissent entre différentes familles. Celle des mésembs est l'une d'entre elles et regroupe un grand nombre de plantes succulentes typiques (majoritairement à feuilles succulentes). Elles sont bien connues en Afrique du Sud sous leur nom afrikaans de «vygies» (= «petites figues» en référence à l'aspect de jeune figue de leurs petits fruits). Cette famille très intéressante est la plus importante du monde pour les succulentes et elle rassemble une multitude de formes végétales fascinantes, voire étranges. 95 % des espèces sont concentrés dans la zone à hivers pluvieux de l'Afrique du Sud. Ils constituent aussi une partie de la flore du Cap (capensis), l'une des 6 flores mondiales. En même temps, cette famille est le groupe le plus riche en espèces apparentées de la région du Cap. C'est également l'un des groupes végétaux les plus magnifiquement colorés au monde et leurs magnifiques pétales (en fait des staminodes) aux coloris souvent éblouissants restent inégalés dans le règne végétal. Les couleurs varient du rouge au blanc en passant par l'orangé, le pourpre, le mauve, le rose, le jaune et toutes les tonalités intermédiaires. Il faut souligner l'absence de fleurs bleues bien que des ancêtres à floraison bleue aient pu peut-être exister.

La structure des fruits de ces plantes compte parmi les plus complexes du monde végétal et tend à assurer la meilleure dissémination possible des graines vers des habitats potentiels. La rapidité des gouttes de pluie est exploitée dans ce sens. En effet, les capsules s'ouvrent lorsqu'il fait humide et les graines sont délogées sous l'impact des gouttes d'eau. Après la pluie, les plantes sèchent et les capsules se referment sur les graines restantes. Celles-ci conservent leur potentiel germinatif durant plusieurs années.

La multiplicité des mésembs découle des conditions environnementales de la région du Cap et leur morphologie reflète les facteurs climatiques locaux ainsi que d'autres sources de stress. Leur longévité et leurs fleurs vivement colorées en ont fait des plantes très appréciées pour la culture en pot ou dans les jardins contemporains. Elles sont aujourd'hui cultivées dans le monde entier. Souvent appelées «plantes-cailloux», les espèces naines sont très populaires auprès des amateurs de succulentes du monde entier, particulièrement en Allemagne et dans d'autres pays d'Europe, au Japon et aux USA. Bizarrement, elles ne rencontrent pas le même succès en Afrique du Sud.

Ces plantes se multiplient facilement par bouturage ou par semis et quelques formes, comme par exemple certains *Carpobrotus*, sont employées en Californie, en Australie ou en Afrique du Sud pour stabiliser les sols sableux. De nombreuses espèces sud-africaines se sont ainsi naturalisées dans de nouveaux terrains appartenant à d'autres parties du monde.

Les «Sour Figs» [figues aigres] de la région sud-africaine du Cap (*Carpobrotus acinaciformis* et *C. deliciosus*) sont tout à fait uniques de par leurs fruits, très savoureux consommés crus et permettant aussi de confectionner une exquise marmelade.

«Worcester Vygie» (Drosanthemum speciosum) *en fleurs dans le Karoo à succulentes, près de Robertson. La majeure partie des mésembs est cantonnée dans la région sud-africaine du Karoo à succulentes, lui-même situé majoritairement dans la zone à pluies hivernales.*

Design zum Überleben
Conçues pour survivre

Die südafrikanischen Mittagsblumen sind in Bezug auf die Gestalt, die Grösse sowie die Wuchsformen ausserordentlich variabel – vom baumförmigen »Rooivye« (*Stoeberia arborea*), einem bis 3,5 m hohen Strauch, bis zu zwergigen, hochgradig reduzierten Pflanzen mit lediglich einigen wenigen Millimetern Höhe. Die meisten Arten sind im Winter aktiv, und in den halbtrockenen Gebieten finden sich zahlreiche, kleine, büschelige oder Polster bildende Arten. Diese bodennah wachsenden Pflanzen benötigen die Sonnenenergie nicht nur für die Fotosynthese, sondern durch Ausnutzung der Wärmespeicherung im umgebenden Boden auch zum Erhalt einer gleichmässigen Temperatur. Während der heissen Sommermonate sparen einige Arten Wasser, indem sie völlig inaktiv werden und sich in die im Vorjahr gewachsenen und nun zu einer trockenen Hülle gewordenen Blätter zurückziehen. Andere – insbesondere zwergige, wie Steine aussehende Pflanzen – wiederum rezyklieren das Wasser zu Beginn der Vegetationszeit aus dem alten Blattpaar in das neu wachsende Blattpaar. Einige wachsen vorwiegend unterirdisch und nur die Blattspitzen sind an der Bodenoberfläche sichtbar. Wiederum andere verfügen über knollige Wurzeln zur Wasserspeicherung. Die Zwergarten, deren Blätter einem Paar abgeflachter oder gerundeter Kieselsteine ähnlich sehen, haben auch zum Namen »Blühende Steine« geführt.

Die hochwüchsigen, strauchigen Formen – einige von ihnen mit beträchtlich verholzten Trieben und Zweigen – sind ausdauernde Pflanzen mit einer beträchtlichen Langlebigkeit. Auf der anderen Seite stehen viele opportunistische, einjährige Formen. Diese wachsen schnell und schliessen den gesamten Lebenszyklus innerhalb der Regenzeit ab, um die Trockenzeit dann in Form von Samen zu überdauern.

Les mésembs sud-africaines sont extraordinairement diversifiées quant à leur aspect, leur taille et leur port. Cela va du «Rooivye» arborescent (*Stoeberia arborea*) qui atteint jusqu'à 3,5 m de haut, aux formes naines extrêmement réduites qui n'atteignent que quelques millimètres de hauteur. La plupart des espèces demeure active en hiver et, dans les zones semi-arides, on rencontre de nombreuses petites espèces qui forment des touffes ou des coussins. Situées près du sol, ces plantes ont besoin de l'énergie solaire non seulement pour la photosynthèse mais aussi pour bénéficier de la chaleur du sol environnant et conserver une température constante. Durant la chaude période estivale, certaines espèces économisent l'eau en devenant totalement inactives et en se limitant aux feuilles desséchées datant de l'année précédente. Chez d'autres, particulièrement les plantes-cailloux naines, l'eau est sans cesse recyclée en début de saison, des anciennes paires de feuilles vers les nouvelles. Certaines croissent essentiellement de manière souterraine et seules l'extrémité des feuilles est visible à la surface du sol. D'autres espèces encore disposent de racines tubéreuses pour stocker l'eau. Les formes naines dont les feuilles ressemblent à des paires de galets aplatis ou arrondis sont aussi appelées les «pierres à fleurs».

Possédant pour certaines des tiges et des rameaux nettement lignifiés, les grandes espèces arbustives s'avèrent d'une longévité non négligeable. D'autre part, il existe aussi de nombreuses espèces opportunistes et annuelles. Celles-ci poussent vite et bouclent tout leur cycle biologique en l'espace d'une saison des pluies afin de survivre à la période de sécheresse sous forme de graines.

Stoeberia arborea ist die hochwüchsigste Mittagsblumenart der Welt. Sie erreicht mit fast 3,5 m Höhe annähernd baumartige Ausmasse. *Antimima sp.* andererseits ist eine winzige Gebirgspflanze vom Gipfel des Waboomsberg (Western Cape). Sie ist dem Boden angedrückt, und die silbernen Blätter sind weniger als 1 Zentimeter lang (Montagu, Western Cape).

La Stoeberia arborea *est la plus haute mésemb du monde. Elle avoisine la taille d'un arbre avec ses presque 3,5 m de haut. A l'opposé, l'*Antimima sp. *est une minuscule plante alpine du sommet du Waboomsberg (Western Cape). Elle tapisse le sol et ses feuilles argentées sont moins de 1 cm de long (Montagu, Western Cape).*

Verbreitung und Vorkommen
Répartition géographique et habitat

Mittagsblumen kommen in allen südafrikanischen Vegetationstypen von Meereshöhe bis zu den höchsten Gipfeln des Drakensberg (etwa 3000 m) vor. Die grösste Artenzahl ist in den Winterregengebieten der halbtrockenen Karoo-Region zu finden. Nach Norden nimmt die Artenzahl in den Sommerregengebieten nach und nach ab, und in den Savannengebieten nördlich der Northern Province verschwinden sie ganz – in ganz Zimbabwe kommt nur gerade eine einzige *Delosperma*-Art vor. Hingegen kommen einige Arten in den höheren Berglagen Ostafrikas und von den Bergen des Rift Valley bis zum Horn von Afrika sowie auf der Arabischen Halbinsel vor. Einige wenige Arten schliesslich sind in Australien, Neuseeland und Chile zu finden.

Les mésembs sont présentes dans tous les types de végétation sud-africaine depuis le niveau de la mer jusqu'aux sommets les plus élevés du Drakensberg (environ 3000 m). La majorité des espèces se trouve dans la zone à pluies hivernales de la région du Karoo semi-aride. Vers le nord, les espèces se raréfient de plus en plus dans les zones à pluies estivales et elles sont totalement absentes des savanes du nord de la Northern Province; dans tout le Zimbabwe, on ne trouve que quelques rares espèces de *Delosperma*. Par contre, quelques espèces poussent dans les régions montagneuses élevées de l'Afrique de l'Est et dans celles de la vallée du Rift jusqu'à la Corne de l'Afrique ainsi que la Péninsule arabique. Enfin, on rencontre quelques espèces en Australie, en Nouvelle-Zélande et au Chili.

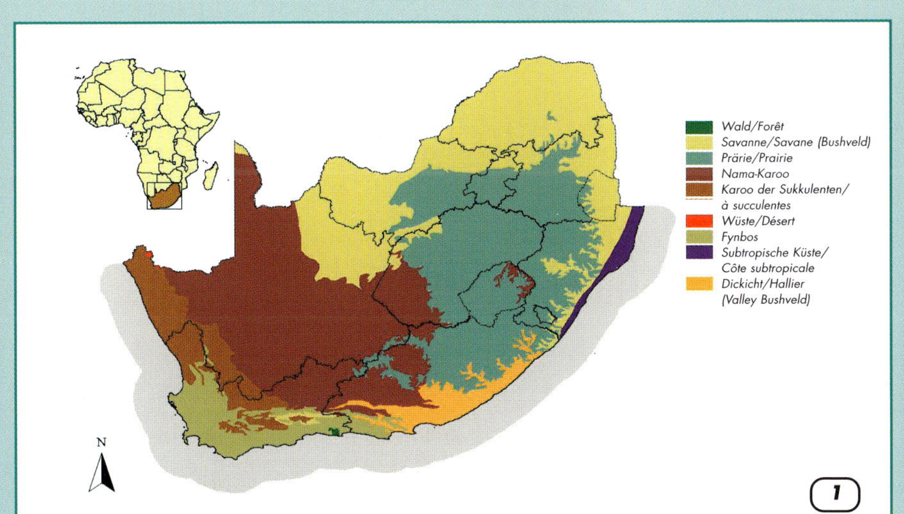

Abb. 1. Vegetationstypen im südlichen Afrika (Vorlage: NBI).
Abb. 2. Durchschnittliche Niederschläge im südlichen Afrika (Rawe 1986).
Abb. 3. Verteilung der Niederschläge im südlichen Afrika nach Jahreszeiten (Rawe 1986).

Fig. 1 Types de végétation en Afrique du Sud (avec autorisation du NBI)
Fig. 2 Précipitations moyennes en Afrique du Sud (tiré de Rawe, 1986)
Fig. 3 Répartition saisonnière des précipitations en Afrique du Sud (tiré de Rawe, 1986)

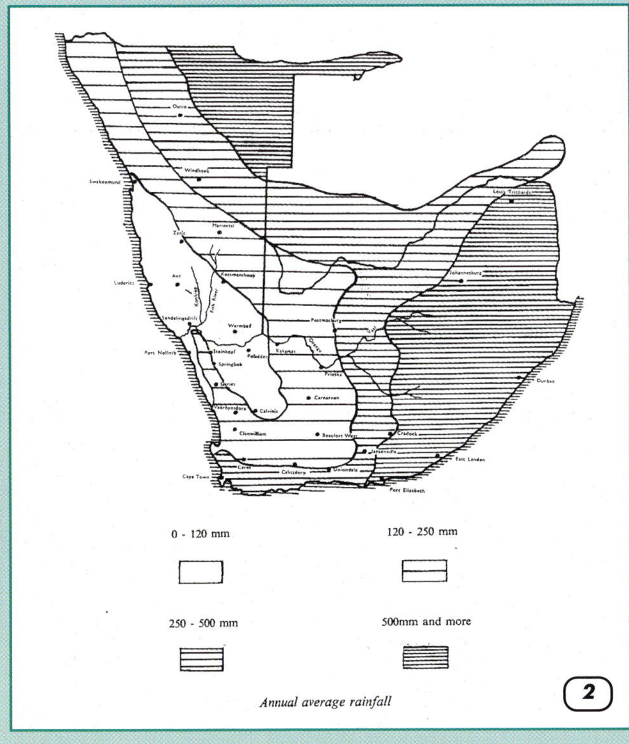

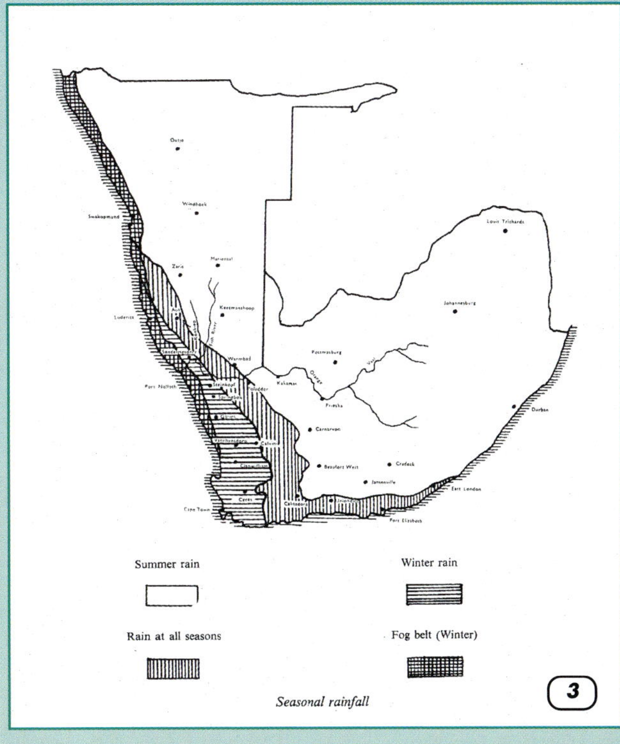

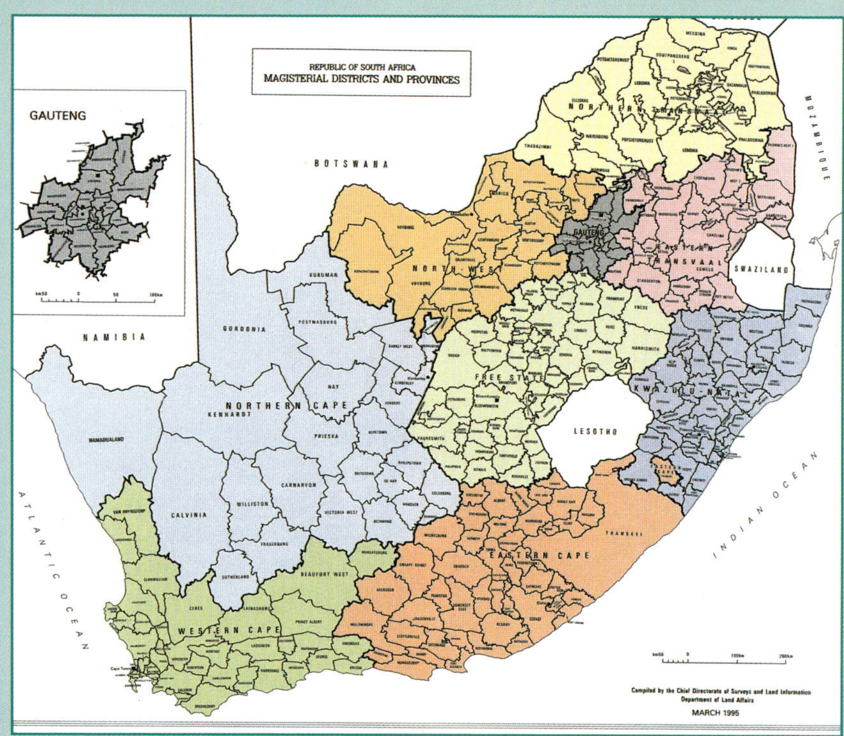

Abb. 4. Karte der Provinzen und Distrikte der Republik Südafrika.

Fig. 4 Carte des provinces et districts de la République d'Afrique du Sud

Unten links: Hügel und Ebenen mit Quarzkieseln in der Succulent Karoo sind besonders reich an zwergigen, bodennah wachsenden Mittagsblumen. Ein Beispiel ist die Knersvlakte mit *Argyroderma delaetii* im Vordergrund. Regen fällt vorwiegend im Winter; die Sommer sind lang und trocken.
Mitte: Quarzkieselebenen in der Little Karoo bei Barrydale (Western Cape) mit *Gibbaeum pubescens* im Vordergrund. Regen fällt hier im Winter und im Sommer.
Rechts: Während des Frühlings strahlt die Succulent Karoo zur Hauptblütezeit der Einjährigen in allen Farben (Kamieskroon, Namaqualand).

En bas, à gauche: les plaines et collines à galets de quartz du Karoo à succulentes sont particulièrement riches en mésembs naines. Ici le Knersvlakte et des Argyroderma delaetii *au premier-plan. Les pluies tombent majoritairement en hiver et les étés sont longs et secs.*
Au centre: Etendue de galets de quartz dans le Little Karoo, près de Barrydale (Western Cape), montrant des Gibbaeum pubescens *en premier-plan. Ici, il pleut en hiver et en été.*
A droite: Au printemps, le Karoo à succulentes s'illumine de toutes les couleurs de la floraison principale des espèces annuelles (Kamieskroon, Namaqualand).

Abb. 5. Detailkarte des Richtersvelds (Northern Cape).
Fig. 5 Carte détaillée du Richtersveld (Northern Cape)

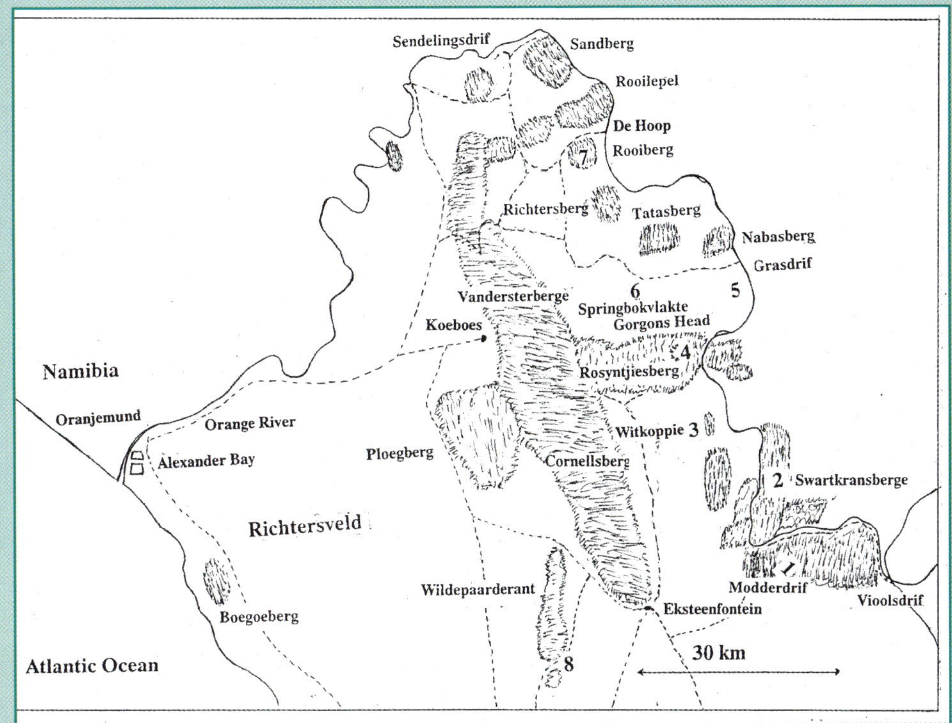

Zwei Drittel der Fläche von Südafrika (v.a. die westlichen und südlichen Teile) sind halbtrockene Gebiete mit jährlichen Niederschlagsmengen von weniger als 500 mm, und hier befindet sich die grösste Artenvielfalt der Mittagsblumen. Hier treffen sich zwei Florenreiche, nämlich die Paläotropen mit Sommerregen (nördlicher Teil) und die warm-gemässigte Capensis (südliche und westliche Teile). Die Vegetation des paläotropischen Florenreichs mit Sommerregen besteht aus Savannen (lokal als Bushveld bezeichnet), Dickichten (Valley Bushveld), Nama Karoo, Grasland sowie afromontanen Wäldern und Tieflandwäldern. Das Florenreich der Capensis ist durch die Fynbos-Vegetation (Bu-

Les deux tiers de la surface de l'Afrique du Sud (surtout les zones ouest et sud) sont des régions semi-arides où les précipitations annuelles sont inférieures à 500 mm et où l'on trouve le plus grand nombre d'espèces différentes de mésembs. On y observe deux sphères végétales, la paléotropicale à pluies estivales (partie nord) et la Capensis chaude-tempérée (parties sud et ouest). La sphère paléotropicale à pluies estivales se compose de savanes (appelées localement Bushveld), de halliers (Valley Bushveld), du Nama-Karoo, de prairies ainsi que de forêts afromontanes et de plaines. La sphère Capensis est illustrée par le Fynbos (maquis à sclérophytes) et le Karoo à succulentes (précipitations <400 mm). La par-

schwerk mit lederigen Blättern) und die Succulent Karoo vertreten (Niederschlag < 400 mm). Der nördliche Teil der Republik Südafrika liegt innerhalb der Subtropen, während die südlichen und höheren Berglagen innerhalb der warm-gemässigten Zone im Winter manchmal etwas Schnee erhalten.

Die Topographie von Südafrika wird auf den ersten Blick durch das zentrale Plateau (durchschnittliche Meereshöhe 1200 m) bestimmt. Die am Ostrand gelegenen Escarpment-Berge (Drakensberg-Kette) sind ungefähr 3000 m hoch, während die Höhe nach Westen und Süden (800–1000 m) abnimmt. Die Küste hat einen mässigenden Einfluss auf das Klima.

Mittagsblumen der Winterregengebiete

Das Winterregengebiet in den südlichen Teilen der Repubik Südafrika hat im Vergleich zum Sommerregengebiet eine sehr grosse pflanzliche Diversität, und sukkulente Pflanzen sind

Links: In der Succulent Karoo ist Schneefall ein seltenes Ereignis, hier mit *Braunsia apiculata* nahe Touwsrivier (Western Cape).
Unten: Die Succulent Karoo wenig nördlich des Great Swartberg mit *Ruschia spinosa* in Blüte (bei Prince Albert, Western Cape).
A gauche: Une chute de neige est un événement rare dans le Karoo à succulentes, ici un Braunsia apiculata *près de Touwsrivier (Western Cape).*
Ci-dessous: Le Karoo à succulentes un peu au nord du Great Swartberg avec des Ruschia spinosa *en fleurs (près de Prince Albert, Western Cape).*

tie septentrionale de la République d'Afrique du Sud est dans la zone subtropicale alors que les régions montagneuses élevées et méridionales de la zone chaude-tempérée reçoivent parfois un peu de neige en hiver.

La topographie de l'Afrique du Sud est signée au premier coup d'œil par son plateau central (altitude moyenne 1200 m). Le relief oriental (chaîne du Drakensberg) atteint à peu près 3000 m d'altitude pour diminuer vers l'ouest et le sud (800–1000 m). La côte exerce une influence modératrice sur le climat.

Les mésembs de la zone à pluies hivernales

Située dans la partie sud de l'Afrique du Sud, la zone à pluies hivernales présente une très grande diversité végétale, compa-

hier ausserordentlich reichhaltig vertreten. Die Vegetationszeit fällt in die kurze, kühle Jahreszeit und im Vergleich zum Sommerregengebiet sind die pflanzlichen Lebensformen kleiner. Sobald die Niederschlagsmengen 400 mm übersteigen, wird das Gebiet durch 40 bis 150 cm hohe Buschformationen mit lederigen Blättern bestimmt, vermischt mit gelegentlichen höheren (2–5 m) Bäumen und Sträuchern. Diese Buschformationen werden als Fynbos bezeichnet, und es handelt sich um eine einmalige Strauchvegetation. Zahlreiche Arten zeigen auffallend kleine Blätter und sind an saure, mineralarme, quarzitische, aus Sandsteinen entstandene Böden angepasst. Charakteristische Elemente des Fynbos stammen aus den Familien Proteaceae, Ericaceae, Rutaceae, Restionaceae, Asteraceae etc.

Wo die Niederschläge 400 mm unterschreiten, herrscht zwergiges Buschland vor und sukkulente Pflanzen dominieren, v.a. Arten aus den Familien Mesembryanthemaceae (Aizoaceae), Crassulaceae, Asclepiadaceae und Euphorbiaceae.

Fynbos-Vegetation

Mittagsblumen sind in der Fynbos-Region von den Küstengebieten bis zu den höchsten Berggipfeln gut vertreten. Das Gebiet umfasst Küstenebenen mit an Sand angepasster Vegetation sowie Berggebiete aus quarzitischen Sandsteinen. Die Sommer sind trocken, und die Böden mineralarm. Die jähr-

Oben: Die Succulent Karoo bei Strandfontein (Western Cape) mit Sträuchern von *Stoeberia utilis* im Vordergrund.
Links: Das Richtersveld ist eine gebirgige Wüste mit einem besonderen Reichtum endemischer, sukkulenter und anderer Pflanzen. Der sich entlang des Oranje-Flusses aufwärts bewegende Küstennebel ist für die Pflanzen lebensnotwendig (Blick vom Gipfel des Kuboesberg, Richtersveld, Northern Cape).
Ci-dessus: Le Karoo à succulentes près de Strandfontein (Western Cape) avec des pieds de Stoeberia utilis *en premier-plan.*
A gauche: Le Richtersveld est un désert montagneux très riche en plantes endémiques, succulentes et autres. Le brouillard côtier qui remonte le cours du fleuve Orange est indispensable à la vie des plantes (Vue du sommet du Kuboesberg, Richtersveld, Northern Cape).

rée à la zone à pluies estivales, et les plantes succulentes y sont extraordinairement nombreuses. La période de végétation a lieu durant la courte saison fraîche et, toujours en comparaison avec l'autre zone, les formes végétales sont plus petites. Dès que les précipitations dépassent 400 mm apparaissent des maquis à sclérophytes de 40 à 150 cm de haut, où se mêlent parfois des arbres et arbustes plus élevés (2–5 m). Ces maquis sont appelés Fynbos et il s'agit d'un type de végétation arbustive unique. De nombreuses espèces possèdent des feuilles remarquablement petites et se sont adaptées aux sols acides, pauvres, quartzifères et gréseux. Les éléments caractéristiques du Fynbos viennent des familles des Protéacées, Ericacées, Rutacées, Restoniacées, Astéracées, etc. Là où les précipita-

lichen Niederschläge variieren in diesem Gebiet zwischen 400 und 2000 mm. Das Klima ist mild, und Frost ist hauptsächlich auf die höheren Berglagen beschränkt. Feuer ist ein wichtiger ökologischer Faktor dieses Gebietes. Meist entstehen sie im Spätsommer und Herbst in Abständen von 4–15 Jahren. Wie die übrigen Fynbos-Pflanzen sind auch die Mittagsblumen dieser Gegend an diese periodisch auftretenden Feuer angepasst. Einige erneuern sich nach einem Feuer aus dem Wurzelstock, aber die Mehrheit der Fynbos-Mittagsblumen vermehrt sich erst, wenn die Samen durch Regenwasser mit flüchtigen Substanzen aus dem Rauch zur Keimung angeregt werden.

Die Randregionen der Succulent Karoo und der Great Karoo sind ebenfalls reich an Mittagsblumen und können durch das Jahr verteilt Niederschläge erhalten, allerdings konzentriert während des Frühlings und des Herbstes. Hier fallen *Aloe dichotoma* und im Vordergrund *Ruschia intricata* auf (Gannabos bei Nieuwoudtville, Northern Cape).

Les zones frontalières du Karoo à succulentes et du Great Karoo sont toutes riches en mésembs et peuvent bénéficier de précipitations réparties sur toute l'année mais toutefois concentrées sur le printemps et l'automne. Ici, Aloe dichotoma *et, au premier-plan,* Ruschia intricata *(Gannabos près de Nieuwoudtville, Northern Cape).*

tions sont inférieures à 400 mm règne un maquis de plantes naines où dominent les plantes succulentes, notamment les membres des familles des Mésembryanthémacées (Aizoacées), Crassulacées, Asclépiadacées et Euphorbiacées.

Formation végétale du Fynbos

Les mésembs sont bien représentées dans la région du Fynbos, depuis la zone côtière jusqu'aux plus hauts sommets montagneux. Cette région comprend des plaines côtières dont la végétation est adaptée au sable ainsi que des zones montagneuses de grès quartzifères. Les étés sont secs et les sols pauvres. Les précipitations annuelles varient entre 400 et 2000 mm. Le climat est tempéré et le gel est essentiellement cantonné à la haute montagne. Le feu est un important facteur écologique de cette région. En général, les feux se déclarent en fin d'été et en automne, tous les 4 à 15 ans. Comme les autres plantes du Fynbos, les mésembs de cette zone se sont adaptées à ces incendies périodiques. Certaines espèces se régénèrent alors à partir de leur rhizome mais la majorité des mésembs du Fynbos se multiplie lorsque la germination des graines est stimulée par l'eau de pluie porteuse de substances fugaces issues de la fumée.

Oben: Die Fynbos-Vegetation der Kapregion erhält hauptsächlich im Winter Regen, und die Sommer sind trocken. Mittagsblumen wie *Lampranthus, Erepsia, Carpobrotus* und mehrere andere Gattungen sind in dieser Region häufig. Die Böden stammen mehrheitlich von mineralarmen, quarzitischen Sandsteinen ab, und die Pflanzen sind an das Vorkommen von Feuer angepasst (Chapman's Peak, Kap-Halbinsel, Western Cape).
Rechts: Das Highveld-Grasland ist die Heimat einiger weniger Mittagsblumen, mehrheitlich Arten von *Delosperma, Frithia, Khadia, Mossia* und *Nananthus*. Niederschlag ist vor allem im Sommer zu verzeichnen, und im Winter kann es zu Frost kommen (Eureka City, Mpumalanga).
Ci-dessus: La formation du Fynbos de la région du Cap reçoit essentiellement ses pluies en hiver alors que les étés sont secs. Les genres comme Lampranthus, Erepsia, Carpobrotus *et de nombreux autres sont répandus dans cette zone. Les sols se composent majoritairement de grès quartzifères et pauvres et les plantes se sont adaptées aux incendies (Chapman's Peak, péninsule du Cap, Western Cape).*
A droite: La prairie du highveld est le berceau de quelques mésembs, surtout des espèces de Delosperma, Frithia, Khadia, Mossia *et* Nananthus. *Les précipitations ont surtout lieu en été et il peut geler en hiver (Eureka City, Mpumalanga).*

Succulent Karoo-Vegetation

Dieses Gebiet befindet sich in den westlichen und südwestlichen Teilen von Südafrika und ist ausserordentlich reich an sukkulenten Pflanzenarten, v.a. aus den Familien Mesembryanthemaceae (Aizoaceae) und Crassulaceae.

Fast 80 % aller Mittagsblumen der Welt sind auf diese Region beschränkt. Die Vegetation besteht aus sukkulentem Zwergstrauchland (vorwiegend Blattsukkulenten) sowie auffallend vielen Geophyten. Die Bodenverhältnisse sind unterschiedlich, von küstennahen Sandböden bis zu 1000 m hohen oder wenig höheren Berggebieten (v. a. Gneis, Granit, quarzitische Sandsteine, Dolomit, Lava, Konglomerate und Schiefer). Gebiete mit Konglomeraten und Quarzkieseln verfügen über eine reichhaltige, endemische Mittagsblumenflora, insbesondere im Namaqualand, im Richtersveld, in der Knersvlakte und in der Little Karoo. Die Niederschläge variieren von 25 bis etwa 400 mm und fallen vorwiegend zwischen Herbst und frühem Frühling, ergänzt durch zusätzliche Küstennebel. Die Vegetationszeit (während der kühlen Jahreszeit) ist kurz und die Pflanzen müssen die kurzen, sonnigen Wintertage optimal nutzen. Viele Mittagsblumen zeigen deshalb eine charakteristische, kompakte und an Alpenpflanzen erinnern-

Die Nama Karoo oder Great Karoo der Ebene im Landesinneren ist ebenfalls reich an Mittagsblumen wie *Lithops, Ruschia, Antimima* etc., aber im Vergleich mit der Succulent Karoo doch eher artenarm. Die Vegetation besteht hauptsächlich aus zwergigen Sträuchern und verstreuten, grösseren Büschen und kleinen Bäumen. Regen fällt v.a. im Sommer. Dieser felsige Standort ist die Heimat von *Pleiospilos bolusii* (Beaufort West, Western Cape).

Même s'il est, lui aussi, riche en mésembs comme les Lithops, Ruschia, Antimima, *etc., le Nama Karoo (ou Great Karoo de la plaine intérieure) présente cependant beaucoup moins d'espèces que le Karoo à succulentes. La végétation se compose surtout d'arbustes nains, de buissons plus grands mais épars et de petits arbres. Les pluies sont surtout estivales. Cet environnement rocheux constitue le berceau du* Pleiospilos bolusii *(Beaufort West, Western Cape).*

de Wuchsform. Als bodennahe Polsterpflanzen nützen sie die im Boden oder den Felsen gespeicherte Wärme optimal aus, und ihre Kleinheit lässt sie die Wärme leicht absorbieren. Die Sommer sind heiss, und die meisten Arten beenden die Vegetationszeit mit einer Sommerruhe. *Conophytum, Antimima* und *Sceletium* werden durch die trockenen Blattresten der gerade beendeten Vegetationszeit beschattet. Feuer hat keine (oder nur geringe) Bedeutung, und die hauptsächlichen Stressfaktoren sind die Sommertrockenheit und Störungen durch Tiere (Weidegang, Tritt). Innerhalb dieser generell vielfältigen Gebiete sind vier Zonen mit besonders hoher Artenzahl zu nennen: Namaqualand, Richtersveld, Knersvlakte, und Little Karoo. Die Mittagsblumen sind in diesen Gebieten die vorherrschende Pflanzengruppe und machen lokal für das Vieh einen wichtigen Anteil im natürlichen Futter aus. Die sukkulenten Blätter der bekömmlichen Arten stellen für die Tiere auch eine wichtige Wasserquelle dar.

Sommerregengebiete

Im Vergleich zum Winterregengebiet verfügt das Sommerregengebiet nur über eine kärgliche Mittagsblumenflora. Die Vegetationszeit fällt in die warmen, feuchten Sommermonate. Die Niederschläge (mehrheitlich in Form von gewitterigen Schauern) variieren von 125 bis über 2000 mm. Die subtropischen Gebiete bestehen aus Savannen (Bushveld), Dickichten oder Wäldern (mit wenig oder ohne Frost), während in den warm-gemässigten Gebieten Grasland und Nama Karoo-Vegetation (oft mit starkem Frost) vorherrschen. Die Savannen und Dickichte verfügen über eine sukkulente Flora mit zahlreichen Aloen, Euphorbien und Stapelieen.

Nama Karoo

Die Nama Karoo befindet sich entlang der Westhälfte von Südafrika und erhält jährlich 125–250 mm Niederschlag.

Winterregen kommt entlang der westlichen Teile gelegentlich vor. Starker Frost ist im Winter ein häufiges Phänomen, v.a. in Gebieten in Höhenlagen von 1000 m und mehr. Der Boden besteht mehrheitlich aus Schiefern mit vulkanischen Intrusionen, und bei der Vegetation handelt es sich um zwergige Wüstenstrauchformationen. Die dominanten Arten gehören vorwiegend in die Familien Asteraceae, Scrophulariaceae, Poaceae, Polygalaceae und Bignoniaceae. Nach Osten hin beginnen Gräser mehr und mehr zu überwiegen. Das Gebiet hat eine recht artenreiche Sukkulentenflora, ist aber im Vergleich zur Succulent Karoo artenarm. Reich vertretene Sukkulentenfamilien sind unter anderem die Mesembryanthemaceae (Aizoaceae), Asteraceae, Crassulaceae und Portu-

Formation végétale du Karoo à succulentes

Cette région se trouve dans les parties ouest et sud de l'Afrique du Sud et est extrêmement riche en espèces succulentes, notamment des Mésembryanthémacées et des Crassulacées.

Presque 80 % de toutes les mésembs présentes dans le monde sont circonscrits à cette région. La végétation se compose d'arbustes nains succulents (essentiellement à feuilles succulentes) ainsi que de géophytes remarquablement nombreux. Les types de sol varient, des sols sableux de la bande côtière aux régions montagneuses atteignant jusqu'à 1000 m d'altitude ou un peu moins (surtout des gneiss, granits, grès quartzifères, dolomites, laves, conglomérats et schistes). Les zones à conglomérats et à galets quartzifères abritent une flore abondante et endémique de mésembs, particulièrement dans le Namaqualand, le Richtersveld, le Knersvlakte et le Little Karoo. Les précipitations varient de 25 jusqu'à environ 400 mm et tombent principalement entre l'automne et le début du printemps, complétées par des brumes côtières additionnelles. Intervenant pendant la saison fraîche, la période de végétation est courte et les plantes doivent exploiter au mieux les brèves journées de soleil hivernal. Beaucoup de mésembs présentent donc un port caractéristique et compact rappelant celui des plantes alpines. Les formes basses en coussin profitent au mieux de la chaleur résiduelle du sol ou de la roche et leur petitesse leur permet de l'absorber facilement. Les étés sont chauds et la majorité des espèces clôt sa période de végétation par un sommeil estival. Les *Conophytum, Antimima* et *Sceletium* passent cette phase ombragés par les restes foliaires desséchés issus de la période végétative venant juste de s'achever. Le feu ne revêt pas (ou peu) d'importance et les principaux facteurs de stress résident dans la sécheresse estivale et les dégâts dus aux animaux (piétinements). Cet ensemble global et diversifié se divise en 4 zones où la multiplicité des espèces est particulièrement importante: le Namaqualand, le Richtersveld, le Knersvlakte et le Little Karoo. Les mésembs y constituent le groupe végétal dominant.

Régions à pluies estivales

Comparées aux régions à pluies hivernales, celles-ci ne proposent qu'une maigre flore de mésembs. La période de végétation a lieu durant les mois d'été chauds et humides. Les précipitations (généralement sous forme de pluies d'orage) varient de 125 jusqu'à plus de 2000 mm. La région subtropicale se subdivise en savanes (Bushveld), en maquis ou en forêts (où il gèle peu, voire pas), alors que dans la zone chaude-tempérée, les prairies et la végétation du Nama Karoo dominent.

Die Flusstäler der östlichen Teile Südafrikas sind dicht mit Dickichten bewachsen, welche zahlreichen, sukkulenten Arten von *Euphorbia, Aloe, Portulacaria* sowie einer beträchtlichen Zahl von Mittagsblumen wie *Delosperma, Aptenia, Faucaria* etc. Heimat sind. Auch in den subtropischen Küstenwäldern und Grasländern sind einige wenige Mittagsblumen zu Hause, v.a. Arten der Gattungen *Delosperma* und *Aptenia*. Die Niederschlagsmengen sind hier während der Sommer recht hoch; die Winter sind mild (nahe des Gamtoos-Tales).

*Les vallées fluviales de la partie orientale de l'Afrique du Sud sont densément colonisées par un maquis dans lequel on trouve de nombreuses espèces succulentes d'*Euphorbia, Aloe *et* Portulacaria *ainsi qu'une quantité non négligeable de mésembs comme les* Delosperma, Aptenia, Faucaria, *etc. Quelques rares mésembs sont également originaires des forêts côtières et des prairies subtropicales, surtout des espèces des genres* Delosperma *et* Aptenia. *Les précipitations y sont abondantes pendant l'été et les hivers y sont doux (près de la Gamtoos Valley).*

lacaceae. In gewissen Teilen sind dornige Mittagsblumen besonders häufig. Viele der Mittagsblumen wachsen in Gruppen und verfügen über unterirdische Speicherorgane, wie z. B. *Nananthus, Aloinopsis, Trichodiadema, Rabiea* etc.

Feuer spielt in der Ökologie dieser Region keine (oder nur eine sehr geringe) Rolle, und wichtigere Faktoren sind die Wintertrockenheit sowie Störungen durch Beweidung.

Grasland

Diese Region befindet sich entlang der höher gelegenen, östlichen Teile Südafrikas, und die Vegetation wird durch Gräser bestimmt. Im Winter ist das Klima kalt mit starken Frösten und gelegentlichem Schneefall. Der Boden besteht mehrheitlich aus Schiefern, Sandstein und Basalt. Feuer (hauptsächlich während des Winters) ist ein wichtiger, bestimmender Faktor und Mittagsblumen sind häufig auf lokale Felsvorkommen beschränkt. Niederschläge fallen mehrheitlich im Sommer und variieren von 600 bis 2000 mm. Bei den Mittagsblumen der Grasländer handelt es sich unter anderem um Arten von *Delosperma, Frithia, Ebracteola, Mossia* und *Khadia*. Die geschützten Schluchten (»Kloofs«) innerhalb der Gebiete mit höheren Niederschlägen sind bewaldet.

Savannen (Bushveld)

Das Bushveld ist zur Hauptsache auf die nördlichen Teile von Südafrika beschränkt. Die Niederschläge betragen jährlich etwa 300 bis 800 m. Die Sommer sind heiss, die Winter trocken mit gelegentlich leichtem Frost. Die Vegetation besteht aus

Les savanes et les maquis offrent une flore succulente riche en aloès, en euphorbes et en *Stapelia*.

Nama Karoo

Le Nama Karoo reçoit 125 à 250 mm de pluie par an. Des pluies hivernales tombent occasionnellement le long de la zone occidentale. Il gèle fréquemment de manière prononcée en hiver, surtout au delà de 1000 m d'altitude. Le sol se compose majoritairement de galets à inclusions volcaniques et la végétation consiste en une formation désertique d'arbustes nains. Les espèces dominantes appartiennent principalement aux Astéracées, Scrophulariacées, Poacées, Polygalacées et Bigvoniacées. Les graminées deviennent de plus en plus prépondérantes en progressant vers l'est. Bien que riche en espèces succulentes, cette région l'est nettement moins que le Karoo à succulentes. Les familles de ce type les mieux représentées sont, entre autres, les Mésembryanthémacées (Aizoacées), Astéracées, Crassulacées et Portulacacées. Les mésembs épineuses sont particulièrement fréquentes dans des zones bien précises. De nombreuses mésembs poussent en colonies et disposent d'organes de stockage souterrains comme, par exemple, les *Nananthus, Aloinopsis, Trichodiadema, Rabiea*, etc.

Le feu ne joue aucun rôle (ou très restreint) dans l'écologie de cette région et les facteurs les plus importants sont la sécheresse hivernale ainsi que les destructions dues au piétinement des animaux.

Prairies

Cette région se situe le long des hauteurs de la partie orientale de l'Afrique du Sud et sa végétation se caractérise par les graminées. En hiver, le climat est froid avec des gels rigoureux et parfois des chutes de neige. Le sol se compose majoritairement de schiste, de grès et de basalte. Le feu (surtout en hiver) est un facteur important et caractéristique et les mésembs ne sont souvent présentes qu'en habitat rocheux. Les pluies tombent surtout en été et oscillent entre 600 et 2000 mm. Les mésembs des prairies sont, entre autres, des espèces de *Delosperma, Frithia, Ebracteola, Mossia* et *Khadia*. Les vallons protégés («Kloofs») de l'intérieur de cette zone à précipitations plus élevées sont boisés.

Savanes (Bushveld)

Le Bushveld occupe principalement la partie nord de l'Afrique du Sud. Les précipitations se montent à environ 300 à 800 mm annuels. Les étés sont chauds et les hivers secs connaissent parfois de légers gels. La végétation se compose de prairies dominées par des acacias à cime aplatie et d'autres

Die Savanne (Bushveld) zeigt ein subtropisches Klima mit trockenen Wintern und Regenfällen im Sommer. Die Vegetation besteht aus breitkronigen Bäumen, und Arten von *Aloe* und *Euphorbia* sind in gewissen Gebieten auffallend, wie z. B. die Kandelaberbäume (*Euphorbia cooperi*) im Vordergrund. In diesem Habitat finden sich nur einige wenige *Delosperma*-Arten (Zoutpansberg, Northern Province).

*La savane (Bushveld) connaît un climat subtropical à hivers secs et pluies estivales. La végétation se compose d'arbres à vaste couronne et, dans des zones délimitées, on remarque des espèces d'*Aloe *et d'*Euphorbia*, comme par exemple cet arbre – candélabre (*Euphorbia cooperi*) au premier plan. Cet habitat n'abrite que quelques rares espèces de* Delosperma *(Zoutpansberg, Northern Province).*

Grasland mit flachkronigen Akazien und anderen Bäumen wie *Adansonia digitata* (»Baobab«, die weltweit grösstwüchsige Sukkulente), *Combretum, Ficus, Colophospermum* etc. Sukkulente Pflanzen sind in der Regel gut vertreten, v.a. *Aloe, Euphorbia, Cyphostemma, Adenia* etc., aber Mittagsblumen kommen nur wenige vor. Es können einige Arten von *Delosperma* sowie *Aptenia lancifolia* gefunden werden. Feuer und Störungen durch Tiere sind regelmässige Faktoren.

Dickichte

Diese Vegetation ist mehrheitlich auf die südöstlichen Teile Südafrikas auf Gebiete mit etwa 300–400 mm Niederschlag pro Jahr beschränkt. Die Sommer sind heiss, die Winter trocken mit der Wahrscheinlichkeit von gelegentlich leichten Frösten. Die Vegetation setzt sich aus dichten, undurchdringlichen, dornigen, 2–5 m hohen Dickichten zusammen, vermischt mit einzelnen, höheren Bäumen. Sukkulente Pflanzen sind ein wichtiges Element dieser Vegetation und *Portulacaria afra* ist eine häufige und gelegentlich dominante Charakterart. Offene Stellen werden von Gräsern und ebenfalls vielen Sukkulenten bestimmt. Es kommt eine Mischung von Stamm- und Blattsukkulenten vor, zur Hauptsache aus den Gattungen *Euphorbia, Delosperma, Aloe, Gasteria, Crassula, Sansevieria, Haworthia, Faucaria* und *Senecio*. Die Böden sind fruchtbar und bestehen aus Konglomeraten und Beaufort-Schiefern. Auf den Konglomeratböden finden sich zahlreiche endemische Sukkulenten. Die Vegetation ist an Beweidung angepasst.

Subtropische Wälder

Die bewaldeten Gebiete Südafrikas machen den kleinsten aller beschriebenen Lebensräume aus. Wälder kommen vorwiegend in den tief liegenden, östlichen Teilen von Südafrika in Gebieten mit Jahresniederschlägen von 1500 mm und mehr vor. Das Klima ist warm und frostfrei. Diese Wälder bestehen aus hohen Bäumen wie *Podocarpus, Olinia, Harpephyllum, Ficus* und anderen. Sukkulenten sind in diesen Wäldern kaum vertreten, und die wenigen, die vorkommen, sind wie die Arten von *Plectranthus* endemisch. Mittagsblumen wie *Delosperma pondoense* und *D. rogersii* werden gelegentlich an exponierten Felsklippen gefunden.

arbres comme l'*Adansonia digitata* (le baobab, succulente la plus grande du monde), le *Combretum*, le *Ficus*, le *Colophospermum*, etc. Dans cette région, les plantes succulentes sont généralement bien représentées, surtout les *Aloe*, *Euphorbia*, *Cyphostemma*, *Adenia*, etc. mais les mésembs sont plutôt rares. Il est possible de trouver quelques espèces de *Delosperma* ainsi que l'*Aptenia lancifolia*. Le feu et les dommages dus aux animaux sont les facteurs écologiques classiques.

Maquis

Cette végétation se situe essentiellement dans le sud-est de l'Afrique du Sud, là où les précipitations annuelles sont d'environ 300–400 mm. Les étés sont chauds et les hivers secs, avec une probabilité de voir parfois des gels légers. Le paysage végétal se compose de buissons épineux de 2 à 5 m de haut, inextricablement et densément entremêlés, le tout parfois entrecoupé d'arbres plus élevés. Les plantes succulentes sont un élément important de cette formation végétale et la *Portulacaria afra* en est une espèce caractéristique et fréquente, voire parfois dominante. Les espaces dégagés sont colonisés par les graminées et également de nombreuses succulentes. On y rencontre un mélange d'espèces à feuilles ou à tiges succulentes, surtout parmi les genres *Euphorbia*, *Delosperma*, *Aloe*, *Gasteria*, *Crassula*, *Sansevieria*, *Haworthia*, *Faucaria* et *Senecio*. Les sols sont fertiles et sont formés de conglomérats et de schistes de Beaufort. Les sols de conglomérats accueillent de nombreuses succulentes endémiques. Cette végétation s'est adaptée au pâturage et aux dommages d'origine animale.

Forêts subtropicales

Les zones boisées d'Afrique du Sud forment le plus petit des habitats décrits. Les forêts de trouvent essentiellement dans les dépressions profondes de l'est sud-africain, là où les précipitations annuelles s'élèvent à 1500 mm ou plus. Le climat est chaud et hors-gel. Ces forêts se composent de grands arbres comme les *Podocarpus*, *Olinia*, *Harpephyllum*, *Ficus* et autres. Les succulentes sont rares dans ces forêts et les quelques unes que l'on y rencontre sont endémiques comme les espèces de *Plectranthus*. Les affleurements rocheux exposés montrent parfois quelques mésembs comme le *Delosperma pondoense* et le *D. rogersii*.

Blüten und Bestäubung
Floraison et pollinisation

Die Blüten der Mittagsblumen erscheinen v.a. bei den kleinen Zwergarten einzeln zwischen den Blättern, oder bei den grösseren, strauchigen Arten in verzweigten Blütenständen. Andere wie die in Gärten gepflanzten *Lampranthus*-Arten zeigen ein wahres Blütenmeer. Die Blüten ähneln oberflächlich einem Gänseblümchen, sind aber glänzender und auffälliger, und zeigen nackte, konische Kelche. Gewöhnlich sind 5 Kelchblätter vorhanden, gefolgt von zahlreichen, farbenfrohen »Blütenblättern«, bei welchen es sich aber in Wirklichkeit um modifizierte Staubblätter (Staminodien) handelt. Die Blüten sind auffällig gefärbt, um Bestäuber (Bienen und andere Insekten) anzulocken. Bei einigen wenigen Arten wie *Dorotheanthus apetalus* und *Cleretum papulosum* sind die Blüten kleistogam, d.h. sie öffnen sich nicht oder kaum und bestäuben sich selbst. Bei diesen fehlen die blütenblattartigen Staminodien, und die Pflanzen bilden kurz nach der Blütenentwicklung bereits Früchte. Die zahlreichen Staubblätter tragen den Blütenstaub und sind um die Narbe herum angeordnet. Nektarien finden sich in der Regel an der Basis der Staubfäden und ziehen Insekten an. Die Narben sind meistens gelappt. Viele Mittagsblumen sind selbststeril und akzeptieren keinen eigenen Blütenstaub, sondern nur Blütenstaub einer genetisch anderen Pflanze. Der Fruchtknoten ist unterständig oder halbunterständig und im Achsenbecher (Receptaculum) eingesenkt. Er enthält die Samenanlagen, die entweder winkel- oder wandständig angeordnet sind. Die einzelnen Mittagsblumenarten haben je ihre typische, eigenständige Blütezeit. Die meisten blühen im frühen Frühling. Auch die Blütezeit der einzelnen Individuen ist unterschiedlich, aber meist innerhalb eines Zeitraumes von 3 bis 4 Wochen abgeschlossen. Im Falle anderer Arten (z. B. *Delosperma*) erscheinen die Blüten zerstreut über eine längere Zeit.

Die Blüten vieler Mittagsblumen öffnen sich nur über Mittag in voller Sonne und bei warmen Temperaturen – davon ist auch der Name *Mesembryanthemaceae* abgeleitet (griechisch: „Mittags-Blume«). Bei anderen, wie z.B. Arten von *Lithops, Faucaria, Pleiospilos, Chasmatophyllum, Stomatium* und *Hereroa*, öffnen sich die Blüten erst ab dem späten Nachmittag. Dadurch werden die »richtigen« Bestäuber (in vielen Fällen Nachtfalter) angelockt, und gleichzeitig ist das Ausmass der Verdunstung am späten Nachmittag und in der Nacht geringer.

Les fleurs des mésembs sont soit isolées au milieu des feuilles, surtout chez les espèces naines, soit regroupées en inflorescences ramifiées chez les espèces arbustives de plus grande taille. D'autres, comme les différents *Lampranthus* cultivés dans les jardins, produisent une véritable marée de fleurs. Superficiellement, ces fleurs ressemblent à des pâquerettes mais elles sont plus lumineuses et plus spectaculaires et montrent un calice nu et conique. Généralement, on observe 5 sépales suivis de nombreux «pétales» vivement colorés qui sont en fait des étamines modifiées (staminodes). Les fleurs sont remarquablement colorées afin d'attirer les pollinisateurs (abeilles et autres insectes). Chez quelques espèces comme le *Dorotheanthus apetalus* et le *Cleretum papulosum*, les fleurs sont cléistogames, c'est à dire qu'elles ne s'ouvrent pas ou peu et s'auto-pollinisent. Dépourvues de staminodes pétaloïdes, leur développement précède de peu celui des fruits. Les nombreuses étamines portent le pollen et sont disposées autour du stigmate. Les nectaires se trouvent à la base du filet des étamines et attirent les insectes. Les stigmates sont généralement lobés. De nombreuses mésembs sont autostériles et n'acceptent pas leur propre pollen mais uniquement celui d'une plante génétiquement différente. L'ovaire est infère ou semi-infère et enfoncé dans le réceptacle. Il comprend les loges, disposées côte à côte ou de manière rayonnante. Chaque espèce de mésembs possède sa propre période de floraison. La majorité des espèces fleurit en début de printemps. La période de floraison varie même pour chaque individu mais demeure généralement enclose dans une période de 3 à 4 semaines. Chez d'autres espèces (par exemple le *Delosperma*), les fleurs s'épanouissent progressivement sur un plus long laps de temps.

Les fleurs de nombreuses mésembs ne s'ouvrent qu'en milieu de journée, en plein soleil et par temps chaud. D'autres espèces, par exemple les *Lithops, Faucaria, Pleiospilos, Chasmatophyllum, Stomatium* et *Hereroa*, voient leurs fleurs s'ouvrir seulement en fin d'après-midi. Ainsi, elles attirent les pollinisateurs adéquats (souvent des papillons de nuit) et, de plus, l'évaporation est moins importante en fin d'après-midi et durant la nuit.

Die Blüten der Mittagsblumen werden vor allem durch Insekten, insbesondere Bienen, bestäubt *(Carpanthea pomeridiana)*.
***Les fleurs des mésembs sont essentiellement pollinisées par les insectes, surtout les abeilles* (Carpanthea pomeridiana).**

Früchte und Verbreitung der Samen
Fructification et dissémination des graines

Die Struktur der Früchte der Mittagsblumen variiert beträchtlich und ist sehr komplex. Deshalb wurde sie in der Vergangenheit als Merkmal für die Klassifikation verwendet. In der Regel handelt es sich um relativ trockene Kapseln, aber es gibt einige Ausnahmen. Einige Arten von *Carpobrotus* bilden wohlschmeckende, essbare Früchte. Eine andere, merkwürdige Art von der Küste bei Bredasdorp mit flachen, grünen Blättern und grossen, weissen Blüten, nämlich *Caryotophora skiatophytoides*, weist Früchte in Form harter Nüsse auf. Die Mehrzahl der Früchte sind aber komplizierte, harte Kapseln mit mehreren (4 bis zahlreichen) Fächern. Diese Fächer können durch Fächerdecken abgeschlossen sein. Mittagsblumen mit ursprünglichen Merkmalen haben in der Regel wenige Fächer, während andere wie Arten von *Glottiphyllum* oder *Leipoldtia* zahlreiche Fächer aufweisen. Die Früchte von *Glottiphyllum* sind gross und schwammig. Die Klappen verfügen über Quellleisten, welche bei Benetzung anschwellen und dadurch die Klappen öffnen. Die Klappen ihrerseits können noch über Klappenflügel verfügen. Die Kapseln sind hygrochastisch, d. h. sie öffnen sich, wenn sie nass werden, und schliessen sich beim Austrocknen wieder. Einige wenige Arten der Mittagsblumen haben hygroskopische Früchte, d. h. wenn sich die Früchte einmal geöffnet haben, bleiben sie offen und können sich nicht wieder schliessen. *Stoeberia arborea* (»Rooivye«) ist ein Beispiel für diesen Fruchttyp. Die Samen der Mittagsblumen sind klein und oft birnenförmig. Die Oberfläche kann glatt oder stark aufgerauht sein. Die Gestalt der Mittagsblumenkapseln ist ebenso sehr unterschiedlich; die meisten sind kreiselförmig. Die Oberseite der Kapsel variiert von flach bis gerundet; manchmal sind auch Rippen vorhanden.

Die Samenverbreitung ist gleichermassen interessant und geschieht in den meisten Fällen entsprechend der Funktionsweise einer Wasserpistole. Während eines Regens werden die Fruchtkapseln nass, und die Quellleisten drücken die Klappen auf. Die napfartige Vertiefung füllt sich mit Wasser, und zur Samenverbreitung wird die Geschwindigkeit bzw. die kinetische Energie der aufprallenden Regentropfen ausgenutzt. Wenn ein Regentropfen die Kapsel trifft, erhöht sich der Druck auf die Fächerdecken. Dadurch werden die Samen seitwärts zu kleinen Öffnungen oder Schlitzen bewegt und schliesslich wie bei der Betätigung einer Wasserpistole herausgedrückt. Die Samen von Mittagsblumen können auf diese Weise mindestens eine Distanz von 1 Meter überwinden. Einige Mittagsblumen wie z. B. *Ruschia* verfügen zudem über »Verschlusskörperchen«, die verhindern, dass sämtliche Samen gleichzeitig verbreitet werden. Andere Mittagsblumen-

La structure des fruits des mésembs varie notablement et s'avère très complexe. C'est pour cela que par le passé, elle servait de critère pour la classification. En règle générale, il s'agit de capsules relativement sèches mais il existe quelques exceptions. Certaines espèces de *Carpobrotus* produisent des fruits comestibles et savoureux. Une autre espèce remarquable, *Caryotophora skiatophytoides*, originaire de la côte près de Bredasdorp, possède des feuilles vertes et de grandes fleurs blanches et donne des noix coriaces.

Toutefois, la plupart des fruits sont des capsules dures à plusieurs loges (de 4 à ...beaucoup). Ces loges peuvent être fermées par des opercules. Les mésembs à caractéristiques archaïques possèdent généralement peu de loges alors que d'autres, comme les *Glottiphyllum* ou les *Leopoldtia*, en comptent de nombreux. Les fruits du *Glottiphyllum* sont gros et spongieux. Les valves présentent des bourrelets extensibles qui, lorsqu'ils sont mouillés, gonflent et déclenchent l'ouverture de la valve. De leur côté, les valves peuvent encore disposer d'ailettes. Les capsules sont hygrochastiques, c'est à dire qu'elles s'ouvrent quand elles sont mouillées et se referment en séchant. Quelques rares espèces présentent des fruits hygroscopiques qui, une fois ouverts, restent en l'état et ne peuvent se refermer. La *Stoeberia arborea* («Rooivye») est un exemple de ce type de fruits. Les graines des mésembs sont petites et souvent pyriformes. Leur surface peut être lisse ou fortement sillonnée. La forme des capsules est également très variable, turbinée dans la majorité des cas. La partie supérieure de la capsule est plate à arrondie et parfois aussi côtelée.

La dissémination des graines est également intéressante et, dans la majorité des cas, elle fonctionne comme le mécanisme d'un pistolet à eau. Les capsules sont mouillées au cours d'une pluie et les bourrelets extensibles déclenchent l'ouverture des valves. L'ouverture en forme de petit bol se remplit d'eau et c'est l'énergie cinétique des gouttes d'eau qui propulse et dissémine les graines. En effet, quand une goutte de pluie tombe dans la capsule, la pression s'accentue sur les opercules et pousse les graines latéralement jusqu'aux petites ouvertures ou fentes. Finalement, elles sont expulsées comme par le mécanisme d'action d'un pistolet à eau. Ainsi, les graines des mésembs peuvent franchir une distance d'au moins 1 mètre. Certaines espèces, comme par exemple le *Ruschia*, possèdent des «obturateurs» qui empêchent l'expulsion simultanée de toutes les graines. Les fruits d'autres mésembs, comme ceux des «Beeskloutjies», *Aptenia*, *Delosperma*, *Nananthus* et autres espèces,

Links: Diese Früchte von *Glottiphyllum cruciatum* sind bald reif und zum Abfallen bereit. Es handelt sich um vom Wind bewegte »Bodenroller«, aber zur Samenverbreitung ist dennoch auch Regen nötig.
A gauche: Les fruits de ce Glottiphyllum crucianum *seront bientôt murs et prêts à tomber. Ces «culbutos» sont déplacés par le vent mais la pluie demeure nécessaire à la dissémination des graines.*

Rechts: Die Früchte von *Carpobrotus* sind in der Familie der Mittagsblumen einmalig, denn sie sind bei der Reife saftig. Sie sind essbar und wohlschmeckend.
A droite: Les fruits du Carpobrotus *sont uniques parmi la famille des Mésembryanthémacées car ils sont juteux une fois mûrs. Comestibles et savoureux, ils dégagent un agréable arôme.*

früchte wie diejenigen der »Beeskloutjies«, *Aptenia, Delosperma, Nananthus* und weiterer Arten haben keine Fächerdecken und die Samen werden einfach herausgespritzt oder -gewaschen. Dann gibt es auch einige wenige Arten, deren Kapseln sich einfach öffnen und bei welchen die Samen ohne irgendeinen speziellen Mechanismus herausfallen. Dazu gehören Arten wie *Skiatophytum tripolium, Saphesia flaccida* und *Stoeberia carpii*.

Bemerkenswerterweise spielt bei gewissen Mittagsblumen auch der Wind eine Rolle bei der Samenverbreitung. Bei einigen Arten von *Glottiphyllum* lösen sich die Früchte bald nach der Reife von der Pflanze und rollen mit dem Wind davon. Der Wind transportiert sie weg, aber auch bei diesen Arten ist der Regen für die Kapselöffnung verantwortlich. Im Falle von windverbreiteten Arten wie *Stoeberia* bleiben die Kapseln nach der erstmaligen Öffnung offen, und hier sind die Samen sogar etwas geflügelt und wirklich an Windverbreitung angepasst. Bei diesen Arten ragt der Blütenstand zudem weit über die Pflanzen hinaus, was Sinn macht und die Windverbreitung erleichtert. Eine weitere einmalige Mittagsblume ist *Ruschianthemum gigas*: In diesem Fall bricht die schwammige Kapsel in mehrere Teile, und der Wind verteilt dann die Teilfrüchte samt der darin eingeschlossenen Samen. Charakteristisch ist bei dieser Art zudem das korbartige Fruchtskelett, das an der Pflanze zurückbleibt.

Die Samen der Mittagsblumen keimen in der Regel in einem durchlässigen, sandigen Boden leicht. Manchmal enthalten sie jedoch Stoffe, welche eine spontane Keimung verhindern. Der Grund dafür ist mit dem Überleben verbunden: Wenn sämtliche Samen gleichzeitig keimen würden, würde eine nachfolgende Trockenperiode nicht nur sämtliche Sämlinge zerstören, sondern dadurch auch das Überleben der Art gefährden.

sont dépourvus d'opercules et les graines sont tout simplement éjectées ou entraînées par l'eau. Enfin, il existe également quelques espèces, comme les *Skiatophytum tripolium, Saphesia flaccida* et *Stoeberia carpii*, dont les capsules ne font que s'ouvrir et les grains qu'en tomber sans l'aide d'un mécanisme particulier. Il est intéressant de souligner que chez certaines mésembs, le vent joue également un rôle dans la diffusion des graines. En effet, quelques espèces de *Glottiphyllum* voient leurs fruits se détacher dès qu'ils sont mûrs et rouler au sol grâce au vent. Toutefois, si c'est le vent qui les transporte, c'est toujours la pluie qui permet aux capsules de s'ouvrir. Dans le cas d'espèces à dissémination éolienne, comme chez les *Stroeberia*, les capsules demeurent ouvertes et les graines sont même plus ou moins ailées et nettement adaptées à une dispersion par le vent. Les inflorescences de ces espèces dominent nettement la plante, ce qui facilite l'action du vent. Le *Ruschianthemum gigas* est une autre mésemb particulière: ses capsules spongieuses se brisent en plusieurs morceaux que le vent disperse en semant les graines. Une caractéristique de cette espèce réside dans les vestiges en forme de petite corbeille qui demeurent sur la plante après la chute des fruits.

Les graines des mésembs germent généralement facilement dans les sols légers et sableux. Toutefois, elles contiennent parfois une substance qui bloque la germination spontanée, et ce, pour des raisons de survie. En effet, si l'ensemble des graines germait simultanément et qu'une période de sécheresse advienne juste après, non seulement les jeunes plantes seraient détruites mais la survie même de l'espèce serait menacée.

Wuchs und Anpassungen
Croissance et adaptation

Die winzigen Sämlinge sehen einem kleinen »Beeskloutjie« (Kuh-Huf) ähnlich. Sie beginnen das Leben als sukkulenter, grüner, flach dem Boden anliegender Punkt. Dieser funktioniert wie eine winzige »Sonnenzelle« und absorbiert das Sonnenlicht. Zusammen mit aus dem Boden aufgenommenem Wasser und darin gelösten Mineralien entstehen dadurch alle Teile der Pflanze. Dann erscheint das zweite Blattpaar, welches bereits den Blättern der ausgewachsenen Pflanze ähnelt. Nachher wird die Pflanze bei vorteilhaften Bedingungen rasch wachsen. Alle Mittagsblumen haben sukkulente Blätter. Die Blattform variiert von drehrund bis dreikantig bis abgeflacht. Opportunistische Arten wie *Mesembryanthemum crystallinum* haben in der Sonne glitzernde Blasenzellen, während andere grosse Zellen zur Wasserspeicherung im Blattinneren aufweisen. Die Triebe der Mittagsblumen sind in der Regel anfangs weich. Einige bleiben weich und sukkulent, aber bei anderen Arten werden sie hart und holzig. Die Blätter von *Psilocaulon* laufen dem Trieb entlang nach unten und vermitteln so den Eindruck einer sukkulenten Sprossachse. Bei *Aethephyllum pinnatifidum* aus dem Fynbos sind die Blätter zusammengesetzt oder gefiedert.

Die Wuchsgeschwindigkeit der Mittagsblumen ist sehr verschieden: Die erste Form zeigt ein sehr rasches, opportunistisches Wachstum, wobei die Mittagsblumen dieser Gruppe in der Regel nicht sehr langlebig sind. Hierher gehören einige Arten von *Glottiphyllum, Aridaria, Mesembryanthemum* etc. Einige wie *Dorotheanthus bellidiformis* (»Bokbaai«), *Eurystigma clavatum* (»Heuningslaai«) und *Carpanthea pomeridiana* (»Vetkousie«) sind besonders kurzlebig. Es handelt sich um einjährige Arten, welche den ganzen Lebenszyklus innerhalb einer Vegetationszeit abschliessen. Bei den zur zweiten Wachstumsform gehörenden Arten handelt es sich um relativ langsam wachsende Pflanzen (wie z. B. *Ruschia* und andere langlebige Arten), und die Zuwachsrate hängt auch von der Verfügbarkeit von Wasser ab.

Les minuscules plantules ressemblent à de petits «Beeskloutjie» (pied de vache). Leur vie commence par un petit point vert et charnu, étroitement plaqué au sol. Il joue le rôle d'un infime capteur solaire et absorbe la lumière. L'eau puisée dans le sol et les minéraux qui y sont dissous permettent à la plante d'élaborer ses tissus et ses organes. Ensuite, apparaît la deuxième paire de feuilles qui ont déjà l'aspect de celles de la plante adulte. Après ce stade, la croissance sera très rapide dans des conditions favorables. Toutes les mésembs possèdent des feuilles succulentes qui permettent de stocker l'eau. Leur forme varie de fusiforme à trigone jusqu'à la feuille plate de certaines espèces. Les espèces opportunistes comme le *Mesembryanthemum crystallinum* présentent des vésicules étincelant au soleil alors que chez d'autres, les feuilles contiennent de grosses cellules destinées à stocker l'eau. Les tiges de ce type de plantes sont généralement tendres au début. Certaines demeurent ensuite tendres et succulentes alors que chez d'autres espèces, elles se lignifient.

La rapidité de croissance des mésembs est très variable. Il existe deux groupes différents: dans le premier, la croissance est très rapide et opportuniste mais les plantes concernées n'ont généralement pas une très longue durée de vie. Y appartiennent quelques espèces de *Glottiphyllum, Aridaria, Mesembryanthemum*, etc. Certaines, comme les *Dorotheanthus bellidiformis* («Bokbaai»), *Eurystigma clavatum* («Heuningslaai») et *Carpanthea pomeridiana* («Vetkousie») sont particulièrement peu durables. Il s'agit d'espèces annuelles dont le cycle biologique est bouclé en une seule période de végétation. Les espèces appartenant au second groupe poussent relativement lentement (par exemple les *Ruschia* et autres formes pérennes) et leur taux de croissance dépend aussi de la disponibilité en eau.

La taille et le port montrent également de grandes différences. La taille des plantes adultes varie entre les espèces naines de *Co-*

Grosse Unterschiede zeigen sich auch in der Wuchsform. Ausgewachsene Pflanzen variieren in der Grösse von zwergigen *Conophytum*-Arten bis zu Bäumen wie z. B. die verholzte *Stoeberia arborea*, welche eine Höhe bis 3 Meter erreichen kann. Einige der Zwergformen bestehen lediglich aus einem einzigen Körperchen wie z. B. *Lithops, Imitaria, Dinteranthus* etc. Andere bilden durch fortgesetzte Teilung dichte, gerundete Polster wie z. B. *Conophytum, Fenestraria* und *Frithia. C. stephanii* kommt entlang der Küste des Namaqualandes vor, wo häufig nächtliche Nebel vom Meer her streichen. Die Haarbedeckung erlaubt den Pflanzen, diese Feuchtigkeit zu absorbieren.

Einige Mittagsblumen wie z. B. *Mestoklema tuberosum* weisen knollige Wurzeln auf. Die Knollen dienen während der Trockenzeiten als Wasserspeicher. Andere Beispiele sind die Arten von *Trichodiadema, Aloinopsis* und *Nananthus*.

nophytum et les arbres tels que, par exemple, le *Stoeberia arborea* ligneux qui peut atteindre jusqu'à 3 m de haut. Quelques formes naines ne sont seulement constituées que d'un seul et unique corpuscule, comme par exemple les *Lithops, Imitaria, Dinteranthus*, etc. D'autres se divisent en permanence et forment des coussins denses et arrondis comme les *Conophytum, Fenestraria* et *Frithia. C. stephanii* est originaire de la côte du Namaqualand où il est fréquent que des brouillards nocturnes s'élèvent de la mer. Cette pilosité permet à la plante d'en absorber l'humidité.

Quelques mésembs comme le *Mestoklema tuberosum* possèdent des racines tubéreuses. Les protubérances servent à stocker l'eau durant les périodes de sécheresse. D'autres exemples de ce genre sont fournis par les *Trichodiadema, Aloinopsis* et *Nananthus*.

Sämlinge von *Glottiphyllum* kurz nach der Keimung (links) und etwas älter (rechts). Die zuerst erscheinenden, flachen und verwachsenen, sukkulenten Keimblätter sind bemerkenswert.
Jeunes plants de Glottiphyllum *peu après la germination (gauche) et un peu plus tard (droite). A noter, les premières feuilles germinatives, plates, soudées et succulentes*

Mittagsblumen als Nutzpflanzen
Les mésembs, plantes utilitaires

Mittagsblumen wurden durch die indigenen Völker des südlichen Afrikas seit Tausenden von Jahren medizinisch sowie als Nahrungspflanzen genutzt. Diese Nutzungen wurden später durch die europäischen Kolonialisten übernommen, und einige dieser traditionellen Verwendungen dauern bis heute fort.

Viehfutter
Obwohl einige Arten giftige, gegen Pflanzenfresser gerichtete Inhaltsstoffe produzieren, sind viele Mittagsblumen wegen ihres wertvollen Futterpotentials von landwirtschaftlicher Wichtigkeit, v.a. in den Gebieten der Succulent Karoo, wo sie dominant vorkommen. Wegen des hohen Wassergehaltes der Blätter benötigt das Vieh entlang der Westküste kein regelmässiges Trinkwasser. Diese abgeweideten Arten gehören zu *Ruschia, Lampranthus* und anderen. Die Mittagsblumen der im Landesinneren gelegenen Karoo-Gebiete werden gleichermassen genutzt und umfassen Arten von *Trichodiadema, Ruschia* etc. *Delosperma ornatum* (von einigen Farmern »Skaapvygie« genannt) wird besonders gerne abgeweidet (Smith 1966). Das Vieh beweidet aber auch so stark dornige Arten (»Doringvygies«) wie *Eberlanzia spinosa, E. intricata* oder *E. ferox. Psilocaulon gessertianum* (»Brakbosvygie«) ist eine weitere, vom Vieh meist geschätzte Art. In früheren Zeiten diente *Mesembryanthemum crystallinum* (»Brakslaai«) auch Elefanten als Futter.

Il y a des milliers d'années que ces plantes sont employées à des usages médicinaux ou alimentaires par les populations autochtones du sud de l'Afrique. Ces utilisations furent reprises plus tard par les colonisateurs européens et certaines d'entre elles durent encore aujourd'hui.

Fourrage
Bien que quelques espèces soient toxiques et produisent des substances destinées à repousser d'éventuels consommateurs, de nombreuses mésembs présentent un intérêt économique car elles constituent un fourrage précieux, surtout dans leur principal habitat, la région du Karoo à succulentes. La forte teneur en eau des feuilles permet au bétail de la côte occidentale d'éviter de devoir s'abreuver régulièrement. Ces espèces fourragères font partie des *Ruschia*, des *Lampranthus* et d'autres. Les mésembs des zones du Karoo situées à l'intérieur des terres sont également utilisées et regroupent des espèces comme les *Trichodiadema, Ruschia*, etc. Appelé «Skaapvygie» par certains exploitants agricoles, le *Delosperma ornatum* est particulièrement apprécié comme fourrage (Smith, 1966). Le bétail consomme également des espèces aussi épineuses («Doringvygies») que l'*Eberlanzia spinosa*, l'*E. intricata* ou l'*E. ferox*. Le *Psilocaulon gessertianum* («Brakbosvygie») est encore une autre espèce généralement appréciée du bétail. Autrefois, le *Mesembryanthemum crystallum* («Brakslaai») était aussi donné aux éléphants.

Medizinische Verwendung
Arten von *Carpobrotus* (»Sourfig«) werden vielfältig als Heilmittel verwendet. Der Saft wird auf durch bestimmte Quallenarten (»Bluebottle«) verursachte Verletzungen gestrichen, aber auch bei Insektenstichen und Verbrennungen benutzt. Andere häufige Anwendungen des Saftes von *Carpobrotus* betreffen die Behandlung von Halsschmerzen und Mundhöhlenentzündungen. Der adstringierende Saft enthält Apfel- und Zitronensäure und wird auch bei Verdauungsproblemen und als Mundspülung oder zum Gurgeln verwendet sowie gegen Soor. Einige verwenden den Saft auch bei gewissen Herzproblemen. Die Früchte von *Carpobrotus acinaciformis* werden gekocht und zur Behandlung von Lungentuberkulose sowie anderen Brustproblemen verwendet. Sie werden auch gegen Dysenterie sowie als harntreibendes Mittel genutzt. Der Saft von *C. edulis* (»Hotnotsvy«, »Perdevy«) wird in Wunden geträufelt und für Wundverbände gebraucht.

Laugenasche (Afrikaans: »Loogas«)
Das »Loogasbossie« (*Psilocaulon absimile*) dient der Herstellung von Seife. Die Pflanzen sind alkalireich und werden verbrannt, um Asche zu erhalten, die dann gebraucht wird.

Viele weitere *Psilocaulon*-Arten werden in ähnlicher Weise verwendet und sind entsprechend als »Loogasbossie«, »Looganna«, »Litjiesbos« und »Litjiesganna« oder »Grootlitjiesbos« bekannt (Smith 1966).

Verwendung als Narkotikum
Mittagsblumen enthalten ganz allgemein das narkotisch wirkende Alkaloid Mesembrin. Bei *Sceletium, Mesembryanthemum* und verwandten Gattungen kommt es in besonders hoher Konzentration vor. In den Winterregengebieten der trockenen Karoo-Gebiete sind Arten von *Sceletium* lokal als »Kougoed« bekannt, und die Blätter werden fermentiert und z. B. zur Behandlung von Zahnschmerzen gekaut. Ein fermentiertes Gebräu der Blätter wird auch zum Erzielen von Rauschzuständen missbraucht. Der Saft von »Koegoed« wird auch heute noch zur Behandlung von Koliken und entzündetem Zahnfleich bei Babies verwendet. Fermentierte Blätter riechen wie starker Kautabak. In früheren Zeiten war »Koegoed« auch als »Kanna« bekannt, und entsprechend heisst ein Gebiet der Little Karoo wegen der Häufigkeit der Pflanze »Kannaland«. Bereits Simon van der Stel, 1679 bis 1699 Gouverneur am Kap, berichtete über die Verwendung von »Kanna« und dessen berauschender Wirkung bei den Khoi. Es wurde auch zur Bekämpfung von Durst und Hunger verwendet und erleichterte kranken Kindern das Einschlafen. Im Rietbron-Distrikt wird *Pleiospilos bolusii* dem Schnupftabak beigemischt.

Die Blätter werden getrocknet, zerstossen und mit dem Tabak gemischt. Das Volk der Griqua nutzt die Blätter von *Rabiea albinota* (»S'keng-keng«) in ähnlicher Art. In der Little Karoo wird *Gibbaeum dispar* (»Duimpiesnuif«) als Ersatz für Schnupftabak verwendet.

Herstellung von Bier
Arten der Gattung *Khadia* (»Khadiroot«) werden von den Einheimischen des Transvaal-Gebietes häufig zum Brauen von Bier verwendet. Der Wurzelstock mehrerer Pflanzen wird als Ferment verwendet. Die Khoi nutzten in früheren Zeiten Arten von *Trichodiadema* (»Karemoer«) in gleicher Weise zur Bierherstellung. Im Humansdorp-Distrikt wurden die Pflanzen zu diesem Zweck mit Honig vermischt.

Verwendung als Nahrungsmittel
Die fleischigen Pfahlwurzeln von *Nananthus aloides* (»Mosedi-Vygie«) werden gegessen und schmecken nicht unangenehm. Kinder sowohl der Boer wie der Khoi aßen früher Pflanzen von *Lithops*, um den Durst zu stillen. *Prenia vanrensburgii* (»Seepampoen«) aus dem Western Cape kann als Spinat in Potjiekos (eine Art Eintopfgericht, über offenem Feuer

Die Früchte von *Carpobrotus acinaciformis* sind getrocknet essbar. Sie werden auf Märkten zum Sofortverzehr oder zur Herstellung von Marmelade verkauft.
Les fruits du Carpobrotus acinaciformis *sont comestibles séchés. On les vend au marché, soit pour les consommer tels quels, soit pour en faire de la marmelade.*

Usages médicinaux
Les *Carpobrotus* («Sourfig») sont diversement utilisés comme médicament. Leur sève peut traiter des lésions dues à certaines espèces de méduses («Bluebottle») ainsi que des piqûres d'insectes ou des brûlures. La sève de *Carpobrotus* est aussi fréquemment employée pour soigner les maux de gorge et les inflammations buccales. Ce jus astringent contient de l'acide malique et citrique et sert également pour les ennuis de digestion ainsi qu'en bain de bouche ou gargarisme, et contre le muguet. Certains utilisent aussi cette sève pour des problèmes cardiaques précis. Les fruits du *Carpobrotus acinaciformis* sont cuits et employés dans le traitement de la tuberculose et d'autres affections pulmonaires. Ils combattent aussi la dysenterie et sont diurétiques. La sève du *C. edulis* («Hotnotsvy», «Perdevy») est utilisée pour panser les plaies.

Cendres saponifères («Loogas» afrikaans)
Le «Loogasbossie» (*Psilocaulon absimile*) permet de fabriquer du savon. Riches en alcali, ces plantes sont brûlées afin d'obtenir des cendres qui, elles, sont utilisables. De nombreuses autres espèces de *Psilocaulon* sont employées de la même manière et sont, de ce fait, connues sous les noms de «Loogasbossie», «Loogganna», «Litjiesbos» et «Litjiesganna» ou encore «Grootlitjiesbos» (Smith, 1966).

Narcotiques
De manière tout à fait générale, les mésembs renferment un alcaloïde à effet narcotique, la mésembrine. Chez le *Sceletium*, le *Mesembryanthemum* et des genres apparentés, elle est présente à un taux particulièrement élevé. Dans la zone à pluies hivernales de la région sèche du Karoo, les *Sceletium* sont appelés localement «Kougoed» et leurs feuilles sont mises à fermenter puis, par exemple, mâchées pour soulager les douleurs dentaires. Une décoction fermentée des feuilles est même abusivement consommée pour s'enivrer. La sève du «Koegoed» est encore aujourd'hui utilisée pour apaiser les coliques et les gencives enflammées des bébés. Les feuilles fermentées ont l'odeur d'un fort tabac à chiquer. Autrefois, le «Koegoed» était aussi appelé «Kanna» et c'est pourquoi une région du Little Karoo se nomme «Kannaland» car cette plante y est fréquente. Déjà, Simon van der Stel, gouverneur du Cap de 1679 à 1699, parle de l'usage du «Kanna» et de l'enivrement qu'il procurait aux Khoi. On l'employait aussi pour lutter contre la soif et la faim ainsi que pour faciliter le sommeil des enfants malades. Dans le dis-

Oben: *Prenia vanrensburgii* (»Seepampoen«) (links) und *Carpanthea pomeridiana* (»Vetkousie«) (rechts) können gekocht und wie Spinat gegessen werden.
Links: Die Blätter von *Sceletium*-Arten (»Kougoedvygie«) werden fermentiert, gekaut und als Beruhigungsmittel verwendet.
Unten: Das Holz von *Stoeberia arborea* und *S. utilis* wird als Feuerholz sehr geschätzt. Es ist hart, brüchig, und ergibt eine feine Kohle.
Ci-dessus: Le Prenia vanrensburgii *(«Seepampoen») (gauche) et le* Carpanthea pomeridiana *(«Vetkousie») (droite) peuvent être cuisinés et consommés comme des épinards.*
Ci-contre: Les feuilles des Sceletium *(«Kougoedvygie») sont mises à fermenter, mâchées et employées comme calmant.*
En bas: Le bois de Stoeberia arborea *et de* S. utilis *est très prisé comme bois de chauffage. Il est dur, cassant et fournit un bon charbon.*

gekocht) etc. verwendet werden. Offenbar nutzten die Khoi *Mesembryanthemum crystallinum* in ähnlicher Weise als Salat oder Gemüse.

Herstellung von Marmelade

Die trockenen Früchte von *Carpobrotus edulis* werden mit Zucker zu Konserven verarbeitet. Sie wirken auch als gutes Abführmittel, und die Früchte werden regelmässig als Süssigkeit gegessen. Die Früchte von *C. deliciosus* (»Ghoukum«) werden bei der Reife frisch verzehrt und schmecken süss. Die reifen Früchte der Arten von *Carpobrotus* duften angenehm. Zur Herstellung von Marmelade wird hauptsächlich *C. acinaciformis* (»Sourfig«) verwendet. Praktisch im ganzen Verbreitungsgebiet der Art in der südlichen Kapregion werden die Früchte auch heute noch in beträchtlichem Ausmass geernet.

Gerben von Leder

Die Khoi nutzten die fleischigen Blätter von *Mesembryanthemum crystallinum*, um Tierhäute vor dem Gerben weich zu machen und die Haare zu entfernen.

trict de Rietbron, on mélangeait le tabac à priser à du *Pleiospilos bolusii*.

Les feuilles sont séchées, broyées, puis mélangées au tabac. L'ethnie des Griqua utilise les feuilles de *Rabiea albinota* («S'keng-keng») de la même manière. Dans le Little Karoo, c'est le *Gibbaeum dispar* («Duimpiesnuif») qui remplace le tabac à priser.

Brassage de la bière

Les espèces du genre *Khadia* («Khadiroot») sont souvent employées par les populations autochtones du Transvaal pour confectionner de la bière. Les racines de plusieurs plantes servent de ferment. Les Khoi se servaient autrefois de *Trichodiadema* («Karemoer») pour le même usage. Dans le district de Humansdorp, les plantes étaient mélangées à du miel dans le même but.

Usage alimentaire

Les racines effilées et charnues du *Nananthus aloides* («Mosedi-Vygie») se consomment et ne sont pas désagréables. Aussi bien chez les Boers que les Khoi, les enfants mangeaient autrefois des *Lithops* afin d'apaiser leur soif. Le *Prenia varensburgii* («Seepampoen») du Western Cape peut être intégré dans un Potjiekos (une sorte de plat unique cuisiné sur feu de bois) comme des épinards. Souvent, les Khoi consomment des *Mesembryanthemum crystallinum* de la même manière, en salade ou en garniture de légumes.

Fabrication de marmelade

Les fruits secs du *Carpobrotus edulis* sont mis en conserve dans le sucre. C'est aussi un bon laxatif et les fruits sont régulièrement consommés comme des sucreries. Les fruits du *C. deliciosus* («Ghoukum») se mangent frais à maturité et ont une saveur sucrée. Les fruits des *Carpobrotus* dégagent un agréable parfum lorsqu'ils sont mûrs. C'est surtout le *C. acinaciformis* que l'on emploie pour faire des confitures. En fait, on récolte encore beaucoup ces fruits aujourd'hui dans tout l'habitat de cette espèce, le sud de la région du Cap.

Feuerholz
Stoeberia arborea und *S. utilis* werden im Namaqualand und im Richtersveld auch heute noch als bevorzugtes Feuerholz genutzt. Das harte, brüchige Holz ergibt eine hervorragende Kohle. Die Arten sind lokal als »Rooik'tooi« oder »Rooivye« bekannt.

Verwendung als Handwaschmittel
Mesembryanthemum barklyi (»Olifantslaai«) hat grosse, bemerkenswert fleischige Blätter. In vergangenen Zeiten wurden diese nach dem Schlachten von Vieh oder Wild zum Reinigen der Hände verwendet.

Verwendung zur Bodenstabilisierung und gegen Erosion
Alle Arten von *Carpobrotus* und insbesondere *C. edulis* haben ausgezeichnete bodenstabilisierende Fähigkeiten und werden intensiv zur Begrünung von windverwehten Sanddünen und zur Vermeidung von Erosion verwendet. Andere Arten wie z. B. *Disphyma crassifolium, Ruschia lineolata* und Arten von *Drosanthemum* werden ähnlich gebraucht.

Gärtnerische Verwendung
Die Nutzung von Mittagsblumen im gärtnerischen Gebrauch übersteigt heute vermutlich mit Ausnahme der Verwendung als Weidepflanzen alle anderen Nutzungen dieser Pflanzengruppe. Mittagsblumen sind in der ganzen Welt populär geworden. Damit sind wir auch bei einem der Ziele dieses Buches, nämlich der Popularisierung der Mittagsblumen als Gartenpflanzen. Es ist betrüblich, dass es in Südafrika für Sukkulentenliebhaber oft einfacher ist, Zwergsukkulenten aus Gärtnereien im fernen Ausland zu beziehen, statt aus lokalen Quellen.

Tannage du cuir
Les Khoi se servent des feuilles charnues du *Mesembryanthemum crystallinum* pour assouplir les peaux de bêtes avant le tannage et les débarrasser de leurs poils.

Bois de chauffage
Dans le Namaqualand et le Richtersveld, le *Stoeberia arborea* et le *S. utilis* comptent encore aujourd'hui parmi les bois de chauffage favoris. Dur et cassant, ce bois fournit un excellent charbon. Ces espèces sont localement appelées «Rooik'tooi» ou «Rooivye».

Lavage des mains
Le *Mesembryanthemum barklyi* («Olifantslaai») possède de grandes feuilles remarquablement charnues. Par le passé, elles servaient à se laver les mains après l'abattage du bétail ou du gibier.

Stabilisation du sol et lutte contre l'érosion
Toutes les espèces de *Carpobrotus*, et particulièrement *C. edulis*, ont un potentiel de stabilisation du sol très développé et sont cultivées de manière intensive pour coloniser les dunes de sables ventées et atténuer l'érosion. D'autres espèces sont employées de la même manière comme, par exemple, *Disphyma crassifolium*, *Ruschia lineolata* et certains *Drosanthemum*.

Culture horticole
Aujourd'hui, l'emploi des mésembs dans le jardin dépasse nettement tous les autres usages de ce groupe de plantes, à l'exception de celui de fourrage. Ces plantes sont devenues populaires dans le monde entier. D'ailleurs, populariser l'usage horticole des mésembs est l'un des objectifs de cet ouvrage. Il est désolant qu'en Afrique du Sud, il soit souvent plus facile aux amateurs de succulentes de se procurer des espèces naines chez les horticulteurs de pays éloignés que d'en trouver localement.

Anpassungen an eine feindliche Umwelt
S'adapter à un monde hostile

Pflanzen stehen in einem steten Kampf um das Überleben in ihrer Umwelt, und dieser Kampf ist in trockenen Gebieten wegen des Wassermangels und der Konkurrenz der Tierwelt um Nahrungsquellen besonders ausgeprägt. Fast wie im Falle der Kriegsführung nutzen die Pflanzen unterschiedliche, erfinderische Methoden um z. B. zu vermeiden, dass sie von Tieren abgefressen werden.

Les plantes luttent constamment pour survivre dans leur environnement et cette lutte est particulièrement âpre dans les régions sèches de par le manque d'eau et la concurrence du monde animal pour les ressources alimentaires. Presque comme dans le cadre d'une stratégie guerrière, les végétaux emploient des méthodes variées et inventives afin, par exemple, de ne pas être broutées par les herbivores.

Pleiospilos bolusii wächst am Fundort in der Nama Karoo gut getarnt.
Un* Pleiospilos bolusii *bien camouflé dans son habitat naturel du Nama Karoo.

Ganz oben links: *Diplosoma retroversum*, ein Meister der Tarnung in der Natur (Eendekuil, Western Cape).
Oben links: *Conophytum truncatum* zusammen mit *Haworthia truncata* var. *maughanii* am Fundort bei Calitzdorp (Western Cape).
Rechts: *Prepodesma orpenii*, gut getarnt zwischen Kalkgeröll (The Downs, Campbell, Northern Cape).
En haut, à gauche: Un maître du mimétisme in situ, Diplosoma retroversum *(Eendekuil, Western Cape).*
Ci-dessus, à gauche: Conophytum truncatum *et* Haworthia truncata *var.* maughanii *dans la nature, près de Calitzdorp (Western Cape).*
Ci-dessus, à droite: Un Prepodesma orpenii *bien camouflé dans des cailloux calcaires (The Downs, Campbell, Northern Cape).*

Tarnung
Die kleinen Pflanzen von *Lithops*, *Conophytum* und anderen zwergigen Mittagsblumen ähneln Kieselsteinen und verschmelzen derart stark mit dem umgebenden Hintergrund, dass sie nur schwierig zu entdecken sind, weshalb sie auch nicht rasch abgeweidet werden können. Oft ist nur die Blattoberseite über die Bodenoberfläche erhaben, und nur von dort erreicht das Sonnenlicht die Blattgrün haltigen Zellen der inneren Teile der verwachsenen Blätter eines Paares.

Bevorzugte Wuchsorte
Einige Mittagsblumenarten kommen vorwiegend an fast senkrechten Felswänden – ausserhalb der Reichweite der meisten Tiere – vor, z. B. *Delosperma esterhuyseniae, Conophytum stephanii* etc.

Bewaffnung
Mittagsblumen wie *Eberlanzia ferox* oder *Ruschia intricata* verfügen über modifizierte, verdornte Blütenstände, welche die Pflanzen vor übermässiger Beweidung schützen. *Ruschia indurata* zeigt ausdauernde Fruchtkapseln, die durch die zunehmende Verwitterung dornig werden. *Amoebophyllum* verfügt über stechend modifizierte Zweigspitzen.

Chemische Verteidigung
Die Alkaloide zahlreicher Mittagsblumen sind toxisch und Tiere vermeiden diese Pflanzen. Dies trifft insbesondere auf die rasch wachsenden, opportunistischen Arten zu.

Anpassungen an Feuer
Einige im Fynbos heimische Mittagsblumen haben sich an das Überstehen regelmässig vorkommender Feuer angepasst. Es

Camouflage
Les petits *Lithops*, *Conophytum* et autres mésembs naines ressemblent à des galets et se fondent totalement dans leur environnement immédiat. Ainsi, non seulement il est difficile de les découvrir mais encore risquent-ils moins d'être rapidement consommés. Il est fréquent que seule la face supérieure des feuilles émerge au-dessus du sol et c'est alors le seul point d'entrée possible de la lumière solaire pour atteindre les cellules chlorophylliennes internes des paires de feuilles adultes.

Habitats préférentiels
Certaines espèces poussent de préférence sur des parois rocheuses pratiquement verticales, donc hors de portée de la majorité des animaux. Il s'agit par exemple du *Delosperma esterhuyseniae*, du *Conophytum stephanii*, etc.

Défenses
Les mésembs comme l'*Eberlanzia ferox* ou le *Ruschia intricata* produisent des inflorescences modifiées et épineuses qui les protègent des broutages excessifs. Chez les *Ruschia indurata*, les fruits persistants deviennent épineux à mesure qu'ils se dégradent. L'*Amoebophyllum* dispose, lui, de rameaux dont l'extrémité s'est modifiée en épine.

Armes chimiques
Les animaux évitent les nombreuses mésembs dont les alcaloïdes sont toxiques. Ceci concerne particulièrement les espèces opportunistes à croissance rapide.

Adaptations au feu
Certaines mésembs originaires du Fynbos se sont adaptées au déclenchement régulier d'incendies. Il existe 2 mécanismes de

Links: *Delosperma esterhuyseniae* wächst an fast senkrechten Felswänden und wird dadurch nicht abgefressen.
Oben: Die Blätter von *Ruschia spinosa* werden durch die starke Dornenbewehrung vor dem Gefressenwerden geschützt. Die Art kommt sowohl in der Succulent Karoo wie in der Nama Karoo vor

A gauche: Le Delosperma esterhuyseniae *pousse sur des parois quasiment verticales, ce qui lui évite d'être brouté.*
Ci-dessus: Les fortes épines du Ruschia spinosa *protègent son feuillage des prédateurs. Cette espèce pousse aussi bien dans le Karoo à succulentes que dans le Nama Karoo.*

Diese Pflanzen von (im Uhrzeigersinn von oben links) *Caryotophora skiatophytoides, Muiria hortenseae* und *Conophytum limpidum* treiben nach einem Feuer im küstennahen Fynbos nahe der Südspitze Afrikas neu aus.

D'en haut à gauche jusqu'à en bas à droite: Les Caryotophora skiatophytoides, Muiria hortenseae *et* Conophytum limpidum *repoussent après un incendie dans le Fynbos côtier, près de la pointe sud de l'Afrique.*

sind zwei Typen von Überlebensmechanismen festzustellen: Einige Mittagsblumenarten treiben nach einem Feuer aus einem ausdauernden, unterirdischen Wurzelstock aus (z. B. die seltene *Saphesia flaccida*). Die meisten anderen hingegen erneuern sich ausschliesslich aus den von den Mutterpflanzen gebildeten Samen.

Einige dieser Arten benötigen zum Brechen der Keimruhe den Rauch von Feuer. Dr. Hannes de Langhe vom Kirstenbosch-Garten erzielte den Durchbruch in der Erforschung der Samenkeimung von Fynbos-Pflanzen durch eine Behandlung mit Rauch. *Erepsia* ist eine solche Mittagsblumenverwandtschaft aus dem Fynbos, die nach einer Rauchbehandlung keimt (z. B. *E. lacera* und *E. pillansii*). Das gleiche Verhalten zeigen auch einige im Renosterbosveld heimische Mittagsblumen wie *Drosanthemum lavisii* und andere.

survie: après un incendie, certaines espèces repartent grâce à leur rhizome persistant et souterrain (par ex. la peu courante *Saphesia flaccida*). Par contre, la majorité des autres espèces ne se renouvelle exclusivement que grâce aux graines du pied-mère.

Certaines de ces espèces ont besoin de la fumée des incendies pour interrompre le sommeil germinatif. L'*Erepsia* est l'un de ces genres originaires du Fynbos qui germent après un traitement par la fumée (par ex. *E. lacera et E. pillansii*). On observe le même phénomène chez *Drosanthemum lavisii* et d'autres originaires du Renosterbosveld.

Naturschutz und Gefährdungen
Défenses et dangers naturels

Die Mittagsblumen sind mittlerweile in Kultur derart gut etabliert, dass Sammeltätigkeit die natürlichen Populationen heutzutage nur in geringem Masse schädigt. Dies ist ein gutes Beispiel für *ex situ*-Schutz, und die verschiedensten Gesellschaften der Sukkulentenliebhaber haben wesentlich dazu beigetragen, das Interesse der Sammler von den natürlichen Populationen auf die leichter erhältlichen, gärtnerisch vermehrten und dadurch legal käuflichen Pflanzen zu lenken. Wesentlich grössere Schäden erleiden die natürlichen Vorkommen durch falsche landwirtschaftliche Methoden wie z. B. Überweidung, sowie durch die Ausbreitung von Siedlungen.

Aujourd'hui, les mésembs sont si bien établies en tant que plantes cultivées que la collecte de sujets sauvages ne provoque plus que des dégâts mineurs. C'est un bon exemple de protection ex situ et les différentes associations d'amateurs de succulentes ont beaucoup contribué à ce que l'intérêt des collectionneurs se détourne des populations sauvages pour aller vers les sujets plus faciles à se procurer car multipliés par les horticulteurs et donc commercialisés légalement. Les habitats naturels souffrent beaucoup plus des méthodes agricoles abusives comme, par ex. le pâturage intensif, ainsi que de la progression de l'urbanisation.

Der Fundort von *Jordaaniella anemoniflora* bei Macassar (Western Cape) im intakten Zustand (links) und während der im Zusammenhang mit einer Siedlungserweiterung 1993 erfolgten Zerstörung (rechts). Die Art ist heute in der Natur ausgerottet.
Ci-dessous, droite et gauche: Habitat naturel du Jordaaniella anemoniflora *près de Macassar (Western Cape), tout d'abord intact (à gauche) puis durant les destructions de 1993, consécutives à l'extension de l'urbanisation (à droite). Cette plante a totalement disparu de son milieu naturel.*

Landwirtschaftliche Tätigkeiten zerstören im Western Cape die Vorkommen von zahlreichen Mittagsblumenarten.
Dans le Western Cape, les activités agricoles détruisent les habitats de nombreuses mésembs.

Mittagsblumen – Beschreibung der Gattungen und Arten

Mésembs – Description des genres et espèces

* verweist auf die neue Klassifikation der Mittagsblumen (siehe Seite 236)
** Renvoie à la nouvelle classification des Mésembs (voir p. 236)*

Acrodon *['Gr. akros', spitz; Gr. 'odon', Zähne; wegen der zugespitzten Blattspitzen bzw. der Zähne in Blattspitzennähe]. Kleine, büschelige, ausdauernde Pflanzen, bis 5 cm hoch und bis etwa 40 cm Durchmesser; Zweige kurz, aufrecht bis niederliegend und kriechend, an den Knoten wurzelnd. Blätter in Rosetten, blaugrün, dreikantig, länglich verjüngt, zur Spitze mit einigen wenigen, zerstreuten Zähnen. Blüten einzeln, rosa bis weiss. Fruchtkapseln 5-fächerig, mit Verschlusskörperchen. – Ein kleine Gattung mit 5 Arten, alle an trockenen Stellen im Fynbos im Western Cape. Gelegentlich kultiviert.*

● **A. bellidiflorus** [Lat. 'bellis', Gänseblümchen; Lat. '-florus', -blütig]. Zwergig, kompakt. Blätter bis 60 mm lang, grün. Blüten vom Herbst bis zum frühen Frühling, bis 35 mm Durchmesser, hellrosa bis weiss mit dunkler rosa Mittelstreifen. Kapseln 9×11 mm. Verbreitung: Western Cape, im südlichen Teil im Fynbos weit verbreitet.

● **A. duplessiae*** [Nach Enid du Plessis (*1929), südafrikanische Botanikerin]. Robuste, gebüschelte Sträucher. Blätter gräulich grün und oft über 60 mm lang, bis 9 mm breit und 8 mm dick. Blüten im Spätwinter, bis 40 mm Durchmesser, hellrosa bis weiss mit sehr auffälligen, magentafarbenen Mittelstreifen, dadurch Blüten rosenartig erscheinend (innen magenta oder dunkel rosapurpurn, aussen weiss). Verbreitung: Nördliche Vorberge des Langeberg, Cloetes Pass bei Herbertsdale, Western Cape.

Acrodon *[du grec 'akros', pointe et 'odon', dent; référence à l'extrémité pointue des feuilles ou aux dents de cette même extrémité]. Petites plantes vivaces, en touffe, d'environ 40 cm de diam. pour jusqu'à 5 cm de haut; rameaux courts, érigés à étalés et rampants, aux nœuds émettant des racines. Feuilles en rosettes, glauques, trigones, à pointe effilée et dotée de quelques dents. Fleurs simples, roses à blanches. Fruits en capsules à 5 loges et obturateurs. Genre restreint à 5 espèces, toutes originaires des zones sèches du Fynbos du Western Cape. Parfois cultivé.*

● **A. bellidiflorus** [du lat. 'bellis', pâquerette et 'florus', à fleurs de...]. Nains et compacts. Feuilles vertes mesurant jusqu'à 60 mm de long. Fleurs depuis l'automne jusqu'en début de printemps, jusqu'à 35 mm de diam., rose clair à blanches, à rayures centrales rose foncé. Capsules de 9×11 mm. Habitat: Western Cape, très répandu dans la partie sud du Fynbos.

● **A. duplessiae*** [d'après Enid du Plessis (1929-), botaniste sud-africaine]. Robustes arbustes en touffes. Feuilles vert grisâtre dépassant souvent 60 mm de long, mesurant jusqu'à 9 mm de large et 8 mm d'épaisseur. Fleurs en fin d'hiver, mesurant jusqu'à 40 mm de diam., rose clair à blanches avec de remarquables rayures centrales magenta donnant un aspect général de rosette (intérieur magenta ou rose pourpre foncé, extérieur blanc). Habitat: contreforts nord du Langeberg, Cloetes Pass près de Herbertsdale, Western Cape.

● **A. parvifolius** [du lat. 'parvus', petit et '-folius', -feuille]. Robustes coussins à rameaux rampants mesurant jusqu'à 50 cm de long. Feuilles dressées, effilées et trigones, mesurant jusqu'à 22×3 mm. Fleurs au printemps, mesurant jusqu'à 20 mm de diam., blanches ou roses, rayées de rose plus foncé ou de

Acrodon bellidiflorus

Acrodon purpureostylus

Acrodon duplessiae

Acrodon subulatus

Acrodon purpureostylus

pourpre. Habitat: entre Caledon et Hermanus, Western Cape, dans les graviers du Renosterveld-Fynbos.

● **A. purpureostylus*** [du lat. 'purpureus', pourpre et 'stylus', pistil]. Prostrés, à longs rameaux pourpres. Feuilles falciformes, comprimées latéralement, gris vert, à extrémité brièvement dentée. Fleurs en hiver et printemps, de 25 à 30 mm de diam., roses, à pétales rayés de rose foncé à pourpre, à pédoncule mesurant jusqu'à 80 mm de long doté d'une paire de bractées, étalées et pendantes une fois en fruit. Capsules rondes tombant rapidement. Habitat: districts de Robertson et de Mc Gregor, Western Cape, sur les roches schisteuses ou les étendues de galets quartzifères du Karoo à succulentes.

● **A. parvifolius** [Lat. 'parvus', klein; Lat. '-folius', -blätterig]. Robust, Polster bildend, mit kriechenden, bis 50 cm langen Zweigen. Blätter aufsteigend, verjüngt, dreikantig, bis 22 × 3 mm. Blüten im Frühling, bis 20 mm Durchmesser, weiss oder rosa, dunkler rosa oder purpurn gestreift. Verbreitung: Zwischen Caledon und Hermanus, Western Cape, in Renosterveld-Fynbos zwischen Kies.

● **A. subulatus** [du lat. en forme d'alène; référence à l'extrémité piquante des feuilles]. Touffes à rameaux courts. Feuilles dressées, effilées, carénées et subulées. Fleurs en hiver et printemps, de 25 mm de diam., blanches à rose clair, à pétales rayés de rose foncé ou de pourpre. Habitat: Riversdale, Western Cape, dans les cailloutis du Renosterveld. [nom commun: Elsvygie]

● **A. purpureostylus*** [Lat. 'purpureus', purpurn; Lat. 'stylus', Griffel]. Ausgespreizt mit verlängerten, purpurfarbenen Zweigen. Blätter seitlich zusammengedrückt, sichelförmig, graugrün, zur Spitze mit kleinen Zähnen. Blüten im Winter und Frühling, 25–30 mm Durchmesser, rosa, Blütenblätter mit dunkler rosafarbenem bis purpurnem Streifen, mit einem bis 80 mm langen Blütenstiel mit 1 Brakteenpaar, zur Fruchtzeit ausgespreizt und hängend. Kapseln gerundet, bald abfallend. Verbreitung: Robertson- und McGregor-Distrikte, Western Cape, in Succulent Karoo auf Schieferfelsen oder in Quarzkieselfeldern.

● **A. subulatus** [Lat., pfriemlich, stechend zugespitzt; wegen der Blätter]. Büschelig wachsend mit kurzen Zweigen. Blätter aufsteigend, verjüngt, gekielt und pfriemlich. Blüten im Winter und Frühling, 25 mm Durchmesser, weiss bis hellrosa, Blütenblätter mit dunkler rosafarbenem oder purpurnem Streifen. Verbreitung: Riversdale, Western Cape, in Renosterveld zwischen Kieseln. [Volksname: Elsvygie.]

Acrodon parvifolius

Aloinopsis

Aloinopsis *[Gr. '-opsis', ähnlich wie; wegen der Ähnlichkeit mit Aloe]. Zwergige, gebüschelte, kahle bis samtig-flaumhaarige Pflanzen mit knolligen Wurzeln. Blätter unterschiedlich, spatelig, eiförmig, eiförmig-lanzettlich, linealisch-lanzettlich bis fast keulig, Unterseite fast flach, konvex oder stumpf gekielt, Oberfläche mit einheitlich grossen Warzen, oder einige Warzen auffällig grösser als die übrigen und manchmal unterschiedlich geformt. Blüten einzeln oder selten zu 2 oder 3; Kelchblätter 5–6; Blütenblätter gelb, lachsfarben, fleischrosa oder rosa, falls gelb dann manchmal mit einem rotem Mittelstreifen. Fruchtkapseln 6- bis 14-fächerig, halbkugelig, Oberseite konvex oder fast flach, Fächer mit vollständigem Fächerdach. Verbreitung: Die Mehrheit der 15 bekannten Arten ist in der zentralen Karoo, im Bushmanland und im Namaqualand heimisch, einige wenige Arten in Griqualand West. [Volksname: Paddavoetjies.]*

● **A. lodewykii*** [Nach Lodewyk van Heerde]. Zwergig, gebüschelt. Blätter aufsteigend, spatelig verkehrt dreieckig, etwa 15×12 mm, warzig, graugrün bis bräunlich grün, mit erhabenen, weissen Punkten und Warzen. Blüten im Winter, 15 mm Durchmesser, gelb, am späten Nachmittag öffnend. Verbreitung: Bushmanland, Northern Cape, in der Karoo auf kalkigen Ebenen.

● **A. luckhoffii** [Nach Carl A. Luckhoff (1914–1961), südafrikanischer Arzt und Sukkulentenliebhaber]. Flachwüchsig, rosettenartig, bis 4 cm Durchmesser. Blätter annähernd verkehrt dreieckig, etwa 18×4–5 mm, an der breitesten Stelle 12 mm, Oberfläche bläulich grasgrün, mit groben, graugrünen, regelmässig zerstreuten Warzen, Blattrand mit 5–6 grösseren, etwas rosafarbenen Warzen in regelmässigen Abständen. Blüten im frühen Frühling, bis 25 mm Durchmesser, hellbraun bis fleischfarben, am späten Nachmittag öffnend. Verbreitung: Bushmanland, südöstlich von Springbok, Northern Cape.

● **A. malherbei** [Nach dem Sammler Malherbe]. Zwergig, gebüschelt. Blätter aufsteigend, bis 25×22 mm, Spitzen etwas einwärts gebogen und breit spatelig bis fächerförmig

Aloinopsis lodewykii

Aloinopsis *[du grec '-opsis', semblable; référence à la similitude avec l'aloès]. Plantes naines, en touffes, glabres à veloutées-cotonneuses, à racines tubéreuses. Feuilles variables, spatulées, ovoïdes, ovoïdes-lancéolées, linéaires-lancéolées à presque claviformes. Face inférieure de la feuille presque plate, convexe ou légèrement carénée, face supérieure dotée de verrues de taille identique ou de quelques verrues nettement plus grandes que la moyenne et parfois de formes diverses. Fleurs isolées ou, rarement, groupées par 2 ou 3; calice à 5 à 6 sépales; pétales jaunes, saumon, rose carné ou roses, parfois rayés de rouge pour le coloris jaune. Capsules hémisphériques à 6 à 14 loges, partie supérieure convexe ou presque plate, loges totalement couvertes. Habitat: la majorité des 15 espèces connues se trouve dans le Karoo central du Bushmanland et du Namaqualand, quelques espèces dans le Griqualand occidental. [nom commun: Paddavoetjies]*

● **A. lodewykii*** [d'après Lodewyk van Heerde]. Touffes naines. Feuilles dressées, spatulées et obtriangulaires, d'environ 15×12 mm, verruqueuses, gris vert à vert brunâtre, à verrues et points blancs saillants. Fleurs en hiver, de 15 mm de diam., jaunes, s'ouvrant en fin d'après-midi. Habitat: Bushmanland, Northern Cape, plaines calcaires du Karoo.

● **A. luckhoffii** [d'après Carl A. Luckhoff (1914–1961), médecin sud-africain et amateur de succulentes]. Port en rosette plate mesurant jusqu'à 4 cm de diamètre. Feuilles approximativement obtriangulaires, d'environ 18×4–5 mm (12 mm à l'endroit le plus large), à surface vert gazon bleuté et dotée de verrues grossières, gris vert, régulièrement disposées. Feuilles bordées de 5–6 verrues plus grandes et un peu rosées, disposées à intervalles réguliers. Fleurs en début de printemps, mesurant jusqu'à 25 mm de diam., brun clair à couleur chair, s'ouvrant en fin d'après-midi. Habitat: Bushmanland, au sud-est de Springbok, Northern Cape.

● **A. malherbei** [d'après le collectionneur Malherbe]. Touffes naines. Feuilles dressées mesurant jusqu'à 25×22 mm, à pointe recourbée vers l'intérieur, largement spatulées à flabelliformes et tronquées, se rétrécissant vers le bas jusqu'à une largeur de 4 mm. Surface plate et vaguement verruqueuse, globalement glauque et vert bouteille. Fleurs en début-plein été, mesurant jusqu'à 25 mm de diam., brun clair à couleur chair, s'ouvrant en fin d'après-midi. Habitat: district de Calvinia, près de Calvinia et Loeriesfontein, Northern Cape.

● **A. rosulata** [du lat. en rosette; référence à la disposition des feuilles]. Plantes naines formant des colonies. Feuilles groupées jusqu'à 6 en rosettes, mesurant jusqu'à 30×16 mm, largement spatulées, à épiderme brun vert foncé couvert de

Aloinopsis luckhoffii

Aloinopsis malherbei

Aloinopsis rosulata

Aloinopsis malherbei

Aloinopsis rubrolineata

und gestutzt, weiter unten auf 4 mm verschmälert, Oberseite flach und undeutlich warzig, im Übrigen blaugrün und dunkel flaschengrün. Blüten im Früh- und Hochsommer, bis 25 mm Durchmesser, hellbraun bis fleischfarben, am späten Nachmittag öffnend. Verbreitung: Calvinia-Distrikt, bei Calvinia und Loeriesfontein, Northern Cape.

● **A. rosulata** [Lat., rosettig; wegen der Blattanordnung]. Zwergig, Gruppen bildend. Blätter bis zu 6, in einer Rosette, bis 30×16 mm, breit spatelig, Epidermis dunkel bräunlichgrün und mit weißlichen Warzen bedeckt. Blüten in Wintermitte, einzeln oder bis zu 3, bis 35 mm Durchmesser, gelb mit roten Mittelstreifen, am Nachmittag öffnend. Verbreitung: Östliches Karoo-Gebiet, um Willowmore in der Nama Karoo im Eastern Cape.

● **A. rubrolineata** [Lat. 'rubr-', rot; Lat. 'lineata', gestreift; wegen der Blütenblätter]. Kleine, büschelige Sukkulenten, aus einem knolligen Wurzelstock Klumpen bildend. Blätter bis zu 6, flach auf dem Boden, breit rundlich-dreieckig, bis 25×20 mm, ähnlich wie bei der vorigen Art, Oberfläche leberbraun bis gräulich grün, durch flache, weißliche Warzen rauh. Blüten einzeln, bis 30 mm Durchmesser, gelb mit auffälligen, roten Streifen, am Nachmittag öffnend. Verbreitung: Östliches Karoo-Gebiet, zwischen Graaff Reinet und Willowmore, Eastern Cape. [Volksname: Streepvygie.]

● **A. schooneesii var. schooneesii** [Nach D. H. Schoonees]. Kompakte, zwergige, dem Boden anliegende Pflanzen aus einem knolligen Wurzelstock. Blätter fast rosettig, spateligkeulig, bis 15×5 mm, Spitzen schief gestutzt, Oberfläche glatt, graugrün, punktiert. Blüten 10–15 mm Durchmesser, gelb mit orangefarbenen Mittelstreifen, Staminodien in einem Kegel angeordnet. Verbreitung: Steytlerville bis Willowmore im Eastern Cape, in der Sommerregen-Karoo.

● **A. schooneesii var. acutipetala*** [Lat. 'acutus', scharf, spitz; Lat. 'petalum', Blütenblatt]. Kompakte, zwergige, dem Bo-

verrues blanchâtres. Fleurs en milieu d'hiver, isolées ou groupées jusqu'à 3, mesurant jusqu'à 35 mm de diam., jaunes à rayures centrales rouges, s'ouvrant l'après-midi. Habitat: est de la région du Karoo, autour de Willowmore dans le Nama Karoo de l'Eastern Cape.

● **A. rubrolineata** [du lat. 'rubr-', rouge et 'lineata', rayé; référence aux pétales]. Petites succulentes formant des touffes et dotées d'un rhizome tubéreux. Feuilles groupées jusqu'à 6, à plat sur le sol, largement triangulaires-arrondies, mesurant jusqu'à 25×20 mm, semblables à celles de l'espèce précédente. Surface brun cuir à vert grisâtre, dotée de verrues plates et blanchâtres. Fleurs isolées, mesurant jusqu'à 30 mm de diam., jaunes à belles rayures rouges, s'ouvrant l'après-midi. Habitat: est de la région du Karoo, entre Graaff Reinet et Willowmore, Eastern Cape. [nom commun: Streepvygie]

● **A. schooneesii var. schooneesii** [d'après D. H. Schoonees]. Plantes naines, compactes, collées au sol et dotées d'un rhizome tubéreux. Feuilles presque en rosettes, spatulées-claviformes, mesurant jusqu'à 15×5 mm, à pointe obliquement tronquée. Surface lisse, gris vert et ponctuée. Fleurs de 10–15 mm de diam., jaunes à rayures centrales oranges, à staminodes disposées en cône. Habitat: de Steytlerville à Willowmore, Eastern Cape, dans le Karoo à pluies estivales.

● **A. schooneesii var. acutipetala*** [du lat. 'acutus', aigu, pointu et 'petalum', pétale]. Plantes naines, compactes, plaquées au sol et dotées d'un rhizome tubéreux. Feuilles presque en rosettes, spatulées-claviformes, mesurant jusqu'à 15×5 mm, à pointe obliquement tronquée. Surface lisse, gris vert pointillé de sombre. Fleurs de 10–15 mm de diam., à pétales pointus, jaunes à rayures centrales oranges, et à staminodes disposés en cône. Habitat: de Steytlerville à Willowmore, Eastern Cape, dans les plaines caillouteuses du Karoo à pluies estivales. (non illustré)

● **A. schooneesii var. willowmorensis*** [d'après l'habitat situé près de Willowmore]. Plantes naines et com-

den anliegende Pflanzen mit knolligem Wurzelstock. Blätter fast rosettig, spatelig-keulig, bis 15×5 mm, Spitzen schief gestutzt, Oberfläche glatt, graugrün, punktiert. Blüten 10–15 mm Durchmesser, gelb mit orangefarbenen Mittelstreifen, Staminodien in einem Kegel angeordnet. Verbreitung: Steytlerville bis Willowmore im Eastern Cape, auf Kieselebenen in der Sommerregen-Karoo. (Ohne Abbildung)

● **A. schooneesii var. willowmorensis*** [Nach dem Vorkommen bei Willowmore]. Kompakte, zwergige, dem Boden anliegende Pflanzen aus einem knolligen Wurzelstock. Blätter fast rosettig, spatelig-keulig, bis 15×5 mm, Spitzen schief gestutzt, gekielt, Oberfläche glatt, graugrün, punktiert. Blüten 10–15 mm Durchmesser, gelb mit orangefarbenen Mittelstreifen, Staminodien in einem Kegel angeordnet. Verbreitung: Steytlerville bis Willowmore im Eastern Cape, in der Sommerregen-Karoo.

pactes, plaquées au sol et dotées d'un rhizome tubéreux. Feuilles presque en rosettes, spatulées-claviformes, mesurant jusqu'à 15×5 mm, carénées, à pointe obliquement tronquée. Surface lisse, gris vert et ponctuée. Fleurs de 10–15 mm de diam., jaunes à rayures centrales oranges, [35] à staminodes disposés en cône. Habitat: de Steytlerville à Willowmore, Eastern Cape, dans le Karoo à pluies estivales.

Aloinopsis schooneesii var. schooneesii

Aloinopsis schooneesii var. willowmorensis

Aloinopsis setifera

Aloinopsis spathulata

Aloinopsis villetii

Aloinopsis spathulata

● **A. setifera*** [Lat., borstentragend; wegen der Blattränder]. Zwergige, Büschel bildende Pflanzen aus einer knolligen Wurzel. Blätter in Rosetten mit 30 mm Durchmesser; Blätter bis 20×5 mm, etwas spatelig, Oberfläche warzig, Ränder und spitzennahe Teile der Oberseite mit Zähnchen bewehrt. Blüten vom Winter bis zum frühen Frühling, 25 mm Durchmesser, goldgelb bis lachsfarben. Verbreitung: SW Bushmanland (Western Cape, Northern Cape), in Succulent Karoo auf ebenen Kalkböden.

● **A. setifera*** [du lat. porteur de soies; référence au bord des feuilles]. Plantes naines en touffes, dotées d'une racine tubéreuse. Feuilles en rosettes de 30 mm de diam.; feuilles mesurant jusqu'à 20×5 mm, légèrement spatulées. Surface verruqueuse, bordée et terminée par de petites dents. Fleurs en hiver-début de printemps, de 25 mm de diam., jaune d'or à saumon. Habitat: sud-ouest du Bushmanland (Western et Northern Capes), dans les plaines calcaires du Karoo à succulentes.

● **A. spathulata** [Lat., spatelig; wegen der Blattform]. Zwergige, Büschel bildende Pflanzen aus einer knolligen Wurzel. Blätter in einer Rosette, spatelig, Spitze gerundet mit aufgesetztem Spitzchen, bis 15×10 mm, Oberfläche winzig warzig. Blüten im Winter, 30 mm Durchmesser, hübsch rosarot und Pflanzen deshalb von Liebhabern sehr begehrt. Verbreitung: Um Sutherland im Roggeveld (Northern Cape), in Karoo-Vegetation auf Schieferebenen in Sommer- und Winterregengebieten.

● **A. spathulata** [du lat. spatulé; référence à la forme des feuilles]. Plantes naines, en touffes, à racine tubéreuse. Feuilles en rosettes, spatulées, à pointe arrondie et mucronée, mesurant jusqu'à 15×10 mm. Surface dotée de minuscules verrues. Fleurs en hiver, de 30 mm de diam., d'un joli rouge rosé, ce qui rend cette plante très appréciée des amateurs. Habitat: autour de Sutherland dans le Roggeveld (Northern Cape), dans les plaines schisteuses de la végétation du Karoo des régions à pluies hivernales et estivales.

● **A. villetii*** [Nach A. C. T. Villet, Sukkulentenliebhaber in Worcester, Südafrika]. Zwergige, Büschel bildende Pflanzen. Blätter in Rosetten, spatelig, bis 22×16 mm, Spitze gerundet, Oberfläche rötlich grün, dicht warzig mit auffälligen, weißen Punkten. Blüten im Winter, 20 mm Durchmesser, hellgelb. Verbreitung: Bushmanland (Northern Cape), in Karoo-Vegetation auf ebenen Kalkböden im Sommer- und Winterregengebiet.

● **A. villetii*** [d'après A. C. T. Villet, amateur de succulentes à Worcester, Afrique du Sud]. Plantes naines, en touffes. Feuilles en rosettes, spatulées, mesurant jusqu'à 22×16 mm, à extrémité arrondie. Surface vert rougeâtre, abondamment couverte de verrues à remarquables points blancs. Fleurs en hiver, de 20 mm de diam., jaune clair. Habitat: Bushmanland (Northern Cape), dans les plaines calcaires de la végétation du Karoo des régions à pluies hivernales et estivales.

Amphibolia

Amphibolia *[Gr., Zweifel, Unsicherheit; wegen der richtigen Klassifikation]. Ausgespreizte Sträucher, oft an den Knoten wurzelnd, mit blaugrünen, stumpfen bis zugespitzten Blättern. Blüten einzeln oder in kleinen Gruppen, hauptsächlich im Sommer. Fruchtkapseln 5-fächerig, nach der ersten Öffnung offen bleibend, mit Verschlusskörperchen, Klappen mit breiten Flügeln. – Eine kleine Gattung mit 6 Arten aus dem Namaqualand im Northern Cape sowie Gebieten in Küstennähe und der Karoo im Western Cape. Die Pflanzen kommen in Strandveld und Succulent Karoo vor. Es handelt sich vor allem um Winterregengebiete mit jährlichen Niederschlagsmengen von 150 bis 300 mm. Die Pflanzen sind für eine Nutzung im Garten nicht besonders attraktiv, aber A. maritima ist ein guter Bodendecker für schwierige, küstennahe Sandböden. Leicht durch Stecklinge zu vermehren. [Volksname: Seevygie.]*

Amphibolia *[du grec doute, incertitude; référence à la justesse de sa classification]. Arbustes étalés dont les nœuds émettent des racines. Feuilles glauques, arrondies à pointues. Fleurs isolées ou en petits groupes, surtout en été. Fruits en capsules à 5 loges demeurant souvent définitivement ouvertes et dotées d'obturateurs et de valves à larges ailettes. – Genre assez restreint, avec 6 espèces du Namaqualand (Northern Cape) ainsi que de zones près de la bande côtière et du Karoo (Western Cape). Ces plantes poussent dans le Strandveld et le Karoo à succulentes. Il s'agit surtout de régions à pluies hivernales où les précipitations annuelles s'élèvent à 150–300 mm. Ces végétaux ne sont pas particulièrement intéressants au niveau horticole mais l'A. maritima est un bon couvre-sol pour les terrains sableux et difficiles de la région côtière. Faciles à multiplier par bouturage. [nom commun: Seevygie]*

● **A. maritima*** [Lat., am Meer gelegen]. Niederliegende bis kriechende Kleinsträucher mit langen, ausgebreiteten Zweigen, blühende Triebe aufrecht, bis 20 cm hoch. Blätter blaugrün, stumpf gekielt, bis 15 mm lang und 6 mm breit. Blüten im Herbst und Winter, hellrosa, gegen die Mitte dunkler rot gestreift, bis 15 mm Durchmesser. Verbreitung: Nur entlang der Küste von Kapstadt im Western Cape bis Port Nolloth im nördlichen Namaqualand im Northern Cape, auf Sanddünen. – Leicht am ausgespreizten Wuchs, an den blaugrünen Blättern und den zweifarbigen, rosafarbenen Blüten kenntlich. Selten kultiviert, aber für schwierige Lagen in Gärten entlang der Küste geeignet.

● **A. maritima*** [du lat. près de la mer]. Petits arbustes prostrés à rampants, à longs rameaux étalés et à pousses florifères redressées et mesurant jusqu'à 20 cm de haut. Feuilles glauques légèrement carénées mesurant jusqu'à 15 mm de long et 6 mm de large. Fleurs en automne et hiver, rose clair, dont la zone centrale est rayée de rose foncé, mesurant jusqu'à 15 mm de diam. Habitat: seulement le long de la côte de la ville du Cap (Western Cape) jusqu'à Port Nolloth dans le nord du Namaqualand (Northern Cape), sur les dunes de sable. – Facile à identifier grâce à son port étalé et bas, à ses feuilles glauques et à ses fleurs de 2 tons de rose. Rarement cultivé mais convenant aux zones difficiles des jardins côtiers.

Amphibolia maritima

Antegibbaeum

Antegibbaeum *[Lat. 'ante', vorher; weil die Gattung ursprünglicher als Gibbaeum sein soll]. Gruppen bildende, zwergige Sukkulenten, aus zahlreichen Köpfen bis 18 cm Durchmesser und 5 cm Höhe bestehend, mit kurzen Zweigen. Blätter keulig, dreikantig, fast alle gleich. Blüten magenta, 30–50 mm Durchmesser, im Winter und frühen Frühjahr. Fruchtkapseln 6- bis 7-fächerig, ohne Verschlusskörperchen. – Die Gattung umfasst nur die einzige Art A. fissoides, die gelegentlich als Topfpflanze kultiviert wird. [Volksname: Bobbejaanvingertjies.]*

● **A. fissoides** [Lat. 'fissus', gespalten; wegen der weit klaffenden Blätter eines Paares]. Beschreibung wie für die Gattung. Verbreitung: Im Gebiet der Little Karoo weit verbreitet und häufig, auf Quarzkieselebenen, im Sommer- und Winterregengebiet.

Antegibbaeum *[du lat. 'ante', avant; référence à l'antériorité de ce genre par rapport au Gibbaeum]. Succulentes naines formant des colonies, à pieds nombreux leur permettant d'atteindre jusqu'à 18 cm de diam. pour 5 cm de haut, et à rameaux courts. Feuilles claviformes, trigones et presque toutes égales. Fleurs magenta, de 30 à 50 mm de diam., en hiver-début de printemps. Capsules à 6 à 7 loges, sans obturateurs. – Ce genre ne comprend que l'unique espèce A. fissoides, parfois cultivée en pot. [nom commun: Bobbejaanvingertjies]*

● **A. fissoides** [du lat. 'fissus', fendu; référence aux feuilles largement fendues]. Même description que celle du genre. Habitat: largement répandu dans le Little Karoo, sur les étendues de galets quartzifères, dans les régions à pluies estivales et hivernales.

Antegibbaeum fissoides

Antegibbaeum fissoides

Antimima

Antimima *[Gr., imitierend, sich ähneln]. Zerstreut oder kompakt verzweigt, mit büschelig-kompaktem bis kriechendem Wuchs, Blätter in den trockenen Sommermonaten von einer ausdauernden Scheide bedeckt. Mit Ruschia verwandt, die aber Blätter ohne ausdauernde Scheiden zeigt. – Die grosse Gattung ist hauptsächlich auf die trockenen Winterregengebiete beschränkt und kommt in Renosterveld und Succulent Karoo vor. [Volksnamen: Papiervygie, Klipvygie.]*

● **A. evoluta** [Lat., auseinander gewickelt; Bezug unklar]. Zwergige, reich verzweigte, langsam wachsende Kleinsträu-

Antimima *[du grec imitant, ressemblant à…]. Port soit en touffe compacte, soit rampant, à ramification éparse ou dense. Feuilles protégées d'une gaine persistante durant les mois d'été secs. Apparenté au Ruschia mais les feuilles de ce dernier n'ont pas de gaine. – Ce genre important est principalement localisé aux régions à pluies hivernales et pousse dans le Renosterveld et le Karoo à succulentes. [noms communs: Papiervygie, Klipvygie]*

● **A. evoluta** [du lat. déroulé; référence obscure]. Petit arbuste nain très ramifié et formant de jolies touffes poussant

Antimima evoluta

Antimima evoluta

Antimima lawsonii

Antimima leipoldtii

Antimima nobilis

cher in hübschen Büscheln. Blätter sehr klein, bläulich grün, halbkugelig, Ränder bewimpert. Blüten im Herbst und Winter, dunkelrosa bis purpurn, 17 mm Durchmesser. Verbreitung: Knersvlakte nördlich von Vanrhynsdorp (Western Cape), in Succulent Karoo, zwischen Kalkfelsen.

● **A. lawsonii** [Nach John Lawson, Reisender um 1870]. Kompakte, reich verzweigte Sukkulenten, mit der Zeit kleine, attraktive, domförmig aufgewölbte Polster von 8–15 cm Durchmesser bildend. Blätter blaugrün, gekielt, Seiten konvex, spitz, bis 6×3 mm. Blüten im Frühling, bis 10 mm Durchmesser, rosarot. Verbreitung: Bei Campbell (Northern Cape), auf kalkigen Ebenen, am Rand der Kalahari und Karoo, Sommerregengebiet. [Volksname: Miershoopvygie.]

● **A. leipoldtii** [Nach Dr. Louis Leipoldt (1880–1947)]. Kompakte, kahle Kleinsträucher. Blätter blaugrün, bis 20×4 mm. Blüten im Winter, bis 22 mm Durchmesser, hellpurpurn. Verbreitung: Bei Robertson und Worcester (Western Cape), in Succulent Karoo.

● **A. nobilis** [Lat., nobel, stattlich]. Gruppen bildend. Blätter bootförmig, gräulich grün, bis 30×10 mm. Blüten im Herbst, bis 17 mm Durchmesser, malvenfarben bis rosa. Verbreitung: Namaqualand (Northern Cape), in Succulent Karoo-Vegetation, aber auch entlang der Küste (z. B. bei Port Nolloth).

● **A. pygmaea** [Lat., zwergig; wegen der Pflanzengrösse]. Zwergige, Matten bildende Sukkulenten. Zweige sehr kurz mit 1–2 Blattpaaren, Paare zweigestaltig, das obere Paar fast bis zur Spitze verwachsen, bis 5×3 mm. Blüten im Winter, bis

lentement. Très petites feuilles vert bleuté, hémisphériques et bordées de cils. Fleurs en automne et hiver, rose foncé à pourpres, de 17 mm de diam. Habitat: Knersvlakte au nord de Vanrhynsdorp (Western Cape), dans les pierres calcaires du Karoo à succulentes.

● **A. lawsonii** [d'après John Lawson, voyageur vers 1870]. Succulentes compactes et très ramifiées, formant avec le temps de jolis petits coussins bombés de 8–15 cm de diam. Feuilles glauques, carénées, à faces convexes, pointues et mesurant jusqu'à 6×3 mm. Fleurs au printemps, mesurant jusqu'à 10 mm de diam., rouge rosé. Habitat: près de Campbell (Northern Cape), sur les étendues calcaires, en bordure du Kalahari et du Karoo, région à pluies estivales. [nom commun: Miershoopvygie]

● **A. leipoldtii** [d'après le Dr. Louis Leipoldt (1880–1947)]. Petits arbustes glabres et compacts. Feuilles glauques mesurant jusqu'à 20×4 mm. Fleurs en hiver, mesurant jusqu'à 22 mm de diam., pourpre clair. Habitat: près de Robertson et Worcester (Western Cape), dans le Karoo à succulentes.

● **A. nobilis** [du lat. noble, imposant]. Forme des colonies. Feuilles naviculaires, vert bleuté, mesurant jusqu'à 30×10 mm. Fleurs en automne, mesurant jusqu'à 17 mm de diam., mauves à roses. Habitat: Namaqualand (Northern Cape), dans le système du Karoo à succulentes mais aussi le long de la côte (par ex. près de Port Nolloth).

● **A. pygmaea** [du lat. nain; référence à la taille de la plante]. Succulentes naines formant des tapis. Rameaux courts à 1–2 paires de feuilles; dimorphisme foliaire, la paire supérieure étant soudée presque jusqu'à la pointe. Feuilles mesurant jusqu'à 5×3 mm. Fleurs en hiver, mesurant jusqu'à

Antimima pygmaea

Antimima sp.

Antimima sobrina

Antimima ventricosa

18 mm Durchmesser, rosa. Verbreitung: Western Cape, Northern Cape, Bergkuppen in der Karoo.

● **A. sobrina** [Lat., Neffe, Nichte]. Ausgestreckte, Matten bildende Sukkulenten. Blätter bis 10 × 3 mm, bläulich grün. Blüten im Frühling, bis 20 mm Durchmesser, hellpurpurn mit trübroten Mittelstreifen. Verbreitung: Bei Riversdale im südlichen Western Cape.

● **A. ventricosa** [Lat., bauchig, geschwollen; wegen der Blätter]. Kompakte, Gruppen bildende Pflanzen. Blätter bis 90 × 17 mm, länglich, bläulich grün. Blüten im Winter und Frühling, sehr auffällig, bis 60 mm Durchmesser, purpurrosa mit weißem Zentrum. Verbreitung: Western Cape von Saldanha bis Vredendal, Koekenaap und Vanrhynsdorp, in Succulent Karoo. [Volksname: Lutzville-Vygie.]

18 mm de diam., roses. Habitat: Western Cape, Northern Cape, sommets des montagnes du Karoo.

● **A. sobrina** [du lat. neveu, nièce]. Succulentes prostrées formant des tapis. Feuilles mesurant jusqu'à 10 × 3 mm, vert bleuté. Fleurs au printemps, mesurant jusqu'à 20 mm de diam., pourpre clair à rayures centrales d'un rouge éteint. Habitat: près de Riversdale, au sud du Western Cape.

● **A. ventricosa** [du lat. ventru, enflé; référence aux feuilles]. Plantes compactes formant des colonies. Feuilles allongées, mesurant jusqu'à 90 × 17 mm, vert bleuté. Fleurs en hiver et printemps, très spectaculaires, mesurant jusqu'à 60 mm de diam., rose pourpre à cœur blanc. Habitat: Western Cape, depuis Saldanha jusqu'à Vredendal, Koekenaap et Vanrhynsdorp, dans le Karoo à succulentes. [nom commun: Lutzville-Vygie]

Apatesia

Apatesia *[Gr., Täuschung; wegen der Ähnlichkeit mit der Gattung Hymenogyne]. Kleine, einjährige Pflanzen mit niederliegenden Zweigen und abgeflachten Blättern. Blätter gestielt, von unterschiedlicher Form, meist länglich elliptisch bis spatelig, glatt, grün bis blaugrün. Blüten einzeln, gelb, lang gestielt, im Frühjahr. Fruchtkapseln bis 12-fächerig, ohne Fächerflügel und Verschlusskörperchen. Samen glatt, rund. Verbreitung: Küstennaher Fynbos und Strandveld im Western Cape. – Regen fällt vorwiegend im Winter und die jährliche Menge beträgt 300 bis 700 mm. Die Pflanzen sind schwierig zu vermehren und werden nur selten kultiviert. Die Gattung umfasst 3 Arten. [Volksname: Opslagvygie.]*

Apatesia *[du grec tromperie; référence à la similitude avec le genre Hymenogyne]. Petites plantes annuelles à rameaux prostrés et feuilles aplaties. Feuilles pétiolées, de forme variable, généralement elliptiques allongées à spatulées, lisses, vertes à glauques. Au printemps, fleurs isolées, jaunes, à long pédoncule. Fruits en capsules comptant jusqu'à 12 loges, sans ailettes ni obturateurs. Graines lisses et rondes. Habitat: zone côtière du Fynbos et du Stranveld (Western Cape). – Pluies tombant surtout en hiver, à raison de 300 à 700 mm annuels. Ces plantes sont difficiles à multiplier et peu cultivées. Ce genre regroupe 3 espèces. [nom commun: Opslagvygie]*

Apatesia

● **A. helianthoides** [Gr., wie eine Sonnenblume (*Helianthus*)]. Kleine Einjährige, bis 10 cm hoch, mit niederliegenden Zweigen. Blätter abgeflacht, spatelig-lanzettlich, mit langem Stiel. Blüten im Frühling, einzeln, gelb, lang gestielt, bis 60 mm Durchmesser. Verbreitung: Küsten-Fynbos und Strandveld bei Malmesbury (Western Cape).

● **A. helianthoides** [du grec semblable au tournesol (*Helianthus*)]. Petites annuelles à rameaux prostrés, atteignant jusqu'à 10 cm de haut. Feuilles aplaties, spatulées-lancéolées, à long pétiole. Fleurs au printemps, isolées, jaunes, à long pédoncule et mesurant jusqu'à 60 mm de diam. Habitat: côte du Fynbos et Stranveld près de Malmesbury (Western Cape).

Apatesia helianthoides

Aptenia

Aptenia *[Gr., ungeflügelt; wegen der Früchte]. Ausdauernde, raschwüchsige, Matten bildende, weichfleischige, sukkulente Pflanzen. Triebe drehrund bis vierkantig, verlängert, mit flachen Blättern. Blüten magenta bis strohgelb. – Eine kleine Gattung mit 4 Arten, vom Eastern Cape bis in die Northern Province weit verbreitet und in Dickichten und Savannen wachsend, oft im Halbschatten. Mehrheitlich in Sommerregengebieten.*

● **A. cordifolia** [Lat., herzblätterig]. Niederliegend, ausgebreitet, bis 60 cm Durchmesser. Triebe drehrund oder vierkantig. Blätter herzförmig-spatelig, weichfleischig, winzig papillös. Blüten v.a. im Frühling, aber auch sporadisch im ganzen Jahr, rötlich, 15 mm Durchmesser. Verbreitung: Küstengebiete des Eastern Cape, aber in ganz Südafrika und an anderen Orten der Welt mit ähnlichem Klima häufig als Bodendecker angepflanzt. [Volksname: Brakvygie.]

● **A. haeckeliana** [Nach Prof. Dr. Ernst Haeckel, deutscher Biologe]. Niederliegend, rasch wachsend und Matten bildend, manchmal in der Umgebungsvegetation spreizklimmend. Triebe vierkantig, weich, grün. Blätter flach, linealisch verkehrt lanzettlich, bis 35×10 mm. Blüten im späten Frühling und sporadisch durch den Sommer, bis 25 mm Durchmesser, Kelchblätter 4, davon

Aptenia cordifolia

Aptenia *[du grec sans aile; référence aux fruits]. Plantes succulentes vivaces, souples et charnues, formant des tapis et poussant rapidement. Tiges cylindriques à quadrangulaires, allongées et dotées de feuilles plates. Fleurs magenta à jaune paille. – Genre restreint à 4 espèces, largement répandu depuis l'Eastern Cape jusque dans la Northern Province, poussant dans les maquis et les savanes, souvent à mi-ombre. Majoritairement dans les régions à pluies estivales.*

● **A. cordifolia** [du lat. à feuille en cœur]. Espèce rampante et étalée, atteignant jusqu'à 60 cm de diam. Tiges cylindriques ou quadrangulaires. Feuilles cordiformes-spatulées, souples et charnues, à minuscules papilles. Fleurs surtout au printemps mais aussi sporadiquement durant toute l'année, rougeâtres, de 15 mm de diam. Habitat: région côtière de l'Eastern Cape mais souvent cultivée comme couvre-sol dans toute l'Afrique du sud et d'autres endroits du monde à climat identique. [nom commun: Brakvygie]

● **A. haeckeliana** [d'après le Prof. Ernst Haeckel, biologiste allemand]. Espèce basse, à croissance rapide, formant des tapis et grimpant parfois en s'étalant sur les plantes voisines. Tiges quadrangulaires, souples et vertes. Feuilles plates, linéaires oblancéolées, mesurant jusqu'à 35×10 mm. Fleurs en fin

Aptenia haeckeliana

Aptenia lancifolia

Aptenia

2 drehrund und 2 grösser, blattartig und flach, Blütenblätter trübgelblich. Verbreitung: Eastern Cape, in Valley Bushveld. [Volksname: Bosvygie.]

● **A. lancifolia** [Lat., mit lanzettlichen Blättern]. Niederliegend, rasch wachsend und Matten bildend. Triebe drehrund. Blätter kurz gestielt, Spreite lanzettlich bis eiförmiglanzettlich, bis 40×15 mm, grün, weichfleischig. Blüten im Frühling, purpurn, bis 15 mm Durchmesser. Verbreitung: Östliche Küstengebiete von Südafrika, sowie Mpumalanga und Northern Province.

de printemps et sporadiquement aussi pendant l'été, mesurant jusqu'à 25 mm de diam., à 4 sépales (2 fusiformes et 2 plus grands, foliacés et aplatis) et pétales d'un jaune éteint. Habitat: Eastern Cape, Valley Bushveld. [nom commun: Bosvygie]

● **A. lancifolia** [du lat. à feuilles lancéolées]. Espèce basse poussant vite et formant des tapis. Tiges fusiformes. Feuilles brièvement pétiolées, lancéolées à ovoïdes-lancéolées, mesurant jusqu'à 40×15 mm, vertes, souples et charnues. Fleurs au printemps, pourpres, mesurant jusqu'à 15 mm de diam. Habitat: portion est de la zone côtière de l'Afrique du Sud ainsi que Mpumalanga et Northern Province.

Arenifera

Arenifera *[Lat., Sand tragend; wegen der klebrigen, mit Sand verkrusteten Blätter]. Zwergige, aufrechte Kleinsträucher. Blätter länglich, ausgebreitet, klebrig. Blüten in Gruppen zu 3, malvenfarben, im Herbst und Winter. Fruchtkapseln 6- bis 8-fächerig, mit Verschlusskörperchen. Verbreitung: Western Cape und Northern Cape von Südafrika, südliches Namibia, in trockenen Winterregengebieten, in Succulent Karoo-Vegetation. – Eine kleine Gattung mit 4 Arten. [Volksnamen: Plakkertjie, Sandvygie.]*

● **A. pillansii** [Nach Neville S. Pillans (1884–1964), südafrikanischer Botaniker]. Aufrechte Kleinsträucher, bis 20 cm hoch. Zweige verholzt, bis 8 mm Durchmesser, graubraun. Blätter länglich, aufsteigend-ausgebreitet, schmutzig grün und klebrig, etwas seitlich zusammengedrückt, 10–15×3–5 mm. Blüten im Herbst und Winter, zu 3, malvenfarben. Kapseln 6- bis 8-fächerig. Verbreitung: Namaqualand (Northern Cape).

Arenifera *[du lat. portant du sable; référence aux feuilles collantes et encroûtées de sable]. Petits arbustes nains et érigés. Feuilles allongées et larges, collantes. Fleurs groupées par 3, mauves, en automne et hiver. Fruits en capsules à 6 à 8 loges, dotés d'obturateurs. Habitat: Western Cape et Northern Cape de l'Afrique du Sud, au sud de la Namibie, dans les régions sèches à pluies hivernales, Karoo à succulentes. – Petit genre réduit à 4 espèces. [noms communs: Plakkertjie, Sandvygie]*

● **A. pillansii** [d'après Neville S. Pillans (1884–1964), botaniste sud-africain]. Petits arbustes érigés atteignant jusqu'à 20 cm de haut. Rameaux ligneux mesurant jusqu'à 8 mm de diam., brun gris. Feuilles allongées, larges et redressées, collantes et d'un vert sale, un peu comprimées latéralement, de 10–15×3–5 mm. Fleurs groupées par 3, en automne et hiver, mauves. Capsules à 6 à 8 loges. Habitat: Namaqualand (Northern Cape)

Arenifera pillansii

Argyroderma

Argyroderma *[Gr. 'argyros', Silber; Gr. 'derma', Haut; wegen der Körperfarbe]. Zwergige, kahle Blattsukkulenten, einzeln oder kompakte, gerundete Polster bildend. Zweige meist nur mit einem einzigen, gedrungenen bis länglichen, an der Basis verwachsenen Blattpaar. Blätter spreizend oder gegeneinander gedrückt, manchmal einen fast vollständig verwachsenen Körper bildend, ältere Blätter jedes Jahr vertrocknend und durch ein neues Blattpaar ersetzt, Blätter kapuzenförmig, halbeiförmig bis dreieckig-eiförmig oder halbkugelig bis linealisch-dreieckig, blaugrün bis silbergrau oder grün, glatt, im Sommer zunehmend mit Runzeln. Blüten einzeln, von gelb bis purpurn und rot variierend, selten weiß, Staubblätter in einem charakteristischen Ring am oberen Ende der Blütenröhre. Fruchtkapseln mit 8 bis 28 Fächern. – Die Gattung zählt 11 Arten, die auf eine relativ kleine, als Knersvlakte bekannte Gegend im südlichen Namaqualand beschränkt sind. Die Knersvlakte erstreckt sich von Vanrhynsdorp im Süden bis Bitterfontein im Nordern, und hinüber bis zur Küste des Namaqualandes. Die südlichste Grenze liegt am Olifantsrivier. Diese Gegend weist eine der grössten Sukkulentenkonzentrationen der Welt auf. Die Landschaft besteht aus niedrigen, gerundeten Hügeln, unterbrochen von Quarzkieselflächen. Der Boden ist sehr durchlässig, reich an Mineralien (mit hohem Salzgehalt) und meist sauer bis leicht alkalisch. Bei der Vegetation handelt es sich um Succulent Karoo, die wie der Name schon sagt von Sukkulenten dominiert wird. Unter den zahlreichen Familien mit Sukkulenten sind die Mesembryanthemaceae (Aizoaceae) die wichtigste. Der Name Knersvlakte ist Afrikaans ('kners', zerreiben, zermalmen, »knirschen«; 'vlakte', Ebene), und dessen Bedeutung wird unterschiedlich interpretiert. Beim Gehen auf den Kieseln ergibt sich unter den Füssen ein knirschendes Geräusch, und das ist wohl die logischste Erklärung. Es handelt sich um eine verlassene Wüstengegend, die früher, als es noch keine Strassen gab, unbesiedelt blieb. Regen fällt vorwiegend im Winter, gefolgt vom langen, trockenen Sommer. [Volksnamen: Bababoudjies, Bokspoortjies, Jakkalsniertjie, Vingertjies, Vingervygie, Toontjies, Klipogie, Polknoppie.]*

● **A. congregatum** [Lat., versammelt, gesellig; wegen des Wuchses]. Pflanzen einzeln oder meist im Alter kompakte, runde Polster mit bis zu 8 Körpern und etwa 8 cm Durchmesser bildend, jeder Zweig mit einem einzigen, basal verwachsenen Blattpaar. Blätter kapuzenförmig, grau bis silbergrau. Blüten im Herbst, gelb, selten purpurn oder weiß, bis 3 cm Durchmesser.

● **A. crateriforme** [Lat., kraterförmig; wegen der Blütenform]. Pflanzen einzeln oder in kleinen Gruppen mit bis zu 5 Köpfen und 12 cm Durchmesser. Blätter kapuzenförmig, 30–55 × 30–50 (–65) mm, graugrün, glatt, während der trockenen Sommerzeit runzelig werdend. Blüten im Herbst, bis 45 mm Durchmesser, gelb oder gelegentlich malvenfarben, weiß oder rot. Kapseln niedergedrückt, Unterseite konvex,

Argyroderma congregatum

Argyroderma *[du grec 'argyros', argent et 'derma', peau; référence à la couleur de la plante]. Plantes naines à feuilles succulentes lisses, isolées ou formant des coussins arrondis et compacts. Rameaux ne portant généralement qu'une seule paire de feuilles connées, trapues à allongées. S'écartant ou se pressant l'une contre l'autre, les feuilles forment aussi parfois un corpuscule presque totalement soudé. Chaque année, les feuilles se dessèchent et sont remplacées par une nouvelle paire. Feuilles cucullées, semi-ovoïdes à ovoïdes-triangulaires ou hémisphériques à linéaires-triangulaires, glauques à gris argenté ou vertes, lisses, se ridant en cours d'été. Fleurs isolées, variant du jaune au pourpre et au rouge, rarement blanches. Etamines formant un cercle caractéristique à l'extrémité supérieure du tube floral. Fruits en capsules à 8–28 loges. – Ce genre compte 11 espèces concentrées dans une zone relativement restreinte, appelée Knersvlakte, du sud du Namaqualand. Le Knersvlakte s'étend depuis Vanrhynsdorp au sud jusqu'à Bitterfontein au nord, et au-delà jusqu'à la côte du Namaqualand. La limite sud est l'Olifantsrivier. Cette région recèle l'une des plus fortes concentrations de succulentes du monde. Le paysage se compose de collines basses et arrondies, interrompues par des étendues de galets quartzifères. Le sol est très léger, riche en minéraux (forte teneur en sel) et généralement acide à légèrement alcalin. Y règne la végétation du Karoo à succulentes, qui, comme son nom l'indique, est dominée par ce type de plantes. Les Mésembryanthémacées (Aizoacées) constituent la plus importante des nombreuses familles à succulentes. Le nom de Knersvlakte est afrikaans ('kners', broyer, écraser, «crisser» et 'vlakte', étendue) et sa signification est diversement interprétée. Le crissement des galets sous les pieds est sans doute l'explication la plus logique. Il s'agit d'une région désertique et désolée qui n'était pas colonisée autrefois, faute de routes. Les pluies tombent essentiellement en hiver, suivies d'un long été sec. [noms communs: Bababoudjies, Bokspoortjies, Jakkalsniertjie, Vingertjies, Vingervygie, Toontjies, Klipogie, Polknoppie]*

● **A. congregatum** [du lat. réuni, grégaire; référence au port]. Plantes isolées ou formant généralement, avec l'âge, des coussins ronds et compacts d'environ 8 cm de diam. et rassemblant jusqu'à 8 pieds. Chaque rameau porte une seule paire de feuilles connées. Feuilles cucullées, grises à gris argent. Fleurs en automne, jaunes ou, rarement, pourpres ou blanches, mesurant jusqu'à 3 cm de diam.

● **A. crateriforme** [du lat. en forme de cratère; référence à la fleur]. Plantes isolées ou en petits groupes comptant jusqu'à 5 pieds pour 12 cm de diam. Feuilles cucullées, de 30–55 × 30–50 (–65) mm, gris vert, lisses, se ridant pendant les étés secs. Fleurs en automne, mesurant jusqu'à 45 mm de diam., jaunes ou parfois mauves, blanches ou rouges. Capsules aplaties, à base convexe et sommet tronqué, brun gris, mesurant

Argyroderma congregatum

Argyroderma crateriforme

Argyroderma delaetii

Argyroderma fissum

Argyroderma delaetii

Argyroderma delaetii

Argyroderma framesii

Argyroderma delaetii

Argyroderma delaetii

Argyroderma patens

Oberseite gestutzt, graubraun, bis 15 mm Durchmesser, bis zu 20-fächerig. Verbreitung: In der Knersvlakte weit verbreitet.

● **A. delaetii** [Nach dem belgischen Gärtner F. De Laet]. Pflanzen einzeln, ziemlich in den Boden eingesenkt. Blattpaare leicht asymmetrisch, Blätter blaugrün, kapuzenförmig, Unterseite gekielt (Kiel gelegentlich nicht in der Mitte). Blüten Herbst bis Winter, 45–60 mm Durchmesser, purpurn, gelb, weiß oder selten rot. Verbreitung: Von der südlichen Knersvlakte bis in die Gegend nördlich von Bitterfontein weit verbreitet und strikt auf Quarzkieselhügel und -ebenen beschränkt. – *A. delaetii* ist variabel und manchmal schwierig zu bestimmen. Die Pflanzen bleiben stets einzeln und sind in den Boden eingesenkt.

jusqu'à 15 mm de diam. et dotées de jusqu'à 20 loges. Habitat: largement répandu dans le Knersvlakte.

● **A. delaetii** [d'après l'horticulteur belge F. De Laet]. Plantes isolées et assez encastrées dans le sol. Paires de feuilles légèrement asymétriques. Feuilles glauques, cucullées, à face inférieure carénée (carène pas toujours centrale). Fleurs en automne et hiver, de 45–60 mm de diam., pourpres, jaunes, blanches ou, rarement, rouges. Habitat: très répandu depuis le sud du Knersvlakte jusqu'au nord de Bitterfontein, uniquement dans les collines ou étendues à galets de quartz. L'*A. delaetii* est variable et parfois difficile à identifier. Ces plantes sont toujours isolées et légèrement encastrées dans le sol.

Argyroderma delaetii

Argyroderma framesii

Argyroderma pearsonii

Argyroderma pearsonii

Argyroderma testiculare

Argyroderma hallii

Argyroderma theartii

Argyroderma hallii

Argyroderma testiculare

Argyroderma sp.

● **A. fissum** [Lat., gespalten; wegen der Blattstellung]. Pflanzen sich teilend und dichte Polster bis zu 30 cm Durchmesser bildend. Bätter aufsteigend, graugrün bis bläulich grün, an der Spitze und entlang der Ränder rosa überhaucht, linealisch bis linealisch-dreieckig, stumpf. Blüten im Hochwinter, bis 40 mm Durchmesser, gelb, malvenfarben, purpurn oder gelegentlich rot. Kapseln niedergedrückt, grau bis graubraun, Unterseite konvex, Oberseite gestutzt, 12–15 mm Durchmesser, 12- bis 13-fächerig. – Durch die linealischen, dreieckigen Blätter von allen anderen *Argyroderma*-Arten auf den ersten Blick abweichend. Die Pflanzen variieren ausserordentlich in Bezug auf die Blattgrösse und die Blütenfarbe. Verbreitung: Die häufigste und am weitesten verbreitete Art der Gattung, von nördlich von Klawer bis nördlich von Bitterfontein im südlichen Namaqualand. [Volksnamen: Vingertjies, Vingervygie.]

● **A. framesii** [Nach Percyval Ross Frames (1863–1947), südafrikanischer Sukkulentensammler]. Pflanzen durch Teilung dichte, gerundete Polster bis 6 cm Durchmesser mit 10–20 Körpern bildend. Blätter kapuzenförmig, gekielt, mit stumpfer Spitze. Blüten im Winter, bis 17 mm Durchmesser, leuchtend purpurn, deutlich über den Brakteen stehend. Kap-

● **A. fissum** [du lat. fendu; référence à la position des feuilles]. Plantes se divisant et formant des coussins denses atteignant jusqu'à 30 cm de diam. Feuilles dressées, gris vert à vert bleuté, teintées de rose à la pointe et sur les bords, linéaires à linéaires-triangulaires et arrondies. Fleurs en plein hiver, mesurant jusqu'à 40 mm de diam., jaunes, mauves, pourpres ou parfois rouges. Capsules aplaties, grises à brun gris, à base convexe et sommet tronqué, de 12–15 mm de diam., à 12 ou 13 loges. – Se distingue au premier coup d'œil des autres espèces d'*Argyroderma* à cause de ses feuilles linéaires et triangulaires. Ces plantes varient énormément en termes de taille de feuille et de couleur de fleur. Habitat: espèce la plus fréquente et la plus largement répandue de tout le genre, depuis le nord de Klawer jusqu'au nord de Bitterfontein dans le sud du Namaqualand. [noms communs: Vingertjies, Vingervygie]

● **A. framesii** [d'après Percyval Ross Frames (1863–1947), collectionneur sud-africain de succulentes]. Plantes se divisant et formant ainsi des coussins denses mesurant jusqu'à 6 cm de diam. et groupant 10–20 pieds. Feuilles cucullées, carénées, à pointe arrondie. Fleurs en hiver, mesurant jusqu'à 17 mm de diam., pourpre lumineux, surplombant nettement les bractées.

Argyroderma ringens – Habitat

seln 6–8 mm Durchmesser, 8- bis 11-fächerig, kugelig mit konvexer Oberseite, graubraun. – *A. framesii* ist die kleinste Art der Gattung, und die Pflanzen bilden durch Teilung dichte, gerundete Polster. Durch die kleinen, gerundeten Blattpaare ist die Art sofort kenntlich. Verbreitung: Nördliche Knersvlakte und dort lokal auf Hügelkuppen oder in Quarzkieselebenen häufig. [Volksnamen: Vaalknopie, Versamelboudjies.]

● **A. hallii*** [Nach Harry Hall (1906–1986), früher Kurator der Sukkulentenabteilung des Botanischen Gartens Kirstenbosch, RSA]. Pflanzen durch Teilung dichte, halbkugelige Polster bis 8 cm Durchmesser bildend. Blätter über die halbe Länge miteinander verwachsen und 25×20 mm grosse Körper bildend. Blüten im Winter, leuchtend dunkelscharlachrot bis purpurrot, bis 15 mm Durchmesser. Kapseln bis 10 mm Durchmesser, grau, bis 12-fächerig. Verbreitung: Westliche Knersvlakte, in Succulent Karoo auf Quarzkieselebenen und -hügeln.

● **A. patens** [Lat., weit ausgebreitet; wegen der Blattstellung]. Pflanzen im Alter Polster aus bis zu 10 Körpern und 12 cm Durchmesser bildend. Blätter weit gespreizt, kapuzenförmig, gekielt, grüner als bei anderen *Argyroderma*-Arten, 15–35 × 14–28 mm. Blüten Spätherbst bis Frühwinter, sitzend, gelb, purpurn oder weiß, 25–40 mm Durchmesser, Blütenröhre an der Mündung 7 mm Durchmesser. Kapseln bis 8 mm Durchmesser, bis 12-fächerig. Verbreitung: Zentrale Knersvlakte.

● **A. pearsonii** [Nach Prof. H. W. Pearson (1870–1916), erster Direktor der National Botanical Gardens in Südafrika].

Capsules de 6–8 mm de diam., à 8 à 11 loges, sphériques et à sommet convexe, brun gris. – *A. framesii* est la plus petite espèce de ce genre et elle constitue des coussins denses et arrondis par division. Elle se reconnaît immédiatement à ses paires de petites feuilles arrondies. Habitat: nord du Knersvlakte, fréquente au sommet des collines et sur les étendues de galets quartzifères. [noms communs: Vaalknopie, Versamelboudjies]

● **A. hallii*** [d'après Harry Hall (1906–1986), précédent curateur de la section des succulentes du jardin botanique de Kirstenbosch, RSA]. Plantes se divisant et formant des coussins denses et hémisphériques atteignant jusqu'à 8 cm de diam. Feuilles soudées sur la moitié de leur longueur et formant des masses de 25×20 mm. Fleurs en hiver, rouge écarlate profond et lumineux à rouge pourpre, mesurant jusqu'à 15 mm de diam. Capsules mesurant jusqu'à 10 mm de diam., grises, comportant jusqu'à 12 loges. Habitat: ouest du Knersvlakte, dans le Karoo à succulentes, dans les plaines et les collines à galets quartzifères.

● **A. patens** [du lat. largement étalé; référence à la position des feuilles]. Plantes formant, avec l'âge, des coussins comprenant jusqu'à 10 pieds et mesurant jusqu'à 12 cm de diam. Feuilles largement écartées, cucullées, carénées, plus vertes que celles des autres *Argyroderma*, de 15–35 × 14–28 mm. Fleurs en fin d'automne-début d'hiver, sessiles, jaunes, pourpres ou blanches, de 25–40 mm de diam. et de 7 mm de diam. à l'embouchure du calice. Capsules mesurant jusqu'à 8 mm de diam et comportant jusqu'à 12 loges. Habitat: centre du Knersvlakte.

● **A. pearsonii** [d'après le Prof. H. W. Pearson (1870–1916), premier directeur du Jardin Botanique National d'Afrique du Sud]. Plantes isolées et poussant en surface. Feuilles glauques, hémisphériques, chaque paire formant une masse globulaire étroitement fendue. Fleurs en milieu d'hiver, pédonculées, surplombant nettement les feuilles, de 45–60 mm de diam., pourpres, jaunes, blanches ou, plus rarement, rouges, à pétales lâches. Capsules mesurant jusqu'à 12 mm de diam. et comportant jusqu'à 12 loges. Habitat: centre du Knersvlakte. – *A. pearsonii* est facile à identifier grâce à sa jolie forme arrondie et à ses fleurs pédonculées. Ces fleurs poussent isolément et nettement au dessus du niveau du sol. Cette espèce imposante est largement cultivée. [nom commun: Rondeboudjies]

● **A. ringens** [du lat. écarté; référence à la position des feuilles]. Plantes isolées ou en petits groupes rassemblant jusqu'à 4 pieds et mesurant jusqu'à 2 cm de haut. Feuilles cucullées, de 25–45 × 25–45 mm, très écartées, dont la zone sommitale arrondie de la face inférieure présente une carène. Vieilles feuilles devenant grises. Fleurs en fin d'automne-début d'hiver, sessiles, de 34–60 mm de diam., pourpre rosé, rarement jaunes. Capsules mesurant jusqu'à 10 mm de diam. et comportant jusqu'à 18 loges. Habitat: zone délimitée par Vanrhynsdorp et le Vanrhys-Pass.

● **A. subalbum** [du lat. presque blanc; référence à la couleur des feuilles]. Plantes se divisant et formant ainsi des coussins denses et hémisphériques regroupant jusqu'à 25 pieds et mesurant 9 cm de diam. Paires de feuilles formant une masse hémisphérique. Feuilles de 10–15 × 8–15 mm, glauque clair, séparées par une fente de 1–2 mm de large. Fleurs en automne-début d'hiver, rouge vineux, rarement blanches, de 25–30 mm de diam., surplombant nettement (3–7 mm) les feuilles. Capsules mesurant jusqu'à 10 mm de diam., grises et comportant jusqu'à 12 loges. Habitat: sud-ouest du Knersvlakte.

● **A. testiculare** [du lat. semblable à un testicule; référence à la forme du pied]. Plantes se divisant et formant ainsi des

Argyroderma

Pflanzen einzeln, oberirdisch wachsend. Blätter blaugrün, halbkugelig, jedes Paar einen kugeligen Körper mit schmaler Spalte bildend. Blüten in Wintermitte, gestielt, deutlich über den Blättern stehend, 45–60 mm Durchmesser, purpurn, gelb, weiß oder selten rot und mit lockeren Blütenblättern. Kapseln bis 12 mm Durchmesser, bis 12-fächerig. Verbreitung: Zentrale Knersvlakte. – Dank der zierlichen, gerundeten Form und den gestielten Blüten ist *A. pearsonii* leicht kenntlich. Die Pflanzen wachsen einzeln und deutlich über der Bodenoberfläche. Diese stattliche Art ist in Kultur verbreitet. [Volksname: Rondeboudjies.]

● **A. ringens** [Lat., spreizend; wegen der Blattstellung]. Pflanzen einzeln oder kleine Gruppen aus bis zu 4 Körpern bildend, bis 2 cm hoch. Blätter kapuzenförmig, 25–45 × 25–45 mm, auffällig spreizend, Spitzenbereich der Unterseite gekielt, stumpf, alte Blätter grau verwitternd. Blüten Spätherbst bis Winter, sitzend, 34–60 mm Durchmesser, rosapurpurn, selten gelb. Kapseln bis zu 10 mm Durchmesser, bis 18-fächerig. Verbreitung: In einem begrenzten Gebiet zwischen Vanrhynsdorp und dem Vanrhyns-Pass.

● **A. subalbum** [Lat., fast weiß; wegen der Blattfarbe]. Pflanzen durch Teilung dichte, halbkugelige Polster mit bis zu 25 Körpern und 9 cm Durchmesser bildend. Blattpaare halbkugelige Körper bildend, Blätter 10–15 × 8–15 mm, hell blaugrün, Spalte zwischen den Blättern 1–2 mm breit. Blüten Herbst bis Winter, weinrot, selten weiß, 25–30 mm Durchmesser, deutlich (3–7 mm) über den Blättern stehend. Kapseln bis 10 mm Durchmesser, grau, bis 12-fächerig. Verbreitung: Südwestliche Knersvlakte.

● **A. testiculare** [Lat., hodenähnlich; wegen der Form der Körper]. Pflanzen durch Teilung Polster mit bis zu 10 Körpern bildend. Blätter halb eiförmig, gekielt, 10–13 × 18–22 mm, in der sommerlichen Trockenzeit runzelig, im Winter glatt. Blüten im Winter, purpurn oder purpurn und weiß (selten weiß), bis 50 mm Durchmesser, angenehm duftend, Blütenblätter in mehreren Kreisen. Kapseln bis 8 mm Durchmesser, bis 12-fächerig. Verbreitung: Zentrale Knersvlakte.

● **A. theartii** [Nach Jan Theart, südafrikanischer Sukkulentenliebhaber]. Pflanzen durch Teilung halbkugelige Polster mit bis zu 14 Körpern und bis zu 8 cm Durchmesser bildend. Blätter auf der halben Länge miteinander verwachsen und länglich kugelige Körper bis 25 × 20 mm bildend, hell blaugrün. Blüten im Winter, leuchtend dunkelrot bis purpurrot, 15 mm Durchmesser, über den Blättern stehend. Kapseln bis 10 mm Durchmesser, grau, bis 12-fächerig. Verbreitung: Nördliche Knersvlakte, in Succulent Karoo auf Quarzkieselebenen und -hügeln.

● **A. sp.** Pflanzen durch Teilung dichte, halbkugelige Polster bis 6 cm Durchmesser bildend. Blätter auf weniger bis der halben Länge miteinander verwachsen, verkehrt eiförmig, olivgrün, bis 15 × 20 mm, spreizend. Blüten im Winter, dunkelrot bis purpurrot, 20 mm Durchmesser, mit ovaler Blütenröhre. Kapseln bis zu 10 mm Durchmesser, grau, bis 12-fächerig. Verbreitung: Nördliche Knersvlakte, in Succulent Karoo auf Quarzkieselebenen und -hügeln.

Argyroderma subalbum – Habitat

coussins groupant jusqu'à 10 pieds. Feuilles semi-ovoïdes et carénées, de 10–13 × 18–22 mm, ridées pendant la sécheresse estivale et lisses durant l'hiver. Fleurs en hiver, pourpres ou pourpres et blanches (rarement blanches), mesurant jusqu'à 50 mm de diam., agréablement parfumées, à pétales formant plusieurs cercles concentriques. Capsules mesurant jusqu'à 8 mm de diam et comportant jusqu'à 12 loges. Habitat: centre du Knersvlakte.

● **A. theartii** [d'après Jan Theart, amateur de succulentes sud-africain]. Plantes se divisant et formant ainsi des coussins hémisphériques regroupant jusqu'à 14 pieds et atteignant jusqu'à 8 cm de diam. Feuilles soudées sur la moitié de leur longueur et formant une masse allongée mesurant jusqu'à 25 × 20 mm, glauque clair. Fleurs en hiver, rouge foncé lumineux à rouge pourpre, de 15 mm de diam., surplombant les feuilles. Capsules mesurant jusqu'à 10 mm de diam., grises et comportant jusqu'à 12 loges. Habitat: nord du Knersvlakte, dans le Karoo à succulentes, sur les collines et les étendues à galets quartzifères.

● **A. sp**. Plantes se divisant et formant ainsi des coussins denses et hémisphériques atteignant jusqu'à 6 cm de diam. Feuilles soudées sur un peu moins de la moitié de leur longueur, obovoïdes, vert olive, mesurant jusqu'à 15 × 20 mm, écartées. Fleurs en hiver, rouge foncé à rouge pourpre, de 20 mm de diam. à tube floral ovale. Capsules mesurant jusqu'à 10 mm de diam., grises, comportant jusqu'à 12 loges. Habitat: nord du Knersvlakte, dans le Karoo à succulentes, sur les collines et les étendues à galets quartzifères.

Aridaria

Aridaria *[Lat. 'aridus', trocken; wegen der Wuchsorte]. Rasch wachsende, aufrechte bis niederliegende, kleine Sträucher, bis 1 m hoch. Blätter drehrund bis halbdrehrund, weich sukkulent. Blüten bis 70 mm Durchmesser, oft nur nachts geöffnet; Fruchtknoten konisch. Fruchtkapseln 4- bis 5-fächerig, Fächerdecken und Verschlusskörperchen fehlend. – Ungefähr 50 Arten. Vorwiegend in der Succulent Karoo und entlang des Oranje-Flusstales auch im Landesinneren weit verbreitet.*

● **A. noctiflora** [Lat. 'nox, noctis', Nacht; Lat. '-flora', -blühend]. Gerundete Sträucher, bis 80 cm hoch. Blätter bis 35×8 mm, fast zylindrisch, blaugrün. Blüten Winter bis Frühsommer, bis 45 mm Durchmesser, gelb oder weiß, süss duftend. Verbreitung: Succulent Karoo, im südlichen Namibia und dem Northern Cape und Western Cape weit verbreitet. [Volksnamen: Donkiebos, Brakveld-Vygie.]

Aridaria *[du lat. 'aridus', sec; référence à l'habitat naturel]. Petits arbustes à croissance rapide, érigés à prostrés et atteignant jusqu'à 1 m de haut. Feuilles fusiformes à semi-fusiformes, souples et succulentes. Fleurs mesurant jusqu'à 70 mm de diam., ne s'ouvrant souvent que la nuit, à ovaire conique. Fruits en capsule à 4 à 5 loges, sans opercules ni obturateurs. – Environ 50 espèces principalement dans le Karoo à succulentes et le long de la vallée de l'Orange ainsi que dans l'intérieur des terres.*

● **A. noctiflora** [du lat. nox, noctis, nuit et '-flora', fleurissant]. Arbustes arrondis atteignant jusqu'à 80 cm de haut. Feuilles mesurant jusqu'à 35×8 mm, presque cylindriques, glauques. Fleurs en hiver-début de printemps, mesurant jusqu'à 45 mm de diam., jaunes ou blanches, à parfum suave. Habitat: Karoo à succulentes, très répandu dans le sud de la Namibie, dans les Northern et Western Capes. [noms communs: Donkiebos, Brakveld-Vygie]

Aridaria noctiflora

Aridaria sp.

Aspazoma

Aspazoma *[Gr. 'aspazomai', sich umarmen; wegen der Stängel umfassenden Blattscheiden]. Polster bildende, rasch wachsende Kleinsträucher, bis 30 cm hoch. Zweige weich, verholzend. Blätter zylindrisch, basal Stängel umfassend. Blüten einzeln an den Zweigspitzen, weiß bis hellgelb. Fruchtkapseln 4- bis 5-fächerig. Samen braun. – Die Gattung umfasst nur eine Art:*

● **A. amplectens** [Lat., umfassend; wegen der Stängel umfassenden Blattscheiden]. Beschreibung wie für die Gattung. Verbreitung: Nördliches Namaqualand (Northern Cape) in Succulent Karoo-Vegetation. [Volksname: Klouvygie.]

Aspazoma amplectens

Aspazoma *[du grec 'aspazomai', étreindre; référence aux feuilles amplexicaules]. Petits arbustes à croissance rapide, formant des coussins atteignant jusqu'à 30 cm de haut. Rameaux souples et ligneux. Feuilles amplexicaules et cylindriques. Fleurs isolées à l'extrémité des rameaux, blanches à jaune clair. Fruits en capsule à 4 à 5 loges. Graines brunes. Genre monospécifique.*

● **A. amplectens** [du lat. qui étreint; référence aux feuilles amplexicaules]. Même description que pour le genre. Habitat: nord du Namaqualand (Northern Cape), dans le Karoo à succulentes. [nom commun: Klouvygie]

Astridia

Astridia *[Nach Astrid Schwantes, Gattin des deutschen Mittagsblumenspezialisten Gustav Schwantes]. Aufrechte, kräftige, langsam wachsende und langlebige, ausdauernde Sträucher, bis etwa 70 cm hoch. Blätter in gegenständigen Paaren, im Querschnitt undeutlich dreieckig, ausgebreitet, aufsteigend, bis 110 mm lang, länglich, am Trieb herablaufend, grau bis grün, kahl bis fein samtig, ältere Blätter ausdauernd. Blüten gross, bis 70 mm Durchmesser, einzeln, endständig. Fruchtkapseln 6-fächerig, mit hohen Rändern, Fächerdecken vorhanden. Samen gross, behaart. – Eine kleine Gattung mit 12 auf das Richtersveld und benachbarte Gegenden beschränkten Arten. Diese aus der Succulent Karoo-Vegetation stammenden Pflanzen sollten in erster Linie in Töpfen in kontrollierter Umgebung gepflegt und im Sommer trocken gehalten werden. [Volksname: Gemsbokvygie.]*

● **A. citrina** [Lat., zitronengelb; wegen der Blüten]. Zwergige Sträucher, bis 25 cm hoch. Blätter länglich, gekielt. Blüten im Winter, bis 40 mm Durchmesser, gelb. Verbreitung: Richtersveld, nahe des Oranje-Flusses (Northern Cape).

● **A. hallii** [Nach Harry Hall (1906–1986), früherer Kurator der Sukkulentenabteilung des Botanischen Gartens Kirstenbosch, RSA]. Kleine, kompakte Sträucher, bis 30 cm hoch. Blätter aufsteigend-ausgebreitet, seitlich zusammengedrückt, bis 80 ×30 mm, graugrün, samtig. Blüten im Winter, bis 75 mm Durchmesser, glänzend weiß oder hellrosa. Verbreitung: Richtersveld, nahe des Oranje-Flusses (Northern Cape).

● **A. longifolia** [Lat. 'longus', lang; Lat. '-folia', -blätterig]. Sträucher bis 50 cm hoch. Blätter bis 8 mm breit, gekielt. Blüten Herbst bis Frühwinter, bis 50 mm Durchmesser, weiß bis blutrot. Kapseln verkehrt konisch, 12 mm Durchmesser. Samen kastanienbraun, beborstet. Verbreitung: Gegend der Helskloof und von Sendelingsdrift im Richtersveld (Northern Cape, RSA), sowie auf der namibischen Seite des Oranje-Flusses.

Astridia *[d'après Astrid Schwantes, épouse du spécialiste allemand des mésembs, Gustav Schwantes]. Arbustes vivaces, érigés et vigoureux, à croissance lente et bonne longévité, atteignant jusqu'à 70 cm de haut. Feuilles en paires opposées, de section approximativement triangulaire, aplaties et dressées, oblongues et mesurant jusqu'à 110 mm de long. Elles sont décurrentes, grises à vertes et glabres à finement veloutées. Les feuilles plus anciennes perdurent. Grandes fleurs mesurant jusqu'à 70 mm de diam., isolées et terminales. Fruits en capsule à 6 loges, à rebords élevés et opercules. Grosses graines velues. – Genre assez réduit rassemblant 12 espèces localisées dans le Richtersveld et les régions limitrophes. Ces plantes, membres du système végétal du Karoo à succulentes, doivent de préférence être cultivées en pot, dans des conditions contrôlées, et laissées au sec durant l'été. [nom commun: Gemsbokvygie]*

● **A. citrina** [du lat. jaune citron; référence à la fleur]. Arbustes nains atteignant jusqu'à 25 cm de haut. Feuilles allongées et carénées. Fleurs en hiver, mesurant jusqu'à 40 mm de diam., jaunes. Habitat: Richtersveld, aux abords du fleuve Orange (Northern Cape).

● **A. hallii** [d'après Harry Hall (1906–1986), autrefois curateur de la section Succulentes du Jardin botanique de Kirstenbosch, RSA]. Petits arbustes compacts atteignant jusqu'à 30 cm de haut. Feuilles aplaties et redressées, latéralement comprimées, mesurant jusqu'à 80×30 mm, gris vert, veloutées. Fleurs en hiver, mesurant jusqu'à 75 mm de diam., blanc brillant ou rose clair. Habitat: Richtersveld, près du fleuve Orange (Northern Cape).

● **A. longifolia** [du lat. 'longus', long et '-folia', à feuilles-]. Arbustes atteignant jusqu'à 50 cm de haut. Feuilles carénées mesurant jusqu'à 8 mm de large. Fleurs en automne-début d'hiver, mesurant jusqu'à 50 mm de diam., blanches à rouge sang. Capsules obconiques de 12 mm de diam. Graines brun châtain et hérissées. Habitat: région de Helskloof et du drift de Sendeling, dans le Richtersveld (Northern Cape, RSA) ainsi que sur la rive namibienne de l'Orange.

Astridia hallii

Astridia citrina

Astridia longifolia

Bergeranthus

Bergeranthus *[Nach Alwin Berger (1871–1931), deutscher Sukkulentenspezialist]. Büschel bildende Pflanzen mit fleischigen Wurzelstöcken. Blätter gegenständig, gedrängt, linealisch-lanzettlich, im Querschnitt dreieckig. Blüten in gabeligen Cymen, bis 50 mm Durchmesser, gelblich. Fruchtkapseln hart, ausdauernd, 5-fächerig, Fächerdecken und Verschlusskörperchen vorhanden. Verbreitung: Eastern Cape. – Einfach durch Teilung oder Aussaat zu vermehren. Diese im Sommer wachsenden Pflanzen lassen sich leicht in Töpfen kultivieren. [Volksname: Polvygie.]*

● **B. artus*** [Lat., eng, fest; wegen der Wuchsform]. Büschelig, Gruppen bildend. Blätter bis 40×12 mm, etwas sichelförmig aufrecht, zur Spitze verjüngt und spitz zulaufend, mit auffälligem Kiel. Blüten im Sommer, gelb, bis 40 mm Durchmesser, 1–3 zusammen, mit bis 65 mm langen Stielen, am späten Nachmittag öffnend, duftend. Verbreitung: Küstengebiete im östlichen Teil des Western Cape, in Renosterveld.

● **B. multiceps aff.** [Lat. 'multus', viel; Lat. '-ceps', köpfig; wegen der Wuchsform]. Gruppen bildend. Blätter in Rosetten, bis 50×10 mm. Blüten im Herbst, bis 30 mm Durchmesser. Verbreitung: Eastern Cape, bei Uitenhaage. (Ohne Abbildung)

● **B. scapiger** [Lat. 'scapus', Schaft; Lat. 'gerere', tragen; wegen der Blütenstiele]. Zwergig, gerundete Büschel bildend, bis 15 cm hoch. Blätter bis 120×17 mm, länglich, verjüngt und gekielt, dunkelgrün. Blüten im Winter und Frühling, 3–4 auf zusammengedrückten Stielen, bis 50 mm Durchmesser, goldgelb. Verbreitung: Eastern Cape, auf steinigen Böden.

Bergeranthus *[d'après Alwin Berger (1871–1931), spécialiste allemand des succulentes]. Plantes formant des touffes dotées de rhizomes charnus. Feuilles opposées, serrées, linéaires-lancéolées, à section triangulaire. Fleurs en cymes fourchues, mesurant jusqu'à 50 mm de diam., jaunâtres. Fruits persistants en capsules dures à 5 loges, dotés d'opercules et d'obturateurs. Habitat: Eastern Cape. – Facile à multiplier par division ou semis. Cette plante à croissance estivale est aisée à cultiver en pot. [nom commun: Polvygie]*

● **B. artus*** [du lat. étroit; référence au port]. Plantes en touffe qui forment des colonies. Feuilles mesurant jusqu'à 40 ×12 mm, un peu redressées en faucille, à extrémité fuselée se terminant en pointe, à carène très nette. Fleurs en été, jaunes, atteignant jusqu'à 40 mm de diam., par 1 à 3, parfumées, à pédoncule mesurant jusqu'à 65 mm de long, s'ouvrant en fin d'après-midi. Habitat: régions côtières de l'est du Northern Cape, dans le Renosterveld.

● **B. multiceps aff.** [du lat. 'multus', nombreux et '-ceps', tête; référence à l'aspect général]. Forme des colonies. Feuilles en rosettes, mesurant jusqu'à 50×10 mm. Fleurs en automne, mesurant jusqu'à 30 mm de diam. Habitat: Eastern Cape, près de Uitenhaage. (non illustré)

● **B. scapiger** [du lat. 'scapus', bâton et 'gerere', porter; référence au pédoncule floral]. Plantes naines en touffes arrondies atteignant jusqu'à 15 cm de haut. Feuilles mesurant jusqu'à 120×17 mm, allongées, effilées et carénées, vert foncé. Fleurs en hiver et printemps, par 3–4 sur un pédoncule comprimé, mesurant jusqu'à 50 mm de diam., jaune d'or. Habitat: Eastern Cape, sur les sols pierreux.

***Bergeranthus artus* cf.**

***Bergeranthus scapiger* cf.**

Bijlia

Bijlia *[Nach Mrs. D. van der Bijl]. Kleine, Gruppen bildende Sukkulenten. Blätter basal etwas verwachsen, weich und unregelmässig und ungleichmässig angeordnet, durch Eindrücke des nächst kürzeren Blattes skulpturiert, glatt, weißlich bis hellgrün, stumpf, etwas ausgebreitet, schief keulig-dreikantig, stark gekielt, 50×20 mm. Blüten 1–3, gestielt, Stiel nicht länger als die Blätter, sehr kurz, mit bis 6 mm langen Brakteen, Blüten dottergelb. Fruchtkapseln 5-fächerig, kurz und breit verkehrt konisch, eher flach, Oberseite mit erhabenen Nähten. Verbreitung: Nahe Prince Albert, nördliche Vorberge des Swartberg und Die Hel (Western Cape). [Volksnamen: Prins Albert-Vygie.]*

● **B. dilatata** [Lat., verbreitert; wegen der spitzenwärts verbreiterten Blätter]. Kompakt, in Gruppen bis 8 cm Durchmesser. Blätter ausgebreitet, ungleich, blaugrün. Blüten im Hochwinter, bis 30 mm Durchmesser. Verbreitung: Nördlich und westlich von Prince Albert, auf Quarzkieselhügeln. – Wächst unter kontrollierten Bedingungen gut in Töpfen. [Volksnamen: Pangavygie, Skewevygie, Prins Albert-Vygie.]

● **B. tugwelliae** [Nach Mrs. Anna M. Tugwell]. Ähnlich wie *B. dilatata*, aber Blätter säbelförmig, aufrecht, basal seitlich zusammengedrückt bis halbzylindrisch, blaugrün, bis 60 ×20 mm. Blüten im Frühling, aber in Kultur fast durch das ganze Jahr erscheinend, gelb, bis 50 mm Durchmesser, mit weißem Zentrum. Verbreitung: Untere Teile quarzitischer Sandsteinhänge zwischen Felsen westlich von Prince Albert, sowie bei Gamkadam. – Im Kultur wüchsig und nicht blühfaul. [Volksname: Pangavygie.]

Bijlia *[d'après Mrs. D. van der Bijl]. Petites succulentes formant des colonies. Feuilles basales légèrement soudées, souples, irrégulières et irrégulièrement disposées, modelées par l'impact de la feuille plus courte sur la plus grande, lisses, blanchâtre à vert clair. Un peu aplaties, elles sont obtuses, obliquement claviformes-trigones, fortement carénées et mesurent 50 × 20 mm. Fleurs jaune d'œuf, par 1 à 3, très courtes, à pédoncule ne dépassant pas la feuille, dotées de bractées de 6 mm. Fruits en capsule à 5 loges, courts et largement obconiques, plutôt aplatis, à sutures sommitales saillantes. Habitat: près de Prince Albert, contreforts nord du Swartberg et Die Hel (Western Cape). [nom commun: Prins Albert-Vygie]*

● **B. dilatata** [du lat. élargi; référence à la pointe divergente des feuilles]. Plantes compactes formant des groupes atteignant jusqu'à 8 cm de diam. Feuilles aplaties, variables et glauques. Fleurs en plein hiver, mesurant jusqu'à 30 mm de diam. Habitat: au nord et à l'ouest de Prince Albert, sur les collines à galets quartzifères. – Pousse bien en pot dans des conditions contrôlées. [noms communs: Pangavygie, Skewevygie, Prins Albert-Vygie]

● **B. tugwelliae** [d'après Mrs. Anna M. Tugwell]. Semblable à *B. dilatata* mais feuilles érigées, en sabre, latéralement comprimées à la base à semi-cylindriques, glauques et mesurant jusqu'à 60×20 mm. Fleurs au printemps mais apparaissant pratiquement toute l'année en culture, jaunes à centre blanc et mesurant jusqu'à 50 mm de diam. Habitat: zones inférieures des pentes de grès quartziques parmi les rochers à l'ouest de Prince Albert ainsi que près de Gamkadam. – Vigoureux et florifère en culture. [nom commun: Pangavygie]

Bijlia dilatata (= B. cana)

Bijlia dilatata (= B. cana)

Bijlia tugwelliae

Braunsia

Braunsia *[Nach Dr. H. Brauns (1857–1929), Arzt und Entomologe in Willowmore, RSA]. Zwergige, niederliegende bis kriechende Kleinsträucher. Blätter gegenständig, kurz und dick, in den unteren Teilen verwachsen, behaart. Blüten bis 40 mm Durchmesser, ansehnlich. Fruchtkapseln 5-fächerig, ausdauernd, Klappenflügel und Verschlusskörperchen fehlend. Samen kurz, igelstachelig. Verbreitung: Succulent Karoo und trockener Kalkstein-Fynbos, Western Cape. – Gelegentlich kultiviert. Die kleine Gattung umfasst 5 Arten. Die Pflanzen lassen sich in Töpfen leicht kultivieren und werden im Winter und Sommer spärlich gegossen. [Volksname: Steenbokvygie.]*

● **B. apiculata** [Lat., mit aufgesetztem Spitzchen; wegen den Blattspitzen]. Zwergige Kleinsträucher, bis 20 cm hoch. Blätter dreikantig, für weniger als die halbe Länge miteinander verwachsen, 30×9 mm, behaart. Blüten Herbst bis Wintermitte, bis 20 mm Durchmesser, rosa. Verbreitung: Western Cape, Little Karoo. – Gelegentlich kultiviert.

● **B. geminata** [Lat., doppelt, in Paaren; wegen den paarigen Blättern]. Zwergige Kleinsträucher, bis 15 cm hoch. Blätter für mehr als die halbe Länge miteinander verwachsen, 25×15 mm, blaugrün. Blüten Herbst bis Wintermitte, bis 40 mm Durchmesser, weiß oder hellrosa. Verbreitung: Western Cape, Little Karoo. – Gelegentlich kultiviert.

● **B. stayneri** [Nach Frank Stayner (1907–1981), ehemaliger Kurator der Karoo Botanical Gardens, RSA]. Niederliegend. Blätter dreikantig, für mehr als die halbe Länge miteinander verwachsen, 25×15 mm, blaugrün. Blüten Herbst bis Wintermitte, bis 40 mm Durchmesser, rosa. Verbreitung: Western Cape, Tanqua-Karoo. – Gelegentlich kultiviert.

Braunsia *[d'après le Dr. H. Brauns (1857–1929), médecin et entomologiste à Willowmore, RSA]. Petits arbustes nains, prostrés à rampants. Feuilles opposées, courtes et épaisses, soudées à la base et velues. Belles fleurs mesurant jusqu'à 40 mm de diam. Fruits persistants, en capsules à 5 loges, sans valve ailée ni obturateur. Graines brèves et hérissées. Habitat: Karoo à succulentes et Fynbos calcaire et sec, Western Cape. – Parfois cultivé. Ce petit genre regroupe 5 espèces. Elles sont faciles à cultiver en pot et doivent être parcimonieusement arrosées en hiver et en été. [nom commun: Steenbokvygie]*

● **B. apiculata** [du lat. à pointe courte; référence à la pointe des feuilles] Petits arbustes nains atteignant jusqu'à 20 cm de haut. Feuilles trigones, soudées sur un peu moins de la moitié de leur longueur, de 30×9 mm, velues. Fleurs en automne-milieu d'hiver, mesurant jusqu'à 20 mm de diam., roses. Habitat: Western Cape, Little Karoo. – Parfois cultivé.

● **B. geminata** [du lat. double, en paire; référence aux paires de feuilles] Petits arbustes nains mesurant jusqu'à 15 cm de haut. Feuilles soudées sur plus de la moitié de leur longueur, de 25×15 mm, glauques. Fleurs en automne-milieu d'hiver, mesurant jusqu'à 40 mm de diam., blanches ou rose clair. Habitat: Western Cape, Little Karoo. – Parfois cultivé.

● **B. stayneri** [d'après Frank Stayner (1907–1981), autrefois curateur du Jardin Botanique du Karoo, RSA] Plantes basses. Feuilles trigones, soudées sur plus de la moitié de leur longueur, de 25 ×15 mm, glauques. Fleurs en automne-milieu d'hiver, mesurant jusqu'à 40 mm de diam., roses. Habitat: Western Cape, Tanqua-Karoo. – Parfois cultivé.

Braunsia apiculata

Braunsia geminata

Braunsia stayneri

Brownanthus

Brownanthus *[Nach Dr. N. E. Brown (1849–1934), Mesemb-Spezialist in Kew; Gr. 'anthos', Blüte]. Ausgebreitete, rasch wachsende Kleinsträucher, bis 20 cm hoch. Zweige sukkulent, an den Knoten etwas eingeschnürt und Internodien fein papillat. Blätter winzig, drehrund, bald vertrocknend, die trockenen, gegenständigen, verwachsenen Blattbasen ausdauernd und die axillären Knospen schützend. Blüten gewöhnlich weiß. Fruchtkapseln 4- bis 5-fächerig, ohne Flügel und Verschlusskörperchen. – Selten kultiviert, aber für trockene Gärten in Sommerregengebieten verwendbar. Eine kleine Gattung mit 12 Arten.*

● **B. ciliatus** [Lat., bewimpert; wegen der Blattbasis]. Zwergige, ausgebreitete Kleinsträucher, bis 20 cm hoch und 50 cm Durchmesser, auffällige Polster bildend. Blätter bis 5 mm lang, fast drehrund, bald vertrocknend, verwachsene Scheiden bewimpert. Blüten im Spätfrühling, weiß, bis 15 mm Durchmesser. Verbreitung: Namaqualand, Bushmanland (Northern Cape) und südliches Namibia, im Osten und Süden bis in den Prince Albert-Distrikt in der südlichen Great Karoo (Western Cape). [Volksname: Muisvygie.]

● **B. nucifer** [Lat., Nuss tragend; wegen der Früchte]. Zwergige, rasch wachsende, ausgebreitete Kleinsträucher. Zweige gegliedert, grün bis bräunlich grün. Blätter kurzlebig, bald abfallend. Blüten Frühling bis Frühsommer, winzig, cremefarben, in Büscheln an den Zweigspitzen. Verbreitung: Nördliches Namaqualand und Bushmanland (Northern Cape) in Succulent Karoo. [Volksname: Jigvygie.]

Brownanthus *[d'après le Dr. N. E. Brown (1849–1934), spécialiste des mésembs à Kew; du grec 'anthos', fleur]. Petits arbustes étalés, à croissance rapide, mesurant jusqu'à 20 cm de haut. Rameaux succulents, légèrement étranglés au niveau des nœuds et portant de fines papilles sur les entre-nœuds. Feuilles minuscules, fusiformes, se desséchant rapidement. Une fois sèches, les feuilles opposées et connées perdurent et protègent le bourgeon axillaire. Fleurs habituellement blanches. Fruits en capsules à 4–5 loges, sans ailettes ni obturateurs. – Rarement cultivé mais utilisable pour les jardins secs dans les régions à pluies estivales. Petit genre groupant 12 espèces.*

● **B. ciliatus** [du lat. cilié; référence à la base des feuilles]. Petits arbustes nains et étalés, mesurant jusqu'à 20 cm de haut et 50 cm de diam. et formant d'intéressants coussins. Feuilles mesurant jusqu'à 5 mm, presque fusiformes, séchant rapidement, ciliées au niveau de la gaine soudée. Fleurs en fin de printemps, blanches, mesurant jusqu'à 15 mm de diam. Habitat: Namaqualand, Bushmanland (Northern Cape) et sud de la Namibie, à l'est et au sud jusqu'au district de Prince Albert, dans le sud du Great Karoo (Western Cape). [nom commun: Muisvygie]

● **B. nucifer** [du lat. portant des noix; référence aux fruits]. Petits arbustes nains, étalés et à croissance rapide. Rameaux articulés, verts à vert brunâtre. Feuilles peu durables qui tombent rapidement. Minuscules fleurs en printemps-début d'été, couleur crème, groupées en bouquets à l'extrémité des rameaux. Habitat: nord du Namaqualand et Bushmanland (Northern Cape) dans le Karoo à succulentes. [nom commun: Jigvygie]

Brownanthus nucifer cf.

Brownanthus ciliatus

Brownanthus nucifer

Carpanthea

Carpanthea *[Gr. 'karpos', Frucht; Gr. 'anthos', Blüte; vermutlich weil die offenen Früchte wie Blüten aussehen]. Behaarte, einjährige Pflanzen mit niederliegenden Zweigen. Blätter abgeflacht, spatelig oder verkehrt lanzettlich. Blüten einzeln, gross, gelb, bis 10 cm gestielt. Fruchtkapseln hygroskopisch, 12- bis 20-fächerig, ohne Fächerdecken. Samen zahlreich. Verbreitung: Südwestliches Western Cape. – Die Gattung umfasst nur 1 Art:*

● **C. pomeridiana** [Lat., nachmittäglich; wegen der Öffnungszeit der Blüten]. Blätter bis 110 mm lang und 20 mm breit. Blüten Frühling bis Frühsommer, ansehnlich, leuchtend gelb, 50 mm Durchmesser, am späten Nachmittag öffnend. – Die Art kann oberflächlich gesehen mit *Apatesia* verwechselt werden, aber letztere ist kahl. *A. pomeridiana* ist auf sandigem Boden häufig und kommt im Strandveld und Fynbos vor. Durch die flachen Blätter, die behaarten Zweige und die gelben Blüten sowie die grossen, hygroskopischen Kapseln ist sie leicht kenntlich. Die Blätter sind wie Spinat essbar und für Eintopfgerichte (Potjekos) geeignet. Häufig kultiviert und im Garten eine attraktive Pflanze. Die Hauptblütezeit ist im Frühling, kann sich aber bis zum Frühsommer erstrecken. Eine Kultur ist auch im Halbschatten möglich. Die Keimung ist reduziert und verzögert. [Volksname: Vetkousie.]

Carpanthea *[du grec 'karpos', fruit et 'anthos', fleur; référence probable à la ressemblance du fruit ouvert avec la fleur]. Plantes annuelles velues à rameaux prostrés. Feuilles aplaties, spatulées ou oblancéolées. Grandes fleurs isolées, jaunes, à pédoncule mesurant jusqu'à 10 cm de long. Fruits en capsules hygroscopiques, à 12 à 20 loges, sans opercules. Graines nombreuses. Habitat: sud-ouest du Western Cape. – Genre monospécifique.*

● **C. pomeridiana** [du lat. de l'après midi; référence au moment de l'ouverture des fleurs]. Feuilles mesurant jusqu'à 110 mm de long et 20 mm de large. Jolies fleurs au printemps-début d'été, jaune lumineux, de 50 mm de diam., s'ouvrant en fin d'après-midi. Ce genre peut être superficiellement confondu avec l'*Apatesia*, mais ce dernier est glabre. Le *C. pomeridiana* pousse fréquemment sur les sols sableux du Strandveld et du Fynbos. Il est facile à identifier grâce à ses feuilles plates, ses rameaux velus, ses fleurs jaunes et ses grosses capsules hygroscopiques. Les feuilles sont consommables comme des épinards et conviennent aux plats uniques (Potjekos). Plante intéressante pour le jardin et souvent cultivée. La floraison principale a lieu au printemps mais elle peut durer jusqu'en début d'été. Il est aussi possible de le cultiver à mi-ombre. La germination est faible et lente. [nom commun: Vetkousie]

Carpanthea pomeridiana

Carpobrotus

Carpobrotus *[Gr. 'karpos', Frucht; Gr. 'brotos', essbar]. Niederliegende, an den Knoten wurzelnde, Polster bildende, kräftige Sukkulenten. Blätter linealisch, scharf gekielt, aufwärts gebogen, gross, an der Basis leicht miteinander verwachsen. Blüten einzeln, bis 150 mm Durchmesser, weiß, gelb, rosa oder purpurn. Früchte fleischig, nicht öffnend, essbar. – Eine Gattung mit 13 Arten, vorwiegend aus den Küstengebieten von Südafrika (Northern Cape, Western Cape, Eastern Cape, KwaZulu-Natal, Namibia). Häufig kultiviert und in Gebieten mit schwierigen Küstensanden wichtige Gartenpflanzen. Dank der grossen Blüten (die grössten der Familie), dem kräftigen Wuchs und den essbaren Früchten sind Verwechslungen mit anderen Gattungen der Mittagsblumen unwahrscheinlich.*

Carpobrotus *[du grec 'karpos', fruit et 'brotos', comestible]. Succulentes vigoureuses, prostrées, formant des coussins et émettant des racines au niveau des nœuds. Grandes feuilles linéaires, nettement carénées, recourbées vers le haut, légèrement soudées à la base. Fleurs isolées mesurant jusqu'à 150 mm de diam., blanches, jaunes, roses ou pourpres. Fruits charnus, indéhiscents et comestibles. Genre groupant 13 espèces majoritairement originaires de la zone côtière sud-africaine (Northern Cape, Western Cape, KwaZulu-Natal et Namibie). Souvent cultivé; plante d'intérêt horticole pour les zones côtières sableuses et difficiles. Confusion improbable avec d'autres genres de mésembs à cause de ses grandes fleurs (les plus grandes de cette famille), de sa croissance vigoureuse et de ses fruits comestibles.*

Carpobrotus acinaciformis

Carpobrotus deliciosus

● **C. acinaciformis** [Lat., krummsäbelförmig; wegen der Blätter]. Wuchs ausgebreitet. Blätter blaugrün, oft etwas sichelförmig, aufwärts gebogen, bis 90 mm lang und 20 mm Durchmesser. Blüten im Frühling, bis 90 mm Durchmesser, purpurrosa. Früchte sehr schmackhaft. – Häufig im Strandveld, meist in Meeresnähe, gelegentlich an höher gelegenen Hängen in Fynbos oder Renosterveld. Wird durch die kurzen, gräulich grünen Blätter unterschieden und kann vielleicht mit *C. sauerae* verwechselt werden, der aber grössere Blätter und Blüten und süss schmeckende Früchte hat. Leicht zu pflegen und lokal wegen der schmackhaften Früchte mit ihrem sauer-salzigen Aroma geschätzt. Die Früchte ergeben eine herrliche Marmelade. Die Art lässt sich darüberhinaus auch als Bodendecker mit guter Bodenbindungskapazität verwenden. [Volksnamen: Suurvy, Sour Fig.]

● **C. deliciosus** [Lat., wohlschmeckend, köstlich; wegen der Früchte]. Niederliegend mit geflügelten Trieben. Blätter bläulich grün, leicht krummsäbelförmig bis gerade. Blüten bis 90 mm Durchmesser, rosa bis reinweiß. Früchte gerundet, bis 30 mm Durchmesser, an den Seiten gekielt. Verbreitung: Vorwiegend Eastern Cape, in Dickichten und Fynbos, aber auch am östlichen Ende des Western Cape. – Die Früchte werden frisch gegessen und schmecken süss. [Volksnamen: Ghoukum, Ghouna-vy.]

● **C. acinaciformis** [du lat. en forme de cimeterre; référence à la feuille]. Port étalé. Feuilles glauques, souvent un peu falciformes, recourbées vers le haut et mesurant jusqu'à 90 mm de long et 20 mm de diam. Fleurs au printemps, mesurant jusqu'à 90 mm de diam., roses. Fruits très savoureux. – Fréquent dans le Strandveld, généralement près de la mer, parfois sur les pentes plus élevées du Fynbos ou du Renosterveld. Se distingue par ses feuilles brèves et vert grisâtre mais peut éventuellement être confondu avec le *C. sauerae* qui possède toutefois des feuilles et des fleurs plus grandes et des fruits sucrés. Facile à entretenir et localement très apprécié pour ses fruits savoureux à parfum acidulé et salé. Les fruits donnent une excellente marmelade. En outre, cette espèce est un couvre-sol à bonne capacité de fixation des sols. [noms communs: Suurvy, Sour Fig]

● **C. deliciosus** [du lat. délicieux, précieux; référence aux fruits]. Plantes prostrées à tiges ailées. Feuilles vert bleuté, droites à légèrement recourbées en cimeterre. Fleurs mesurant jusqu'à 90 mm de diam., roses à blanc pur. Fruits arrondis mesurant jusqu'à 30 mm de diam., à carènes latérales. Habitat: essentiellement l'Eastern Cape, dans les maquis et le Fynbos, mais aussi à l'extrémité est du Western Cape. – Les fruits sont consommés frais et ont une saveur douce. [noms communs: Ghoukum, Ghouna-vy]

Carpobrotus deliciosus

Carpobrotus dimidiatus

Carpobrotus edulis

Carpobrotus mellei

Carpobrotus muirii

● **C. dimidiatus** [Lat., halb; vielleicht wegen der 2 kürzeren Kelchzipfel]. Niederliegend, Triebe geflügelt. Blätter jung krummsäbelförmig, später gerade, grün bis blaugrün. Blüten bis 60 mm Durchmesser, rosapurpurn. Früchte eiförmig bis etwas gerundet, bis 17 mm Durchmesser. Verbreitung: Auf Dünen vom Eastern Cape bis KwaZulu-Natal und Moçambique. [Volksnamen: Natalse Kusvy.]

● **C. edulis** [Lat., essbar; wegen der Früchte]. Dicht verzweigt. Blätter grasgrün, im Querschnitt dreieckig, bis 130 mm lang und 12 mm Durchmesser. Blüten im Frühling, bis 100 mm Durchmesser, mehrheitlich hellgelb, gelegentlich rosa (wenn älter). Früchte bei Vollreife mit lederiger Fruchtwand, keulig bis gerundet und bis 35 mm Durchmesser. – Die subsp. *parviflorus* hat, wie der Name erwarten lässt, kleinere Blüten (bis 50 mm Durchmesser) und kommt auf der Du-Toitskloof und anderen Kapgebirgen in Fynbos vor. *C. edulis* ist eine häufige Pionierpflanze an gestörten Stellen, kommt im ganzen Winterregengebiet vor und ist wegen der Früchte geschätzt. Sie ist die einzige Art der Gattung mit gelben Blüten und Verwechslungen mit anderen Arten sind deshalb unwahrscheinlich. Eine Ausnahme machen gelegentliche purpurblütige Pflanzen, die mit *C. acinaciformis* verwechselt werden können. Dieser hat jedoch kürzere und breitere, sichelförmige, blaugrüne Blätter. Häufig sowohl in Südafrika wie auch andernorts kultiviert, v.a. wegen der ausgezeichneten Fähigkeit, lose Böden (von Dünen, Steilhängen etc.) zu festigen. Die Früchte sind im Sommer besonders wohlschmeckend, aber auch wenn sie häufig gegessen werden, sind sie doch nicht so köstlich wie diejenigen von *C. acinaciformis*. Leicht durch Stecklinge zu vermehren. [Volksnamen: Hotnosvy, Perdevy.]

● **C. mellei** [Nach H. A. Melle (1893–1957), südafrikanischer Agronom]. Niederliegend, Triebe geflügelt. Blätter leicht krummsäbelförmig bis gerade, grün, bläulich grün bis purpurgrün. Blüten 50–80 mm Durchmesser, meist hellrosa, Narben sehr lang, die Staubblätter überragend. Früchte keulig, bis 28 mm Durchmesser. Verbreitung: Auf Bergen aus quarzitischem Sandstein in Fynbos (Berge von Hottentots Holland, Langeberg, Swartberg), Western Cape. [Volksnamen: Berg-Rankvy, Berg-Suurvy.]

● **C. muirii** [Nach Dr. J. Muir (1874–1947), schottischer Arzt und Botaniker in Südafrika]. Dicht verzweigend, ausgebreitet. Blätter grün bis leicht blaugrün, im Querschnitt gerundet-dreikantig, bis 70 mm lang und 6 mm breit. Blüten im Frühling, bis 90 mm Durchmesser, rosapurpurn. Früchte leicht gerundet, bis 25 mm Durchmesser. Verbreitung: Im östlichen Teil des

● **C. dimidiatus** [du lat. demi; peut-être en référence aux 2 courtes pointes du calice]. Plantes prostrées à tiges ailées. Feuilles juvéniles en cimeterre puis devenant droites, vertes à glauques. Fleurs mesurant jusqu'à 60 mm de diam., rose pourpre. Fruits ovoïdes à légèrement arrondis, mesurant jusqu'à 17 mm de diam. Habitat: sur les dunes de l'Eastern Cape jusqu'au KwaZulu-Natal et au Mozambique. [nom commun: Natalse Kusvy]

● **C. edulis** [du lat. comestible; référence aux fruits] Plantes à ramification dense. Feuilles vert gazon, à section triangulaire, mesurant jusqu'à 130 mm de long et 12 mm de diam. Fleurs au printemps, mesurant jusqu'à 100 mm de diam., généralement jaune clair ou parfois roses (en vieillissant). Fruits présentant des parois cuireuses à maturité, claviformes à ronds et mesurant jusqu'à 35 mm de diam. – Comme son nom l'indique, la sous-espèce *parviflorus*, possède des fleurs plus petites (jusqu'à 50 mm de diam.) et pousse sur le Du-Toitskloof et d'autres montagnes du Cap dans le Fynbos. Le *C. edulis* est une plante pionnière fréquente dans les lieux dévastés. Il pousse dans toute la région à pluies hivernales et on l'apprécie beaucoup pour ses fruits. C'est la seule espèce du genre à fleurs jaunes et il est donc très improbable de le confondre avec d'autres espèces. Les sujets à fleurs parfois pourpres constituent une exception et peuvent être confondus avec le *C. acinaciformis*. Fréquemment cultivé, aussi bien en Afrique du Sud que dans d'autres endroits, à cause de sa capacité très développée à fixer les sols instables. Les fruits sont particulièrement savoureux en été mais comme ils sont très courants, ils sont moins recherchés que ceux du *C. acinaciformis*. Facile à bouturer.

● **C. mellei** [d'après H. A. Melle (1893–1957), agronome sud-africain]. Plantes prostrées à tiges ailées. Feuilles légèrement recourbées en cimeterre à droites, vertes, vert bleuté à vert pourpré. Fleurs de 50–80 mm de diam., généralement rose clair, à très long stigmate et étamines proéminentes. Fruits claviformes mesurant jusqu'à 28 mm de diam. Habitat: sur les montagnes de grès quartzifère du Fynbos (Hottentots Holland Mountains, Langeberg et Swartberg), Western Cape.

● **C. muirii** [d'après le Dr. J. Muir (1874–1947), médecin écossais et botaniste en Afrique du Sud]. Plantes étalées à ramification dense. Feuilles vertes à légèrement glauques, à section trigone-arrondie, mesurant jusqu'à 70 mm de long et 6 mm de large. Fleurs au printemps, mesurant jusqu'à 90 mm de diam., rose pourpre. Fruits légèrement arrondis et mesurant jusqu'à 25 mm de diam. Habitat: partie est du Western Cape, largement répandu à l'est d'Agulhas et circonscrit au Strandveld. – Cette espèce possède les plus petites feuilles de tout le genre. On l'apprécie en tant que légume et on la trouve souvent au marché du Cap. [nom commun: Dwerg Suurvy]

● **C. quadrifidus** [du lat. quadrangulaire; référence aux tiges] Grandes plantes robustes à tiges quadrangulaires et rampantes. Feuilles fermes, glauques, en sabre. Fleurs mesurant jusqu'à 150 mm de diam., blanc pur ou roses. Fruits presque claviformes, mesurant jusqu'à 28 mm de diam., consommables crus.

Carpobrotus quadrifidus

Carpobrotus quadrifidus

Western Cape östlich von Agulhas weit verbreitet, auf das Strandveld beschränkt. – Diese Art hat die kleinsten Blätter der Gattung. Sie ist als Gemüse geschätzt und wird auf dem Markt von Kapstadt oft angeboten. Von den übrigen Arten der Gattung sofort durch die schmalen, gerundeten Blätter abweichend. [Volksnamen: Dwerg Suurvy.]

● **C. quadrifidus** [Lat., vierteilig; wegen der 4-kantigen Triebe]. Robuste Pflanzen mit kriechenden, kantigen Trieben. Blätter fest, blaugrün, säbelförmig. Blüten bis 150 mm Durchmesser, rein weiß oder rosa. Früchte fast keulig, bis 28 mm Durchmesser, roh essbar. Verbreitung: Im Namaqualand weit verbreitet, in Succulent Karoo. – *C. quadrifidus* hat die grössten Blüten der Familie. [Volksname: Elandsvy.]

● **C. sauerae*** [Nach Mrs. Sauer, Botanischer Garten Stellenbosch]. Dicht verzweigt. Blätter blaugrün, oft sichel- oder krummsäbelförmig, aufwärts gebogen, bis 110 mm lang und 20 mm Durchmesser. Blüten im Frühling, bis 125 mm Durchmesser, leuchtend purpurrosa. Früchte fast keulig, süss. Verbreitung: Im Strandveld von Melkbosstrand nach Norden (Western Cape, Northern Cape). – Durch die robusten, grossen, blaugrünen Blätter und die sehr ansehnlichen Blüten bis 125 mm Durchmesser sofort kenntlich. Leicht durch Stecklinge zu vermehren und eine spektakuläre Gartenpflanze. [Volksnamen: Weskus Suurvy, Elandsvy, T'kôbô-vy.]

Habitat: très répandu dans le Namaqualand, dans le Karoo à succulentes. – Le *C. quadrifidus* possède les plus grandes fleurs de la famille des Mésembryanthémacées. [nom commun: Elandsvy]

Carpobrotus sauerae

● **C. sauerae*** [d'après Mrs. Sauer, du Jardin Botanique de Stellenbosch] Plantes densément ramifiées. Feuilles glauques, en forme de sabre ou de faucille, recourbées vers le haut et mesurant jusqu'à 110 mm de long et 20 mm de diam. Fleurs au printemps, mesurant jusqu'à 125 mm de diam., rose pourpre lumineux. Fruits presque claviformes, à saveur sucrée. Habitat: très répandu dans le Strandveld, en allant vers le nord à partir de Melkbosstrand (Western Cape, Northern Cape). – Immédiatement identifiable à ses grandes feuilles robustes et glauques et à ses très grandes et belles fleurs mesurant jusqu'à 125 mm de diam. Facile à multiplier par bouturage et floraison très spectaculaire dans un jardin. [noms communs: Weskus Suurvy, Elandsvy, T'kôbô-vy]

Carruanthus

Carruanthus *[Gr. 'anthos', Blüte; und nach dem Vorkommen in der Karoo]. Pflanzen kompakt, Büschel bildend, mit kurzen Zweigen. Blätter eiförmig-rhomboid, glatt, Unterseite gekielt, Ränder rötlich, mit bis zu 4 Paaren deutlicher Zähne. Blüten gelb, gross und einzeln, im Spätwinter und Frühling. Fruchtkapseln 5-fächerig, Klappenflügel vorhanden. Samen gross, 1 mm. – Eine kleine Gattung mit 2 Arten aus dem Willowmore-Distrikt an der Grenze Western Cape / Eastern Cape, wo sie in der Little Karoo und der südlichen Great Karoo in voller Sonne oder im Schatten von Sträuchern oder Felsen vorkommen. Regen fällt am Standort etwa 300 mm pro Jahr, vorwiegend im Winter und Sommer. Die Vermehrung aus Samen oder Stecklingen gelingt leicht. [Volksname: Slagystervygie.]*

● **C. caninus*** [Lat., Hunds-; wegen der Blattrandzähne]. Pflanzen kompakt, Büschel bildend, mit kurzen Zweigen. Blätter bis 20×10 mm, gedrängt, rhomboid, glatt, Unterseite gekielt, Ränder rötlich, mit bis zu 4 Paaren deutlicher Zähne. Blüten Frühling bis Frühsommer, gelb, bis 50 mm Durchmesser, bis 30 mm lang gestielt. Verbreitung: Östliche Little Karoo (Western Cape, Eastern Cape), in Succulent Karoo in voller Sonne oder im Schatten von Sträuchern oder Felsen. [Volksnamen: Klein-Slagystervygie, Katbekvygie.]

● **C. ringens** [Lat., die Zähne fletschend; wegen der Blattrandzähne]. Pflanzen kompakt, Büschel bildend, mit kurzen

Carruanthus *[du grec 'anthos', fleur et du nom de l'habitat naturel: Karoo]. Plantes compactes, formant des touffes et possédant de courts rameaux. Feuilles ovoïdes-rhomboïdales, lisses, à face inférieure carénée et à bord rougeâtre, montrant jusqu'à 4 paires de dents bien nettes. Grandes fleurs isolées, jaunes, en fin d'hiver et printemps. Fruits en capsule à 5 loges, dotés de valves ailées. Grosses graines de 1 mm. – Un petit genre réduit à 2 espèces du district de Willowmore, à la limite entre le Western Cape et l'Eastern Cape. Elles y poussent dans le Little Karoo ou dans le sud du Great Karoo, en plein soleil ou ombragées par des arbustes ou des rochers. Il y tombe environ 300 mm de pluie par an, surtout en hiver et en été. La multiplication se fait facilement par bouturage ou semis. [nom commun: Slagystervygie]*

● **C. caninus*** [du lat. chien; référence aux dents bordant la feuilles]. Plantes compactes, formant des touffes et possédant de courts rameaux. Feuilles mesurant jusqu'à 20×10 mm, serrées, rhomboïdales, lisses, à face inférieure carénée et à bord rougeâtre, montrant jusqu'à 4 paires de dents bien nettes. Fleurs au printemps-début d'été, jaunes, mesurant jusqu'à 50 mm de diam., à pédoncule mesurant jusqu'à 30 mm de long. Habitat: est du Little Karoo (Western Cape, Eastern Cape), dans le Karoo à succulentes, en plein soleil ou ombragées par des arbustes.

● **C. ringens** [du lat. montrer les dents; référence aux dents bordant la feuilles] Plantes compactes, formant des touffes et

Zweigen. Blätter bis 60×18 mm, gedrängt, eiförmig-rhomboid, glatt, Unterseite gekielt, Ränder rötlich, mit bis 4 Paaren auffälliger Zähne. Blüten Frühling bis Frühsommer, gelb, bis 50 mm Durchmesser. Verbreitung: Willowmore-Distrikt (Eastern Cape), Little Karoo und südliche Great Karoo, in voller Sonne oder im Schatten von Sträuchern oder Felsen. [Volksname: Slagystervygie.]

possédant de courts rameaux. Feuilles mesurant jusqu'à 60×18 mm, serrées, ovoïdes-rhomboïdales, lisses, à face inférieure carénée et à bord rougeâtre, montrant jusqu'à 4 paires de dents bien nettes. Fleurs au printemps-début d'été, jaunes, mesurant jusqu'à 50 mm de diam. Habitat: District de Willowmore (Eastern Cape), Little Karoo et sud du Great Karoo, en plein soleil ou à l'ombre d'arbustes ou de rochers.

Carruanthus ringens

Carruanthus caninus

Caryotophora

Caryotophora *[Gr. 'karyon, karyotos', Nuss; Gr. '-phora', Träger; wegen der Früchte]. Ausgebreitete, mehrjährige Pflanzen mit unterirdischem, horizontalem Wurzelstock. Zweige kurz, niederliegend. Blätter flach, lanzettlich bis lanzettlich-spatelig. Blüten im Frühling, bis 60 mm Durchmesser, mit bis 100 mm langem Blütenstiel. Fruchtkapseln nussartig und verholzt. Samen gross, bis 2 mm lang. Verbreitung: Küstennaher Fynbos nahe Cape Agulhas, an der südlichsten Spitze Afrikas. – Regen fällt vor allem im Winter und die Menge beträgt jährlich 600–700 mm. Die Pflanzen sind nur schwer aus Samen zu vermehren und werden kaum kultiviert. Es handelt sich um Pyrophyten, die mehrheitlich nach einem Feuer austreiben. Nur 1 Art:*

● **C. skiatophytoides** [Gr., der Gattung *Skiatophytum* ähnelnd]. Beschreibung wie für die Gattung. [Volksname: Brandvygie.]

Caryotophora *[du grec 'karyon, karyotos', noix et '-phora', porteur; référence aux fruits]. Plantes vivaces étalées, à rhizome souterrain horizontal. Rameaux courts et prostrés. Feuilles plates, lancéolées-spatulées. Fleurs au printemps, mesurant jusqu'à 60 mm de diam., à pédoncule mesurant jusqu'à 100 mm de long. Fruits en capsule ligneuse ressemblant à une noix. Grosses graines mesurant jusqu'à 2 mm de long. Habitat: zone côtière du Fynbos, près du cap Agulhas, à la pointe la plus méridionale de l'Afrique. – Les pluies tombent surtout en hiver, à raison de 600–700 mm annuels. Ces plantes sont difficiles à multiplier par semis et sont peu cultivées. Il s'agit de pyrophytes qui germent généralement après un incendie. Genre monospécifique.*

● **C. skiatophytoides** [du grec qui ressemble au genre *Skiatophytum*] Même description que pour le genre. [nom commun: Brandvygie]

Caryotophora skiatophytoides

Cephalophyllum

Cephalophyllum *[Gr. 'kephale', Kopf; Gr. 'phyllon', Blatt; wegen der gebüschelten Blätter]. Zwergige, niederliegende Sukkulenten, oft aus einem zentralen Büschel Polster bildend. Blätter gegenständig, am Haupttrieb zu einem Büschel gedrängt. Blüten endständig, auffällig. Fruchtkapseln 8- bis 20-fächerig, Fächerdecken und Verschlusskörperchen vorhanden. Verbreitung: Northern Cape und Western Cape. – Eine Gattung mit 38 Arten, die auf die Succulent Karoo und gewisse trockene Küstengebiete wie das Strandveld beschränkt sind. Häufig kultiviert, und im Allgemeinen eine sehr attraktive, leicht blühende Gruppe. Leicht aus Triebstecklingen zu vermehren. Die Blüten sind in der Regel gross und gelb, goldgelb, rubinrot, rosa, lachsfarben, kupferrot, oder weiß, und öffnen sich mehrheitlich über den Mittag. [Volksnamen: Rankvygies, Pragvygies.]*

● **C. alstonii** [Nach Edward Alston (fl. 1891), botanisch interessierter Siedler in Südafrika]. Ausgebreitet, bis 50 cm Durchmesser. Blätter fast zylindrisch, gebüschelt, bis 70×8 mm, graugrün. Blüten im Winter und frühen Frühling, bis 80 mm Durchmesser, rot bis burgunderrot. Verbreitung: Auf die Tanqua-Karoo beschränkt, in Succulent Karoo-Vegetation wachsend. – Eine der auffälligsten Mittagsblumenarten. [Volksnamen: Koningvygie, Ceresvygie.]

● **C. caespitosum** [Lat., rasig, vieltriebig]. Kleine, büschelige Pflanzen, bis 12 cm Durchmesser. Blätter bläulich grün, bis 45×8 mm, Spitzen etwas gerundet. Blüten in Wintermitte, bis 60 mm Durchmesser, lachsfarben mit hellerem Zentrum. Verbreitung: Knersvlakte (Western Cape) und benachbarte Gebiete des Bushmanlands (Northern Cape).

● **C. curtophyllum** [Lat. 'curtus', verkürzt; Gr. 'phyllon', Blatt]. Niederliegende, Polster bildende Sukkulenten. Zweige mit bis 25 mm langen Internodien. Blätter bis 30×6 mm, halbzylindrisch, spitz mit aufgesetztem Spitzchen, grün bis bräunlich grün. Blüten im Winter, bis 37 mm Durchmesser, rosapurpurn, selten cremefarben. Verbreitung: Tanqua-Karoo und westliche Little Karoo (Western Cape), auf kiesreichen Schiefertonböden in Succulent Karoo.

Cephalophyllum *[du grec 'kephale', tête et 'phyllon', feuille; référence aux touffes de feuilles]. Succulentes naines, prostrées, formant souvent un coussin à partir d'une touffe centrale. Feuilles opposées, serrées en bouquet sur la tige principale. Remarquables fleurs terminales. Fruits en capsule à 8 à 20 loges, à opercules et obturateurs. Habitat: Northern Cape et Western Cape. – Un genre groupant 38 espèces localisées dans le Karoo à succulentes et dans des zones côtières sèches bien précises, comme le Strandveld. Souvent cultivé et formant généralement de jolies colonies florifères. Facile à multiplier par bouturage des tiges. Les fleurs sont en général grandes et jaunes, jaune d'or, rouge rubis, roses, saumon, rouge cuivré ou blanches. Elles s'ouvrent majoritairement à midi. [noms communs: Rankvygie, Pragvygie]*

● **C. alstonii** [d'après Edward Alston (fl. 1891), colon amateur de botanique]. Plantes étalées atteignant jusqu'à 50 cm de diam. Feuilles presque cylindriques, en touffes, mesurant jusqu'à 70×8 mm, gris vert. Fleurs en hiver-début de printemps, mesurant jusqu'à 80 mm de diam., rouges à rouge bordeaux. Habitat: localisé dans le Tanqua-Karoo, dans le système végétal du Karoo à succulentes. – Une des plus remarquables espèces de mésembs. [noms communs: Koningvygie, Ceresvygie]

● **C. caespitosum** [du lat. herbu]. Petites plantes en touffes mesurant jusqu'à 12 cm de diam. Feuilles vert bleuté, mesurant jusqu'à 45×8 mm, à pointe un peu arrondie. Fleurs en milieu d'hiver, mesurant jusqu'à 60 mm de diam., saumon à centre plus clair. Habitat: Knersvlakte (Western Cape) et régions avoisinantes du Bushmanland (Northern Cape).

● **C. curtophyllum** [du lat. 'curtus', abrégé et du grec 'phyllon', feuille]. Succulentes prostrées formant des coussins. Feuilles mesurant jusqu'à 30×6 mm, semi-cylindriques, à extrémité mucronulée, vertes à vert brunâtre. Fleurs en hiver, mesurant jusqu'à 37 mm de diam. rose pourpre ou, rarement, crème. Habitat: Tanqua-Karoo et ouest du Little Karoo (Western Cape), sur les sols argilo-schisteux et riches en graviers du Karoo à succulentes.

Cephalophyllum alstonii

Cephalophyllum alstonii (= C. franciscii)

Cephalophyllum caespitosum

Cephalophyllum curtophyllum

Cephalophyllum curtophyllum

Cephalophyllum diversiphyllum

Cephalophyllum framesii cf.

Cephalophyllum goodii cf.

Cephalophyllum herrei

Cephalophyllum inaequale cf.

Cephalophyllum loreum

Cephalophyllum loreum cf. (= C. primulinum)

Cephalophyllum niveum

● **C. diversiphyllum** [Lat. 'diversus', unterschiedlich; Gr. 'phyllon', Blatt]. (= *C. bredasdorpense*) Büschelig wachsend, bis 30 cm Durchmesser. Blätter fast zylindrisch, bis 30× 7 mm. Blüten Winter bis früher Frühling, zitronengelb. Verbreitung: Western Cape, im küstennahen Fynbos des südlichen Kapgebietes und der Vorberge des Langebergs.

● **C. framesii** [Nach Percival R. Frames (1863–1947), südafrikanischer Sukkulentenliebhaber]. Pflanzen Polster bildend, Zweige niederliegend, bis 17 cm lang. Blätter länglich, bis 30×5 mm, gekielt, trübgrün. Blüten im Winter, einzeln, bis 40 mm Durchmesser, rosa. Verbreitung: Knersvlakte und nördliche Teile der Tanqua-Karoo (Western Cape), in Succulent Karoo.

● **C. goodii** [Nach Mr. Good]. Polster bildend, Zweige niederliegend, bis 17 cm lang. Blätter länglich, bis 25×6 mm, gekielt, grün. Blüten im Winter, einzeln, bis 45 mm Durchmesser, goldgelb bis rötlich. Verbreitung: Namaqualand (Northern Cape), in Succulent Karoo.

● **C. herrei** [Nach Hans Herre (1895–1979), Mittagsblumenspezialist und ehemaliger Kurator am Stellenbosch University Garden]. Aufrecht-ausgebreitete Kleinsträucher, Zweige bis 17 cm lang. Blätter bis 70×8 mm, undeutlich dreikantig-drehrund, blaugrün. Blüten im Winter, bis 35 mm

● **C. diversiphyllum** [du lat. 'diversus', variable et du grec 'phyllon', feuille]. (= *C. bredasdorpense*) Plantes en touffes mesurant jusqu'à 30 cm de diam. Feuilles presque cylindriques, mesurant jusqu'à 30×7 mm. Fleurs en hiver-début de printemps, jaune citron. Habitat: Western Cape, près de la côte du Fynbos de la région sud du Cap et sur les contreforts du Langeberg.

● **C. framesii** [d'après Percival R. Frames (1863–1947), amateur sud-africain de succulentes]. Plantes formant des coussins dont les rameaux prostrés mesurent jusqu'à 17 cm de long. Feuilles allongées, mesurant jusqu'à 30×5 mm, carénées et d'un vert terne. Fleurs isolées, en hiver, mesurant jusqu'à 40 mm de diam., roses. Habitat: Knersvlakte et partie nord du Tanqua-Karoo (Western Cape), dans le Karoo à succulentes.

● **C. goodii** [d'après Mr. Good]. Plantes formant des coussins dont les rameaux prostrés mesurent jusqu'à 17 cm de long. Feuilles allongées, mesurant jusqu'à 25×6 mm, carénées et vertes. Fleurs isolées, en hiver, mesurant jusqu'à 45 mm de diam., jaune doré à rougeâtres. Habitat: Namaqualand (Northern Cape), dans le Karoo à succulentes.

● **C. herrei** [d'après Hans Herre (1895–1979), spécialiste des mésembs et autrefois curateur du Jardin de l'Université de Stellenbosch]. Petits arbustes érigés et étalés dont les ra-

Cephalophyllum parvibracteatum
Cephalophyllum pillansii
Cephalophyllum pillansii var. grandiflorum
Cephalophyllum pulchellum
Cephalophyllum pulchrum
Cephalophyllum purpureo-album
Cephalophyllum regale
Cephalophyllum rigidum (= C. aureorubrum)
Cephalophyllum spissum

Durchmesser, gelb, bis 70 mm lang gestielt. Verbreitung: Richtersveld (Northern Cape), in Succulent Karoo.

● **C. inaequale** [Lat., ungleich; wegen der Blätter]. Polster bildend, Zweige niederliegend. Blätter länglich, ausgebreitet einwärts gebogen und ungleich, bis 55×8 mm, gekielt, blaugrün. Blüten im Winter, einzeln, bis 50 mm Durchmesser, gelb mit weißlichem Zentrum, gelegentlich rosa. Verbreitung: Namaqualand (Northern Cape), Küstengebiete, in Succulent Karoo.

● **C. loreum** [Lat., riemenförmig]. (= *C. primulinum*) Niederliegend, mit bis 25 cm langen Zweigen. Blätter verjüngt, bis 60×7 mm, hellgrün. Blüten in Wintermitte, bis 65 mm Durchmesser, sehr zahlreich, primelgelb mit hellerem, weißlichem Zentrum. Verbreitung: Sandige Ebenen zwischen Vanrhynsdorp und Vredendal (Western Cape).

● **C. niveum** [Lat., schneeweiß; wegen der Blüten]. Niederliegend und ausgebreitet. Blätter fast zylindrisch, 22×5 mm. Blüten Herbst bis Frühwinter, bis 40 mm Durchmesser, weiß, malvenfarben bis gelb oder cremefarben. Verbreitung: Western Cape (Vanrhynsdorp-Distrikt), in Succulent Karoo.

● **C. parvibracteatum** [Lat. 'parvus', klein; Lat. 'bracteatus', mit Hochblättern versehen]. (= *C. kliprandense*) Pflan-

meaux mesurent jusqu'à 17 cm de long. Feuilles mesurant jusqu'à 70×8 mm, indistinctement trigones-fusiformes, glauques. Fleurs en hiver, mesurant jusqu'à 35 mm de diam., jaunes, dotées d'un pédoncule mesurant jusqu'à 70 mm de long. Habitat: Richtersveld (Northern Cape), dans le Karoo à succulentes.

● **C. inaequale** [du lat. inégal; référence aux feuilles]. Plantes à rameaux prostrés formant des coussins. Feuilles allongées, élargies et incurvées, variables, mesurant jusqu'à 55 ×8 mm, carénées et glauques. Fleurs isolées, en hiver, mesurant jusqu'à 50 mm de diam., jaunes à centre blanchâtre, parfois roses. Habitat: Namaqualand (Northern Cape), zone côtière, dans le Karoo à succulentes.

● **C. loreum** [du lat. en lanière]. (= *C. primulinum*) Plantes prostrées à rameaux mesurant jusqu'à 25 cm de long. Feuilles effilées, mesurant jusqu'à 60×7 mm, vert clair. Fleurs en plein hiver, mesurant jusqu'à 65 mm de diam., très nombreuses, jaune primevère à centre blanchâtre plus clair. Habitat: plaines sableuses entre Vanrhynsdorp et Vredendal (Western Cape).

● **C. niveum** [du lat. blanc neigeux; référence aux fleurs]. Plantes prostrées et étalées. Feuilles presque cylindriques, de 22×5 mm. Fleurs en automne-début d'hiver, mesurant jus-

Cephalophyllum spongiosum

Cephalophyllum spissum

Cephalophyllum staminodiosum

Cephalophyllum subulatoides

Cephalophyllum tricolorum

Cephalophyllum niveum cf.

zen niederliegend, mit Zweigen bis 90 cm Länge. Blätter bis 32×5–6 mm, grün, Unterseite gerundet mit kurzem, scharfem Kiel, Spitze spitz gerundet, rötlich. Blüten in Wintermitte, goldgelb, bis 40 mm Durchmesser. Verbreitung: Knersvlakte zwischen Nuwerus und Kliprand (Northern Cape).

● **C. pillansii** [Nach Neville S. Pillans (1884–1964), Botaniker am Bolus-Herbarium der Universität von Kapstadt]. Niederliegend und ausgebreitet, bis 30 cm Durchmesser. Blätter fast zylindrisch, 50–90×4–8 mm. Blüten im Winter und Frühling, 40–60 mm Durchmesser, gelb mit rotem Zentrum. Verbreitung: Northern Cape, Western Cape, in trockenem Fynbos und Succulent Karoo.

● **C. pulchellum** [Lat., hübsch]. Kompakte bis kriechende Pflanzen. Blätter linealisch, fast drehrund, bis 35×7 mm, trübgrün. Blüten im Winter, bis 26 mm Durchmesser, orange mit gelbem Zentrum, bis 12 mm lang gestielt. Verbreitung: Nordwestliche Knersvlakte (Western Cape).

● **C. pulchrum** [Lat., schön]. Wuchs büschelig. Blätter fast zylindrisch, 40×7 mm, blaugrün. Blüten vom frühen zum mittleren Winter, bis 45 mm Durchmesser, purpurrosa. Verbreitung: Knersvlakte (Western Cape), in Succulent Karoo.

● **C. purpureo-album** [Lat., purpurweiß; wegen der Blüten]. (= *C. littlewoodii*) Niederliegend und ausgebreitet, bis 50 cm Durchmesser. Blätter fast zylindrisch, bis 100×4 mm. Blüten vom frühen zum mittleren Winter, bis 50 mm Durchmesser, hell purpurn mit dunkleren Mittelstreifen, weiß oder goldgelb mit weißem Zentrum. Verbreitung: Western Cape, nahe Robertson, in Succulent Karoo.

● **C. regale** [Lat., königlich]. Pflanzen halb büschelig mit kurzen, niederliegenden Zweigen. Blätter dunkel purpurgrün, bis 90×8 mm, allmählich verjüngt, Spitze gestutzt. Blüten in Wintermitte, oft mehrere zusammen, bis 50 mm Durchmesser, stattlich, leuchtend purpurrosa. Verbreitung: Knersvlakte, Namaqualand (Western Cape, Northern Cape).

● **C. rigidum** [Lat., steif]. (= *C. aureorubrum*) Ausgebreitet, bis 40 cm Durchmesser. Blätter bis 60×8 mm. Blüten

qu'à 40 mm de diam., blanches, mauves, à jaunes ou crème. Habitat: Western Cape (district de Vanrhynsdorp), dans le Karoo à succulentes.

● **C. parvibracteatum** [du lat. 'parvus', petit et 'bracteatus', à bractées]. (= *C. kliprandense*) Plantes prostrées dont les rameaux atteignent jusqu'à 90 cm de long. Feuilles de 32×5–6 mm, vertes, à face inférieure arrondie et dotée d'une courte carène anguleuse, à extrémité arrondie et rougeâtre. Fleurs en plein hiver, jaune d'or, mesurant jusqu'à 40 mm de diam. Habitat: Knersvlakte entre Nuwerus et Kliprand (Northern Cape)

● **C. pillansii** [d'après Neville S. Pillans (1884–1964), botaniste à l'Herbarium-Bolus de l'université du Cap]. Plantes prostrées et étalées atteignant jusqu'à 30 cm de diam. Feuilles presque cylindriques, de 50–90×4–8 mm. Fleurs en hiver et printemps, de 40–60 mm de diam., jaunes à centre rouge. Habitat: Northern Cape, Western Cape, dans le Fynbos sec et le Karoo à succulentes.

● **C. pulchellum** [du lat. joli]. Plantes compactes à rampantes. Feuilles linéaires, presque fusiformes, mesurant jusqu'à 35×7 mm, vert éteint. Fleurs en hiver, mesurant jusqu'à 26 mm de diam., oranges à centre jaune, à pédoncule mesurant jusqu'à 12 mm de long. Habitat: nord-ouest du Knersvlakte (Western Cape).

● **C. pulchrum** [du lat. joli]. Port en touffe. Feuilles presque cylindriques, de 40×7 mm, glauques. Fleurs en début-milieu d'hiver, mesurant jusqu'à 45 mm de diam., rose pourpre. Habitat: Knersvlakte (Western Cape), dans le Karoo à succulentes.

● **C. purpureo-album** [du lat. pourpre-blanc; référence aux fleurs]. (= *C. littlewoodii*) Plantes prostrées et étalées atteignant jusqu'à 50 cm de diam. Feuilles presque cylindriques, mesurant jusqu'à 100×4 mm. Fleurs en début-milieu d'hiver, mesurant jusqu'à 50 mm de diam., pourpre clair à rayures centrales plus foncées, blanches ou jaune doré à centre blanc. Habitat: Western Cape, près de Robertson, dans le Karoo à succulentes.

Früh- bis Spätherbst, bis 35 mm Durchmesser, gelb, Außenseite dunkelrosa oder purpurn. Verbreitung: Richtersveld (Northern Cape).

● **C. spissum** [Lat., dicht, dick; wegen der Blätter]. Pflanzen Büschel bildend, bis 15 cm Durchmesser, mit kompaktem Wuchs. Blätter länglich, verjüngt, bis 70×12 mm, dreikantig bis fast drehrund, blaugrün. Blüten in Wintermitte, bis 40 mm Durchmesser, lachsrosa mit hellerem Zentrum, bis 50 mm lang gestielt. Verbreitung: Knersvlakte (nördlicher Teil des Western Cape). [Volksname: Skaapvygie.]

● **C. spongiosum*** [Lat., schwammig; wegen der Früchte]. Niederliegende Kleinsträucher, bis 30 cm hoch, mit dicken Zweigen bis 10 mm Durchmesser. Blätter fast zylindrisch, bis 110×12 mm. Blüten Winter und Frühling, bis 70 mm Durchmesser, rötlich purpurn bis scharlachrot mit gelbem Zentrum. Verbreitung: Northern Cape, Strandveld entlang der Küste, z. B. Hondeklip Bay und Mündung des Groenrivier. [Volksnamen: Volstruisvygie, Olifangsvy.] – Eine schöne und überaus attraktive Art.

● **C. staminodiosum** [Lat., mit Staminodien versehen; wegen der Blüten]. Niederliegende Sukkulenten mit kurzen Zweigen. Blätter zu Büscheln gedrängt, dunkelgrün und bis 60×8 mm, dick, zur Spitze verjüngt, Oberseite abgeflacht, Unterseite gestutzt. Blüten im Spätwinter, weiß, bis 45 mm Durchmesser. Verbreitung: Knersvlakte, zwischen Bitterfontein und Kliprand (Northern Cape).

● **C. subulatoides** [Lat. 'subula', Ahle, Pfriem; Gr. '-oides', ähnlich wie; wegen der Blätter]. Niederliegend und ausgebreitet, Büschel bildend. Blätter fast zylindrisch, pfriemlich, 70×10 mm. Blüten Frühwinter bis Wintermitte, bis 40 mm Durchmesser, purpurrot. Verbreitung: Western Cape, bei Barrydale, Stormsvlei und Caledon, in Succulent Karoo und Renosterveld.

● **C. tricolorum** [Lat., dreifarbig; wegen der Blüten]. Niederliegend und ausgebreitet, bis 1 m Durchmesser. Blätter fast zylindrisch, 80×6 mm. Blüten Winter und Frühling, bis 50 mm Durchmesser, gelb mit purpurner Basis, Aussenseite an der Basis rot, Zentrum rot. Verbreitung: Western Cape in trockenem Fynbos, Pakhuispass, nahe Clanwilliam, Cedarberg, quarzitische Ebenen um Vredenburg und Vanrhynsdorp. [Volksname: Rooi-Ogie.]

Cephalophyllum sp.

● **C. regale** [du lat. royal]. Plantes semi-cespiteuses, à courts rameaux prostrés. Feuilles vert pourpré foncé, mesurant jusqu'à 90×8 mm, s'effilant peu à peu, à pointe tronquée. Fleurs en hiver, souvent en groupes, mesurant jusqu'à 50 mm de diam., imposantes, rose pourpre lumineux. Habitat: Knersvlakte, Namaqualand (Western Cape, Northern Cape).

● **C. rigidum** [du lat. raide]. (= *C. aureorubrum*) Plantes étalées atteignant jusqu'à 40 cm de diam. Feuilles mesurant jusqu'à 60×8 mm. Fleurs en début-fin d'automne, mesurant jusqu'à 35 mm de diam., jaunes et rose foncé ou pourpres à l'extérieur. Habitat: Richtersveld (Northern Cape).

● **C. spissum** [du lat. dense, épais; référence aux feuilles]. Plantes en touffes compactes atteignant jusqu'à 15 cm de diam. Feuilles allongées et effilées, mesurant jusqu'à 70×12 mm, trigones à presque fusiformes, glauques. Fleurs en plein hiver, mesurant jusqu'à 40 mm de diam., rose saumon à centre plus clair, à pédoncule mesurant jusqu'à 50 mm de long. Habitat: Knersvlakte (partie nord du Western Cape). [nom commun: Skaapvygie]

● **C. spongiosum*** [du lat. spongieux; référence aux fruits]. Petits arbustes prostrés atteignant jusqu'à 30 cm de haut. Rameaux mesurant jusqu'à 10 mm de diam. Feuilles presque cylindriques, mesurant jusqu'à 110×12 mm. Fleurs en hiver et printemps, mesurant jusqu'à 70 mm de diam., pourpre rougeâtre à rouge écarlate à centre jaune. Habitat: Northern Cape, le long de la côte du Strandveld, par ex. Hondeklip Bay et embouchure de la Groenrivier. [noms communs: Volstruisvygie, Olifangsvy]

● **C. staminodiosum** [du lat. doté de staminodes; référence aux fleurs]. Succulentes prostrées à courts rameaux. Feuilles serrées en bouquets, vert foncé et mesurant jusqu'à 60×8 mm, épaisses et s'effilant à la pointe. Face supérieure aplatie et face inférieure tronquée. Fleurs en fin d'hiver, blanches, mesurant jusqu'à 45 mm de diam. Habitat: Knersvlakte, entre Bitterfontein et Kliprand (Northern Cape).

● **C. subulatoides** [du lat. 'subula', alène, aiguille et du grec '-oides', semblable; référence aux feuilles]. Plantes prostrées et étalées formant des touffes. Feuilles presque cylindriques, aciculaires, de 70×10 mm. Fleurs en début-milieu d'hiver, mesurant jusqu'à 40 mm de diam., rouge pourpre. Habitat: Western Cape, près de Barrydale, Stormsvlei et Caledon, dans le Karoo à succulentes et le Renosterveld.

● **C. tricolorum** [du lat. tricolore; référence aux fleurs]. Plantes prostrées et étalées atteignant jusqu'à 1 m de diam. Feuilles presque cylindriques, de 80×6 mm. Fleurs en hiver et printemps, mesurant jusqu'à 50 mm de diam., jaunes à base pourpre, base rouge à l'extérieur et centre rouge. Habitat: Western Cape dans le Fynbos sec, Pakhuispass, près de Clanwilliam, Cederberg, dans les étendues quartzifères près de Vredenburg et Vanrhynsdorp. [nom commun: Rooi-Ogie]

Cerochlamys

Cerochlamys *[Gr. 'keros', Wachs; Gr. 'chlamys', Mantel; wegen der mit Wachs bedeckten Blattoberflächen]. Stammlose, ausdauernde Sukkulenten, im Alter büschelig werdend und mit kurzen, verzweigten Trieben. Blätter gegenständig, 1–3 Paare pro Trieb, an der Basis kurz verwachsen, dreikantig-keulig mit einem stark schiefen Kiel, dadurch derart einseitig, dass eine Seite flach und die andere Seite konvex wird, 60 × 16 mm, gräulich grün, schwärzlich werdend. Blüten in Wintermitte, 1–3 zusammen, endständig, kurz gestielt, rosarot oder weiß, bis 30 mm Durchmesser. Fruchtkapseln 5-fächerig, sehr kurz verkehrt konisch, ziemlich flach oder etwas konvex, Oberseite mit erhabenen Nähten. – Eine bis vor kurzem monotypische Gattung aus der Little Karoo (Western Cape).*

● **C. pachyphylla** [Gr. 'pachys', dick; Gr. 'phyllon', Blatt]. Verbreitung: Auf Schiefertonrippen in der Little Karoo in den Distrikten Ladismith, Swellendam und Oudtshoorn (Western Cape). [Volksname: Pronkvygie.]

● **C. pachyphylla var. albiflora*** [Lat. 'albus', weiß; Lat. '-florus', -blütig]. Wie die Art, aber mit weißen Blüten.

Cerochlamys *[du grec 'keros', cire et 'chlamys', manteau; référence à la cire qui couvre les feuilles]. Succulentes vivaces et acaules formant des touffes avec l'âge, à courtes tiges ramifiées. Feuilles opposées, de 1 à 3 paires par tige, brièvement soudées à la base, trigones-claviformes, à carène si fortement oblique qu'une des faces est plate et l'autre convexe, de 60 × 16 mm, vert grisâtre et devenant noirâtres. Fleurs en plein hiver, terminales, par 1–3, à pédoncule court, rouge rosé ou blanches, mesurant jusqu'à 30 mm de diam. Fruits en capsules à 5 loges, très brièvement obconiques, assez aplaties ou un peu convexes, à sommet doté de sutures saillantes. – Genre monospécifique du Little Karoo (Western Cape).*

● **C. pachyphylla** [du grec 'pachys', épais et 'phyllon', feuille] Habitat: sur les crêtes argilo-schisteuses du Little Karoo, dans les districts de Ladismith, Swellendam et Oudtshoorn (Western Cape). [nom commun: Pronkvygie]

● **C. pachyphylla var. albiflora*** [du lat. 'albus', blanc et '-florus', à fleur] Comme l'espèce mais à fleurs blanches.

Cerochlamys pachyphylla

Cerochlamys pachyphylla var. albiflora

Chasmatophyllum

Chasmatophyllum *[Gr. 'chasma', Abgrund, Spalt; Gr. 'phyllon', Blatt; wegen der weit spreizenden Blätter eines Paares]. Zwergige, Büschel bildende bis kriechende Pflanzen. Blätter kreuzgegenständig, mit angedeuteter Blattscheide, ausgebreitet, spatelig, halbdrehrund oder stumpf gekielt, entlang der Ränder sowie auf der Rückseite gegen die Blattspitze hin mit je 1–2 stumpfen Zähnen, Unterseite mit weißlichen Wärzchen bedeckt, ebenso der obere Teil der Oberseite. Blüten im Frühling oder Frühsommer, einzeln, endständig, kurz gestielt, gelb. Verbreitung: Diese kleine Gattung mit 8 Arten ist hauptsächlich auf das südlich-zentrale Inland-Escarpment (Western Cape, Northern Cape, Eastern Cape, Free State) beschränkt. Regen fällt vorwiegend im Sommer und beträgt jährlich 200–500 mm. Die Pflanzen wachsen in flachen Böden über anstehendem Fels in Karoo-Vegetation und Grasländern. – Leicht aus Samen oder durch Stecklinge zu vermehren. [Volksnamen: Geel Bergvygie, Geel Swaelstertvygie.]*

● **C. musculinum** [Lat., muskulös, d. h. fleischig]. Niedrig, reichlich verzweigend, mit niederliegenden Zweigen, dichte Polster bildend. Blätter ausgebreitet, etwas einwärts gebogen, 15–20 mm lang, 4–6 mm breit. Blüten Frühling bis Frühsommer, 15 mm Durchmesser, goldgelb, Blütenblätter

Chasmatophyllum *[du grec 'chasma', gouffre, crevasse, et 'phyllon', feuille; référence aux feuilles très écartées d'une même paire]. Plantes naines formant des touffes ou rampant. Feuilles opposées en croix, à gaine indistincte, aplaties, spatulées, semi-fusiformes ou à carène arrondie, portant 1 à 2 paires de dents arrondies le long du bord ainsi qu'au revers, près de l'extrémité supérieure. Revers et partie supérieure de l'avers dotés de petites verrues blanchâtres. Fleurs au printemps ou début d'été, isolées et terminales, brièvement pédonculées et jaunes. Habitat: Ce petit genre rassemble 8 espèces majoritairement localisées dans le centre-sud de l'escarpement intérieur (Western Cape, Northern Cape, Eastern Cape et Free State). Les pluies tombent essentiellement en été et s'élèvent annuellement à 200–500 mm. Ces plantes poussent sur les affleurements rocheux des étendues plates du Karoo et des prairies. – Facile à multiplier par semis ou par bouturage. [noms communs: Geel Bergvygie, Geel Swaelstertvygie]*

● **C. musculinum** [du lat. musculeux, c'est à dire charnu]. Plantes basses et très ramifiées à rameaux prostrés qui forment des coussins denses. Feuilles aplaties, un peu recourbées vers l'intérieur, de 15–20 mm de long et 4–6 mm de large. Fleurs au printemps-début d'été, mesurant jusqu'à 15 mm de diam., jau-

Chasmatophyllum musculinum

Chasmatophyllum willowmorense

an der Spitze aussenseits gerötet. Verbreitung: Nordöstliche Karoo um Aliwal North sowie nord- und westwärts bis zum Free State, Bushmanland und dem südlichen Namibia. [Volksname: Mosvygie.]

● **C. willowmorense** [Nach dem Vorkommen bei Willowmore, Eastern Cape]. Zwergig, Polster bildend, Zweige mit bis zu 6 Blattpaaren. Blätter an der Basis verwachsen, bis 14×5 mm, olivgrün, Spitze stumpf bis fast gestutzt. Blüten Frühling bis Frühsommer, gelb, einzeln, bis 20 mm Durchmesser, bis 6 mm gestielt, gegen den Abend öffnend. Verbreitung: Nahe Willowmore (Eastern Cape), in Succulent Karoo-Vegetation.

ne doré, dont l'extrémité des pétales est rougeâtre à l'extérieur. Habitat: nord-est du Karoo autour d'Aliwal North ainsi que vers le nord et l'ouest jusqu'au Free State, Bushmanland et au sud de la Namibie. [nom commun: Mosvygie]

● **C. willowmorense** [d'après l'habitat naturel près de Willowmore, Eastern Cape]. Plantes naines formant des coussins et dotées de rameaux portant jusqu'à 6 paires de feuilles. Feuilles connées, mesurant jusqu'à 14×5 mm, vert olive, à pointe arrondie à presque tronquée. Fleurs au printemps-début d'été, jaunes, isolées, mesurant jusqu'à 20 mm de diam., à pédoncule mesurant jusqu'à 6 mm et s'ouvrant vers le soir. Habitat: près de Willowmore (Eastern Cape), dans le Karoo à succulentes.

Cheiridopsis

Cheiridopsis *[Gr. 'cheiris', Ärmel; Gr. 'opsis', Aussehen; wegen der von den alten Blättern gebildeten, ausdauernden, trockenen Blattscheiden, welche die neuen Blätter umhüllen]. Büschel bildende, zwergige Sukkulenten. Blätter gegenständig, oft nacheinander zwei unterschiedliche Paare, dreikantig, rhombisch-drehrund bis eiförmig, im Sommer vertrocknend und eine schützende Hülle um die neuen Blätter bildend. Blüten im Winter und Frühling, gross, ansehnlich, weiß, rosa, purpurn oder gelb. Fruchtkapseln 8- bis 19-fächerig, Fächerdecken und Verschlusskörperchen vorhanden. Verbreitung: Halbtrockene bis trockene Winterregengebiete von Namibia und dem Northern Cape und Western Cape. – Eine mittelgrosse Gattung mit etwa 25 Arten. Die Pflanzen werden gelegentlich kultiviert, aber mehr als Gruppe für Spezialisten. Ausserhalb des Karoogebietes werden sie am besten unter Glas gepflegt. Samen keimen leicht.*

Cheiridopsis *[du grec 'cheiris', manche et 'opsis', aspect; référence aux gaines foliaires sèches et persistantes qui sont constituées par les anciennes feuilles et qui enserrent les nouvelles]. Succulentes naines formant des touffes. Feuilles opposées, comportant souvent deux différentes paires de feuilles successives, trigones, rhomboïdales-fusiformes à ovoïdes, se desséchant en été et formant alors une gaine protectrice pour les nouvelles feuilles. Grandes et jolies fleurs en hiver et printemps, blanches, roses, pourpres ou jaunes. Fruits en capsules à 8–19 loges, à opercules et obturateurs. Habitat: régions à pluies hivernales arides à semi-arides de la Namibie, du Northern Cape et du Western Cape. – Genre d'importance moyenne regroupant environ 25 espèces. Ces plantes sont parfois cultivées mais plutôt en tant que groupe pour spécialistes. En dehors des régions du Karoo, il vaut mieux les cultiver sous serre. Les graines germent facilement.*

Cheiridopsis acuminata

Cheiridopsis cigarettifera

Cheiridopsis denticulata

Cheiridopsis derenbergiana

Cheiridopsis glomerata

● **C. acuminata** [Lat., spitz zulaufend; wegen der Blattspitzen]. Robuste Pflanzen mit Zweigen bis 10 mm Durchmesser, frisch gewachsene Teile fein papillat, gräulich grün. Blätter 50–70 mm lang, in der Mitte 15 mm breit, Scheide 10 mm lang. Blüten Winter bis früher Frühling, gelb, bis 60 mm Durchmesser. Verbreitung: Namaqualand und Richtersveld (Northern Cape).

● **C. cigarettifera*** [Lat., Zigaretten tragend; wegen der ausdauernden Blattscheiden]. Kleine, büschelige Pflanzen. Blätter bis 50 × 5 mm, für 1/3 der Länge verwachsen. Blüten im Winter und Frühling, bis 30 mm Durchmesser, gelb. Verbreitung: Northern Cape, Western Cape, in Gebieten mit trockener Succulent Karoo-Vegetation.

● **C. denticulata** [Lat., winzig gezähnt; wegen der Blattspitze]. (= *C. candidissima*) Pflanzen gebüschelt und Polster bildend. Blätter gross, blaugrün, bis 100 × 12 mm. Blüten im Winter und Frühling, gross, strohgelb oder rosa, bis 80 mm Durchmesser. Verbreitung: Northern Cape, in Succulent Karoo. [Volksnamen: (Sprache der Nama) T'noutsiama.]

● **C. derenbergiana** [Nach Dr. Julius Derenberg (1873–1928), deutscher Arzt und Sukkulentenfreund]. Kleine, gebüschelte, behaarte Pflanzen. Blätter 30 × 6 mm. Blüten im Winter und Frühling, zitronengelb, bis 55 mm Durch-

● **C. acuminata** [du lat. en pointe; référence à la pointe des feuilles]. Robustes plantes à rameaux vert grisâtre mesurant jusqu'à 10 mm de diam., dont les parties juvéniles portent de fines papilles. Feuilles de 50–70 mm de long et de 15 mm de large à mi-hauteur, à gaines de 10 mm de long. Fleurs en hiver-début de printemps, jaunes, mesurant jusqu'à 60 mm de diam. Habitat: Namaqualand et Richtersveld.

● **C. cigarettifera*** [du lat. porteur de cigarette; référence aux gaines foliaires persistantes]. Petites plantes en touffes. Feuilles mesurant jusqu'à 50 × 5 mm, soudées sur 1/3 de leur longueur. Fleurs en hiver et printemps, mesurant jusqu'à 30 mm de diam., jaunes. Habitat: Northern Cape, Western Cape, dans les zones à végétation de type Karoo à succulentes.

● **C. denticulata** [du lat. à dents minuscules; référence à l'extrémité de la feuille]. (= *C. candidissima*) Plantes formant des touffes et des coussins. Grandes feuilles glauques mesurant jusqu'à 100 × 12 mm. Grandes fleurs en hiver et printemps, jaune paille ou roses, mesurant jusqu'à 80 mm de diam. Habitat: Northern Cape, dans le Karoo à succulentes. [nom commun: (dialecte Nama) T'noutsiama]

● **C. derenbergiana** [d'après le Dr. Julius Derenberg (1873–1928)]. Petites plantes velues formant des touffes. Feuilles de 30 × 6 mm. Fleurs en hiver et printemps, jaune ci-

Cheiridopsis glomerata

Cheiridopsis herrei cf.

Cheiridopsis herrei

messer. Verbreitung: Northern Cape, bei Steinkopf, in Succulent Karoo.

● **C. glomerata** [Lat., knäuelig, gebüschelt; wegen der Wuchsform]. Kompakte Zwergpflanzen. Blätter graugrün, kurz, kompakt, basal verwachsen und eng gegeneinander gepresst und so gerundete Körperchen bildend, Oberseite flach, Unterseite gekielt. Blüten im Frühling, magenta, bis 40 mm Durchmesser. Verbreitung: Nördliches Namaqualand (Northern Cape), in Succulent Karoo.

● **C. herrei** [Nach Hans Herre (1895–1979), Mittagsblumenspezialist und ehemaliger Kurator am Stellenbosch University Garden]. Kompakte, Büschel bildende Pflanzen. Blätter bis 20×12 mm, etwas zusammengedrückt, bläulich grün, Oberseite flach, Unterseite stumpflich gekielt, Spitze stumpf.

tron, mesurant jusqu'à 55 mm de diam. Habitat: Northern Cape, près de Steinkopf, Karoo à succulentes.

● **C. glomerata** [du lat. en pelote, en touffe; référence au port]. Plantes naines compactes. Feuilles gris vert, courtes et compactes, connées et étroitement pressées l'une contre l'autre de manière à former un corpuscule arrondi. Face supérieure plate et face inférieure carénée. Fleurs au printemps, magenta, mesurant jusqu'à 40 mm de diam. Habitat: nord du Namaqualand (Northern Cape), Karoo à succulentes.

● **C. herrei** [d'après Hans Herre (1895–1979), spécialiste des mésembs et autrefois curateur du Jardin universitaire de Stellenbosch]. Plantes compactes formant des touffes. Feuilles mesurant jusqu'à 20×12 mm, un peu comprimées,

Cheiridopsis peculiaris

Cheiridopsis peculiaris

Cheiridopsis pillansii

Cheiridopsis pillansii

Cheiridopsis purpurea

Cheiridopsis robusta

Cheiridopsis rostrata (= C. tuberculata)

Cheiridopsis rostrata

Blüten im Winter und Frühling, bis 60 mm Durchmesser, gelb, bis 10 mm lang gestielt. Verbreitung: Richtersveld (Northern Cape).

● **C. peculiaris** [Lat., sonderbar; wegen der Blätter]. Zwergige, kompakte, einzeln wachsende Pflanzen, je mit zwei unterschiedlichen Blattpaaren; untere Blätter flach weit ausgebreitet, bis 50×30 mm, eiförmig, basal verwachsen, glatt, blaugrün bis rötlich grün oder purpurgrün; oberes Blattpaar aufrecht und für 2/3 der Länge verwachsen. Blüten im Spätwinter und Frühling, gelb, 45 mm Durchmesser, auffällig. Verbreitung: Richtersveld (Northern Cape), an der Kante des Escarpments, in Succulent Karoo auf sandigen, steinigen Böden. [Volksname: Eseloor-Vygie.]

● **C. pillansii** [Nach Neville S. Pillans (1884–1964), Botaniker am Bolus-Herbarium der Universität von Kapstadt]. Pflanzen klein, büschelig, bis 20 cm Durchmesser. Blätter dick und hochsukkulent, 45×25 mm, blaugrün. Blüten im Winter und Frühling, bis 60 mm Durchmesser, orange mit gelbem Zentrum. Verbreitung: Northern Cape, in Succulent Karoo.

● **C. purpurea** [Lat., purpurn; wegen der Blüten]. Kleine, Büschel bildende Pflanzen. Blätter bis 35×11 mm, blaugrün. Blüten im Winter und Frühling, 35 mm Durchmesser, purpurn. Verbreitung: Richtersveld (Northern Cape), Succulent Karoo.

● **C. robusta** [Lat., robust, kräftig; wegen des Wuchses]. Pflanzen Büschel bildend. Blätter bis 55×17 mm, verjüngt, graugrün, Unterseite mit einem Kiel. Blüten im Winter und Frühling, bis 60 mm Durchmesser, gelb. Verbreitung: Nördliches Namaqualand (Northern Cape), häufig, in Succulent Karoo auf Quarzebenen, Hügeln und auf steinigen Böden.

● **C. rostrata** [Lat., geschnäbelt; wegen der Blattspitzen]. Pflanzen klein, büschelig. Blätter bis 40×9 mm. Blüten im Winter und Frühling, gelb, bis 60 mm Durchmesser. Verbreitung: Western Cape, in Strandveld in Meeresnähe.

● **C. schlechteri** [Nach Max Schlechter (1874–1960), Sukkulentensammler in Namaqualand]. Pflanzen kompakt,

vert bleuté, aplaties sur le dessus, à carène arrondie au dessous et à pointe arrondie. Fleurs en hiver et printemps, mesurant jusqu'à 60 mm de diam., jaunes, à pédoncule mesurant jusqu'à 10 mm de long. Habitat: Richtersveld (Northern Cape).

● **C. peculiaris** [du lat. étrange; référence à la feuille]. Plantes naines et compactes poussant isolément, à deux types de paires de feuilles. Feuilles inférieures aplaties et largement écartées, mesurant jusqu'à 50×30 mm, ovoïdes, connées, lisses et glauques à vert rougeâtre ou vert pourpré. Feuilles supérieures dressées et soudées sur les 2/3 de leur longueur. Belles fleurs en fin d'hiver et début de printemps, jaunes, mesurant jusqu'à 45 mm de diam. Habitat: Richtersveld (Northern Cape).

● **C. pillansii** [d'après Neville S. Pillans (1884–1964), botaniste au Bolus-Herbarium de l'université du Cap]. Petites plantes en touffes mesurant jusqu'à 20 cm de diam. Feuilles épaisses et très succulentes, de 45×25 mm, glauques. Fleurs en hiver et printemps, mesurant jusqu'à 60 mm de diam., oranges à centre jaune. Habitat: Northern Cape, Karoo à succulentes.

● **C. purpurea** [du lat. pourpre; référence aux fleurs]. Petites plantes en touffes. Feuilles mesurant jusqu'à 35×11 mm, glauques. Fleurs en hiver et printemps, de 35 mm de diam., pourpres. Habitat: Richtersveld, Karoo à succulentes.

● **C. robusta** [du lat. vigoureux, robuste]. Plantes formant des touffes. Feuilles mesurant jusqu'à 55×17 mm, effilées, gris vert, à face inférieure carénée. Fleurs en hiver et printemps, mesurant jusqu'à 60 mm de diam., jaunes. Habitat: nord du Namaqualand sur les sols caillouteux, les étendues quartzifères et les collines du Karoo à succulentes.

● **C. rostrata** [du lat. à éperon; référence à la pointe de la feuille]. Petites plantes en touffes. Feuilles mesurant jusqu'à 40×9 mm. Fleurs en hiver et printemps, jaunes, mesurant jusqu'à 60 mm de diam. Habitat: Western Cape, dans le Strandveld à proximité de la mer.

● **C. schlechteri** [d'après Max Schlechter (1874–1960), collectionneur de succulentes dans le Namaqualand]. Plantes compactes formant des coussins. Feuilles soudées sur la moitié de leur longueur et formant un corpuscule glauque de 10×

Polster bildend. Blätter für 1/2 der Länge zu einem 10×7 mm grossen Körperchen verwachsen, blaugrün. Blüten in Wintermitte, gelb. Verbreitung: Richtersveld (Northern Cape) und südliches Namibia, entlang des Randes des Escarpments im Landesinneren.

● **C. speciosa** [Lat., ansehnlich]. Kompakte, Büschel bildende Pflanzen. Blätter bis 30×10 mm, graugrün, basal verwachsen, verjüngt, an der Spitze gekielt und gestutzt. Blüten in Wintermitte, bis 60 mm Durchmesser, magenta bis purpurrot, sitzend. Verbreitung: Nördliches Namaqualand (Northern Cape), in Succulent Karoo auf Quarzebenen.

● **C. turbinata** [Lat., kreiselförmig; wegen der Früchte]. Kompakte, Büschel bildende Pflanzen. Blätter halbzylindrisch, im unteren Teil verwachsen, unterseits gekielt, Spitze gestutzt, bis 100×17 mm, blaugrün. Blüten in Wintermitte, gelb, bis 70 mm Durchmesser, bis 80 mm lang gestielt. Verbreitung: Nördliches Namaqualand (Northern Cape), in Succulent Karoo. [Volksname: Renostervygie.]

● **C. velox** [Lat., rasch; weil die Pflanzen schon nach einem Jahr blühen können]. Gebüschelte, zwergige, gerundete Kleinsträucher. Blätter aufsteigend, linealisch-dreikantig, verjüngt, bis 50×5 mm, graugrün, Ränder und Kiel gezähnelt. Blüten im Spätwinter und Frühling, bis 40 mm Durchmesser, gelb. Verbreitung: Gipfel des Ploegberg im Richtersveld (Northern Cape), in Granitgrus in Succulent Karoo-Vegetation. [Volksname: Ploegbergvygie.]

● **C. verrucosa** [Lat., warzig; wegen der Blattoberfläche]. Zwergig, kompakt und Büschel bildend, etwa 10 cm Durchmesser. Blätter kurz, bis 25×15 mm, für bis zu 2/3 der Länge verwachsen und konische Körperchen bildend, Oberfläche undeutlich warzig und dunkler grün punktiert. Blüten Spätwinter bis früher Frühling, bis 25 mm Durchmesser, gelb, bis 20 mm lang gestielt. Verbreitung: Richtersveld (Northern Cape). [Volksname: Knoppiesblaar-Vygie.]

7 mm. Fleurs jaunes en plein hiver. Habitat: Richtersveld (Northern Cape) et sud de la Namibie, le long des crêtes de l'escarpement de l'intérieur des terres.

● **C. speciosa** [du lat. attractif]. Plantes compactes formant des touffes. Feuilles mesurant jusqu'à 30×10 mm, gris vert, connées, effilées, à extrémité carénée et tronquée. Fleurs sessiles en plein hiver, mesurant jusqu'à 60 mm de diam., magenta à rouge pourpre. Habitat: nord du Namaqualand (Northern Cape), sur les étendues quartzifères du Karoo à succulentes.

● **C. turbinata** [du lat. en forme de toupie; référence aux fruits]. Plantes compactes formant des touffes. Feuilles semi-cylindriques, soudées sur la partie inférieure, à revers caréné et pointe tronquée, glauques et mesurant jusqu'à 100×7 mm. Fleurs en plein hiver, jaunes, mesurant jusqu'à 70 mm de diam., à pédoncule mesurant jusqu'à 80 mm de long. Habitat: nord du Namaqualand (Northern Cape), Karoo à succulentes. [nom commun: Renostervygie]

● **C. velox** [du lat. rapide; car la plante peut fleurir à partir d'un an]. Petits arbustes nains, en touffes arrondies. Feuilles dressées, linéaires-trigones, effilées, mesurant jusqu'à 50×5 mm, gris vert, à bord et carène dentés. Fleurs jaunes en fin d'hiver-printemps, mesurant jusqu'à 40 mm de diam. Habitat: Sommet du Ploeberg dans le Richtersveld (Northern Cape), dans les petits graviers granitiques du Karoo à succulentes. [nom commun: Ploerbergvygie]

● **C. verrucosa** [du lat. verruqueux; référence à l'avers de la feuille] Plantes naines et compactes formant des touffes d'environ 10 cm de diam. Feuilles courtes mesurant jusqu'à 25×15 mm, soudées sur les 2/3 de leur longueur et formant un corpuscule conique. Avers semé de verrues peu nettes et ponctué de vert foncé. Fleurs jaunes en fin d'hiver-début de printemps, mesurant jusqu'à 25 mm de diam., à pédoncule mesurant jusqu'à 20 mm de long. Habitat: Richtersveld (Northern Cape). [nom commun: Knoppiesblaar-Vygie]

Cheiridopsis schlechteri

Cheiridopsis speciosa

Cheiridopsis turbinata

Cheiridopsis turbinata

Cheiridopsis velox

Cheiridopsis verrucosa

Cleretum

Cleretum *[Gr. 'kleros', Schicksal, Los; Bezug unklar]. Einjährige Pflanzen. Blätter mit auffällig grossen Papillen, lanzettlich-spatelig, oder leierförmig und fiederschnittig. Blüten klein und unbedeutend, gelb, gelblich oder weiß. Fruchtkapseln 5-fächerig, Fächerdecken fehlend oder sehr klein, Verschlusskörperchen fehlend, Plazentation wandständig. Verbreitung: Western Cape, Northern Cape, in Winterregengebieten. – Nur gelegentlich kultiviert. Die Gattung umfasst drei Arten.*

● **C. herrei** [Nach Hans Herre (1895–1979), Mittagsblumenspezialist und ehemaliger Kurator am Stellenbosch University Garden]. Zweige niederliegend, papillat, ausgebreitet, oft rötlich gefärbt. Blätter leierförmig, fiederschnittig, 30–90 × 10–35 mm, papillat. Blüten im Winter und Frühling, gelb, 10 mm Durchmesser. Kapseln mit zu einem Saum reduzierten Fächerdecken. Verbreitung: Western Cape. – Eine nach Feuern rasch wachsende Pflanze in Fynbos-Vegetation, von Kirstenbosch bis zur Spitze des Kaps. Selten kultiviert. [Volksname: Brandslaai.]

● **C. lyratifolium** [Lat. 'lyratus', leierförmig; Lat. 'folium', Blatt]. Rosetten bildende, kleine, einjährige Sukkulenten, bis 8 cm Durchmesser. Blätter ausgebreitet, flach, leierförmig gelappt. Blüten im Winter und Frühling, klein, kleistogam, unbedeutend, weiß. Verbreitung: Roggeveld-Escarpment, Northern Cape.

● **C. papulosum** [Lat., mit kleinen Pusteln; wegen der papillaten Blätter]. Zweige ausgebreitet. Blätter lanzettlich-spatelig, bis 70 × 13 mm, dicht mit glänzenden Papillen bedeckt. Blüten im Winter und Frühling, klein, kleistogam, Blütenblätter gelblich, kürzer als die Kelchzipfel. Kapseln vor dem Austrocknen rötlich. Verbreitung: Northern Cape, Western Cape, in der ganzen Succulent Karoo weit verbreitet. – Gelegentlich kultiviert. [Volksname: Sandslaai.]

Cleretum *[du grec 'Kléros', destinée, sort; sens obscur]. Plantes annuelles. Feuilles à papilles remarquablement grandes, lancéolées-spatulées ou en forme de lyre et pennatifides. Petites fleurs insignifiantes, jaunes, jaunâtres ou blanches. Fruits en capsules à 5 loges, à opercules très petits ou manquants, sans obturateurs et à placentation pariétale. Habitat: Western Cape, Northern Cape, largement répandu dans les régions à pluies hivernales du Karoo. – Assez peu cultivé, ce genre comporte 3 espèces.*

● **C. herrei** [d'après Hans Herre (1895–1979), spécialiste des mésembs et autrefois curateur du Jardin universitaire de Stellenbosch]. Plantes à rameaux prostrés et étalés, souvent rougeâtres et marqués de papilles. Feuilles en lyre, pennatifides, de 30–90 × 10–35 mm, dotées de papilles. Fleurs jaunes de 10 mm de diam., en hiver et printemps. Capsules à opercules réduits à un rebord. Habitat: Western Cape. – Plante du Fynbos, repartant rapidement après un incendie.

● **C. lyratifolium** [du lat. 'lyratus', en forme de lyre et 'folium', feuille]. Petites succulentes annuelles formant des rosettes atteignant jusqu'à 8 cm de diam. Feuilles larges et aplaties, lobées en forme de lyre. Petites fleurs blanches et insignifiantes, cléistogames, en hiver et printemps. Habitat: Roggeveld-Escarpment, Northern Cape.

● **C. papulosum** [du lat. à petites pustules; référence aux papilles de la feuille]. Plantes à rameaux étalés. Feuilles lancéolées-spatulées mesurant jusqu'à 70 × 13 mm, abondamment couvertes de papilles luisantes. Petites fleurs cléistogames en hiver et au printemps, à pétales jaunâtres et plus courts que les pointes du calice. Capsules rougeâtres avant dessèchement. Habitat: Northern Cape, Western Cape, largement répandu dans tout le Karoo à succulentes. – Parfois cultivé. [nom commun: Sandslaai]

Cleretum herrei

Cleretum lyratifolium

Cleretum papulosum subsp. papulosum

Conicosia

Conicosia *[Gr. 'konikos', konisch; wegen der Form der Fruchtoberseite]. Niederliegende, kahle Sukkulenten, zuerst eine Blattrosette bildend, dann mit verlängerten Zweigen. Fruchtkapseln hygroskopisch, gross. – Eine kleine Gattung mit 3 Arten, im Winterregengebiet weit verbreitet und auf sandigen Böden vorkommend. [Volksnamen: Varkwortel, Ystervarkwortel, Gansies, Snotwortel.]*

● **C. pugioniformis subsp. muirii** [Nach Dr. J. Muir (1874–1947), schottischer Arzt und Botaniker in Südafrika]. Ähnlich wie die typische Unterart aber kleiner. Blätter bis 170 × 6 mm. Blüten Frühling bis Sommer, bis 60 mm Durchmesser, hell zitronengelb. Verbreitung: Sandige Ebenen im südlichen Kap-Gebiet, z. B. im Riversdale-Distrikt (Western Cape). [Volksnamen: Vakwortel, Ystervarkwortel, Gansies, Varkiesknol.]

● **C. pugioniformis subsp. pugioniformis** [Lat. 'pugio', Dolch; Lat. '-formis', -förmig; wegen der Blätter]. Zweige niederliegend. Blätter gebüschelt, linealisch, bis 150 mm lang, im Querschnitt dreikantig, Oberseite flach. Blüten im Frühling, gelb, bis 80 mm Durchmesser. Verbreitung: In sandigen Küstengebieten weit verbreitet, häufig auf den Ebenen im Kap-Gebiet. – Selten kultiviert. Leicht am zentral stehenden Büschel aus lang linealischen Blättern sowie an den gelben Blüten und den grossen, hygroskopischen Früchten kenntlich. [Volksnamen: Varkslaai, Snotwortel.]

Conicosia *[du grec 'konikos', conique; référence à la forme du sommet du fruit]. Succulentes glabres et prostrées qui forment tout d'abord une rosette de feuilles puis dont les rameaux s'étalent. Gros fruits en capsules hygroscopiques. Petit genre comportant 3 espèces, largement répandu dans la zone à pluies hivernales et sur les sols sableux. [noms communs: Varkwortel, Ystervarkwortel, Gansies, Snotwortel]*

● **C. pugioniformis subsp. muirii** [d'après le Dr. J. Muir (1874–1947), médecin écossais et botaniste d'Afrique du Sud]. Semblable à la sous-espèce typique mais plus petite. Feuilles mesurant jusqu'à 170 × 6 mm. Fleurs au printemps-été, jaune citron clair et mesurant jusqu'à 60 mm de diam. Habitat: étendues sableuses du sud de la région du Cap, par ex. dans le district de Riversdale (Western Cape). [nom commun: Varkwortel, Ystervarkwortel, Gansies, Varkiesknol]

● **C. pugioniformis subsp. pugioniformis** [du lat. 'pugio', poignard et 'formis', forme; référence à la feuille]. Plantes à rameaux prostrés. Feuilles linéaires, en bouquet, mesurant jusqu'à 150 mm de long, à section trigone et à avers plat. Fleurs jaunes au printemps, mesurant jusqu'à 80 mm de diam. Habitat: largement répandu dans les zones côtières sableuses et fréquent dans les plaines de la région du Cap. – Rarement cultivé. Facile à identifier grâce à son bouquet central de longues feuilles linéaires, à ses fleurs jaunes et à ses gros fruits hygroscopiques. [noms communs: Varkslaai, Snotwortel]

Conicosia pugioniformis subsp. pugioniformis

Conicosia pugioniformis subsp. muirii

Conophytum *[Gr. 'konos', Kegel; Gr. 'phyton', Pflanze; wegen der Gestalt der aus den verwachsenen Blattpaaren gebildeten Blattkörperchen]. Zwergige, gebüschelte Sukkulenten, manchmal einzeln und im Boden eingesenkt und nur ein »Fenster« sichtbar, oder mit der Zeit Polster bildend. Blätter konisch, zu einem konischen Körperchen verwachsen, im Sommer eintrocknend und eine schützende, trockene Hülle bildend, unter welcher sich das neue Körperchen entwickelt. Blüten hautsächlich im Herbst, mit einer schlanken Kelchröhre, einzeln, meist hübsch, bis 30 mm Durchmesser und einer langen Röhre, normalerweise tagsüber offen, aber einige Arten nachtblütig. Fruchtkapseln 4- bis 8-fächerig, mit oder ohne Fächerdecken, Verschlusskörperchen fehlend. Verbreitung: Winterregengebiete des Northern Cape und Western Cape sowie von Namibia, vorwiegend in Succulent Karoo-Vegetation, aber ebenfalls im halbtrockenen Fynbos, überwiegend in flachen Felspfannen mit Moos. – Von Sukkulentenliebhabern häufig kultiviert, v.a. in der Nordhemisphäre. Diese Winterwachser müssen während der Sommermonate trocken gehalten werden.*

● **C. bilobum subsp. altum** [Lat., hoch; wegen der Wuchsform]. Zwergige, bis 9 cm hohe Polster bildend. Blätter zu verkehrt herzförmigen, leicht zusammengedrückten, bis 30 × 12 mm grossen Körperchen verwachsen, blaugrün, winzig papillat. Blüten im Herbst, bis 18 mm Durchmesser, gelb. Verbreitung: Nördliches Namaqualand (Northern Cape).

● **C. bilobum subsp. bilobum** [Lat. 'bi-', zwei; Lat. 'lobus', Zipfel; wegen der Form der Körperchen]. Zwergige, bis 9 cm hohe Polster bildend. Blätter zu verkehrt eiförmigen, leicht länglich zusammengedrückten, bis 70 × 30 mm grossen Körperchen verwachsen, blaugrün, kahl bis samtig. Blüten im Herbst, bis 30 mm Durchmesser, gelb. Verbreitung: Nördliches Namaqualand (Northern Cape). [Volksname: Jakalsoortjie.]

● **C. blandum** [Lat., freundlich, schmeichelnd]. Zwergige Polster bildend. Blätter zu verlängerten, bis 27 × 7 mm grossen Körperchen verwachsen, Spitzen etwas spreizend, blaugrün, winzig papillat. Blüten im Herbst, bis zu 20 mm Durchmesser, hellrosa. Verbreitung: Bushmanland (Northern Cape).

● **C. bolusiae subsp. primavernum** [Ital.-Lat., frühlingshaft; wegen der Blütezeit]. Gebüschelt und kleine, kompakte Polster bildend. Körperchen bis 15 × 8 mm, verkehrt konisch, Spitzen leicht konvex, blaugrün. Blüten Spätwinter bis Frühling, tagsüber offen, hellgelb bis hellrosa. Verbreitung: Nördliches Namaqualand (Northern Cape), an felsigen Hängen.

● **C. breve** [Lat., kurz; wegen der kurzen Körperchen]. Zwergige Polster bildend. Blätter zu 8 × 8 mm grossen Körperchen verwachsen, zur Spitze leicht spreizend, blaugrün. Blüten im Herbst, bis 10 mm Durchmesser, gelblich bis cremefarben. Verbreitung: Namaqualand, vom Richtersveld bis Kamieskroon (Northern Cape), auf Berggipfeln zwischen Felsen in Kieseln wachsend.

● **C. burgeri** [Nach A. Burger, Farmbesitzer bei Aggeneys]. Einzeln wachsende Zwergpflanzen. Blätter zu einem konischen, grünen bis rötlichen Körperchen verwachsen, von einer papierigen Hülle bedeckt. Blüten im Herbst, rosa, so breit wie das Körperchen. Verbreitung: Aggeneys im Bushmanland (Northern Cape). [Volksnamen: Burger's Onion, Papierkannetjie, Burger-Knopie.]

● **C. calculus** [Lat., Kieselstein; wegen der Gestalt der Körperchen]. Gebüschelte, zwergige Polsterpflanzen, bis 15 cm Durchmesser, mit silberig graugrünen, kugeligen, bis 22 mm

Conophytum *[du grec 'konos', cône et 'phyton', plante; référence au corpuscule formée par la paire de feuilles soudées]. Succulentes naines en touffes, parfois isolées et encastrées dans le sol avec seulement une «fenêtre» de visible, ou finissant par former des coussins avec le temps. Feuilles coniques, soudées en une masse également conique, se desséchant en été et formant alors une gaine sèche et protectrice sous laquelle se développe le nouveau corpuscule. Fleurs principalement en automne, isolées, généralement décoratives, à calice étroit, mesurant jusqu'à 30 mm de diam. et munies d'un long tube. Elle s'ouvrent généralement durant le jour mais certaines espèces sont nocturnes. Fruits en capsules à 4–8 loges, avec ou sans opercules mais dépourvus d'obturateurs. Habitat: régions à pluies hivernales du Northern Cape et Western Cape ainsi que de Namibie. Majoritairement dans le Karoo à succulentes mais également dans le Fynbos semi-aride, surtout dans les cuvettes rocheuses peu profondes et moussues. – Fréquemment cultivé par les amateurs de succulentes, surtout dans l'hémisphère Nord. Ces plantes à croissance hivernale doivent demeurer au sec durant les mois d'été.*

● **C. bilobum subsp. altum** [du lat. élevé; référence au port]. Plantes naines formant des coussins mesurant jusqu'à 9 cm de haut. Feuilles glauques soudées en corpuscule obcordiforme et légèrement comprimé mesurant jusqu'à 30 × 12 mm, couvert de minuscules papilles. Fleurs jaunes en automne, mesurant jusqu'à 18 mm de diam. Habitat: nord du Namaqualand (Northern Cape).

● **C. bilobum subsp. bilobum** [du lat. 'bi', deux et 'lobus', pointe; référence à la forme des corpuscules]. Plantes naines formant des coussins atteignant jusqu'à 9 cm de haut. Feuilles glauques, glabres à veloutées, soudées en un corpuscule obovoïde, légèrement comprimé et allongé, mesurant jusqu'à 70 × 30 mm. Fleurs jaunes en automne, mesurant jusqu'à 30 mm de diam. Habitat: nord du Namaqualand (Northern Cape). [nom commun: Jakalsoortjie]

● **C. blandum** [du lat. amical, câlin]. Plantes naines formant des coussins. Feuilles glauques, à minuscules papilles, soudées en un corpuscule allongé mesurant jusqu'à 27 × 7 mm, à pointes légèrement écartées. Fleurs roses clair, en automne, mesurant jusqu'à 20 mm de diam. Habitat: Bushmanland (Northern Cape).

● **C. bolusiae subsp. primavernum** [de l'ital.-lat., printanier; référence à la floraison]. Plantes formant des touffes et de petits coussins compacts. Corpuscules obconiques, mesurant jusqu'à 15 × 8 mm, glauques et à pointes légèrement convexes. Fleurs jaune clair à rose clair, en fin d'hiver-printemps et s'ouvrant en journée. Habitat: nord du Namaqualand (Northern Cape), sur les pentes rocheuses.

● **C. breve** [du lat. bref; référence aux courtes masses foliaires]. Plantes naines en coussins. Feuilles glauques, soudées en corpuscules de 8 × 8 mm, à pointes légèrement écartées. Fleurs en automne, jaunâtres à crème, mesurant jusqu'à 10 mm de diam. Habitat: Namaqualand, depuis le Richtersveld jusqu'au Kamieskroon (Northern Cape), poussant au sommet des montagnes, entre les graviers et les cailloux.

● **C. burgeri** [d'après A. Burger, exploitant agricole près d'Aggeneys]. Plantes naines poussant isolément. Feuilles soudée en corpuscules coniques, vert à rougeâtre et couverts d'une gaine parcheminée. Fleurs roses, en automne, aussi larges que les masses foliaires. Habitat: Aggeneys dans le Bushmanland (Northern Cape). [noms communs: Burger's Onion, Papierkannetjie, burger-Knopie]

Conophytum bolusiae subsp. primavernum

Conophytum breve

Conophytum burgeri

Conophytum burgeri

Conophytum calculus

Conophytum concavum

Conophytum ficiforme

Conophytum bilobum

Conophytum bilobum subsp. altum

Conophytum blandum

C. ectypum subsp. ectypum var. brownii

Conophytum (Ophthalmophyllum) friedrichiae

Conophytum ernstii

Crassula barkleyi & Conophytum ficiforme

Conophytum frutescens

Conophytum herreanthus subsp. herreanthus

C. herreanthus subsp. herreanthus

Conophytum herreanthus

Conophytum lithopsoides subsp. lithopsoides

hohen Körperchen. Blüten im Herbst, bis 12 mm Durchmesser, gelb. Verbreitung: Western Cape und Northern Cape, im Gebiet der Knersvlakte, zwischen Quarzkieselhügeln und auf felsigen Rippen in der Succulent Karoo wachsend. [Volksnamen: Albastervygie, Dobbelsteentjie.]

● **C. concavum** [Lat., konkav; wegen der Form der Körperchen]. Körperchen eingesenkt, in kleinen Gruppen, bis 35 × 22 mm, kugelig bis annähernd verkehrt konisch, Oberseite gegen die Mitte konkav, gräulich grün bis rötlich grün. Blüten im Herbst, wachsweiß, bis 30 mm Durchmesser. Verbreitung: Nördliches Namaqualand (Northern Cape).

● **C. ectypum subsp. ectypum var. brownii*** [Lat. 'ectypus', erhaben, geätzt; wegen der Körperfärbung]. Gebüschelte, Polster bildende Pflanzen. Körperchen bis 25 × 10 mm, konisch bis keulig, graugrün bis rötlich grün und mit grünlichen bis rötlichen Strichen gemustert. Blüten im Herbst, bis 30 mm Durchmesser, unterschiedlich, hellgelb bis rosa. Verbreitung: Nördliches Namaqualand (Northern Cape).

● **C. ernstii** [Nach Ernst van Jaarsveld (1953–), Sukkulentenspezialist an den Kirstenbosch Botanical Gardens, und Autor dieses Buches]. Gebüschelt, dichte, runde Polster bis 8 cm Durchmesser bildend. Körperchen kreiselförmig, bis 15 × 18 mm, Spitze gerundet und gestutzt bis konkav, Oberfläche papillat. Blüten im Herbst, rosa, bis 30 mm Durchmesser. Verbreitung: Nördliches Richtersveld, an steilen, schattigen Felsflächen in Succulent Karoo.

● **C. ficiforme** [Lat., feigenförmig; wegen der Körperform]. In domförmig aufgewölbten Polstern wachsend. Körperchen bis 30 × 12 mm, feigenförmig, graugrün bis gelblich grün, mit rötlichen Linien oder Punkten. Blüten im Herbst, bis 25 mm Durchmesser, unterschiedlich, weiß oder gelb bis rosa. Verbreitung: Worcester- und Robertson-Distrikte in der westlichen Little Karoo (Western Cape).

● **C. friedrichiae** [Nach H.-C. Friedrich (1925–), deutscher Botaniker]. Einzeln wachsende Zwergpflanzen, z. T. im Boden eingesenkt. Blätter zum grösseren Teil zu einem zylindrischen Körperchen bis 30 × 16 mm verwachsen, bräunlich grün, rötlich werdend, Blattenden gerundet mit durchschei-

● **C. calculus** [du lat. gravier; référence à l'aspect des corpuscules]. Plantes naines, en touffes, formant des coussins mesurant jusqu'à 15 cm de diam et présentant des corpuscules sphériques et gris vert argenté qui atteignent jusqu'à 22 mm de haut. Fleurs jaunes, en automne, mesurant jusqu'à 12 mm de diam. Habitat: Western Cape et Northern Cape, dans la région du Knersvlakte, parmi les collines de galets quartzifères et les escarpements rocheux du Karoo à succulentes. [nom commun: Albastervygie, Dobbelsteentjie]

● **C. concavum** [du lat. concave; référence aux masses foliaires]. Petits groupes de corpuscules encastrés mesurant jusqu'à 35 × 22 mm, sphériques à approximativement obconiques, vert grisâtre à vert rougeâtre. Région centrale concave sur l'avers de la feuille. Fleurs d'un blanc cireux, en automne, mesurant jusqu'à 30 mm de diam. Habitat: nord du Namaqualand (Northern Cape).

● **C. ectypum subsp. ectypum var. brownii*** [du lat. 'ectypus', corrodé; référence à la couleur des corpuscules]. Plantes en touffes formant des coussins. Corpuscules mesurant jusqu'à 25 × 10 mm, coniques à claviformes, gris vert à vert rougeâtre et rayés de verdâtre à rougeâtre. Fleurs variables, jaune clair à roses, en automne et mesurant jusqu'à 30 mm de diam. Habitat: nord du Namaqualand (Northern Cape).

● **C. ernstii** [d'après Ernst van Jaarsveld (1953–), spécialiste des succulentes au Jardin botanique de Kirstenbosch et auteur de cet ouvrage]. Plantes en touffes formant des coussins denses et arrondis atteignant jusqu'à 8 cm de diam. Corpuscules turbinés, à pointes arrondies et tronquées à concaves, mesurant jusqu'à 15 × 18 mm. Avers de la feuille garnie de papilles. Fleurs roses, en automne, mesurant jusqu'à 30 mm de diam. Habitat: nord du Richtersveld, sur les pentes rocailleuses ombragées du Karoo à succulentes.

● **C. ficiforme** [du lat. en forme de figue; référence aux corpuscules]. Plantes formant des coussins en dôme bombé. Corpuscules en forme de figue, mesurant jusqu'à 30 × 12 mm, gris vert à vert jaunâtre, rayés ou ponctués de rougeâtre. Fleurs variables, blanches ou jaunes à roses, en automne et mesurant jusqu'à 25 mm de diam. Habitat: districts de Worcester et de Robertson dans l'ouest du Little Karoo (Western Cape).

Conophytum minutum var. minutum

Conophytum minutum var. pearsonii

Conophytum obcordellum var. ceresianum

C. obcordellum subsp. obcordellum

C. pellucidum subsp. pellucidum var. neohallii

Conophytum piluliforme subsp. edwardii

nenden Zentren. Blüten im Herbst, weiß, bis 20 mm Durchmesser. Verbreitung: Nördliches Namaqualand, Bushmanland (Northern Cape).

● **C. frutescens** [Lat., strauchig werdend]. Zwergige, Gruppen bildende, verzweigte Kleinsträucher, bis 10 cm hoch. Zweige aufsteigend mit bis 12 mm langen Internodien. Blätter verwachsen, graugrün, Körperchen bis 30×25 mm, Spitze gelappt. Blüten im Herbst, 25 mm Durchmesser, orangegelb. Verbreitung: Nördliches Namaqualand (Northern Cape), an felsigen Hängen.

● **C. herreanthus subsp. herreanthus** [Wegen der früheren Einordnung in die Gattung *Herreanthus*]. Kompakte, Gruppen bildende Sukkulenten, bis 10 cm Durchmesser. Blätter bis 50×20 mm, basal verwachsen, aufsteigend-ausgebreitet, verkehrt eiförmig-dreikantig, Spitze fein zugespitzt, Ränder und Kiel rötlich, Oberfläche glatt, blaugrün. Blüten im Herbst, weiß oder hellrosa, bis 70 mm Durchmesser. Verbreitung: Richtersveld (Umdaus, nördlich von Steinkopf), Namaqualand (Northern Cape). [Volksname: Haasoorvygie.]

● **C. lithopsoides subsp. lithopsoides** [Gr. '-oides', ähnlich wie; wegen der Ähnlichkeit mit Arten der Gattung *Lithops*]. Pflanzen mit im Boden eingesenkten Körperchen, kleine Gruppen bildend. Körperchen bis 30×15 mm, verkehrt eiförmig-zylindrisch und Spitze gestutzt, bräunlich grün, gefleckt. Blüten im Herbst, trompetenförmig, dunkelrosa, bis 40 mm Durchmesser. Verbreitung: Nördliches Namaqualand, Rand des Bushmanlandes (Northern Cape).

● **C. longum** [Lat., lang; wegen der verlängerten Körperchen]. Pflanzen im Boden eingesenkt, einzeln oder kleine Gruppen bildend. Körperchen bis 30×15 mm, zylindrisch, zusammengedrückt, Spitze zweilappig, gräulich grün, schwach punktiert. Blüten im Herbst, weiß bis hellrosa, bis 25 mm Durchmesser. Verbreitung: Nördliches Namaqualand, Eenriet (Northern Cape).

● **C. minimum** [Lat., winzig; wegen der Pflanzengrösse]. Pflanzen zu Polstern gruppiert. Körperchen bis 15×12 mm, verkehrt konisch, Spitze gestutzt, unterschiedlich gefärbt, gräulich grün und unterschiedlich mit auffälligen, dunklen

● **C. friedrichiae** [d'après H.-C. Friedrich (1925–), botaniste allemand]. Plantes naines poussant en isolé, partiellement encastrées dans le sol. Feuilles soudées en grande partie et formant une masse cylindrique mesurant jusqu'à 30×16 mm, vert brunâtre devenant rougeâtre. Extrémité des feuilles arrondie à centre translucide. Fleurs blanches, en automne, mesurant jusqu'à 20 mm de diam. Habitat: nord du Namaqualand, Bushmanland (Northern Cape).

● **C. frutescens** [du lat. arbustif]. Petits arbustes nains, ramifiés et formant des colonies, atteignant jusqu'à 10 cm de haut. Rameaux dressés à entre-nœuds mesurant jusqu'à 12 mm de long. Feuilles soudées, gris vert, formant des corpuscules mesurant jusqu'à 30×25 mm, à pointes lobées. Fleurs jaune orangé, en automne, mesurant jusqu'à 25 mm de diam. Habitat: nord du Namaqualand (Northern Cape), sur les pentes rocheuses.

● **C. herreanthus subsp. herreanthus** [référence à l'ancienne classification dans le genre *Herreanthus*]. Succulentes compactes formant des colonies et atteignant jusqu'à 10 cm de diam. Feuilles mesurant jusqu'à 50×20 mm, connées, redressées-aplaties, obovoïdes-trigones, à extrémité finement mucronée et à bord et carène rougeâtres. Avers de la feuille lisse et glauque. Fleurs blanches ou rose clair, en automne, mesurant jusqu'à 70 mm de diam. Habitat: Richtersveld (Umdaux, au nord de Steinkopf), Namaqualand.

● **C. lithopsoides subsp. lithopsoides** [du grec '-oides', semblable; référence à la ressemblance de l'espèce avec le genre *Lithops*]. Plantes à corpuscules encastrées dans le sol et formant de petites colonies. Corpuscules obovoïdes-cylindriques mesurant jusqu'à 30×15 mm, à pointe tronquée, vert brunâtre et tacheté. Fleurs rose foncé, en forme de trompette, en automne et mesurant jusqu'à 40 mm de diam. Habitat: nord du Namaqualand et lisière du Bushmanland (Northern Cape).

● **C. longum** [du lat. long; référence aux masses foliaires allongées]. Plantes encastrées dans le sol, isolées ou formant de petites colonies. Corpuscules cylindriques et comprimées, mesurant jusqu'à 30×15 mm, à pointe bilobée, vert grisâtre légèrement ponctué. Fleurs blanches à rose clair, en automne, mesurant jusqu'à 25 mm de diam. Habitat: nord du Namaqualand, Eenriet (Northern Cape).

Conophytum longum

Conophytum minimum

Conophytum minusculum subsp. leipoldtii

Linien gefleckt. Blüten im Herbst, weiß bis hellrosa. Verbreitung: Witteberg, südliche Great Karoo (Western Cape), auf quarzitischen Sandsteinfelsen zwischen Flechten.

● **C. minusculum subsp. leipoldtii** [Lat., sehr winzig; wegen der kleinen Körperchen; und nach Louis Leipoldt (1880–1947), südafrikanischer Arzt und Pflanzenliebhaber]. Pflanzen in Gruppen, Polster bildend. Körperchen bis 15× 8 mm, eiförmig bis verkehrt eiförmig, Spitze konvex bis gestutzt, Epidermis papillös, bräunlich bis gräulich grün, unterschiedlich mit dunklen bis schwarzgrünen Linien gemustert. Blüten im Herbst, weiß bis dunkelrosa, bis 25 mm Durchmesser. Verbreitung: Cedarberg (Western Cape), auf quarzitischen Sandsteinfelsen zwischen Flechten.

● **C. minutum var. minutum** [Lat., winzig; wegen der kleinen Körperchen]. Zwergige, Polster bildende Sukkulenten. Körperchen verkehrt konisch, bis 12×10 mm, Spitze konvex bis gestutzt, kreisrund bis nierenförmig, Spalt bis 3 mm lang, Oberfläche graugrün, gefleckt. Blüten im Herbst, bis 15 mm Durchmesser, rosa. Verbreitung: Knersvlakte (Western Cape), auf Quarzebenen in Succulent Karoo.

● **C. minutum var. pearsonii*** [Nach Henry Pearson (1870–1916), erster Direktor der Kirstenbosch Botanical Gardens]. Ähnlich wie var. *minutum*, aber Körperchen breit verkehrt konisch, bis 25×30 mm. Verbreitung: Knersvlakte (Western Cape, Northern Cape), auf Quarzebenen.

● **C. obcordellum subsp. obcordellum** [Lat. 'ob-', verkehrt; Diminutiv von Lat. 'cor', Herz; wegen der Form der Körperchen]. Pflanzen gebüschelt und Polster bildend. Körperchen bis 20×20 mm, verkehrt herzförmig bis verkehrt konisch, mit gestutzter Spitze, unterschiedlich gräulich grün gefärbt, unterschiedlich mit dunklen bis schwarzgrünen Linien gemustert. Blüten im Herbst, weiß bis rosa, bis 25 mm Durchmesser. Verbreitung: Cedarberg und südliches Namaqualand (Western Cape, Northern Cape), auf Sandsteinfelsen zwischen Flechten.

● **C. obcordellum subsp. obcordellum var. ceresianum*** [Nach dem Vorkommen in der Ceres Karoo, Western Cape]. Pflanzen gebüschelt und Polster bildend. Körperchen bis 20×20 mm, verkehrt herzförmig bis verkehrt konisch, mit gestutzter Spitze, unterschiedlich gräulich grün gefärbt, unterschiedlich mit dunklen bis schwarzgrünen Linien gemustert. Blüten im Herbst, variabel, gelblich weiß, lachsfarben bis rosa, bis 30 mm Durchmesser. Verbreitung: Ceres (Western Cape), auf quarzitischen Sandsteinfelsen zwischen Flechten.

● **C. pellucidum subsp. pellucidum var. neohallii*** [Lat. 'pellucidus', durchscheinend; sowie nach Harry Hall (1906–1986), ehemaliger Kurator der Sukkulentensammlung an den Kirstenbosch Botanical Gardens]. Pflanzen mit im Boden eingesenkten Körperchen, kleine Gruppen bildend. Körperchen bis 25×12 mm, verkehrt eiförmig-zylindrisch mit gestutzter Spitze, rosagrün bis gräulich grün, unterschiedlich gefleckt. Blüten Hochsommer bis Herbst, weiß bis gelb, bis 30 mm Durchmesser. Verbreitung: Nördliches Namaqualand (Northern Cape).

● **C. minimum** [du lat. minuscule; référence à la taille de la plante]. Plantes regroupées en coussins. Corpuscules obconiques mesurant jusqu'à 15×12 mm, à pointe tronquée et couleur variable, vert grisâtre diversement marqué de remarquables rayures foncées. Fleurs blanches à rose clair, en automne. Habitat: Witteberg, au sud du Great Karoo (Western Cape), mêlé aux lichens des rochers de grès quartzifères.

● **C. minusculum subsp. leipoldtii** [du lat. extrêmement petit; référence aux petites corpuscules; et d'après Louis Leipoldt (1880–1947), médecin sud-africain et amateur de plantes]. Plantes formant des colonies en coussin. Corpuscules ovoïdes à obovoïdes mesurant jusqu'à 15×8 mm, à pointe convexe à tronquée et à épiderme couvert de papilles. Feuilles brunâtres à vert grisâtre, diversement marquées de rayures foncées à vert noir. Fleurs blanches à rose foncé, en automne et mesurant jusqu'à 25 mm de diam. Habitat: Cedarberg (Western Cape), mêlé aux lichens des rochers de grès quartzifères.

● **C. minutum var. minutum** [du lat. minuscule; référence aux petites corpuscules]. Succulentes naines formant des coussins. Corpuscules obconiques mesurant jusqu'à 12×10 mm, à pointe convexe à tronquée, circulaire à réniforme. Fente mesurant jusqu'à 3 mm de long et avers gris vert et tacheté. Fleurs roses, en automne et mesurant jusqu'à 15 mm de diam. Habitat: Knersvlakte (Western Cape), dans les étendues quartzifères du Karoo à succulentes.

● **C. minutum var. pearsonii*** [d'après Henry Pearson (1870–1916), premier directeur du Jardin Botanique de Kirstenbosch]. Semblable à la var. *minutum* mais les corpuscules sont largement obconiques et mesurent jusqu'à 25 × 30 mm. Habitat: Knersvlakte (Western Cape, Northern Cape), dans les étendues quartzifères.

● **C. obcordellum subsp. obcordellum** [du lat. 'ob', renversé; abréviation du lat. 'cor', cœur; référence à la forme des corpuscules]. Plantes en touffes formant des coussins. Corpuscules mesurant jusqu'à 20×20 mm, obcordiformes à obconiques, à pointe tronquée, d'un vert grisâtre variable et diversement marqué de rayures sombres à vert noirâtre. Fleurs en automne, blanches à roses, mesurant jusqu'à 25 mm de diam. Habitat: Cedarberg et sud du Namaqualand (Western Cape, Northern Cape), mêlé aux lichens des rocailles gréseuses.

● **C. obcordellum subsp. obcordellum var. ceresianum*** [d'après l'habitat naturel du Ceres Karoo, Western Cape]. Plantes en touffes et formant des coussins. Corpuscules mesurant jusqu'à 20×20 mm, obcordiformes à obconiques, à pointe tronquée, d'un vert grisâtre variable et diversement marqué de rayures sombres à vert noirâtre. Fleurs variables, en automne, saumon à roses, mesurant jusqu'à 30 mm de diam. Habitat: Ceres (Western Cape), mêlé aux lichens des rocailles gréseuses et quartzifères.

● **C. pellucidum subsp. pellucidum var. neohallii*** [du lat. 'pellucidus', translucide et référence à Harry Hall (1906–1986), autrefois curateur de la collection de succulentes au Jardin botanique de Kirstenbosch]. Plantes légère-

nophytum (Ophthalmophyllum) pubescens

Conophytum quaesitum subsp. quaesitum

Conophytum regale

● **C. piluliforme subsp. edwardii** [Lat., wie eine kleine Pille; wegen der Körperform; sowie nach Edward Taylor (1848–1928), britischer Mesembspezialist]. Pflanzen in Gruppen und kleine, aufgewölbte oder flache Polster bildend. Körperchen bis 10×3 mm, birnenförmig, grün bis purpurgrün. Blüten im Herbst, 8 mm Durchmesser, dunkelrot bis rostfarben. Verbreitung: Westliche Little Karoo (Western Cape).

● **C. pubescens** [Lat., flaumhaarig]. Pflanzen mit im Boden eingesenkten Körperchen, einzeln oder in kleinen Gruppen. Körperchen bis 30×15 mm, zylindrisch, zusammengedrückt, Spitze zweilappig, gestutzt, gräulich grün. Blüten im Herbst, weiß bis hellrosa oder gelblich, bis 25 mm Durchmesser. Verbreitung: Gamoep, Bushmanland (Northern Cape).

● **C. quaesitum subsp. quaesitum** [Lat., ausgesucht, auserlesen]. Pflanzen in Gruppen wachsend und kleine Polster bildend. Blätter zu einem breit verkehrt eiförmigen, bis 25×15 mm grossen Körperchen verwachsen, blaugrün, kahl bis samtig, Spitze zweilappig und gekielt, Epidermis fein papillat und mit auffälligen, dunkler grünen Punkten. Blüten im Herbst, bis 25 mm Durchmesser, wachsig-weiß bis rosa. Verbreitung: Nördliches Richtersveld (Northern Cape) sowie südliches Namibia.

● **C. regale** [Lat., königlich; wegen der Blüten]. Kleine, gerundete, bis 7 cm hohe Gruppen bildend. Bätter zu verkehrt eiförmigen, leicht länglichen, zusammengedrückten, bis 46×20 mm grossen Körperchen verwachsen, blaugrün, kahl bis samtig, Spitze zweilappig und mit rötlichen Rändern, Epidermis papillat und an den Seiten zwischen den Zipfeln fensterartig durchscheinend. Blüten im Herbst, bis 40 mm Durchmesser, hellrosa. Verbreitung: Nördliches Namaqualand (Northern Cape).

● **C. saxetanum** [Lat., zu den Felsen gehörig; wegen des Wuchsortes]. Zwergige, Gruppen bildende, polsterförmige Sukkulenten. Körperchen verkehrt konisch, zylindrisch, bis 10×5 mm, oberer Teil oft zweilappig, Oberfläche blaugrün bis purpurn. Blüten im Herbst, bis 17 mm Durchmesser, cremefarben bis rosa, nächtlich, duftend. Verbreitung: Namaqualand (Northern Cape), auf Quarzebenen in Succulent Karoo. (Ohne Abbildung)

● **C. smorenskaduense subsp. smorenskaduense** [Nach dem Vorkommen auf der Farm Smorenskadu (Afrikaans, morgendlicher Schatten)]. Einzeln wachsend, teilweise in den Boden eingesenkt, gelegentlich verzweigend und lockere Gruppen bildend. Körperchen zylindrisch und zur Spitze leicht verjüngt, bis 25×10 mm, grün, Spitze zweilappig. Blüten im Herbst, dunkel rosarot, bis 55 mm Durchmesser. Verbreitung: Northern Cape (Grenze zwischen Namaqualand und Bushmanland), auf Quarzebenen in Succulent Karoo.

● **C. subfenestratum** [Lat. 'sub', etwas; und Lat. 'fenestratus', gefenstert]. Einzeln wachsend, zwergig, teilweise im Boden eingesenkt und selten kleine Gruppen bildend. Kör-

ment encastrées dans le sol et formant de petites colonies. Corpuscules mesurant jusqu'à 25 x12 mm, obovoïdes-cylindriques à pointe tronquée, vert rosé à vert grisâtre et diversement tacheté. Fleurs en plein été-automne, blanches à jaunes, mesurant jusqu'à 30 mm de diam. Habitat: nord du Namaqualand (Northern Cape).

● **C. piluliforme subsp. edwardii** [du lat. en petite pilule; d'après Edward Taylor (1848–1928), spécialiste britannique des mésembs]. Plantes en colonies formant de petits coussins bombés ou plats. Corpuscules mesurant jusqu'à 10×3 mm, pyriformes, vert à vert pourpré. Fleurs en automne, rouge foncé à rouille, mesurant jusqu'à 8 mm de diam. Habitat: ouest du Little Karoo (Western Cape).

● **C. pubescens** [du lat. laineux]. Plantes à corpuscules encastrées dans le sol, isolées ou formant de petites colonies. Corpuscules mesurant jusqu'à 30×15 mm, cylindriques, comprimés, à pointe bilobée et tronquée, vert grisâtre. Fleurs en automne, blanches à rose clair ou jaunâtres, mesurant jusqu'à 25 mm de diam. Habitat: Gamoep, Bushmanland (Northern Cape).

● **C. quaesitum subsp. quaesitum** [du lat. exquis, recherché]. Plantes poussant en colonies et formant de petits coussins. Feuilles soudées en un corpuscule mesurant jusqu'à 25×15 mm, largement obovoïde, glauque, glabre à velouté. Extrémité bilobée et carénée, épiderme marqué de fines papilles et de points vert foncé appuyés. Fleurs en automne, mesurant jusqu'à 25 mm de diam., blanc cireux à roses. Habitat: nord du Richtersveld (Northern Cape) ainsi que sud de la Namibie.

● **C. regale** [du lat. royal; référence à la fleur]. Petites plantes arrondies formant des colonies atteignant jusqu'à 7 cm de haut. Feuilles soudées en corpuscules mesurant jusqu'à 46×20 mm, obovoïdes légèrement allongés et comprimés, glauques, glabres à veloutés. Extrémité bilobée et bordée de rougeâtre, Epiderme doté de papilles et présentant une fenêtre translucide à la pointe des deux lobes. Fleurs en automne, rose clair et mesurant jusqu'à 40 mm de diam. Habitat: nord du Namaqualand (Northern Cape).

● **C. saxetanum** [du lat. rupestre; référence à l'habitat]. Succulentes naines formant des colonies en coussins. Corpuscules obconiques et cylindriques mesurant jusqu'à 10×5 mm. Partie supérieure souvent bilobée et surface glauque à pourpre. Fleurs en automne, crème à roses, mesurant jusqu'à 17 mm de diam., à parfum s'exhalant de nuit. Habitat: Namaqualand (Northern Cape), sur les étendues quartzifères du Karoo à succulentes (non illustré).

● **C. smorenskaduense subsp. smorenskaduense** [d'après l'habitat situé dans l'exploitation de Smo-

C. smorenskaduense subsp. smorenskad.

Conophytum subfenestratum

Conophytum truncatum

Conophytum truncatum var. wiggettiae

C. taylorianum subsp. taylorianum

Conophytum calculus subsp. calculus

Conophytum wettsteinii subsp. wettsteinii

perchen kugelig, bis 25×20 mm, bräunlich grün, rötlich werdend, Blattspitzen abgeflacht bis gerundet mit durchscheinenden Mitten und leicht eingesenktem Spalt. Blüten im Herbst, weiß oder leuchtend rosa mit hellerer Mitte, bis 20 mm Durchmesser. Verbreitung: Namaqualand, Bushmanland sowie Knersvlakte (Northern Cape, Western Cape), auf Quarzebenen in Succulent Karoo.

● **C. taylorianum subsp. taylorianum** [Nach Edward Taylor (1848–1928), britischer Mesembspezialist]. In Büscheln wachsend und Polster bildend. Körperchen bis 15×8 mm, verkehrt konisch, Spitze gestutzt bis leicht gekielt, Farbe unterschiedlich gräulich grün, variabel gefleckt, Oberflächen glatt. Blüten im Herbst, rosa, bis 20 mm Durchmesser. Verbreitung: Klinghardt-Gebirge im südlichen Namibia.

● **C. truncatum subsp. truncatum** [Lat., gestutzt; wegen der Form der Körperchen]. Büschelig wachsende, Polster bildende Pflanzen mit gefleckten, grau-rötlich-grünen, zu Körperchen verwachsenen Blättern. Blüten im Herbst, bis 14 mm Durchmesser, weiß bis strohfarben. Verbreitung: Western Cape, Little Karoo und Umgebung, auf felsigen Rippen in Succulent Karoo-Vegetation.

● **C. truncatum subsp. truncatum var. wiggettiae*** [Nach Mrs. I. Wiggett]. Pflanzen in Büscheln und kleine Polster bildend. Körperchen bis 15×15 mm, verkehrt konisch, zylindrisch und gestutzt, unterschiedlich gräulich grün gefärbt, variabel gefleckt, Oberfläche kahl. Blüten im Herbst, weiß bis rosa und bis 20 mm Durchmesser. Verbreitung: Little Karoo (Western Cape), Konglomerathügel.

● **C. uviforme subsp. uviforme** [Lat., traubenförmig; wegen der Form der Körperchen]. Zwergige, in Büscheln wachsende und Polster bildende Sukkulenten. Körperchen verkehrt konisch bis kugelig, bis 25×15 mm, oberer Teil gelappt oder gekielt, Oberfläche blaugrün bis purpurn, punktiert. Blüten im frühen Herbst, bis 25 mm Durchmesser, wachsig weiß bis hellrosa, nächtlich. Verbreitung: Knersvlakte (Western Cape), auf Quarzebenen in Succulent Karoo. (Ohne Abbildung)

● **C. wettsteinii subsp. wettsteinii** [Nach Richard von Wettstein (1863–1931), österreichischer Botaniker]. Zwergige,

renskadu (en afrikaans, «ombre du matin»)]. Plantes poussant en isolé, partiellement encastrées dans le sol, parfois ramifiées et formant des colonies lâches. Corpuscules cylindriques et légèrement effilés à la pointe, mesurant jusqu'à 25×10 mm, vert, à extrémité bilobée. Fleurs en automne, rouge rosé foncé et mesurant jusqu'à 55 mm de diam. Habitat: Northern Cape (frontière entre le Namaqualand et le Bushmanland), sur les étendues quartzifères du Karoo à succulentes.

● **C. subfenestratum** [du lat. 'sub', presque et 'fenestratus', à fenêtre]. Plantes naines, isolées, partiellement encastrées dans le sol et formant rarement de petites colonies. Corpuscules sphériques mesurant jusqu'à 25×20 mm, vert brunâtre devenant rougeâtre, à extrémité aplatie à arrondie dont le centre est translucide et la fente légèrement déprimée. Fleurs en automne, blanches ou rose lumineux à centre plus clair, mesurant jusqu'à 20 mm de diam. Habitat: Namaqualand, Bushmanland et Knersvlakte (Northern Cape, Western Cape), sur les étendues quartzifères du Karoo à succulentes.

● **C. taylorianum subsp. taylorianum** [d'après Edward Taylor (1848–1928), spécialiste britannique des mésembs]. Plantes en touffes formant des coussins. Corpuscules mesurant jusqu'à 15×8 mm, obconiques, à pointe tronquée à légèrement carénée. Coloris d'un vert grisâtre variable et diversement tacheté; surface lisse. Fleurs en automne, roses, mesurant jusqu'à 20 mm de diam. Habitat: Klinghardt Mountains dans le sud de la Namibie.

● **C. truncatum subsp. truncatum** [du lat. tronqué; référence à la forme générale]. Plantes en touffes formant des corpuscules tachetés, vert-rougeâtre-gris. Fleurs en automne, blanches à couleur paille, mesurant jusqu'à 14 mm de diam. Habitat: Western Cape, Little Karoo et ses environs, sur les crêtes rocheuses à végétation du Karoo à succulentes.

● **C. truncatum subsp. truncatum var. wiggettiae*** [d'après Mrs. I. Wiggett]. Plantes en touffes formant de petits coussins. Corpuscules mesurant jusqu'à 15×15 mm, obconiques, cylindriques et tronqués, d'un vert grisâtre variable et diversement tacheté, à épiderme lisse. Fleurs en automne, blanches à roses et mesurant jusqu'à 20 mm de diam. Habitat: Little Karoo (Western Cape), collines de conglomérat.

in Büscheln wachsende und Polster bildende Sukkulenten. Körperchen breit verkehrt konisch, bis 20×22 mm, oberer Teil konkav, konvex oder gestutzt, kreisrund, Blattspalte bis 4 mm lang, Oberfläche graugrün, gefleckt. Blüten im Herbst, bis 40 mm Durchmesser, magenta. Verbreitung: Richtersveld (Northern Cape), auf Quarzebenen in Succulent Karoo.

● **C. wettsteinii subsp. wettsteinii** [d'après Richard von Wetterstein (1863–1931), botaniste autrichien]. Succulentes naines poussant en touffes et formant des coussins. Corpuscules largement obconiques mesurant jusqu'à 20×22 mm, à partie supérieure concave, convexe ou tronquée, circulaires. Fente foliaire mesurant jusqu'à 3 mm de long; épiderme gris vert et tacheté. Fleurs en automne, magenta et mesurant jusqu'à 40 mm de diam. Habitat: Richtersveld (Northern Cape), sur les étendues quartzifères du Karoo à succulentes.

Corpuscularia

Corpuscularia *[Diminutiv von Lat. 'corpus', Körper; Lat. Suffix '-aria', eine Ansammlung; wegen des Polster bildenden Wuchses]. Pflanzen oft Polster bildend, langsam wachsend. Zweige niederliegend bis kriechend, kräftig und ausdauernd. Blätter fest, dreikantig, verjüngt oder eiförmig, oft gekielt. Blüten einzeln, strohfarben, bis 40 mm Durchmesser. Fruchtkapseln 6-fächerig, Fächerdecken und Verschlusskörperchen fehlend. Verbreitung: Östlicher Free State, Eastern Cape und östliches Ende des Western Cape, in trockenem Renosterveld oder Valley Bushveld-Vegetation. – Langsam wachsende, langlebige Pflanzen, und leicht durch Stecklinge zu vermehren. Eine Gattung mit etwa 25 Arten, die ausschliesslich im Eastern Cape und benachbarten Provinzen vorkommen.*

● **C. britteniae** [Nach Grace Britten]. Zwergige, kompakte, sukkulente Kleinsträucher. Triebe an der Basis bis 3 cm Durchmesser. Blätter aufsteigend, länglich dreikantig, bis 30×7 mm, Oberseite flach, Unterseite gekielt, Oberflächen trüb blaugrün-grün. Blüten einzeln, bis 38 mm Durchmesser, weiß. Verbreitung: Bathurst, Eastern Cape. (Ohne Abbildung)

● **C. lehmannii** Pflanzen Polster bis 25 cm Durchmesser bildend, langsam wachsend. Zweige niederliegend bis ausgespreizt. Blätter fest, dreieckig-länglich, bis 35×10 mm. Blüten Frühling bis Sommer, weiß mit rosa Spitzen, bis 40 mm Durchmesser. Kapseln 6-fächerig. Verbreitung: Eastern Cape, in trockenem Renosterveld oder Valley Bushveld-Vegetation.

● **C. taylorii** [Nach Taylor]. Ausgebreitete, ausgespreizte, sukkulente Kleinsträucher, bis 12 cm Durchmesser. Triebe beblättert, zäh und schwierig zu zerbrechen. Blätter ausdauernd, dreikantig bis fast keulig, bis 12×5 mm, Oberseite flach, Unterseite gekielt, Oberfläche graugrün bis fast weißgrün. Blüten im Sommer, bis 40 mm Durchmesser, hellrosa. Verbreitung: Eastern Cape, Uitenhage und Grahamstown, in trockenem Grasland und in Lichtungen im Gebüsch.

Corpuscularia *[diminutif du lat. 'corpus', corps et suffixe '-aria', accumulation; référence au port en coussin]. Plantes à croissance lente, formant souvent des coussins. Rameaux prostrés à rampants, vigoureux et vivaces. Feuilles fermes, trigones, effilées ou ovoïdes, souvent carénées. Fleurs isolées, de couleur paille et mesurant jusqu'à 40 mm de diam. Fruits en capsules à 6 loges, sans opercules ni obturateurs. Habitat: est du Free State, Eastern Cape et extrémité est du Western Cape, dans la végétation du Renosterveld aride ou du Valley Bushveld. – Plante durable, à croissance lente, facile à multiplier par bouturage. Genre regroupant environ 25 espèces se trouvant exclusivement dans l'Eastern Cape et les provinces limitrophes.*

● **C. britteniae** [d'après Grace Britten]. Petits arbustes nains, succulents et compacts. Tiges mesurant jusqu'à 3 cm de diam. à la base. Feuilles redressées, oblongues-trigones, mesurant jusqu'à 30×7 mm, à avers plat et revers caréné, vert glauque éteint. Fleurs isolées, blanches et mesurant jusqu'à 38 mm de diam. Habitat: Bathurst, Eastern Cape (non illustré).

● **C. lehmannii** [d'après Lehmann]. Plantes à croissance lente formant des coussins atteignant jusqu'à 25 cm de diam. Rameaux prostrés à étalés. Feuilles fermes, triangulaires-oblongues, mesurant jusqu'à 35×10 mm. Fleurs du printemps jusqu'en été, blanches à pointes roses, mesurant jusqu'à 40 mm de diam. Capsules à 6 loges. Habitat: Eastern Cape, dans la végétation du Renosterveld aride ou du Valley Bushveld.

● **C. taylorii** [d'après Taylor]. Petits arbustes succulents, larges et étalés, mesurant jusqu'à 12 cm de diam. Tiges feuillées, coriaces et difficiles à casser. Feuilles persistantes, trigones à presque claviformes, mesurant jusqu'à 12×5 mm, à avers plat et revers caréné, gris vert à presque blanc vert. Fleurs en été, rose clair et mesurant jusqu'à 40 mm de diam. Habitat: Eastern Cape, Uitenhage et Grahamstown, dans les prairies sèches et les trouées des halliers.

Corpuscularia lehmannii

Corpuscularia taylorii

Corpuscularia lehmannii

Cylindrophyllum *[Gr. 'kylindros', Zylinder; Gr. 'phyllon', Blatt; wegen der Blattform]. Kleine, in Büscheln wachsende Pflanzen, bis 15 cm Durchmesser. Zweige kurz. Blätter zylindrisch und undeutlich dreikantig, graugrün. Blüten im Frühling, strohfarben bis hellrosa. Fruchtkapseln bis 8-fächerig, hart, ausdauernd, Fächerdecken und Verschlusskörperchen vorhanden. Verbreitung: Little Karoo und südlicher Teil der Great Karoo (Western Cape) sowie südwestlicher Teil des Eastern Cape, in Nama Karoo-Vegetation, in einem Gebiet mit Regen sowohl im Winter wie im Sommer. – Eine kleine Gattung mit 5 Arten.*

● **C. calamiforme** [Lat. 'calamus', Schilfrohr; Lat. '-formis', -förmig; wegen der lang zylindrischen Blätter]. Kompakte, Gruppen bildende Pflanzen, bis 8 cm hoch, im Alter kleine Polster bildend. Blätter annähernd drehrund, bogig aufsteigend, bis 70 × 8 mm, graugrün. Blüten im Frühling, hellrosa bis gelblich, bis 70 mm Durchmesser, auf bis 20 mm langen Stielen. Verbreitung: Nördliche Grenze der Little Karoo und der Great Karoo (Western Cape), auf steinigen Böden in Succulent Karoo-Vegetation.

Cylindrophyllum *[du grec 'kylindros', cylindre et 'phyllon', feuille; référence à la forme des feuilles]. Petites plantes poussant en touffes et mesurant jusqu'à 15 cm de diam. Rameaux courts. Feuilles cylindriques et approximativement trigones, gris vert. Fleurs au printemps, jaune paille à rose clair. Fruits en capsules dotées de jusqu'à 8 loges, coriaces et persistants, à opercules et obturateurs. Habitat: Little Karoo et partie sud du Great Karoo (Western Cape) ainsi que la zone sud-ouest de l'Eastern Cape; dans la végétation du Nama Karoo, dans une région à pluies aussi bien hivernales qu'estivales. – Petit genre rassemblant 5 espèces.*

● **C. calamiforme** [du lat. 'calamus', roseau et '-formis', en forme de; référence aux longues feuilles cylindriques]. Plantes compactes formant des colonies atteignant jusqu'à 8 cm de haut, puis de petits coussins. Feuilles approximativement fusiformes, redressées et arquées, mesurant jusqu'à 70 × 8 mm, gris vert. Fleurs au printemps, rose clair à jaunâtres, mesurant jusqu'à 70 mm de diam. et dotées d'un pédoncule atteignant jusqu'à 20 mm de long. Habitat: limite nord du Little Karoo et du Great Karoo (Western Cape), sur les sols pierreux de la végétation du Karoo à succulentes.

Cylindrophyllum calamiforme

Cylindrophyllum comptonii

Cylindrophyllum comptonii

Cylindrophyllum dyeri

Cylindrophyllum tugwelliae

Cylindrophyllum tugwelliae

Cylindrophyllum

● **C. comptonii** [Nach Prof. Robert H. Compton (1886–1979), zweiter Direktor der National Botanic Gardens]. Dichte Polster bis 25 cm Durchmesser und 13 cm Höhe bildend. Blätter aufrecht oder etwas ausgebreitet, zylindrisch oder leicht abgeflacht, spitz zulaufend oder spitz, 90×10 mm. Blüten Spätfrühling bis Frühsommer, silberweiß, bis 50 mm Durchmesser, Blütenblätter basal oft mit einem rosafarbenen Hauch. Verbreitung: Kleine Karoo, Ladismith bis Touwsrivier (Western Cape).

● **C. dyeri*** [Nach Dr. Allen Dyer (1900–1987), südafrikanischer Botaniker und ehemaliger Direktor des Botanical Research Institute]. Dichte Kissen bildend. Blätter aufrecht bis in der Mitte zurückgelehnt. Blüten im Frühling, bis 40 mm Durchmesser, weißlich bis strohfarben, oder hellrosa mit dunkler gelblichem, äusserem Rand. Verbreitung: Nordöstliche Karoo bei Jansenville (Eastern Cape).

● **C. tugwelliae** [Nach Mrs. Anna M. Tugwell]. In Büscheln. Blätter bis 80×20 mm, blaugrün. Blüten im Frühling, bis 50 mm Durchmesser, strohfarben, manchmal rosa. Verbreitung: Gebiet von Prince Albert im Western Cape, in Nama Karoo.

● **C. comptonii** [d'après le Prof. Robert H. Compton (1886–1979), deuxième directeur du Jardin Botanique National]. Plantes formant des coussins denses mesurant jusqu'à 25 cm de diam. pour 13 cm de haut. Feuilles dressées ou légèrement étalées, cylindriques ou un peu aplaties, acuminées ou pointues, de 90×10 mm. Fleurs en fin de printemps-début d'été, blanc argenté et mesurant jusqu'à 50 mm de diam., base des pétales souvent teintée de rose. Habitat: Little Karoo, de Ladismith jusqu'à Touwsrivier (Western Capes).

● **C. dyeri*** [d'après le Dr. Allen Dyer (1900–1987), botaniste sud-africain et autrefois directeur du Botanical Research Institute]. Plantes formant des coussins denses. Feuilles dressées et repliées vers l'arrière à mi-hauteur. Fleurs au printemps, blanchâtres à couleur paille, ou rose clair à bordure externe d'un jaune plus foncé, mesurant jusqu'à 40 mm de diam. Habitat: nord-est du Karoo, près de Jansenville (Eastern Cape)

● **C. tugwelliae** [d'après Mrs. Anna M. Tugwell]. Plantes en touffes. Feuilles mesurant jusqu'à 80×20 mm, glauques. Fleurs au printemps, couleur paille ou parfois roses, mesurant jusqu'à 50 mm de diam. Habitat: région de Prince Albert, Western Cape, dans le Nama Karoo.

Dactylopsis

Dactylopsis *[Gr. 'daktylos', Finger; Gr. '-opsis', ähnlich wie; wegen der fingerförmigen Blätter]. Zwergige, ausdauernde, Gruppen bildende, sehr fleischige Sukkulenten. Blätter 2 bis 3 pro Trieb, wechselständig, drehrund, sehr kräftig, sich mit grossen, röhrigen Scheiden gegenseitig umfassend und die kurzen Triebe verdeckend, weich und fleischig, ungemustert, zur Ruhezeit komplett eintrocknend und als weiße, häutige Reste das kommende Blattpaar schützend umgebend. Blüten klein, bis 20 mm Durchmesser, weiß, während etwa 3 Wochen oder länger Tag und Nacht offen. Blütenblätter zahlreich, in mehreren Reihen. Fruchtkapseln 5-fächerig, fast kugelig, Nähte als gefurchte Rippen erhaben. – Die Gattung umfasst 2 Arten aus der Knersvlakte nördlich von Vanrhynsdorp. In neueren systematischen Werken wird Dactylopsis zu Phyllobolus gestellt, aber hier bevorzugen wir die bisherige Klassifikation.*

● **D. digitata*** [Lat., fingerig; wegen der Blätter]. Gruppen bildend, extrem sukklent, bis 20 cm hoch. Blätter zylindrisch, kahl, gräulich grün, ungleich lang, das grössere (der »Daumen«) bis 120×25 mm, Winkel zwischen »Daumen« und »Finger« weniger als 90°. Blüten im Sommer, endständig, einzeln, sitzend, bis 18 mm Durchmesser, reinweiß. Verbreitung: Knersvlakte nördlich von Vanrhynsdorp, auf Quarzkieselebenen. [Volksname: Vinger-en-Duimpie.]

● **D. littlewoodii*** [Nach Roy Littlewood (1924–1967), früher Gärtner an den Karoo Gardens, Worcester]. Ähnlich wie die vorige Art, aber kleiner, Winkel zwischen »Daumen« und »Finger« über 90°. Blüten im Sommer, bis 15 mm Durchmesser. Verbreitung: Nördliche Knersvlakte (Western Cape).

Dactylopsis *[du grec 'daktylos', doigt et '-opsis', semblable; référence à la forme des feuilles]. Succulentes très charnues, naines et vivaces, formant des colonies. 2 à 3 feuilles par tiges. Feuilles opposées, fusiformes, très vigoureuses, comportant de grandes gaines tubulaires qui se recouvrent mutuellement et dissimulent les courtes tiges. Souples et charnues, unies, elles se dessèchent complètement en période de repos et constituent des reliquats blancs et membraneux qui protègeront les futures feuilles. Petites fleurs blanches mesurant jusqu'à 20 mm de diam., ouvertes jour et nuit durant environ 3 semaines ou plus. Nombreux pétales disposés sur plusieurs rangs. Fruits en capsules à 5 loges, presque sphériques, à sutures saillantes et ridées. – Ce genre regroupe 2 espèces originaires du Knersvlakte, au nord de Vanrhynsdorp. Dans la taxonomie actuelle, le Dactylopsis est rattaché au Phyllobolus mais nous privilégions ici la classification précédente.*

● **D. digitata*** [du lat. digité; référence à la feuille]. Plantes extrêmement succulentes atteignant jusqu'à 20 cm de haut et formant des colonies. Feuilles cylindriques, glabres, vert grisâtre, de longueurs inégales, la plus grande (le «pouce») atteignant jusqu'à 120×25 mm; l'angle séparant le «pouce» des autres «doigts» est inférieur à 90°. Fleurs en été, isolées, terminales et sessiles, blanc pur et mesurant jusqu'à 18 mm de diam. Habitat: Knersvlakte, au nord de Vanrhynsdorp, sur les étendues quartzifères. [nom commun: Vinger-en-Duimpie]

● **D. littlewoodii*** [d'après Roy Littlewood (1924–1967), ancien jardinier au Karoo Gardens de Worcester]. Semblable à l'espèce précédente mais plus petite. L'angle séparant le «pouce» des «doigts» est supérieur à 90°. Fleurs en été, mesurant jusqu'à 15 mm de diam. Habitat: nord du Knersvlakte (Western Cape).

Dactylopsis digitata (Phyllobolus digitatus)

Dactylopsis littlewoodii

Deilanthe *[Gr. 'deile', Nachmittag, Abend; Gr. 'anthos', Blüte; wegen der Öffnungszeit der Blüten]. Pflanzen kompakt, zwergig und aus einem fleischigen Wurzelstock Gruppen bildend. Blätter graugrün, dem Boden flach aufliegend oder aufsteigend, dreieckig-eiförmig bis verkehrt eiförmig, samtig. Blüten im Winter und Frühling, gelb bis lachsfarben, einzeln. Fruchtkapseln 8- bis 12-fächerig, Verschlusskörperchen klein. Samen birnenförmig. – Eine kleine Gattung, hauptsächlich in der südlichen Great Karoo vorkommend, aber auch im westlichen Free State. Regen fällt im Sommer, in geringerem Mass auch im Winter, im Durchschnitt jährlich 200 bis 300 mm. Die Pflanzen sind populär, leicht durch Teilung oder Aussaat zu vermehren, und wachsen in Töpfen mit nährstoffreichem, kiesigem Substrat gut. [Volksnamen: Patatvygie, Haasoorvygie.]*

● **D. hilmarii** [Nach Hilmar Lückhoff, *Lithops*-Liebhaber und ehemals Direktor des Forest Research Institute in Pretoria]. Kompakte, zwergige Gruppen bis 6,5 cm Durchmesser bildend, mit knolligem Wurzelstock. Blätter aufsteigend, 23 × 9 mm, abgeflacht, obere Seite flach, untere Seite gerundet, grau und samtig. Blüten im frühen Frühling, bis 30 mm Durchmesser, gelb, bis 15 mm lang gestielt. Verbreitung: Südliche Great Karoo (Western Cape), in steinigem Boden zwischen Kalkbrocken vorkommend. [Volksname: Vlermuisoortjies.]

● **D. peersii** [Nach Victor Peers (1874–1940), Sukkulentensammler und Amateur-Archäologe]. Kompakt und Gruppen bis 8,5 cm Durchmesser bildend, mit knolligem Wurzelstock. Blätter ausgebreitet oder flach auf dem Boden, 22 × 15 mm, abgeflacht, Oberseite flach, Unterseite gerundet, grau und samtig. Blüten im frühen Frühling, bis 25 mm Durchmesser, gelb mit hellerem, weißlichem Zentrum, mit bis 15 mm langem Stiel. Verbreitung: Südliche Great Karoo (Western Cape, Eastern Cape), in steinigem Boden zwischen Schieferbrocken und Felsen wachsend und gut versteckt. [Volksname: Patatvygie.]

Deilanthe *[du grec 'deile', après-midi, soir et 'anthos', fleur; référence au moment de l'ouverture des fleurs]. Plantes compactes, naines, et formant des colonies grâce à leur rhizome charnu. Feuilles gris vert, étalées au sol ou redressées, triangulaires-ovoïdes à obovoïdes et veloutées. Fleurs en hiver et au printemps, jaunes à saumon, isolées. Fruits en capsules à 8 à 12 loges, à petits obturateurs. Graines pyriformes. – Un genre réduit, principalement présent dans le sud du Great Karoo mais aussi dans l'ouest du Free State. Les pluies tombent en été et, en plus faible quantité, en hiver. Précipitations moyennes annuelles de 200 à 300 mm. Ces plantes populaires sont faciles à multiplier par division ou semis. Elles se cultivent bien en pot dans un substrat fertile et caillouteux. [noms communs: Patatvygie, Haasoorvygie]*

● **D. hilmarii** [d'après Hilmar Lückhoff, amateur de *Lithops* et ancien directeur du Forest Research Institute de Prétoria]. Plantes naines et compactes, à rhizome tubéreux, formant des colonies atteignant jusqu'à 6,5 cm de diam. Feuilles dressées mesurant jusqu'à 23 × 9 mm, aplaties, à avers plat et revers arrondi, gris et velouté. Fleurs en début de printemps, jaunes, mesurant jusqu'à 30 mm de diam. et dotées d'un pédoncule mesurant jusqu'à 15 mm de long. Habitat: sud du Great Karoo (Western Cape), dans les sols caillouteux parmi les rocailles calcaires. [nom commun: Vlermuisoortjies]

● **D. peersii** [d'après Victor Peers (1874–1940), collectionneur de succulentes et archéologue amateur]. Plantes compactes, à rhizome tubéreux, formant des colonies atteignant jusqu'à 8,5 cm de diam. Feuilles étalées à aplaties au sol, mesurant jusqu'à 22 × 15 mm, à avers plat et revers arrondi, gris et velouté. Fleurs en début de printemps, jaunes à centre blanchâtre plus clair, mesurant jusqu'à 25 mm de diam. et dotées d'un pédoncule mesurant jusqu'à 15 mm de long. Habitat: sud du Great Karoo (Western Cape, Eastern Cape), bien caché dans les sols caillouteux, parmi les galets et les débris de schiste. [nom commun: Patatvygie]

Deilanthe peersii (= Aloinopsis peersii)

Deilanthe hilmarii

Deilanthe hilmarii

Delosperma

Delosperma *[Gr. 'delos', sichtbar; Gr. 'sperma', Samen; weil die Früchte keine Fächerdecken und Verschlusskörperchen haben]. Aufrechte bis ausgebreitete Sukkulenten, oft an den Knoten wurzelnd. Wurzelstock oft knollig. Blätter drehrund bis abgeflacht. Fruchtkapseln 5-fächerig, Fächerdecken und Verschlusskörperchen fehlend. – Eine grosse, weit verbreitete, afrikanische Gattung mit etwa 100 Arten. Die meisten kommen im Valley Bushveld des Eastern Cape vor, aber das Verbreitungsgebiet erstreckt sich bis Nordostafrika. Sie ist mit Drosanthemum verwandt, das aber glänzende Papillen an Trieben und Blättern hat, und Fächerdecken aufweist. Delosperma wird häufig kultiviert und eignet sich als Bodendecker wie als Topfpflanzen. Die Pflanzen sind nicht ganz so blühwillig wie Drosanthemum, aber mit längerer Blütezeit. Darüber hinaus sind Delosperma-Arten ausdauernd und langlebig. Sie werden gärtnerisch noch zu wenig genutzt und haben grosses Potential. D. nubigena und andere Arten aus Lesotho sind frosttolerant und werden in der Nordhemisphäre verbreitet in Steingärten gepflanzt.*

● **D. acocksii** [Nach John Acocks (1911–1979), südafrikanischer Ökologe]. Aufrechte Sträucher, bis 16 cm hoch, mit fleischigen Wurzeln. Blätter länglich, behaart bis kahl, blaugrün, bis 17 mm lang und 2,5 mm breit. Blüten im Frühling, bis 33 mm Durchmesser, gelblich. Verbreitung: Northern Cape, nahe Sutherland und Vanrhynsdorp, in der Nama Karoo.

● **D. acuminatum** [Lat., spitz zulaufend; wegen der Blattform]. Aufrechte bis niederliegende, schlanktriebige Sträucher bis 20 cm hoch, mit fleischigen Wurzeln. Blätter ziegelig überlappend, gekielt. Blüten im Frühling, bis 20 mm Durchmesser, kupferrot. Verbreitung: Eastern Cape, nahe Grahamstown.

● **D. aliwalense** [Nach dem Vorkommen bei Aliwal North]. Kriechende Zwergsträucher, bis 9 cm hoch. Blätter eiförmig bis elliptisch, bis 20 mm lang. Blüten im Winter, bis 22 mm Durchmesser, purpurrosa. Verbreitung: Northern Cape, bei Aliwal North, in Nama Karoo.

● **D. angustifolium*** [Lat. 'angustus', schmal; Lat. 'folium', Blatt]. Matten bildende Zwergsträucher, bis 10 cm breit und 5 cm hoch. Blätter ausgebreitet, dicht gepackt, länglich, gekielt, bläulich grün, bis 20 mm lang und 4 mm Durchmesser. Blüten im Frühling, weiß mit rosa Rand, einzeln, bis 30 mm Durchmesser. Verbreitung: Eastern Cape, in Grasland.

● **D. ashtonii** [Nach dem Sammler H. Ashton]. Zwergige, gebüschelte Pflanzen aus knolliger, verjüngter Basis. Blätter in einer basalen Rosette, flach eiförmig-lanzettlich, bis 45 mm lang und 4 mm breit. Blüten im Frühling, bis 45 mm Durchmesser, purpurrosa. Verbreitung: Northern Province, Mpumalanga, KwaZulu-Natal, Swaziland, in Grasland.

● **D. asperulum** [Lat. 'asperulus', fein rauh; wegen der Triebe]. Aufrechte, steife, sukkulente Kräuter, bis 20 cm hoch, mit fein aufgerauhten Trieben. Blätter gekielt, mit hakiger Spitze. Blüten im Winter und Frühling, 15–30 mm Durchmesser, purpurrosa. Verbreitung: Western Cape, Pionierpflanze in Gegenden mit Renosterveld-Vegetation. – Selten kultiviert.

Delosperma acocksii

Delosperma *[du grec 'delos', visible et 'sperma', graine; référence à l'absence d'opercules et d'obturateurs dans le fruit]. Succulentes érigées à étalées dont les nœuds émettent souvent des racines. Rhizome souvent tubéreux. Feuilles fusiformes à aplaties. Fruits en capsules à 5 loges, sans opercules ni obturateurs. -Vaste genre africain largement répandu et regroupant environ 100 espèces. La majorité pousse dans la Valley Bushveld de l'Eastern Cape mais cet habitat naturel s'étend jusqu'au nord-est de l'Afrique. Genre apparenté au Drosanthemum mais ce dernier possède des papilles luisantes sur ses tiges et ses feuilles ainsi que des fruits à opercules. Le Delosperma est souvent cultivé et se comporte aussi bien en couvre-sol que comme plante en pot. Il se montre un peu moins florifère que le Drosanthemum mais la période de floraison est plus longue. De plus, les Delosperma sont vivaces et montrent une bonne longévité. Ils sont encore trop peu cultivés et montrent un fort potentiel. D. nubigena et d'autres espèces originaires du Lesotho tolèrent le gel et sont cultivées dans des rocailles dans l'hémisphère Nord*

● **D. acocksii** [d'après John Acocks (1911–1979), écologiste sud-africain]. Arbustes érigés, à racines charnues, atteignant jusqu'à 16 cm de haut. Feuilles allongées, velues à glabres, glauques et mesurant jusqu'à 17 mm de long pour 2,5 mm de large. Fleurs au printemps, jaunâtres, mesurant jusqu'à 33 mm de diam. Habitat: Northern Cape, près de Sutherland et Vanrhynsdorp, dans le Nama Karoo.

● **D. acuminatum** [du lat. acuminé; référence à la feuille]. Arbustes érigés à prostrés, à rameaux grêles et racines charnues, atteignant jusqu'à 20 cm de haut. Feuilles imbriquées et carénées. Fleurs au printemps, rouge cuivré, mesurant jusqu'à 20 mm de diam. Habitat: Eastern Cape, près de Grahamstown.

● **D. aliwalense** [d'après l'habitat situé près d'Aliwal North]. Arbustes nains et rampants atteignant jusqu'à 9 cm de haut. Feuilles ovoïdes à elliptiques mesurant jusqu'à 20 mm de long. Fleurs en hiver, rose pourpre, mesurant jusqu'à 22 mm de diam. Habitat: Northern Cape, près d'Aliwal North, Nama Karoo.

● **D. angustifolium*** [du lat. 'angustus', étroit et 'folium', feuille]. Arbustes nains formant des tapis atteignant jusqu'à 10 cm de large pour 5 cm de haut. Feuilles étalées, étroitement serrées, allongées et carénées, d'un vert bleuté et mesurant jusqu'à 20 mm de long pour 4 mm de diam. Fleurs au printemps, isolées, blanches à bord rose, mesurant jusqu'à 30 mm de diam. Habitat: prairies de l'Eastern Cape.

● **D. ashtonii** [d'après le collectionneur H. Ashton]. Plantes naines, en touffes, à base tubéreuse et effilée. Feuilles en rosette basale, à plat, ovoïdes-lancéolées, mesurant jusqu'à 45 mm de long et 4 mm de large. Fleurs au printemps, rose pourpre, mesurant jusqu'à 45 mm de diam. Habitat: Northern Province, Mpumalanga, KwaZulu-Natal et Swaziland, dans les prairies.

● **D. asperulum** [du lat. 'asperulus', granuleux; référence aux tiges]. Herbacées succulentes, érigées et rigides, à tiges finement

Delosperma acuminatum

Delosperma aliwalense

Delosperma angustifolium cf.

Delosperma ashtonii

Delosperma asperulum

Delosperma erectum cf.

Delosperma klinghardtianum

Delosperma

● **D. calitzdorpense** [Nach dem Vorkommen bei Calitzdorp]. Ausgebreitete Zwergsträucher, bis 10 cm hoch, oft Matten bildend. Blätter ausgebreitet, länglich, gekielt, bis 25 mm lang und 5 mm breit. Blüten im Hochsommer, 24 mm Durchmesser, weiß. Verbreitung: Western Cape, Little Karoo, in Succulent Karoo-Vegetation. – In Kultur wüchsig und als Bodendecker geeignet.

● **D. calycinum** [Lat. 'calycinus', mit einem Kelch versehen]. Reich verzweigte, kahle, ausgebreitete Sträucher, bis 50 cm Durchmesser. Blätter bis 10 mm lang und 3 mm breit, aufsteigend-ausgebreitet, linealisch-lanzettlich, dreikantig, grün, Spitze stumpf. Blüten im Frühling und Sommer, purpurn, 15 mm Durchmesser, innere Staminodien weiß, die Staubblätter überragend. Verbreitung: Eastern Cape, bei Port Elizabeth, in Dickichten. – Ausgezeichneter, langlebiger Bodendecker, leicht aus Stecklingen zu ziehen. [Volksname: Kombersvygie.]

● **D. dolomiticum** [Nach dem Vorkommen auf Dolomit]. Gerundete, kahle Zwergsträucher, bis 1,5 cm hoch und 5 cm breit. Blätter linealisch verkehrt lanzettlich, 20 mm lang und 5 mm breit, grün. Blüten hauptsächlich im Sommer, leuchtend purpurn, bis 23 mm Durchmesser. Verbreitung: Mpumalanga, Tal des Olifants River, auf Dolomitklippen, im (Halb-) Schatten. – Wächst gut als Topfpflanze.

● **D. ecklonis** [Nach Christian Ecklon (1795–1868), dänischer Pflanzensammler und Entdeckungsreisender]. Ausgebreitete, wuchernde Pflanzen, bis 100 cm Durchmesser, gelegranuleuses mesurant jusqu'à 20 cm de haut. Feuilles carénées à pointe uncinée. Fleurs en hiver et printemps, rose pourpre, de 15–30 mm de diam. Habitat: Western Cape, plante pionnière dans la végétation du Renosterveld. – Rarement cultivée.

● **D. calitzdorpense** [d'après l'habitat près de Calitzdorp]. Arbustes nains étalés formant souvent des tapis et atteignant jusqu'à 10 cm de haut. Feuilles étalées, allongées et carénées, mesurant jusqu'à 25 mm de long pour 5 mm de large. Fleurs en plein été, blanches, de 24 mm de diam. Habitat: Western Cape, Little Karoo, dans la végétation du Karoo à succulentes. Vigoureux en culture et bon couvre-sol.

● **D. calycinum** [du lat. 'calycinus', doté d'un calice]. Arbuste étalé, glabre et très ramifié, atteignant jusqu'à 50 cm de diam. Feuilles mesurant jusqu'à 10 mm de long et 3 mm de large, étalées-redressées, linéaires-lancéolées, trigones, vertes, à pointe arrondie. Fleurs en printemps-été, pourpres, mesurant 15 mm de diam., à staminodes internes blancs et étamines saillantes. Habitat: Eastern Cape, près de Port Elizabeth, dans le maquis. – Remarquable couvre-sol à bonne longévité, facile à multiplier par bouturage. [nom commun: Kombersvygie]

● **D. dolomiticum** [d'après la nature du sol de l'habitat]. Arbustes nains, arrondis et glabres, atteignant jusqu'à 1,5 cm de haut pour 5 cm de large. Feuilles linéaires oblancéolées de 20 mm de long et 5 mm de large, vertes. Fleurs surtout en été, pourpre lumineux, mesurant jusqu'à 23 mm de diam. Habitat: Mpumalanga, vallée de l'Olifants River, sur les arêtes dolomitiques, à (mi-) ombre. – Se cultive bien en pot.

Delosperma calitzdorpense

Delosperma calycinum

Delosperma dolomiticum

Delosperma ecklonis

Delosperma laxipetalum

Delosperma litorale

gentlich kletternd. Blätter behaart bis kahl, bis 35×10 mm, verkehrt eiförmig. Blüten Frühling bis Herbst, bis 16 mm Durchmesser, weiß. Verbreitung: Eastern Cape, in Valley Bushveld, lokal häufig.

● **D. erectum** [Lat., aufrecht]. Aufrechte, zwergige Kleinsträucher, bis 14 cm hoch. Blätter aufrecht, Oberseite gefurcht, Unterseite gerundet, bis 25×4 mm. Blüten im frühen Frühling, bis 12 mm Durchmesser, rosapurpurn. Verbreitung: Gebirgige Gegenden im südlichen Western Cape (Prince Alfred's Pass), in Fynbos.

● **D. esterhuyseniae** [Nach Elsie Esterhuysen (1912–), südafrikanische Botanikerin]. Kompakt bis ausgebreitet und 15 cm Durchmesser. Blätter weich sukkulent, verkehrt lanzettlich, 30×8 mm, glatt. Blüten im Sommer und Herbst, weiß oder rosa, bis 30 mm Durchmesser. Verbreitung: Eastern Cape, Baviaanskloof Mountains, oft an beinahe senkrechten Felswänden im Schatten. – Leicht zu vermehren und im Topf zu kultivieren.

● **D. grandiflorum*** [Lat. 'grandis', gross; Lat. '-florus', -blütig]. Kleinsträucher bis 40 cm hoch. Blätter bis 35×2 mm. Blüten im Frühling, bis 80 mm Durchmesser, purpurn. Verbreitung: Western Cape, bei Clanwilliam. (Ohne Abbildung)

● **D. klinghardtianum** [Nach dem Vorkommen in den Klinghardt-Bergen in Namibia]. Aufrechte, verzweigte Kleinsträucher, bis 15 cm hoch. Zweige grau bis dunkelbraun. Blätter bis 10×4 mm, linealisch, länglich eiförmig, papillös. Blüten im Sommer, bis 17 mm Durchmesser, weiß bis hellrosa, mit bis 4 mm langen Stielen. Verbreitung: Südliches Namibia und Richtersveld (Northern Cape), auf felsigem Gelände in Succulent Karoo.

● **D. laxipetalum** [Lat. 'laxus', locker; Lat. 'petalum', Blütenblatt]. Ausgebreitet, rasch wachsend, als Bodendecker niederliegend und bis 100 cm Durchmesser. Blätter verkehrt lanzettlich, grün, bis 14×4 mm. Blüten im Sommer und Herbst, bis 16 mm Durchmesser, weiß. Verbreitung: Eastern Cape, in Valley Bushveld.

● **D. litorale** [Lat., die Küste betreffend; wegen des Vorkommens]. Niederliegend und Polster bis 50 cm Durchmesser bildend. Blätter etwas sichelförmig, flach, bis 30×6 mm. Blüten im Herbst sowie erneut im Frühling, bis 12 mm Durchmesser, weiß bis rosa. Verbreitung: Strandveld in Meeresnähe von Hangklip bis Port Elizabeth (Western Cape). – Ein ausgezeichneter Bodendecker für küstennahe Gärten.

● **D. ecklonis** [d'après Christian Ecklon (1795–1868), explorateur et collectionneur de plantes danois]. Plantes étalées et foisonnantes, parfois grimpantes, atteignant jusqu'à 100 cm de diam. Feuilles velues à glabres, obovoïdes et mesurant jusqu'à 35×10 mm. Fleurs au printemps-automne, blanches, mesurant jusqu'à 12 mm de diam. Habitat: Eastern Cape, dans le Valley Bushveld, répandu localement.

● **D. erectum** [du lat. érigé]. Petits arbustes nains et érigés atteignant jusqu'à 14 cm de haut. Feuilles dressées, à avers ridé et revers arrondi, mesurant jusqu'à 25×4 mm. Fleurs en début de printemps, rose pourpré, mesurant jusqu'à 12 mm de diam. Habitat: régions montagneuses du sud du Western Cape (Prince Alfred's Pass), dans le Fynbos.

● **D. esterhuyseniae** [d'après Elsie Esterhuysen (1912–), botaniste sud-africaine]. Plantes compactes à étalées mesurant jusqu'à 15 cm de diam. Feuilles souples et succulentes, oblancéolées, lisses et mesurant 30×8 mm. Fleurs en été et automne, blanches ou roses, mesurant jusqu'à 30 mm de diam. Habitat: Eastern Cape, Baviaanskloof Mountains, souvent sur des parois rocheuses ombragées et presque verticales. – Facile à multiplier et à cultiver en pot. (illustration p.27)

● **D. grandiflorum*** [du lat. 'grandis', grand et '-florus', fleur]. Petits arbustes atteignant jusqu'à 40 cm de haut. Feuilles mesurant jusqu'à 35×2 mm. Fleurs au printemps, pourpres, mesurant jusqu'à 80 mm de diam. Habitat: Western Cape, près de Clanwilliam (non illustré)

● **D. klinghardtianum** [d'après l'habitat situé dans les Monts Klinghardt en Namibie]. Petits arbustes ramifiés et érigés atteignant jusqu'à 15 cm de haut. Rameaux gris à brun foncé. Feuilles mesurant jusqu'à 10×4 mm, linéaires, oblongues ovoïdes, dotées de papilles. Fleurs en été, blanches à rose clair, mesurant jusqu'à 17 mm de diam. et dotées d'un pédoncule mesurant jusqu'à 4 mm de long. Habitat: sud de la Namibie et Richtersveld (Northern Cape), sur les terrains pierreux du Karoo à succulentes.

● **D. laxipetalum** [du lat. 'laxus', lâche et 'petalum', pétale]. Plantes étalées, à croissance rapide, demeurant prostrées en couvre-sol et atteignant jusqu'à 100 cm de diam. Feuilles oblancéolées, vertes, mesurant jusqu'à 14×4 mm. Fleurs en été et automne, blanches et mesurant jusqu'à 16 mm de diam. Habitat: Eastern Cape, dans le Valley Bushveld.

● **D. litorale** [du lat. côtier; référence à l'habitat]. Plantes prostrées et formant des coussins atteignant jusqu'à 50 cm de

Delosperma lydenburgense

Delosperma obtusum

Delosperma ornatulum

Delosperma patersoniae

Delosperma pruinosum

Delosperma stenandrum cf.

Delosperma patersoniae cf.

Delosperma sp.

Delosperma repens

● **D. lydenburgense** [Nach dem Vorkommen bei Lydenburg, Mpumalanga]. Niederliegende bis kriechende, rasch wachsende Bodendecker. Blätter bis 55×5 mm, linealisch-lanzettlich, verjüngt, fein papillat. Blüten Frühling bis Herbst, 35 mm Durchmesser, magenta. Verbreitung: Mpumalanga, in Bushveld und Grasland. – Einer der schönsten Bodendecker, rasch wachsend und sehr blühwillig.

● **D. obtusum** [Lat., stumpf; wegen der Blätter]. Niederliegende und Polster bildende Bodendecker. Blätter bis 15×8 mm, stumpf. Blüten im Sommer, bis 18 mm Durchmesser, rosapurpurn. Verbreitung: Lesotho sowie Free State, in Grasland zwischen Felsen wachsend.

● **D. ornatulum** [Diminutiv von Lat. 'ornatus', geschmückt, hübsch]. Kleinsträucher mit niederliegenden Trieben. Blätter bis 25×3 mm, grün, fein papillös. Blüten im Frühling, bis 20 mm Durchmesser, glänzend magenta. Verbreitung: Eastern Cape, nahe Graaff Reinet, in Nama Karoo-Vegetation. [Volksname: Slypvygie.]

● **D. patersoniae** [Nach Florence Paterson (1869–1936), südafrikanische Amateurbotanikerin]. Ausgebreitete Bodendecker. Blätter grün, bis 25×8 mm, kahl. Blüten im Sommer und Herbst, bis 15 mm Durchmesser, weiß bis hellpurpurn. Verbreitung: Dünendickichte bei Humansdorp (Eastern Cape).

● **D. prasinum** [Lat., lauchgrün]. Ausgebreitete Kleinsträucher mit niederliegenden bis kriechenden, bis 15 cm langen Zweigen. Blätter kahl, länglich, bis 18×4 mm. Blüten im Sommer und Herbst, purpurn bis rosa, bis 12 mm Durchmesser. Verbreitung: Valley Bushveld von Bredasdorp bis Alexandria (Eastern Cape). – Ein nützlicher Bodendecker.

diam. Feuilles légèrement falciformes, plates et mesurant jusqu'à 30×6 mm. Fleurs à l'automne puis de nouveau au printemps, blanches à roses, mesurant jusqu'à 12 mm de diam. Habitat: Strandveld à proximité de la mer, depuis Hangklip jusqu'à Port Elizabeth (Western Cape). -Remarquable couvre-sol pour les jardins côtiers.

● **D. lydenburgense** [d'après l'habitat situé près de Lydenburg, Mpumalanga]. Couvre-sol prostrés à rampants, à croissance rapide. Feuilles mesurant jusqu'à 55×5 mm, linéaires-lancéolées, effilées et dotées de fines papilles. Fleurs du printemps à l'automne, magenta, mesurant jusqu'à 35 mm de diam. Habitat: Mpumalanga, dans le Bushveld et la prairie. – L'un des plus jolis couvre-sol, très florifère et à croissance rapide.

● **D. obtusum** [du lat. arrondi; référence à la feuille]. Couvre-sol prostrés et formant des coussins. Feuilles mesurant jusqu'à 15×8 mm, à pointe arrondie. Fleurs en été, rose pourpre, mesurant jusqu'à 18 mm de diam. Habitat: Lesotho et Free State, parmi les cailloux des prairies.

● **D. ornatulum** [diminutif du lat. 'ornatus', décoré, orné]. Petits arbustes à tiges prostrées. Feuilles mesurant jusqu'à 25×3 mm, vertes et dotées de fines papilles. Fleurs au printemps, magenta brillant, mesurant jusqu'à 20 mm de diam. Habitat: Eastern Cape, près de Graaff Reinet, dans la végétation du Nama Karoo. [nom commun: Slypvygie]

● **D. patersoniae** [d'après Florence Paterson (1869–1936), botaniste amateur sud-africaine]. Couvre-sol étalés. Feuilles vertes et glabres mesurant jusqu'à 25×8 mm. Fleurs en été et automne, blanches à pourpre clair, mesurant jusqu'à 15 mm de diam. Habitat: halliers des dunes près de Humansdorp (Eastern Cape)

Delosperma rogersii

Delosperma prasinum

Delosperma tradescantioides

Delosperma

● **D. pruinosum*** [Lat., wachsig bereift]. (= *D. echinatum*) Pflanzen kompakt, gerundet, bis 10 cm hoch. Blätter eiförmig bis halbkugelig, bis 13×7 mm, Oberhaut mit grossen, von einer Borste gekrönten Papillen. Blüten einzeln, bis 15 mm Durchmesser, hellgelb, Hauptblütezeit im Frühling, aber auch während des ganzen Jahres. Verbreitung: Valley Bushveld, im Gebiet von Gamtoos, Eastern Cape, auf Konglomeratböden. – Lässt sich als Topfpflanze leicht im Halbschatten kultivieren. Die Art wird vor allem wegen der interessanten, »stacheligen« Blätter gepflegt. [Volksnamen: Turksvy-Vygie, Krimpvarkvygie.]

● **D. repens** [Lat., kriechend]. Ausgebreitete, Polster bildende Pflanzen. Blätter bis 14×8 mm, kahl, grün bis purpurgrün. Blüten im Sommer, rötlich bis weiß. Verbreitung: Südliches KwaZulu-Natal bis Eastern Cape, auf quarzitischen Sandsteinfelsen.

● **D. rileyi** [Nach Riley]. Reich verzweigte Kleinsträucher, bis 30 cm hoch. Blätter bis 20×3 mm, aufsteigend-ausgebreitet, linealisch-lanzettlich, dreikantig, blaugrün, mit spitzer Spitze. Blüten Frühling und Sommer, hell schmutziggelb, bis 15 mm Durchmesser. Verbreitung: Northern Cape, in trockenem Bushveld (Savanne), zwischen Felsen. [Volksname: Bosveld-Vygie.]

● **D. rogersii** [Nach Frederick Rogers (1876–1944)]. Ausgebreitete Kleinsträucher, bis 30 cm Durchmesser. Blätter flach, 12×7 mm, behaart, grün. Blüten im Sommer, gelb oder purpurn, bis 12–20 mm Durchmesser. Verbreitung: Eastern Cape bis KwaZulu-Natal, in Valley Bushveld.

● **D. stenandrum** [Gr. 'stenos', eng, schmal; Gr. 'andros', Staubblätter; wegen der schmal zusammenneigenden Staubblätter]. Dicht verzweigte, behaarte Kleinsträucher. Blätter aufrecht, länglich, bis 15×4 mm, an den Zweigenden ziegelig und gedrängt, stumpf, mit aufgesetztem Spitzchen, Unterseite gekielt, Oberseite flach. Blüten im Frühling, purpurn, bis 7 mm Durchmesser. Verbreitung: Pondoland (Eastern Cape), in Grasland.

● **D. taylorii*** [Nach W. R. Taylor aus Grahamstown]. Polster bildend, langsam wachsend, bis 25 cm Durchmesser, Zweige niederliegend bis ausgebreitet. Blätter fest, dreieckig-länglich, bis 35×10 mm. Blüten im Frühling und Sommer, einzeln, strohfarben mit rosafarbenem Rand, bis 20 mm Durchmesser. Verbreitung: Eastern Cape, in Valley Bushveld an steinigen Stellen. (Ohne Abbildung)

● **D. tradescantioides** [Ähnlich wie die Gattung *Tradescantia*]. Polster bildende Pflanzen mit niederliegenden, an den Knoten wurzelnden Zweigen. Blätter eiförmig, bis 30×12 mm, hellgrün, papillös. Blüten im Frühling und Sommer, einzeln, bis 15 mm Durchmesser, weiß, cremefarben oder rosa, fast sitzend. Verbreitung: Eastern Cape bis Mpumalanga im Norden, in Valley Bushveld und gebirgigen Gegenden. – Variabel, und an trockenen und schattigen Stellen als Bodendecker verwendbar.

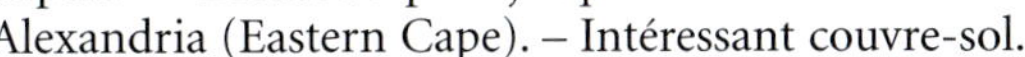
Delosperma rileyi

● **D. prasinum** [du lat. vert poireau]. Petits arbustes étalés à rameaux prostrés à rampants atteignant jusqu'à 15 cm de long. Feuilles glabres, allongées et mesurant jusqu'à 18×4 mm. Fleurs en été et automne, pourpres à roses, mesurant jusqu'à 12 mm de diam. Habitat: Valley Bushveld depuis Bredasdorp jusqu'à Alexandria (Eastern Cape). – Intéressant couvre-sol.

● **D. pruinosum*** [du lat. pruineux]. (= *D. echinatum*) Plantes compactes et arrondies mesurant jusqu'à 10 cm de haut. Feuilles ovoïdes à hémisphériques mesurant jusqu'à 13 ×7 mm et dont l'épiderme porte de grosses papilles surmontées d'un cil. Fleurs isolées, jaune clair, mesurant jusqu'à 15 mm de diam. et dont la floraison principale a lieu au printemps mais se poursuit durant toute l'année. Habitat: Valley Bushveld, dans la région de Gamtoos, Eastern Cape, sur les sols de conglomérat. – Se cultive bien en pot, à mi-ombre. Cette espèce est surtout appréciée pour ses feuilles «épineuses». [noms communs: Tursvy-Vygie, Krimpvarkvygie]

● **D. repens** [du lat. rampant]. Plantes étalées formant des coussins. Feuilles mesurant jusqu'à 14×8 mm, glabres, vertes à vert pourpré. Fleurs en été, rougeâtres à blanches. Habitat: depuis le sud du KwaZulu-Natal jusqu'à l'Eastern Cape, dans les rocailles de grès quartzifère.

● **D. rileyi** [d'après Riley]. Petits arbustes densément ramifiés et atteignant jusqu'à 30 cm de haut. Feuilles mesurant jusqu'à 20×3 mm, redressées-étalées, linéaires-lancéolées, trigones, glauques et à pointe aiguë. Fleurs au printemps et été, jaune sale clair et mesurant jusqu'à 15 mm de diam. Habitat: Northern Cape septentrional, parmi les cailloux du Bushveld (savane) aride. [nom commun: Bosveld-Vygie]

● **D. rogersii** [d'après Frederick Rogers (1876–1944)]. Petits arbustes étalés atteignant jusqu'à 30 cm de diam. Feuilles plates, de 12×7 mm, velues et vertes. Fleurs en été, jaunes ou pourpres et mesurant jusqu'à 12–20 mm de diam. Habitat: Eastern Cape jusqu'au KwaZulu-Natal, dans le Valley Bushveld.

● **D. stenandrum** [du grec 'stenos', étroit et 'andros', étamine; référence aux étamines penchées et étroitement regroupées]. Petits arbustes velus et densément ramifiés. Feuilles dressées, allongées, mesurant jusqu'à 15×4 mm, imbriquées et serrées à l'extrémité des rameaux, arrondies et mucronées. Revers caréné et avers aplati. Fleurs au printemps, pourpres et mesurant jusqu'à 7 mm de diam. Habitat: Pondoland (Eastern Cape), dans les prairies.

● **D. taylorii*** [d'après W. R. Taylor de Grahamstown]. Plantes à croissance lente formant des coussins atteignant jusqu'à 25 cm de diam., à rameaux prostrés à étalés. Feuilles fermes, triangulaires-allongées et mesurant jusqu'à 35× 10 mm. Fleurs au printemps et été, isolées, couleur paille bordé de rose, mesurant jusqu'à 20 mm de diam. Habitat: Eastern Cape, dans les zones pierreuses du Valley Bushveld. (non illustré)

● **D. tradescantioides** [semblable au genre *Tradescantia*]. Plantes formant des coussins dont les rameaux prostrés émettent des racines au niveau des nœuds. Feuilles ovoïdes mesurant jusqu'à 30×12 mm, vert clair et dotées de papilles. Fleurs au printemps et été, isolées, presque sessiles, blanches, crème ou roses, mesurant jusqu'à 15 mm de diam. Habitat: Eastern Cape jusqu'au Mpumalanga au nord, dans le Valley Bushveld et les environs montagneux. – Plantes variables pouvant être employées comme couvre-sol dans les zones sèches et ombragées.

Dicrocaulon

Dicrocaulon *[Gr. 'dikros', Gabel; Gr. 'kaulos', Trieb; wegen des Verzweigungsmusters]. Gebüschelte, verholzte Kleinsträucher, bis 50 cm hoch. Blätter unterschiedlich und von länglich bis gerundet variierend. Blüten Spätwinter bis Frühling, weiß, einzeln. Fruchtkapseln 4- bis 9-fächerig. – Dicrocaulon ist auf die Knersvlakte und das Namaqualand (Northern Cape, Western Cape) beschränkt und wächst in Succulent Karoo-Vegetation. Regen fällt am Standort vorwiegend im Winter, und zwar etwa 100 bis 200 mm pro Jahr. Die Pflanzen wachsen zerstreut in steinigen Böden. In Kultur sind sie wüchsig und können durch Aussaat oder Stecklinge vermehrt werden. Im Sommer werden sie am besten trocken gehalten. [Volksname: Opstandingsvygie.]*

● **D. brevifolium** [Lat. 'brevis', kurz; Lat. 'folium', Blatt]. Zwergige Kleinsträucher mit unregelmässigen Zweigen, Internodien bis 7 mm lang. Blätter länglich, bis 3 mm lang. Blüten im Frühling, weiß, mit krausen Blütenblättern. Verbreitung: Westliche Knersvlakte (Western Cape).

● **D. ramulosum** [Lat., voller kleiner Zweige]. Verzweigte, aufrechte Kleinsträucher, bis 15 cm hoch, Polster bildend, krautige Teile papillös, Zweige ausgebreitet bis aufrecht, mit alten, trockenen Blättern bedeckt, blühende Zweige verkürzt, 4-blätterig mit Blättern in Paaren. Blätter der Ruhezeit kaum 3 mm lang; Blätter der Vegetationszeit halbzylindrisch, stumpf, papillös und gräulich grün, bis 25×4 mm. Blüten Herbst bis Wintermitte, bis 40 mm Durchmesser, glänzend weiß. Verbreitung: Northern Cape, küstennahe Gebiet im Namaqualand, z. B. Mündung des Groenrivier und Hondeklip Bay.

● **D. spissum** [Lat., dicht, dick; wegen der Blätter]. Zwergige, aufrechte, dicht verzweigte Kleinsträucher. Blätter kurz, länglich, bis 3 mm lang. Blüten im Winter, weiß. Verbreitung: Namaqualand (Northern Cape), in Succulent Karoo-Vegetation.

Dicrocaulon *[du grec 'dikros', fourchette et 'kaulos', tige; référence au type de ramification]. Petits arbustes ligneux, en touffes, atteignant jusqu'à 50 cm de haut. Feuilles variables allant de l'allongé à l'arrondi. Fleurs en fin d'hiver-printemps, blanches, isolées. Fruits en capsules à 4–9 loges. – Le Dicrocaulon est circonscrit au Knersvlakte et au Namaqualand (Northern Cape, Western Cape) et pousse dans la végétation du Karoo à succulentes. Il y pleut surtout en hiver, à raison d'environ 100 à 200 mm par an. Ces plantes poussent de manière dispersée sur les sols pierreux. Elles se montrent vigoureuses en culture et peuvent être multipliées par semis ou bouturage. En été, il faut les laisser bien au sec. [nom commun: Opstandingsvygie]*

● **D. brevifolium** [du lat. 'brevis', court et 'folium', feuille]. Petits arbustes nains à rameaux irréguliers dont les entrenœuds peuvent atteindre jusqu'à 7 mm de long. Feuilles allongées mesurant jusqu'à 3 mm de long. Feuilles au printemps, blanches, à pétales tordus. Habitat: ouest du Knersvlakte (Western Cape).

● **D. ramulosum** [du lat. à nombreuses petites ramilles]. Petits arbustes érigés et ramifiés formant des coussins atteignant jusqu'à 15 cm de haut et dont les parties herbacées portent des papilles. Rameaux étalés à érigés, couverts des anciennes feuilles desséchées. Rameaux florifères abrégés et portant 4 feuilles groupées par paires. Feuilles de la période de repos mesurant à peine 3 mm de long alors que celles de la phase de végétation sont semi-cylindriques, arrondies, vert gris, dotées de papilles et mesurent jusqu'à 25×4 mm. Fleurs en automne-milieu d'hiver, blanc brillant, mesurant jusqu'à 40 mm de diam. Habitat: Northern Cape, zone côtière du Namaqualand, par exemple à l'embouchure de la Groenrivier et à Hondeklip Bay.

● **D. spissum** [du lat. épais; référence à la feuille]. Petits arbustes nains et érigés, à ramification dense. Courtes feuilles oblongues mesurant jusqu'à 3 mm de long. Fleurs blanches, en hiver. Habitat: Namaqualand (Northern Cape), dans la végétation du Karoo à succulentes.

Dicrocaulon spissum

Dicrocaulon ramulosum

Dicrocaulon brevifolium

Didymaotus

Didymaotus *[Gr. 'didymos', doppelt, Zwillings-; Gr. 'aotos', Blüte]. Zwergige Einzelpflanzen mit 1-2 Paaren gegenständiger Blätter. Blätter dreieckig-eiförmig, graugrün bis rötlich grün, mit mittigem Kiel, Oberfläche mit einer feinen Wachsschicht bedeckt. Blüten im Fühling, einzeln auf beiden Seiten und dem neuen Blattpaar benachbart, rosa, weiß oder malvenfarben. Fruchtkapseln 6-fächerig, Fächerdecken vorhanden. – Eine monotypische, auf die Tanqua-Karoo im Western Cape beschränkte Gattung. Die Pflanzen wachsen auf sandig-kiesigen Böden und sind wegen des kieselsteinartigen Aussehens schwierig zu finden. Regen fällt im Winter und Sommer, aber die Winterregen sind ergiebiger. Die Pflanzen sind in Kultur schwierig zu halten und sollten vorzugsweise unter Glass gepflegt werden.*

● **D. lapidiformis** [Lat. 'lapis', Stein; Lat. '-formis', -förmig]. Kompakte, sukkulente Pflanzen mit 2 gegenständigen, grünbraunen, dicken, fleischigen, dreieckigen, flach auf dem Boden liegenden, bis 20×30 mm grossen Blättern. Blüten im Frühling, in Paaren, je eine auf jeder Seite des Blattpaares, weiß, malvenfarben oder silberrosa, bis 40 mm Durchmesser. Verbreitung: Südliche Tanqua-Karoo (Western Cape), in Gebieten mit Kalk- und Eisensteinkieseln. – Eine Seltenheit und von Sukkulentenliebhabern sehr gesucht. [Volksname: Tweeling-Vygie.]

Didymaotus *[du grec 'didymos', double, jumeau et 'aotos', fleur]. Plantes naines et isolées dotées d'1 à 2 paires de feuilles opposées. Feuilles triangulaires-ovoïdes, gris vert à vert rougeâtre, à carène centrale et à avers couvert d'une mince couche cireuse. Fleurs au printemps, isolées à chaque extrémité et adjacentes à la nouvelle paire de feuilles, roses, blanches ou mauves. Fruits en capsules à 6 loges, à opercules. Genre monospécifique limité au Tanqua-Karoo (Western Cape). Ces plantes poussent sur les sols sableux et rocailleux et leur aspect proche de celui des galets les rend difficiles à repérer. Les pluies tombent en hiver et en été mais les pluies hivernales sont abondantes. Difficiles à cultiver, ces plantes doivent être conservées de préférence sous châssis.*

● **D. lapidiformis** [du lat. 'lapis', pierre et '-formis', en forme de]. Plantes succulentes compactes possédant 2 grandes feuilles opposées, vert brunâtre, épaisses, charnues, triangulaires, étalées à plat au sol et mesurant jusqu'à 20×30 mm. Fleurs au printemps, par paires, situées de chaque côté de la paire de feuilles, blanches, mauves ou rose argenté et mesurant jusqu'à 40 mm de diam. Habitat: sud du Tanqua-Karoo (Western Cape), dans les régions à graviers calcaires et minerai de fer. – Une rareté très recherchée par les amateurs de succulentes. [nom commun: Tweeling-Vygie]

Didymaotus lapidiformis

Dinteranthus *[Gr. 'anthos', Blüte; und nach Kurt M. Dinter (1868–1945), Deutscher Botaniker in Namibia]. Kompakte, einzelne oder Gruppen bildende Pflanzen. Blätter gräulich, basal verwachsen und ein rundliches Körperchen bildend, dieses im Spitzenbereich mit einer Spalte, aus welcher die Blüten erscheinen. Blüten einzeln, kurz gestielt, gelb. Fruchtkapseln 6- bis 15-fächerig. Samen sehr fein. – Eine kleine Gattung mit 5 Arten, auf das untere Oranje-Tal (Northern Cape und südliches Namibia) östlich von Springbok beschränkt. Die Pflanzen wachsen auf steinigen Böden und sind gut getarnt. Blüten erscheinen im Spätsommer und Herbst. Die Arten sind schwierig zu kultivieren und sollten vorzugweise in einem Gewächshaus gepflegt werden. Im Winter darf nicht gegossen werden. Die Samen keimen nur mit Schwierigkeiten. [Volksname: Vaalknopies.]*

● **D. microspermus subsp. puberulus*** [Gr. 'mikros', klein; Gr. 'sperma', Samen; Lat. 'puberulus', fein flaumig]. Bodennahe Zwergpflanzen mit 2 sehr sukkulenten, bis 30×30 mm grossen Blättern, basal verwachsen und ein gerundetes Körperchen bildend, Oberfläche fein körnig, graugrün. Blüten im Herbst, bis 40 mm Durchmesser, goldgelb. Verbreitung: Südliches Namibia und Northern Cape, an steinigen Stellen in Succulent Karoo-Vegetation. [Volksname: Vaalknopies.]

● **D. vanzylii** [Nach G. H. van Zyl]. Kompakte, einzelne oder Gruppen bildende Pflanzen. Blätter grau, zu runden, bis 40 mm hohen Körperchen verwachsen, Spitzenbereich gestutzt und mit einer Spalte, aus welcher die Blüte erscheint. Blüten im Herbst, einzeln, kurz gestielt, gelb oder orange, 15 mm Durchmesser. Verbreitung: Auf das untere Oranje-Tal östlich von Pofadder (Northern Cape) beschränkt. – Die Pflanzen wachsen auf steinigen Böden und sind gut getarnt. Die Erscheinung ähnelt *Lithops.*

● **D. wilmotianus*** [Nach C. Wilmot]. Bodennahe Zwergpflanzen mit 2 sehr sukkulenten, gräulichen, zu einem Körperchen verwachsenen Blättern. Blätter für mehr als die halbe Länge verwachsen, Körperchen bis 36×22 mm, Oberfläche

Dinteranthus *[du grec 'anthos', fleur et d'après Kurt M. Dinter (1868–1945), botaniste allemand en Namibie]. Plantes compactes, isolées ou formant des colonies. Feuilles grisâtres, connées et formant un corpuscule rond fendu au sommet, d'où émergent les fleurs. Fleurs isolées, jaunes et à pédoncule court. Fruits en capsules à 6 à 15 loges. Graines très fines. – Petit genre regroupant 5 espèces limitées à la partie inférieure de la vallée de l'Orange (Northern Cape et sud de la Namibie), à l'est de Springbok. Ces plantes poussent sur les sols pierreux et y sont bien camouflées. Les fleurs éclosent en fin d'été et automne. Les espèces sont difficiles à cultiver et doivent de préférence être conservées sous serre. En hiver, stopper les arrosages. Les graines germent difficilement. [nom commun: Vaalknopies]*

● **D. microspermus subsp. puberulus*** [du grec 'mikros', petit et 'sperma', graine; du lat. 'puberulus' à fin duvet]. Plantes naines, au ras du sol, possédant 2 grandes feuilles très succulentes mesurant jusqu'à 30×30 mm, connées et formant un corpuscule rond, à épiderme gris vert et finement granuleux. Fleurs en automne, jaune doré et mesurant jusqu'à 40 mm de diam. Habitat: sud de la Namibie et Northern Cape, dans les zones caillouteuses du Karoo à succulentes. [nom commun: Vaalknopies]

● **D. vanzylii** [d'après G. H. van Zyl]. Plantes compactes, isolées ou formant des colonies. Feuilles grises, soudées en un corpuscule arrondi mesurant jusqu'à 40 mm de haut, à sommet tronqué et fendu dont s'échappent les fleurs. Fleurs en automne, isolées, à court pédoncule, jaunes ou oranges et mesurant jusqu'à 15 mm de diam. Habitat: limité à la partie inférieure de la vallée de l'Orange, à l'est de Pofadder (Northern Cape). – Ces plantes poussent dans des sols caillouteux qui les camouflent bien. Leur apparence est proche de celle du *Lithops.*

● **D. wilmotianus*** [d'après C. Wilmot]. Plantes naines au ras du sol, à 2 feuilles très succulentes, grisâtres, soudées en corpuscule. Feuilles soudées sur plus de la moitié de leur longueur; corpuscule atteignant jusqu'à 36×22 mm, à épi-

Dinteranthus microspermus subsp. puberulus

Dinteranthus microspermus subsp. puberulus

Dinteranthus vanzylii

Dinteranthus wilmotianus subsp. impunctatus

Dinteranthus wilmotianus subsp. wilmotianus

grau, rosa überhaucht. Blüten im Herbst, bis 30 mm Durchmesser, gelb mit dunkler gelblich orangefarbenen Blütenblattspitzen, bis 16 mm lang gestielt. Verbreitung: Bushmanland (Northern Cape), auf steinigen Böden in Succulent Karoo. – Es können zwei Unterarten unterschieden werden, subsp. *wilmotianus* mit punktierten Körperchen, und subsp. *impunctatus* mit nicht punktierten Körperchen.

derme gris teinté de rose. Fleurs en automne, jaunes à pointes jaune orangé plus foncé, mesurant jusqu'à 30 mm de diam. et dotées d'un pédoncule atteignant jusqu'à 16 mm de long. Habitat: Bushmanland (Northern Cape), sur les sols rocailleux du Karoo à succulentes. – On peut distinguer 2 sous-espèces, ssp. *wilmotianus* à corpuscules ponctués et ssp. *impunctatus* chez qui ils ne le sont pas.

Diplosoma

Diplosoma *[Gr. 'diplos', doppelt; Gr. 'soma', Körper]. Pflanzen zwergig, bodennahe, kleine Gruppen bildend, mit ausdauerndem Wurzelstock und einem kleinen Caudex und Faserwurzeln. Blätter 2, gegenständig, jährlich im Herbst neu gebildet, linealisch länglich bis halbzylindrisch, waagerecht ausgebreitet (bei D. luckhoffii zu einem halbkugeligen Körperchen verwachsen), weich sukkulent mit durchscheinenden Punkten, grün, rötlich werdend. Blüten im Herbst, Winter und Frühling, ansehnlich, weiß bis rosa, über Mittag öffnend, einzeln, mit einer ringförmigen, eingekerbten Nektardrüse. Fruchtkapseln 6- bis 7-fächerig, niedergedrückt, dünn, Unterseite gerundet, Oberseite konisch, Quellleisten mit Flügeln, Fächerdecken vorhanden, ohne Verschlusskörperchen. – Eine kleine Gattung mit 2 Arten, hauptsächlich von den Quarzkieshügeln im nordwestlichen Teil des Western Cape. [Volksname: Verdwynvygie.] – Außerhalb des Heimatgebietes werden diese Pflanzen am besten unter kontrollierten Bedingungen im Gewächshaus gepflegt und müssen im Sommer trocken gehalten werden.*

Diplosoma *[du grec 'diplos' double et 'soma', corps]. Plantes naines au ras du sol, formant de petites colonies et possédant un rhizome vivace, un petit caudex et des racines filamenteuses. 2 feuilles opposées se renouvelant chaque année à l'automne, linéaires oblongues à semi-cylindriques, étalées à l'horizontale (soudées en un corpuscule hémisphérique chez D. luckhoffi), souples, succulentes et marquées de points translucides, vertes puis rougeâtres. Belles fleurs isolées en automne, hiver et printemps, blanches à roses, s'ouvrant après midi et possédant une glande nectarifère annulaire et crénelée. Fruits en capsules à 6 à 7 loges, aplatis, minces, à base arrondie et sommet conique, à bourrelets ailés, dotés d'opercules mais dépourvus d'obturateurs. – Un petit genre comptant 2 espèces majoritairement originaires des collines de galets quartzifères de la région nord-ouest du Western Cape. [nom commun: Verdwynvygie] – En dehors de leur habitat d'origine, ces plantes doivent être gardées sous serre dans des conditions bien contrôlées et sans arrosage en été.*

● **D. luckhoffii** [Nach Carl A. Luckhoff (1914–1961), südafrikanischer Arzt und Sukkulentenliebhaber]. (= *Maughaniella luckhoffii*) Jährlicher Wuchs bis 3 cm hoch, weich, aus dem ausdauernden, angeschwollenen Caudex. Blätter gegenständig, halbzylindrisch, bis 16×8 mm, basal verwachsen und ein hellgrünes, halbkugeliges Körperchen bildend, Oberfläche papillat. Blüten im Herbst und Winter, bis 30 mm Durchmesser, weiß mit rosafarbenen Blütenblattspitzen. Verbreitung: Knersvlakte (Western Cape), an Quarzkieshängen in Succulent Karoo.

● **D. luckhoffii** [d'après Carl A. Luckhoff (1914–1961), médecin sud-africain et amateur de succulentes]. (= *Maughaniella luckhoffii*) Plantes succulentes à croissance annuelle atteignant jusqu'à 3 cm en hauteur, dotées d'un caudex renflé et vivace. Feuilles opposées, semi-cylindriques, mesurant jusqu'à 16×8 mm, connées et formant ainsi un corpuscule hémisphérique, vert clair et semé de papilles. Fleurs en automne et hiver, mesurant jusqu'à 30 mm de diam, blanches à pointes roses. Habitat: Knersvlakte (Western Cape), sur les pentes à graviers quartzifères du Karoo à succulentes.

Diplosoma

● **D. retroversum** [Lat. 'retro', zurück; Lat. 'versus', gewendet; wegen der spreizenden Blätter]. Zwergige, stammlose Pflanzen, laubwerfend, kleine Gruppen bildend, mit ausdauerndem Wurzelstock. Wurzeln faserig. Blätter jedes Jahr im Herbst neu gebildet, gegenständig, linealisch länglich, bis 25×5 mm, basal schief miteinander verwachsen und waagerecht ausgebreitet, stumpf, glatt, weich sukkulent mit durchscheinenden Punkten. Blüten im Frühling, ansehnlich, weiß bis rosa, über Mittag öffnend, einzeln, an der Basis der Blätter. Verbreitung: Zwischen Piketberg und den Olifants River-Bergen in der Knersvlakte (Western Cape). – Wie *D. luckhoffii* wächst die Art auf Lehmböden (pH 7) mit Quarzkieseln, ist aber nicht so dicht zerstreut wie in der Knersvlakte. Im Sommer müssen die Pflanzen komplett trocken gehalten werden. Im Winter jedoch brauchen sie viel Wasser, und der Boden darf nie völlig austrocknen.

● **D. retroversum** [du lat. 'retro', retour et 'versus', latéral; référence à l'écartement des feuilles]. Plantes naines, acaules et caduques, formant de petites colonies et possédant un rhizome vivace. Racines filiformes. Feuilles se renouvelant chaque année à l'automne, opposées, linéaires oblongues et mesurant jusqu'à 25×5 mm, obliquement soudées l'une à l'autre par la base et écartées à l'horizontale, arrondies, lisses, souples et succulentes et marquées de points translucides. Belles fleurs au printemps, blanches à roses, isolées à la base des feuilles et s'ouvrant après midi. Habitat: dans les Knersvlakte, entre le Piketberg et les monts de l'Olifants River. – Comme le *D. luckhoffii*, cette espèce pousse sur les sols argileux (pH 7) à graviers quartzifères mais elle n'est pas disséminée de manière aussi dense que dans le Knersvlakte. En été, ces plantes doivent demeurer complètement sèches. Toutefois, en hiver, elles réclament beaucoup d'eau et le substrat ne doit jamais être complètement sec.

***Diplosoma luckhoffii* (= *Maughaniella luckhoffii*)**

Diplosoma retroversum

Disphyma

Disphyma *[Gr. 'dis-', zwei, doppelt; Gr. 'phyma', Wucherung, Schwellung; wegen der zweilappigen Verschlusskörperchen der Früchte]. Niederliegende, an den Knoten wurzelnde und Polster bildende, kahle, sukkulente Kräuter, in den Blattachseln mit kurzen, dicht beblätterten Zweigen. Blätter drehrund, bis 30 mm lang. Blüten 40 mm Durchmesser. Fruchtkapseln 5-fächerig, mit zweilappigen Verschlusskörperchen. – Mit Ruschia verwandt, aber durch die zweilappigen Verschlusskörperchen der Früchte abweichend. Von den ungefähr 6 Arten der Gattung kommen 3 entlang der südwestlichen und südöstlichen Küste Südafrikas vor, die übrigen in Australien und Neuseeland.*

Disphyma *[du grec 'dis-', deux, double et 'phyma', prolifération, tuméfaction; référence aux obturateurs bilobés du fruit] Plantes prostrées, herbacées, succulentes et glabres, formant des coussins et dotées de courts rameaux axillaires densément feuillés. Feuilles fusiformes mesurant jusqu'à 30 mm de long. Fleurs atteignant jusqu'à 40 mm de diam. Fruits en capsules à 5 loges, à obturateurs bilobés. Apparenté au Ruschia, ce genre s'en distingue par les obturateurs bilobés de ses fruits. Parmi les quelque 6 espèces du genre, 3 poussent le long des côtes sud-ouest et sud-est de l'Afrique du Sud et les autres en Australie et Nouvelle-Zélande.*

● **D. crassifolium** [Lat. 'crassus', dick; Lat. 'folium', Blatt]. Blätter glänzend, leuchtend grün, bis 35 mm lang und 9 mm breit, stumpf gekielt bis halbzylindrisch. Blüten im Frühling, bis 35 mm Durchmesser, weiß oder blassrosa. Verbreitung: Entlang der westlichen und südlichen Küste des Western Cape weit verbreitet, in brackigen Böden. – Ein nützlicher, rasch wachsender, Polster bildender Sukkulent für schwierige Küstengärten. Leicht durch Stecklinge zu vermehren. [Volksname: Soutvygie.]

● **D. crassifolium** [du lat. 'crassus', épais et 'folium', feuille] Feuilles luisantes, vert lumineux, mesurant jusqu'à 35 mm de long pour 9 mm de large, carénées-arrondies à semi-cylindriques. Fleurs au printemps, blanches ou rose pâle, atteignant jusqu'à 35 mm de diam. Habitat: très répandu le long des côtes ouest et sud du Western Cape, dans les sols saumâtres. – Une succulente à croissance rapide et port en coussin, intéressante pour les jardins côtiers difficiles. Facile à multiplier par bouturage. [nom commun: Soutvygie]

Disphyma crassifolium

Dorotheanthus

Dorotheanthus *[Nach Dorothea Schwantes, der Mutter des deutschen Mesemb-Spezialisten Prof. Gustav Schwantes]. Kleine, papillate, niederliegende Einjährige bis 10 cm hoch. Blätter ganzrandig, linealisch bis lanzettlich-spatelig. Blüten im Winter und Frühling, meist sehr farbig und auffällig mit flachem, in der Mitte konkavem Fruchtknoten. Fruchtkapseln 5-fächerig, Plazentation wandständig, Fächerdecken vorhanden. Verbreitung: Die 8 Arten stammen aus den Winterregengebieten des Western Cape und Northern Cape. – Von anderen einjährigen Mittagsblumen durch die ausdauernden Narben unterschieden. Diese einjährigen Pflanzen werden wegen der atemberaubenden Blüten weltweit kultiviert. [Volksnamen: Bokbaaivygies, Livingstone Daisies.]*

Dorotheanthus *[d'après Dorothea Schwantes, mère du Prof. Gustav Schwantes, spécialiste allemand des mésembs]. Petites plantes annuelles prostrées atteignant jusqu'à 10 cm de haut et dotées de papilles. Feuilles à bordure entière, linéaires à lancéolées-spatulées. Fleurs en hiver et printemps, généralement très colorées et attrayantes, à ovaire aplati à centre concave. Fruits en capsules à 5 loges, à placentation pariétale, dotés d'opercules. Habitat: Les 8 espèces sont originaires des régions à pluies hivernales des Western et Northern Capes. – Se distingue des autres mésembs annuelles par son stigmate persistant. Ces annuelles sont cultivées dans le monde entier pour leurs fleurs époustouflantes. [noms communs: Bokbaaivygies, Livingstone Daisies]*

● **D. apetalus** [Gr. 'a-', ohne; Gr. 'petalon', Blütenblatt]. Zwergig, weich, ausgebreitet, vegetative Teile papillat, Zweige rötlich. Blätter länglich eiförmig. Blüten im Spätwinter und Frühling, klein und unbedeutend, selbstfertil, bald mit auffälligem, rotem Fruchtknoten. Verbreitung: Kap-Halbinsel (Western Cape), in Strandveld-Vegetation. [Volksname: Verneuk-Bokbaai.]

● **D. apetalus** [du grec 'a-', sans et 'petalon', pétale]. Plantes naines, succulentes et étalées, possédant des parties végétatives porteuses de papilles et des rameaux rougeâtres. Feuilles oblongues ovoïdes. Petites fleurs insignifiantes en fin d'hiver et printemps, autofertiles, rapidement suivies par de remarquables ovaires rouges. Habitat: Péninsule du Cap (Western Cape) dans la végétation du Strandveld. [nom commun: Verneuk-Bokbaai]

● **D. bellidiformis** [Lat., von der Form eines Gänseblümchens; wegen der Blüten]. Klein, mit kurzen, niederliegenden, papillaten Zweigen. Blätter spatelig, 30–70 × 6–15 mm. Blüten im Frühling, sehr auffällig, bis 40 mm Durchmesser, unter-

● **D. bellidiformis** [du lat. en forme de pâquerette; référence à la fleur]. Petites plantes à courts rameaux prostrés et portant des papilles. Feuilles spatulées, de 30–70 × 6–15 mm. Très belles fleurs au printemps, mesurant jusqu'à 40 mm de diam., diverse-

Dorotheanthus apetalus

Dorotheanthus bellidiformis

Dorotheanthus bellidiformis

Dorotheanthus booysenii

Dorotheanthus gramineus

Dorotheanthus bellidiformis var. oculatus

schiedlich gefärbt, vorwiegend rosa, purpurn oder weiß, aber auch gelb und orange, bis 60 mm lang gestielt. Verbreitung: Western Cape, im Strandveld in Meeresnähe häufig. – Dies ist das ansehnlichste aller »Bokbaaivygies«.

● **D. booysenii** [Nach dem Farmer Mr. Booysen]. Niederliegend, vegetative Teile dicht papillat. Blätter spatelig, grün, ausgebreitet. Blüten im Spätwinter und Frühling, weiß, Staubblätter rötlich, Staubblätter ausgebreitet und die äusseren in einem Ring angeordnet. Verbreitung: Roggeveld-Plateau (Northern Cape), an flachen, steinigen Stellen in Karoo-Vegetation. [Volksname: Roggeveld-Bokbaai.]

● **D. gramineus*** [Lat., grasartig; wegen der schmalen Blätter]. Klein, mit kurzen, niederliegenden, papillaten Zweigen. Blätter linealisch bis linealisch-spatelig, bis 75 mm lang. Blüten im Frühling, 30–40 mm Durchmesser, unterschiedlich gefärbt, vorwiegend rosa, purpurn oder weiß (dunkler als bei *D. bellidiformis* und mit dunklerem Zentrum), bis 60 mm lang gestielt. Verbreitung: Küstengebiete, im Strandveld, nicht häufig. Verbreitet kultiviert.

● **D. maughanii** [Nach Dr. H. Maughan Brown]. (= *Pherolobus maughanii*) Klein, mit kurzen, niederliegenden, papillaten Zweigen. Blätter spatelig, bis 50 mm lang. Blüten im Frühling, 30–55 mm Durchmesser, weiß bis malvenfarben,

ment colorées mais surtout roses, pourpres ou blanches, également jaunes et oranges, à pédoncule mesurant jusqu'à 60 mm de long. Habitat: Western Cape, répandue dans la zone côtière du Stranveld. – La plus belle de toutes les «Bokbaaivygies».

● **D. booysenii** [d'après Mr. Booysen, exploitant agricole]. Plantes prostrées à parties végétatives densément couvertes de papilles. Feuilles spatulées, vertes et étalées. Fleurs en fin d'hiver et printemps, blanches à étamines rougeâtres. Etamines écartées, les externes formant un cercle. Habitat: Roggeveld plateau (Northern Cape), sur les sols plats et caillouteux du Karoo. [nom commun: Roggeveld-Bokbaai]

● **D. gramineus*** [du lat. semblable à l'herbe; référence aux feuilles étroites]. Petites plantes à courts rameaux prostrés et dotés de papilles. Feuilles linéaires à linéaires-spatulées, mesurant jusqu'à 75 mm de long. Fleurs au printemps, de 30–40 mm de diam., diversement colorées mais surtout roses, pourpres ou blanches (plus foncées que chez *D. bellidiformis* et à cœur plus sombre), à pédoncule mesurant jusqu'à 60 mm de long. Habitat: zone côtière du Stranveld, peu fréquent dans la nature mais répandu en culture.

● **D. maughanii** [d'après le Dr. H. Maughan Brown]. (= *Pherolobus maughanii*) Petites plantes à courts rameaux prostrés et dotés de papilles. Feuilles spatulées mesurant jusqu'à 50 mm de long. Fleurs au printemps, de 30–55 mm de diam., blanches à mauves, à pédoncules mesurant jusqu'à 60 mm de long et à gros stigmate claviforme et rougeâtre. Habitat: Northern Cape, dans le Karoo de la région de Calvinia. – Chez les formes à fleurs blanches, les pointes des pétales sont jaunâtres et la coloration de la base des pétales produit un remarquable effet d'anneau orangé autour du cœur de la fleur. Sans stratification, les graines ne germent que difficilement. [noms communs: Hantam-Sneeu, Hantam-Bokbaai, Sonvygie]

orotheanthus maughanii (= Pherolobus m.)

Dorotheanthus maughanii (Pherolobus m.)

Dorotheanthus muirii

Dorotheanthus rourkei

Dorotheanthus ulularis

bis 60 mm lang gestielt, Narben rötlich, gross und keulig. Verbreitung: Northern Cape, Region von Calvinia in Karoo-Vegetation. – Bei der weiß blühenden Form sind die Blütenblattspitzen gelblich, und durch die Färbung der Blütenblattbasis ergibt sich ein auffälliger, orangefarbener Ring um das Blütenzentrum. Die Samen keimen ohne Stratifizierung nur schwer. [Volksnamen: Hantam-Sneeu, Hantam-Bokbaai, Sonvygie.]

● **D. muirii*** [Nach Dr. J. Muir (1874–1947), schottischer Arzt und Pflanzensammler, der sich in Südafrika niederliess]. Kleine, papillöse Kräuter. Blätter bis 45 mm lang, linealisch-lanzettlich (bei *D. bellidiformis* linealisch-spatelig), spitz oder stumpf, gräulich grün. Blüten im Winter und frühen Frühling, bis 35 mm Durchmesser, glänzend, metallisch-rosaviolett mit schmalem, weißem Ring um die gelben Staubblätter. Verbreitung: Ostteil des Western Cape, in küstennahen, sandigen Gebieten. [Volksname: Noublaar-Bokbaai.]

● **D. rourkei** [Nach John Rourke (1942–), Kurator des Compton Herbariums, Kirstenbosch]. Klein, mit kurzen, niederliegenden, papillaten Zweigen und Blättern. Blätter linealisch-spatelig, bis 40 mm lang. Blüten im Winter und Frühling, 30–40 mm Durchmesser, leuchtend rot, bis 60 mm lang gestielt. Verbreitung: Northern Cape, Gebiet von Bitterfontein im Namaqualand. – Die Samen keimen nur mit Schwierigkeiten und sollten vor der Aussaat vorbehandelt werden, z. B. durch Schütteln in einem kleinen Gefäss zusammen mit kantigem Kies. [Volksnamen: Sandvygie, Rooi-Bokbaai.]

● **D. ulularis*** [Lat., Eulen zugehörig; nach dem Fundort Uilkraal (Afrikaans 'uil', Eule)]. Zwergig, weich, Büschel oder Rosetten bildend, vegetative Teile papillat. Blätter länglich lanzettlich wie bei *D. gramineus* und *D. muirii*, bis 50×5 mm. Blüten im frühen Frühling, bis 40 mm Durchmesser, glänzend metallisch-magenta. Verbreitung: An sandigen Stellen in Strandveld-Fynbos in der Gegend von Gansbaai, Western Cape. [Volksname: Gansbaai-Vygie.]

● **D. muirii*** [d'après le Dr. J. Muir (1874–1947), médecin écossais et collectionneur de plantes qui s'était fixé en Afrique du Sud]. Petites plantes herbacées à papilles. Feuilles mesurant jusqu'à 45 mm de long, linéaires-lancéolées (linéaires-spatulées chez *D. bellidiformis*), pointues ou arrondies, vert grisâtre. Fleurs en hiver-début de printemps, mesurant jusqu'à 35 mm de diam., brillantes, d'un rose violet métallisé à étroit anneau blanc autour des étamines jaunes. Habitat: région est du Western Cape, dans les régions côtières sableuses. [nom commun: Noublaar-Bokbaai]

● **D. rourkei** [d'après John Rourke (1942–), curateur du Compton Herbarium à Kirstenbosch]. Petites plantes à courts rameaux prostrés qui, comme les feuilles, portent des papilles. Feuilles linéaires-spatulées mesurant jusqu'à 40 mm de long. Fleurs en hiver et printemps, de 30–40 mm de diam., rouge lumineux, à pédoncule mesurant jusqu'à 60 mm de long. Habitat: Northern Cape, région de Bitterfontein dans le Namaqualand. – Les graines ne germent que difficilement et doivent être préparées avant le semis, par ex. en les secouant dans une petite boite en compagnie de graviers anguleux. [noms communs: Sandvygie, Rooi-Bokbaai]

● **D. ulularis*** [du lat. qui appartient au hibou; référence au lieu de découverte Uilkraal (en afrikaans, «Uil», hibou)]. Plantes naines et succulentes formant des touffes ou des rosettes, à parties végétatives porteuses de papilles. Feuilles oblongues lancéolées comme chez *D. gramineus* et *D. muirii*, mesurant jusqu'à 50×5 mm. Fleurs en début de printemps, mesurant jusqu'à 40 mm de diam., d'un magenta métallisé et brillant. Habitat: zones sableuses du Strandveld-Fynbos, dans la région de Gansbaai, Western Cape. [nom commun: Gansbaai-Vygie]

Dracophilus

Dracophilus *[Gr. 'drakon', Drache; Gr. 'philos', Freund; wegen des Vorkommens bei Drachenberg in Namibia]. Kompakte Kleinsträucher, kleine Polster bildend. Blätter länglich dreieckig, graugrün, oft gekielt und mit stumpfen Zähnen. Blüten sporadisch über das Jahr verteilt erscheinend, einzeln, hübsch durchscheinend malvenvarben bis rosa. Fruchtkapseln 8- bis 14-fächerig, ohne Verschlusskörperchen, Klappen ungeflügelt. Samen birnenförmig. – Eine kleine Gattung mit 4 Arten, die alle auf die küstennahen Gebiete des südlichen Namibia sowie des äussersten Nordens des Northern Cape beschränkt sind. Die Pflanzen wachsen in Succulent Karoo zwischen Felsen. Sie können durch Stecklinge oder Samen vermehrt und müssen im Sommer trocken gehalten werden. Die Kultur erfolgt am besten in einem Gewächshaus.*

● **D. dealbatus** [Lat., getüncht, geweißelt; wegen der Blattfärbung]. Kompakte, Gruppen bildende, bis 5 cm hohe Pflanzen. Blätter basal verwachsen, länglich eiförmig, Oberseite flach, Unterseite konvex, bis 45×15 mm, Oberflächen blaugrün, glatt. Blüten im Sommer, bis 30 mm Durchmesser, rosa bis weiß. Verbreitung: Richtersveld (Northern Cape) in der Nähe des Oranje-Flusses, sowie südliches Namibia, in Succulent Karoo.

● **D. montis-draconis*** [Lat. 'mons', Berg; Lat. 'draco', Drache; wegen des Vorkommens bei Drachenberg]. Kompakte, Gruppen bildende Pflanzen. Blätter basal verwachsen, dreieckig-eiförmig, bis 50×15 mm, graugrün. Blüten im Frühling, bis 30 mm Durchmesser, rosa bis hellrosa. Verbreitung: Südliches Namibia, in Succulent Karoo.

● **D. proximus*** [Lat., nahe, benachbart]. Kompakte, Gruppen bildende Pflanzen, bis 8 cm hoch. Blätter basal verwachsen, länglich eiförmig, Oberseite flach, Unterseite konvex, bis 50×14 mm, Oberflächen blaugrün, glatt. Blüten im Frühsommer, bis 30 mm Durchmesser, sehr hübsch wachsig hellrosa bis rosa. Verbreitung: Richtersveld (Northern Cape), nahe des Oranje-Flusses, in Succulent Karoo wachsend.

Dracophilus *[du grec 'drakon', dragon et 'philos', ami; référence à l'habitat près de Drachenberg en Namibie]. Petits arbustes compacts formant de petits coussins. Feuilles oblongues triangulaires, gris vert, souvent carénées et dotées de dents arrondies. Fleurs apparaissant sporadiquement au cours de l'année, isolées, d'un joli mauve à rose translucide. Fruits en capsules à 8–14 loges, sans obturateurs et à valves dépourvues d'ailettes. Graines pyriformes. – Petit genre comportant 4 espèces, toutes originaires de la zone côtière du sud de la Namibie ainsi que de l'extrême nord du Northern Cape. Ces plantes poussent entre les cailloux du Karoo à succulentes. Elles peuvent être multipliées par bouturage ou semis et doivent demeurer sèches en été. C'est sous serre que leur culture sera la plus fructueuse.*

● **D. dealbatus** [du lat. blanchi; référence à la couleur des feuilles]. Plantes compactes formant des colonies et atteignant jusqu'à 5 cm de haut. Feuilles connées, oblongues ovoïdes, à avers plat et revers convexe, mesurant jusqu'à 45×15 mm, à épiderme lisse et glauque. Fleurs en été, mesurant jusqu'à 30 mm de diam., roses à blanches. Habitat: Richtersveld (Northern Cape), à proximité de l'Orange ainsi que dans le sud de la Namibie, dans le Karoo à succulentes.

● **D. montis-draconis*** [du lat. 'mons', montagne et 'draco', dragon; référence à l'habitat près de Drachenberg] Plantes compactes poussant en colonies. Feuilles connées, triangulaires-ovoïdes, mesurant jusqu'à 50×15 mm, gris vert. Fleurs au printemps, mesurant jusqu'à 30 mm de diam., roses à rose clair. Habitat: sud de la Namibie, dans le Karoo à succulentes.

● **D. proximus*** [du lat., proche, voisin] Plantes compactes formant des colonies et atteignant jusqu'à 8 cm de haut. Feuilles connées, oblongues ovoïdes, à avers plat et revers convexe, mesurant jusqu'à 50×14 mm, à épiderme glauque et lisse. Fleurs en début d'été, mesurant jusqu'à 30 mm de diam., d'un très joli rose clair à rose cireux. Habitat: Richtersveld (Northern Cape), près du fleuve Orange, dans le Karoo à succulentes.

Dracophilus dealbatus (= Juttadinteria longipetala)

Dracophilus proximus

Dracophilus montis-draconis

Drosanthemopsis

Drosanthemopsis* *[Gr. '-opsis', Aussehen; wegen der Ähnlichkeit mit Drosanthemum]. Zwergige, kompakte Kleinsträucher mit gräulich grünen, länglichen Blättern. Zweige ausgebreitet bis aufsteigend. Blätter basal gekielt und verwachsen, samtig. Blüten im Frühling, einzeln, weiß. Fruchtkapseln 8- bis 10-fächerig, Fächerdecken vorhanden, Verschlusskörperchen fehlend. Verbreitung: Gegend von Riethuis entlang der Küste des Namaqualandes (Northern Cape), in Succulent Karoo-Vegetation.*

Drosanthemopsis vaginata

Drosanthemopsis* *[du grec '-opsis', à l'aspect de; référence à la similitude avec le Drosanthemum]. Petits arbustes nains et compacts à feuilles oblongues et vert grisâtre. Rameaux étalés à redressés. Feuilles veloutées à base carénée et soudée. Fleurs au printemps, isolées et blanches. Fruits en capsules à 8–10 loges, à opercules mais sans obturateurs. Habitat: limité à la région de Riethuis, le long de la côte du Namaqualand (Northern Cape), dans le Karoo à succulentes.*

● **D. vaginata*** [Lat., scheidig; wegen der basal verwachsenen Blätter]. Beschreibung wie für die Gattung. In Kultur einfach, aber am besten unter kontrollierten Bedingungen zu pflegen und im Sommer giessen.

● **D. vaginata*** [du lat. engainant; référence aux feuilles connées]. Même description que pour l'espèce. Facile à cultiver mais préfère les conditions bien contrôlées et demande des arrosages estivaux.

Drosanthemum

Drosanthemum *[Gr. 'drosos', Tau; Gr. 'anthemon', Blume; wegen der glänzenden Papillen auf den Blättern]. Ausdauernde Kleinsträucher, oft ausgebreitet und an den Knoten wurzelnd. Zweige oft verholzt, mit deutlichen Internodien. Blätter weich, mit auffälligen, glänzenden Papillen. Blüten einzeln oder in Cymen. Fruchtkapseln 4- bis 6-fächerig, mit Klappenflügeln und Fächerdecken, Verschlusskörperchen fehlend. – Eine große Gattung mit etwa 60 Arten, hauptsächlich aus den Winterregengebieten. Häufig kultiviert und als Bodendecker an Böschungen sowie als Polsterpflanzen geschätzt. Es handelt sich um meist reich blühende und ansehnliche Mittagsblumen. [Volksname: Douvygies.]*

● **D. albiflorum** [Lat. 'albus', weiß; Lat. '-florus', -blütig]. Bis 15 cm hohe Kleinsträucher mit niederliegenden Trieben. Blätter zylindrisch, bis 10×4 mm. Blüten im Frühling, bis 17 mm Durchmesser, weiß. Verbreitung: Western Cape, bei Phisantefontein nahe Riversdale.

● **D. barwickii*** [Nach Barwick]. Aufrechte, verholzte, bis 50 cm hohe Kleinsträucher. Blätter linealisch-lanzettlich, stumpf, papillös, bis 11×3 mm. Blüten Winter bis Frühling, bis 20 mm Durchmesser, purpurn. Verbreitung: Western Cape, Swellendam, in Renosterveld.

● **D. bellum** [Lat., hübsch, schön]. Rasch wachsende, ausgebreitete Pflanzen, bis 30 cm hoch und 50 cm Durchmesser. Blätter bis 55×4 mm, fast zylindrisch, papillat. Blüten im Frühling, bis 50 mm Durchmesser, gelbrosa mit weißem Zentrum. Verbreitung: Western Cape, bei Ceres, in Succulent Karoo. – Leicht aus Samen, aber nur mit Schwierigkeiten durch Stecklinge zu vermehren.

Drosanthemum albiflorum

Drosanthemum *[du grec 'drosos', rosée et 'anthemon', fleur; référence aux papilles scintillantes des feuilles]. Petits arbustes vivaces, souvent étalés, émettant des racines au niveau des nœuds. Rameaux souvent lignifiés, à entre-nœuds bien nets. Feuilles souples, à remarquables papilles luisantes. Fleurs isolées ou en cymes. Fruits en capsules à 4–6 loges, à valves ailées et opercules mais dépourvus d'obturateurs. – Genre important regroupant environ 60 espèces surtout originaires des régions à pluies hivernales. Souvent cultivé et apprécié pour tapisser les talus ou former des petits coussins. Ce sont généralement des plantes florifères et attrayantes. [nom commun: Douvygies]*

● **D. albiflorum** [du lat. 'albus', blanc et '-florus', à fleurs]. Petits arbustes à rameaux prostrés mesurant jusqu'à 15 cm de hauteur. Feuilles cylindriques atteignant jusqu'à 10×4 mm. Fleurs au printemps, blanches, mesurant jusqu'à 17 mm de diam. Habitat: Western Cape, près de Phisantefontein à proximité de Riversdale.

● **D. barwickii*** [d'après Barwick]. Petits arbustes ligneux et érigés atteignant jusqu'à 50 cm de haut. Feuilles linéaires-lancéolées, arrondies, dotées de papilles et mesurant jusqu'à 11×3 mm. Fleurs en hiver-printemps, pourpres et mesurant jusqu'à 20 mm de diam. Habitat: Western Cape, Swellendam, dans le Renosterveld.

● **D. bellum** [du lat. joli]. Plantes étalées, à croissance rapide, atteignant jusqu'à 30 cm de haut pour 50 cm de diam. Feuilles mesurant jusqu'à 55×4 mm, presque cylindriques et dotées de papilles. Fleurs au printemps, jaune rosé à cœur blanc, mesurant jusqu'à 50 mm de diam. Habitat: Western

Drosanthemum barwickii

Drosanthemum bellum

Drosanthemum bicolor

Drosanthemum bicolor

Drosanthemum bicolor

Drosanthemum candens

Drosanthemum candens

Drosanthemum

● **D. bicolor** [Lat., zweifarbig; wegen der Blüten]. Aufrechte, langlebige, langsam wachsende, bis 80 cm hohe Kleinsträucher. Blätter halbzylindrisch, papillat, bis 18×3 mm. Blüten im Frühling, purpurrot mit gelbem Zentrum, sehr auffällig. Verbreitung: Western Cape, nahe Vanwyksdorp, aber auch anderswo in der Little Karoo, in Succulent Karoo-Vegetation. – Leicht aus Samen, aber nur mit Schwierigkeiten durch Stecklinge zu vermehren.

● **D. candens** [Lat., glänzend, leuchtend]. Zweige niederliegend bis ausgestreckt, wurzelnd und Polster bildend. Blätter drehrund, stumpf, 3–10 mm lang. Blüten Frühling bis Sommermitte, kurz gestielt, 20–25 mm Durchmesser, hell purpurrosa, Staubblätter länger als die Narben. Kapseln 7 mm Durchmesser. Ähnlich wie *D. hispidum*, aber weniger blühwillig. Verbreitung: Entlang der Küste des Western Cape häufig, zwischen Felsen in Meeresnähe. – Von *D. floribundum* durch die Staubblätter unterschieden, welche länger als die Narben sind.

● **D. collinum** [Lat., zu den Hügeln gehörig; wegen des Wuchsortes]. Aufrechte, langlebige, langsam wachsende, bis 80 cm hohe Kleinsträucher. Blätter halbzylindrisch, papillat, bis 16×3 mm. Blüten im Frühling, gelb. Verbreitung: Western Cape, Bokkeveld bis zum Tal des Hex River, in Succulent Karoo. Eine sehr attraktive Art, leicht aus Samen zu ziehen.

● **D. concavum** [Lat., konkav]. Niederliegende, ausgebreitete Pflanzen. Blätter halbzylindrisch, papillat, bis 10×3 mm. Blüten in Wintermitte, bis 24 mm Durchmesser, weiß oder hellrosa mit weißem Zentrum. Verbreitung: Northern Cape, nördlich von Calvinia, in Nama Karoo-Vegetation.

Cape, près de Ceres, dans le Karoo à succulentes. – Facile à multiplier par semis mais difficilement par bouturage.

● **D. bicolor** [du lat. bicolore; référence à la fleur]. Petits arbustes érigés, à croissance lente et bonne longévité, atteignant jusqu'à 80 cm de haut. Feuilles semi-cylindriques, dotées de papilles et mesurant jusqu'à 18×3 mm. Fleurs au printemps, rouge pourpre à cœur jaune, très décoratives. Habitat: Western Cape, près de Vanwyksdorp mais aussi à d'autres endroits dans le Little Karoo, dans le Karoo à succulentes. – Facile à multiplier par semis mais difficilement par bouturage.

● **D. candens** [du lat. scintillant, lumineux]. Plantes en coussins dont les rameaux prostrés à étalés émettent des racines. Feuilles fusiformes, arrondies, de 3–10 mm de long. Fleurs au printemps-milieu d'été, à court pédoncule, mesurant 20–25 mm de diam., rose pourpre clair, à étamines plus longues que le stigmate. Capsule de 7 mm de diam. Semblable à *D. hispidum* mais un peu moins florifère. Habitat: fréquent le long de la côte du Western Cape, entre les pierres à proximité de la mer. – Se distingue de *D. floribundum* par ses étamines plus longues que le stigmate.

● **D. collinum** [du lat. des collines; référence à l'habitat naturel]. Petits arbustes érigés, à croissance lente et bonne longévité, qui atteignent jusqu'à 80 cm de haut. Feuilles semi-cylindriques, dotées de papilles et mesurant jusqu'à 16×3 mm. Fleurs jaunes, au printemps. Habitat: Western Cape, de Bookeveld jusqu'à la vallée de l'Hex River, dans le Karoo à succulentes. Espèce très attractive et facile à obtenir par semis.

● **D. concavum** [du lat. concave]. Plantes étalées et prostrées. Feuilles semi-cylindriques, dotées de papilles et mesurant jusqu'à 10×3 mm. Fleurs en milieu d'hiver, blanches ou rose

Drosanthemum collinum

Drosanthemum concavum

Drosanthemum duplessiae

Drosanthemum eburneum

Drosanthemum flammeum

Drosanthemum flavum

Drosanthemum floribundum

Drosanthemum globosum

Drosanthemum hallii

Drosanthemum

● **D. duplessiae** [Nach Enid du Plessis (1929–), ehemals Botaniker an den Kirstenbosch Botanical Gardens]. Aufrechte, bis 40 cm hohe Kleinsträucher. Blätter halbkugelig bis verlängert, bis 13×4 mm. Blüten im Frühling, bis 30 mm Durchmesser, weiß bis hell fliederfarben oder dunkler purpurrosa mit auffälligem, weißem Zentrum. Verbreitung: Western Cape, in den Swartberg Mountains, Little Karoo, in Succulent Karoo-Vegetation.

● **D. eburneum** [Lat., elfenbeinweiß; wegen der Blüten]. Ausgebreitete, Polster bildende Sukkulenten mit behaarten, niederliegenden Zweigen. Blätter ausgebreitet-aufsteigend, halbzylindrisch, bis 20×2 mm, blaugrün, papillat. Blüten im Winter und Frühling, bis 30 mm Durchmesser, elfenbeinweiß. Verbreitung: Roggeveld (Northern Cape), in Karoo-Vegetation.

● **D. flammeum** [Lat., flammenartig, wegen der Blütenfarbe]. Rasch wachsende, ausgebreitete Pflanzen, bis 30 cm hoch und 50 cm Durchmesser. Blätter bis 17×2 mm, zylindrisch, länglich, papillat. Blüten im Frühling, bis 44 mm Durchmesser, feuerrot. Verbreitung: Western Cape, bei Robertson, in Renosterveld auf Schiefer, sowie zwischen Riviersonderend und Bredasdorp. – Leicht aus Samen zu ziehen.

● **D. flavum** [Lat., gelb]. Aufrechte, bis 15 cm hohe Kleinsträucher. Blätter bis 8×2 mm, fast zylindrisch. Blüten im Frühling, bis 18 mm Durchmesser, goldgelb. Verbreitung: Western Cape, Caledon und Bredasdorp, in Renosterveld auf Schiefer.

● **D. floribundum** [Lat., reich blühend]. Niederliegende Kleinsträucher, bis 50 cm Durchmesser. Blätter zylindrisch, clair à cœur blanc, mesurant jusqu'à 24 mm de diam. Habitat: Northern Cape, au nord de Calvinia, dans le Nama-Karoo.

● **D. duplessiae** [d'après Enid du Plessis (1929–), autrefois botaniste au Jardin Botanique de Kirstenbosch]. Petits arbustes érigés atteignant jusqu'à 40 cm de haut. Feuilles hémisphériques à allongées, mesurant jusqu'à 13×4 mm. Fleurs au printemps, blanches à lilas clair ou rose pourpre foncé à beau cœur blanc et mesurant jusqu'à 30 mm de diam. Habitat: Western Cape, dans les Swartberg Mountains, Little Karoo, végétation du Karoo à succulentes.

● **D. eburneum** [du lat. blanc ivoire; référence aux fleurs]. Succulentes étalées et formant des coussins, à rameaux prostrés et velus. Feuilles étalées-redressées, semi-cylindriques et mesurant jusqu'à 20×2 mm, glauques et dotées de papilles. Fleurs en hiver et printemps, blanc ivoire et mesurant jusqu'à 30 mm de diam. Habitat: Roggeveld (Northern Cape) dans le Karoo.

● **D. flammeum** [du lat. couleur feu; référence à la fleur]. Plantes étalées, à croissance rapide, atteignant jusqu'à 30 cm de haut pour 50 cm de diam. Feuilles presque cylindriques, allongées, dotées de papilles et mesurant jusqu'à 17×2 mm. Fleurs au printemps, rouge feu et mesurant jusqu'à 44 mm de diam. Habi-

Drosanthemum hispidum

Drosanthemum hispidum

Drosanthemum intermedium

Drosanthemum lavisii & D. floribundum

Drosanthemum lavisii

Drosanthemum

bis 14×2,5 mm. Blüten im Frühling, bis 18 mm Durchmesser, rosapurpurn. Verbreitung: Western Cape, Milnerton bis Elands Bay sowie im Worcester-Distrikt, in der Little Karoo weit verbreitet.

● **D. globosum** [Lat., kugelig; wegen der Blätter]. Aufrechte, bis 45 cm hohe Kleinsträucher. Blätter kugelig, bis 3 mm Durchmesser. Blüten im frühen Frühling, bis 17 mm Durchmesser, purpurn. Verbreitung: Western Cape, zwischen Montagu und Ashton, Little Karoo, zwischen Riversdale und Ladismith.

● **D. hallii** [Nach Harry Hall (1906–1986), ehemals Kurator der Kirstenbosch Botanical Gardens]. Polster bildende, bis 20 cm hohe Kleinsträucher. Blätter linealisch, spitz, Unterseite gerundet, undeutlich papillös, glänzend grün, bis 26×2,5 mm. Blüten im Frühling, bis 35 mm Durchmesser, gelb mit weißlichem Zentrum. Verbreitung: Montagu bis Worcester (Western Cape), in Renosterveld.

● **D. hispidum** [Lat., rauh haarig]. Zweige niederliegend oder kriechend, wurzelnd und Polster bildend, bis 30 cm hoch und 1 m Durchmesser. Blätter drehrund, stumpf, bis 10×2 mm. Blüten Winter und Frühling, bis 25 mm Durchmesser, purpurn. Kapseln 7 mm Durchmesser. Verbreitung: Im Northern Cape, Western Cape und Eastern Cape sowie im südlichen Namibia in Succulent Karoo weit verbreitet und entlang von Strassen häufig. – Die Samen keimen leicht und Sämlinge wachsen rasch und blühen noch im gleichen Jahr. Ein geschätzter Bodendecker. [Volksname: Fynt'nouroebos.]

● **D. intermedium** [Lat., das mittlere; wegen der systematischen Stellung]. Zweige niederliegend bis kriechend, wurzelnd und Polster bildend. Blätter drehrund, stumpf, bis 15×1 mm. Blüten Frühling bis Sommermitte, kurz gestielt, 20–25 mm Durchmesser, hell purpurrosa, Staubblätter länger als die Narben. Kapseln 7 mm Durchmesser. Verbreitung: Eine Küstenart aus der Strandveld-Vegetation zwischen der Kap-Halbinsel und Mosselbay (Western Cape).

● **D. lavisii** [Nach Mary Lavis (1903–), südafrikanische Botanikerin, vormals am Bolus Herbarium]. Ausgebreitete Kleinsträucher. Blätter bis 20×2 mm, trübgrün, papillös. Blüten im Frühling, leuchtend scharlachrot oder rot. Verbreitung: Western Cape, zwischen Struisbaai und Bredasdorp, sowie südlich von Riversdale entlang der Westseite des Goukou

tat: Western Cape, près de Robertson, sur les schistes du Renosterveld ainsi qu'entre Riviersonderend et Bredasdorp. – Facile à obtenir par semis.

● **D. flavum** [du lat. jaune]. Petits arbustes érigés atteignant jusqu'à 15 cm de haut. Feuilles mesurant jusqu'à 8× 2 mm, presque cylindriques. Fleurs au printemps, jaune doré et mesurant jusqu'à 18 mm de diam. Habitat: Western Cape, Caledon et Bredasdorp, sur les schistes du Renosterveld.

● **D. floribundum** [du lat. florifère]. Petits arbustes prostrés atteignant jusqu'à 50 cm de diam. Feuilles cylindriques mesurant jusqu'à 14×2,5 mm. Fleurs au printemps, rose pourpre, mesurant jusqu'à 18 mm de diam. Habitat: Western Cape, de Milnerton jusqu'à Elands Bay ainsi que dans le district de Worcester, largement répandu dans le Little Karoo.

● **D. globosum** [du lat. sphérique; référence à la feuille]. Petits arbustes érigés atteignant jusqu'à 45 cm de haut. Feuilles sphériques mesurant jusqu'à 3 mm de diam. Fleurs en début de printemps, pourpres et mesurant jusqu'à 17 mm de diam. Habitat: Western Cape, entre Montagu et Ashton, Little Karoo, entre Riversdale et Ladismith.

● **D. hallii** [d'après Harry Hall (1906–1986), ancien curateur du Jardin Botanique de Kirstenbosch] Petits arbustes formant des coussins et atteignant jusqu'à 20 cm de haut. Feuilles linéaires, pointues, à revers arrondi, portant des papilles indistinctes, d'un vert brillant et mesurant jusqu'à 26× 2,5 mm. Fleurs au printemps, jaunes à cœur blanchâtre et mesurant jusqu'à 35 mm de diam. Habitat: de Montagu à Worcester (Western Cape), dans le Renosterveld.

● **D. hispidum** [du lat. à poils raides]. Plantes à rameaux prostrés ou rampants qui émettent des racines et forment des coussins atteignant jusqu'à 30 cm de haut et 1 m de diam. Feuilles fusiformes, arrondies et mesurant jusqu'à 10 ×2 mm. Fleurs en hiver et printemps, pourpres et mesurant jusqu'à 25 mm de diam. Capsules de 7 mm de diam. Habitat: Northern Cape, Western Cape, Eastern Cape ainsi que le sud de la Namibie, largement répandu dans le Karoo à succulentes et fréquent le long des routes. – Les graines germent facilement et les jeunes plant poussent vite et fleurissent la même année. Précieux couvre-sol. [nom commun: Fynt' nouroebos]

● **D. intermedium** [du lat. milieu; référence à la place dans la classification]. Plantes à rameaux prostrés à rampants qui émettent des racines et forment des coussins. Feuilles

Drosanthemum marinum

Drosanthemum midas

Drosanthemum micans

Drosanthemum prostratum

Drosanthemum schoenlandianum

Drosanthemum schoenlandianum

River, in Renosterveld. – Eine sehr attraktive Art. Es handelt sich um Pyrophyten, deren Samenkeimung durch Feuer stimuliert wird.

● **D. marinum** [Lat., das Meer betreffend; wegen des Vorkommens]. Niederliegend-ausgebreitete Pflanzen. Blätter seitlich zusammengedrückt, bis 13×2 mm, papillat. Blüten im Frühling, bis 33 mm Durchmesser, rosa. Verbreitung: Western Cape, im Strandveld, z. B. bei Yzerfontein und Kalbaskraal.

● **D. micans** [Lat., glimmerartig; wegen des Blattglanzes]. Ausgebreitete, rasch wachsende Pflanzen bis 30×60 cm. Blätter halbzylindrisch, bis 25×4 mm, papillat. Blüten im Frühling, bis 15 mm Durchmesser, gelb, Blütenblattspitzen purpurrot. Verbreitung: Western Cape, Worcester bis Genadendal.

● **D. muirii** [Nach Dr. J. Muir (1874–1947), schottischer Arzt und Pflanzensammler, der sich in Südafrika niederliess]. Aufrechte, steife und etwas unordentliche, ausgepreizte Sträucher, bis 40 cm hoch, mit glänzender, dunkelbrauner Rinde. Blätter aufsteigend-ausgebreitet, 10×2,5 mm, Oberseite flach, Unterseite gerundet, Spitze stumpf. Blüten im Frühling, 15 mm Durchmesser, rosa. Verbreitung: Riversdale südlich des Langebergs im südlichen Teil des Western Cape, in trockenem Renosterveld. – Leicht aus Samen zu ziehen.

● **D. prostratum** [Lat., niederliegend]. Ausgebreitete, niederliegende Pflanzen, bis 70 cm Durchmesser. Blätter halbzylindrisch, hellgrün, papillat, bis 9×1,5 mm. Blüten in Wintermitte, bis 30 mm Durchmesser, rosa. Verbreitung: Western Cape, Clanwilliam bis zum Tal des Olifants River.

● **D. schoenlandianum** [Nach Selmar Schönland (1860–1940), deutschstämmiger Botaniker in Südafrika]. Kleinstrauchig. Blätter halbzylindrisch, 10×2 mm, mit stumpfer Spitze. Blüten im Winter, bis 25 mm Durchmesser, cremefarben bis gelblich weiß. Verbreitung: Knersvlakte (Western Cape), in Succulent Karoo-Vegetation.

● **D. speciosum** [Lat., ansehnlich]. Rasch wachsende, ausgebreitete Pflanzen, bis 30 cm hoch und 50 cm Durchmesser. Blätter bis 55×4 mm. Blüten im Frühling, bis 50 mm Durchmesser, meist orange, feuerrot oder rot, aber auch gelb, rosarot, oder hellrosa bis strohfarben. Verbreitung: Western Cape, um Worcester, Robertson, Barrydale und Bonnievale in

fusiformes et arrondies, mesurant jusqu'à 15×1 mm. Fleurs au printemps-milieu d'été, brièvement pédonculées, rose pourpre clair et mesurant 20–25 mm de diam., à étamines plus longues que le stigmate. Capsules de 7 mm de diam. Habitat: espèce côtière du Strandveld entre la péninsule du Cap et Mosselbay (Western Cape).

● **D. lavisii** [d'après Mary Lavis (1903–), botaniste sud-africaine, autrefois au Bolus Herbarium]. Petits arbustes étalés. Feuilles mesurant jusqu'à 20×2 mm, vert terne et dotées de papilles. Fleurs au printemps, rouge ou rouge écarlate lumineux. Habitat: Western Cape, entre Struisbaai et Bredasdorp ainsi qu'au sud de Riversdale, le long de la rive ouest de la Goukou River, dans le Renosterveld. – une espèce très attractive qui s'avère être un pyrophyte dont la germination est stimulée par le feu.

● **D. marinum** [du lat. marin; référence à l'habitat naturel]. Plantes étalées-prostrées. Feuilles comprimées latéralement, mesurant jusqu'à 13×2 mm et dotées de papilles. Fleurs au printemps, roses et mesurant jusqu'à 33 mm de diam. Habitat: Western Cape, dans le Stransveld, par ex. près d'Yzerfontein et Kalbaskraal.

● **D. micans** [du lat. semblable au mica; référence aux feuilles scintillantes]. Plantes étalées poussant rapidement et atteignant jusqu'à 30×60 cm. Feuilles semi-cylindriques, dotées de papilles et mesurant jusqu'à 25×4 mm. Fleurs au printemps, jaunes à pointes rouge pourpre, mesurant jusqu'à 15 mm de diam. Habitat: Western Cape, de Worcester jusqu'à Genadendal.

● **D. muirii** [d'après le Dr. J. Muir (1874–1947), médecin et collectionneur de plantes écossais qui se fixa en Afrique du Sud]. Arbustes érigés, à rameaux écartés, rigides et un peu désordonnés, qui atteignent jusqu'à 40 cm de haut et possèdent une écorce brun foncé et luisante. Feuilles redressées-étalées mesurant jusqu'à 10×2,5 mm, à avers plat et revers et pointe arrondis. Fleurs au printemps, roses et mesurant jusqu'à 15 mm de diam. Habitat: Riversdale, au sud du Langeberg dans la partie sud du Western Cape, dans le Renosterveld aride. – Facile à obtenir par semis.

● **D. prostratum** [du lat. prostré]. Plantes prostrées et étalées atteignant jusqu'à 70 cm de diam. Feuilles semi-cylindriques, vert clair, dotées de papilles et mesurant jusqu'à 9×1,5 mm. Fleurs en milieu d'hiver, roses et mesurant jusqu'à 30 mm de diam. Habitat: Western Cape, de Clamwilliam jusqu'à la vallée de l'Olifants River.

Drosanthemum speciosum

Drosanthemum speciosum

Drosanthemum speciosum

Drosanthemum speciosum

Drosanthemum speciosum

Drosanthemum speciosum

der Little Karoo, in Succulent Karoo wachsend. – Leicht aus Samen zu ziehen, aber nur schwer durch Stecklinge zu vermehren. Eine wertvolle Art mit sehr schönen Blüten.

● **D. splendens** [Lat., glänzend, strahlend]. Aufrechte, bis 40 cm hohe Kleinsträucher. Blätter bis 30 × 5 mm. Blüten im Frühling, bis 30 mm Durchmesser, goldgelb. Verbreitung: Western Cape, nahe Montagu und Touws River, in Succulent Karoo-Vegetation.

● **D. stokoei** [Nach Thomas P. Stokoe (1868–1959), südafrikanischer Bergsteiger und Pflanzensammler]. Zwischen Felsen kleine, kompakte Polster bildend, Zweige niederliegend bis kriechend, an den Knoten wurzelnd. Blätter drehrund, 5–10 mm lang. Blüten im Frühling, 15 mm Durchmesser, rosarot, Staminodien länger als die Narben und später auch die Staubblätter überragend. Verbreitung: Auf der Kalb-Halbinsel weit verbreitet, aber auf Ritzen in quarzitischen Felsen in höheren Lagen beschränkt, in Fynbos, vom Tafelberg an südwärts. – Sofort durch die spitzen Papillen am Kelch kenntlich. Selten kultiviert.

● **D. striatum** [Lat., gestreift]. Rasch wachsend und wuchernd, Zweige mit zugespitzten, grauen Haaren, niederliegend bis kriechend, wurzelnd und Polster bildend, bis 30 cm hoch. Blätter fast zylindrisch, stumpf, 20–25 mm lang. Blüten im Frühling, kurz gestielt, 25–30 mm Durchmesser, weiß bis hellrosa, Narben die Staubblätter überragend. Kapseln 7 mm Durchmesser. Verbreitung: Western Cape, in Renosterveld, entlang von Strassenrändern. Häufig wegen des Polster bildenden Wuchses kultiviert und an den Knoten leicht wurzelnd. Leicht durch Stecklinge zu vermehren. [Volksnamen: Porseleinbos, Vleisbos.]

● **D. strictifolium** [Lat. 'strictus', dicht, straff; Lat. 'folium', Blatt]. Aufrechte, bis 30 cm hohe Kleinsträucher. Blätter halbzylindrisch, bis 23 × 4 mm, undeutlich papillat. Blüten im Frühling, bis 50 mm Durchmesser, mehrfarbig: innere Blütenblätter gelb, nächste Blütenblätter goldgelb, äussere Blütenblätter orangerot. Verbreitung: Western Cape, bei Montagu und Riversdale.

● **D. thudichumii** [Nach Jacques Thudichum (1893–1985), aus der Schweiz gebürtiger Gärtner und ehemals Kurator der Karoo Botanical Gardens, Worcester]. Aufrechte, bis 1 m hohe Sträucher. Blätter aufrecht, bis 22 × 2 mm. Blüten im Frühling, bis 40 mm Durchmesser, elfenbeinweiß oder häufiger gelb oder

● **D. schoenlandianum** [d'après Selmar Schönland (1860–1940), botaniste d'origine allemande résidant en Afrique du Sud]. Petits arbustes à feuilles semi-cylindriques de 10 × 12 mm, à pointe arrondie. Fleurs en hiver, crème à blanc jaunâtre et mesurant jusqu'à 25 mm de diam. Habitat: Knersvlakte (Western Cape), dans le Karoo à succulentes.

● **D. speciosum** [du lat. beau]. Plantes étalées, à croissance lente, atteignant jusqu'à 30 cm de haut et 50 cm de diam. Feuilles mesurant jusqu'à 55 × 4 mm. Fleurs au printemps, généralement oranges, rouge feu ou rouge mais aussi jaunes, rouge rosé ou rose clair à jaune paille, mesurant jusqu'à 50 mm de diam. Habitat: Western Cape, aux alentours de Worcester, Robertson, Barrydale et Bonnievale dans le Little Karoo, poussant dans le Karoo à succulentes. – Facile à obtenir par semis mais difficilement par bouturage. Une belle espèce à très jolies fleurs.

● **D. splendens** [du lat. brillant, éclatant]. Petits arbustes érigés atteignant jusqu'à 40 cm de haut. Feuilles mesurant jusqu'à 30 × 5 mm. Fleurs au printemps, jaune doré et mesurant jusqu'à 30 mm de diam. Habitat: Western Cape, près de Montagu et Touws River, dans le Karoo à succulentes.

● **D. stokoei** [d'après Thomas P. Stokoe (1868–1959), alpiniste et collectionneur de plantes sud-africain]. Petites plantes poussant entre les cailloux et formant des coussins compacts. Rameaux prostrés à rampants dont les nœuds émettent des racines. Feuilles fusiformes de 5–10 mm de long. Fleurs au printemps, rouge rosé, de 15 mm de diam., dont les staminodes sont plus longues que le stigmate et finissent même par dépasser les étamines. Habitat: largement répandu sur la péninsule mais limité aux fissures des galets quartzifères dans les zones plus élevées, dans le Fynbos, depuis Tafelberg en allant vers le sud. Immédiatement reconnaissable aux papilles pointues du calice. Rarement cultivé.

● **D. striatum** [du lat. rayé]. Plantes poussant et se multipliant rapidement. Rameaux dotés de poils gris et aigus, prostrés à rampants, émettant des racines et formant des coussins qui atteignent jusqu'à 30 cm de haut. Feuilles presque cylindriques, arrondies et mesurant 20–25 mm de long. Fleurs au printemps, brièvement pédonculées, blanches à rose clair et mesurant 25–30 mm de diam. Stigmate dépassant les étamines. Capsules de 7 mm de diam. Habitat: Western Cape, dans le Renosterveld, le long des bords des chemins. Souvent cultivé pour son port en coussin et ses rameaux qui racinent facilement au niveau des nœuds. Facile à multiplier par bouturage. [noms communs: Porseleinbos, Vleisbos]

Drosanthemum splendens

Drosanthemum stokoei

Drosanthemum thudichumii

Drosanthemum striatum

Drosanthemum thudichumii

Drosanthemum strictifolium

Drosanthemum

orange. Verbreitung: Bei Worcester (Western Cape), in Succulent Karoo-Vegetation.

● **D. vespertinum** [Lat., abendlich.]. Aufrechte Kleinsträucher, bis 30 cm hoch. Blätter halbkugelig bis halbzylindrisch, bis 9×4 mm, papillat. Blüten im Frühling, bis 14 mm Durchmesser, weiß. Verbreitung: Bei Prince Albert (Western Cape), in Succulent Karoo-Vegetation. (Ohne Abbildung)

● **D. strictifolium** [du lat. 'strictus', épais, rigide et 'folium', feuille]. Petits arbustes érigés atteignant jusqu'à 30 cm de haut. Feuilles semi-cylindriques mesurant jusqu'à 23×4 mm et portant des papilles indistinctes. Fleurs au printemps mesurant jusqu'à 50 mm de diam., multicolores: pétales internes jaunes, centraux jaune doré et externes rouge orangé. Habitat: Western Cape, près de Montagu et Riversdale.

● **D. thudichumii** [d'après Jacques Thudichum (1893–1985), horticulteur d'origine suisse, autrefois curateur du Jardin Botanique du Karoo à Worcester]. Arbustes érigés atteignant jusqu'à 1 m de haut. Feuilles érigées mesurant jusqu'à 22×2 mm. Fleurs au printemps, blanc ivoire ou, plus souvent, jaunes ou oranges et mesurant jusqu'à 40 mm de diam. Habitat: près de Worcester (Western Cape), dans le Karoo à succulentes.

● **D. vespertinum** [du lat. vespéral]. Petits arbustes érigés atteignant jusqu'à 30 cm de haut. Feuilles hémisphériques à semi-cylindriques, dotées de papilles et mesurant jusqu'à 9×4 mm. Fleurs au printemps, blanches et mesurant jusqu'à 14 mm de diam. Habitat: près de Prince Albert (Western Cape), dans le Karoo à succulentes. (non illustré)

Ebracteola

Ebracteola *[Lat. 'ex-' ohne; Lat. 'bracteola', Brakteole; weil die Blüten einiger Arten keine Blätter am Blütenstiel aufweisen]. Zwergige, kompakte, Gruppen bildende Pflanzen, Wurzelstock manchmal verdickt. Blätter aufsteigend, länglich, verjüngt und zusammengedrückt, zylindrisch-dreikantig, kahl, blaugrün. Blüten einzeln, weiß bis rosa, kurz gestielt. Fruchtkapseln 5-fächerig, Fächerdecken vorhanden, Verschlusskörperchen fehlend. – Eine kleine Gattung mit 4 Arten, auf das Landesinnere des nördlichen Südafrikas und Namibias beschränkt, wo sie in Grasland und Nama Karoo wachsen (Gauteng, North-West Province, Northern Cape, Free State). Die Pflanzen kommen auf sandigen Böden vor. Regen fällt vorwiegend im Sommer; die Menge beträgt 50–700 mm pro Jahr. Eine Vermehrung ist durch Teilung, Stecklinge oder aus Samen möglich. [Volksname: Meerkatvygies.]*

● **E. fulleri** [Nach Ernst R. Fuller, 1926 Postbeamter in Kenhardt]. Zwergige, kompakte, Gruppen bildende Pflanzen, bis 10 cm Durchmesser, Wurzelstock manchmal verdickt. Blätter aufsteigend, verjüngt, einwärts gebogen, bis 25×4 mm, blaugrün. Blüten Winter und Frühling, einzeln, hellrosa, kurz gestielt. Verbreitung: Bei Pofadder (Northern Cape), in Nama Karoo-Vegetation. (Ohne Abbildung)

Ebracteola *[du lat. 'ex-', sans et 'bracteola', bractéole; car chez certaines espèces le pédoncule de la fleur n'est accompagné d'aucune feuille]. Plantes naines et compactes, à rhizome parfois épais, formant des colonies. Feuilles redressées, oblongues, effilées et comprimées, cylindriques-trigones, glabres et glauques. Fleurs isolées, blanches à roses, brièvement pédonculées. Fruits en capsules à 5 loges, à opercules mais dépourvus d'obturateurs. – Un petit genre comprenant 4 espèces limitées à l'intérieur des terres du nord de l'Afrique du Sud et de la Namibie. Elles y poussent dans les prairies et le Nama Karoo (Gauteng, North-West Province, Northern Cape et Free State). Ces plantes occupent les sols sableux. Les pluies y tombent surtout en été, à raison de 50–700 mm par an. La multiplication est possible par division, bouturage ou semis. [nom commun: Meerkatvygies]*

● **E. fulleri** [d'après Ernst R. Fuller, postier à Kenhardt en 1926]. Plantes naines et compactes formant des colonies et atteignant jusqu'à 10 cm de diam. Rhizome parfois épais. Feuilles redressées, effilées, et recourbées vers l'intérieur, glauques et mesurant jusqu'à 25×4 mm. Fleurs en hiver et printemps, isolées, rose clair et brièvement pédonculées. Habitat: près de Pofadder (Northern Cape), dans le Nama Karoo. (non illustré)

Ebracteola wilmaniae

© B. Eric van Wyk

Ebracteola wilmaniae

Ebracteola

● **E. wilmaniae** [Nach Maria Wilman (1867–1957), Geologin und Botanikerin]. Zwergige, gebüschelte, halbkugelige Sukkulenten mit knolligem Wurzelstock. Blätter linealisch-pfriemlich, einwärts gebogen, dreikantig, gekielt, blaugrün, mit rosa Spitze. Blüten im Frühling und Sommer, bis 25 mm Durchmesser, rosa. Verbreitung: North-West Province.

● **E. wilmaniae** [d'après Maria Wilman (1867–1957), géologue et botaniste]. Succulentes naines en touffes hémisphériques, à rhizome tubéreux. Feuilles linéaires en poinçon, recourbées vers l'intérieur, trigones, carénées, glauques à pointe rosée. Fleurs au printemps et été, roses et mesurant jusqu'à 25 mm de diam. Habitat: North-West Province.

Enarganthe

Enarganthe *[Gr. 'enarges', leuchtend; Gr. 'anthos', Blüte]. Kleine, aufrechte bis gerundete, bis 40 cm hohe Kleinsträucher. Blätter ausgebreitet-aufsteigend, bis 35×6 mm, gegenständig, länglich und seitlich zusammengedrückt, dreikantig und undeutlich keulig, glatt, blaugrün bis graugrün. Blüten im Winter, einzeln, glänzend rosa und auffällig. Fruchtkapseln 8-fächerig, Verschlusskörperchen und Fächerdecken vorhanden. Verbreitung: Auf die küstennahen Berge des Richtersveldes (Northern Cape) beschränkt, in Succulent Karoo, mit hauptsächlich Winterregen von 50–100 mm pro Jahr. – Eine monotypische Gattung. [Volksname: Knuppelblaarvygie.]*

Enarganthe octonaria

Enarganthe *[du grec 'enarges', lumineux et 'anthos', fleur] Petits arbustes érigés à arrondis et atteignant jusqu'à 40 cm de haut. Feuilles étalées-redressées mesurant jusqu'à 35 × 6 mm, opposées, oblongues et comprimées latéralement, trigones et approximativement claviformes, lisses, glauques à gris vert. Fleurs en hiver, isolées, d'un beau rose brillant. Fruits en capsules à 8 loges, à obturateurs et opercules. Habitat: limité aux montagnes côtières du Richtersveld (Northern Cape), dans le Karoo à succulentes, principalement là où les pluies hivernales s'élèvent à 50–100 mm annuels. – Genre monospécifique. [nom commun: Knuppelblaarvygie]*

● **E. octonaria** [Lat., zu acht; wegen der Fächerzahl der Früchte]. Beschreibung wie für die Gattung.

● **E. octonaria** [du lat. par huit; référence au nombre de loges du fruit]. Même description que pour le genre.

Erepsia

Erepsia *[Gr. 'erepsis', Dach, Bedeckung; wegen der Staminodien, welche die Staubblätter bedecken]. Aufrechte oder niederliegende, sukkulente, kahle Kräuter. Blätter gegenständig, oft winzig warzig, seitlich zusammengedrückt und gekielt, Spitze oft deutlich auswärts gebogen. Blüten mehrheitlich Tag und Nacht offen bleibend, Staubblätter einwärts gebogen und von den Staminodien verborgen (ein einmaliges Merkmal, das eine sofortige Abtrennung von den anderen Gattungen erlaubt). Fruchtkapseln bis zu 7-fächerig. – Eine Gattung mit 27 Arten, auf das Winterregengebiet in Fynbos- und Renosterveld-Regionen beschränkt. Selten kultiviert. Erepsia-Arten vermehren sich nach einem Feuer. [Volksnamen: Fynbosvygie, Altyd-Vygie (wegen der oft Tag und Nacht offenen Blüten).]*

Erepsia *[du grec 'erepsis', toit, couverture; référence aux staminodes qui recouvrent les étamines]. Plantes herbacées succulentes, érigées ou prostrées et glabres. Feuilles opposées, souvent semées de minuscules verrues, comprimées latéralement et carénées, à pointe souvent nettement recourbée vers l'extérieur. Fleurs s'ouvrant majoritairement jour et nuit, à étamines recourbées vers l'intérieur et cachées par les staminodes (caractéristique permettant de différencier immédiatement ce genre des autres). Fruits en capsules dotées de jusqu'à 7 loges. – Genre regroupant 27 espèces circonscrites aux régions à pluies hivernales du Fynbos et du Renosterveld. Rarement cultivé. Les Erepsia se multiplient après un incendie. [noms communs: Fynbosvygie, Altyd-Vygie (à cause des fleurs s'ouvrant souvent nuit et jour)].*

Erepsia forficata

Erepsia anceps

Erepsia

● **E. anceps** [Lat., doppelköpfig, doppeldeutig; wegen der ursprünglich schwer interpretierbaren Verwandtschaft]. Aufrechte, schlanke, sukkulente Kräuter, bis 30 cm hoch. Blätter leicht rauh, zur Spitze auswärts gebogen, bis 20 mm lang und 4 mm Durchmesser. Blüten Sommermitte bis Herbst, bis 35 mm Durchmesser, gestielt, petaloide Staminodien spatelig, purpurrosa, übrige Staminodien gelblich mit rötlicher Spitze, Kelch glatt, Zipfel leicht ungleich lang. Kapseln bis 8 mm Durchmesser. Verbreitung: In Fynbos auf Ebenen und an Hängen weit verbreitet. – Diese Art hybridisiert an den unteren Hängen des Tafelbergs mit *E. bracteata*, was die Bestimmung erschwert. Die Blüten von *E. bracteata* sind sitzend, diejenigen von *E. anceps* gestielt.

● **E. aspera** [Lat., rauh; wegen des Kelches]. (= *E. tuberculata*, = *E. muirii*) Aufrechte, schlanke Sukkulenten, bis 40 cm hoch. Blätter warzig, spitzenwärts nach aussen gebogen, bis 30 mm lang. Blüten Hochsommer bis Herbst, bis 45 mm Durchmesser, purpurrosa, gelegentlich weiß gespitzt, Staminodien weiß bis gelblich, die äusseren rötlich gespitzt, Kelch warzig, Zipfel fast gleich lang. Kapseln 5–6 mm Durchmesser. Verbreitung: Western Cape, Kapspitze, zerstreut in sandigen Böden, Fynbos.– Durch den warzigen Kelch mit annähernd gleich langen Zipfeln kenntlich. (Ohne Abbildung)

● **E. forficata** [scherenförmig, gegabelt]. Aufrecht bis niederliegend, diffus verzweigt, bis 30 cm hoch und 30 cm Durchmesser. Blätter seitlich zusammengedrückt, scharf gekielt und oft sichelförmig, bis 30 mm lang und 12 mm breit, Spitze rötlich und auswärts gebogen. Blüten im Sommer, bis 40 mm Durchmesser, purpurrosa. Kapseln 9–11 mm Durchmesser. Verbreitung: An den oberen Hängen des Tafelbergs (Western Cape) in Fynbos häufig; auf der Kaphalbinsel endemisch. – Von allen anderen *Erepsia*-Arten der Kaphalbinsel leicht durch die grossen, auffällig gekielten Blätter zu unterscheiden. Gelegentlich kultiviert. [Volksname: Tafelbergvygie.]

● **E. inclaudens** [Lat., eingeschlossen]. Gerundete bis ausgebreitete Kleinsträucher, bis 20 cm hoch. Blätter säbelförmig, bis 25×6 mm, glänzend. Blüten im Sommer, bis 40 mm

Erepsia lacera (= Semnanthe lacera) Habitat

Erepsia inclaudens

● **E. anceps** [du lat. bicéphale, équivoque; référence à la difficulté pour classifier l'espèce à l'origine]. Herbacées succulentes, érigées et étroites, atteignant jusqu'à 30 cm de haut. Feuilles légèrement rugueuses, à pointe recourbée vers l'extérieur, mesurant jusqu'à 20 mm de long et 4 mm de diam. Fleurs en milieu d'été-automne, pédonculées, mesurant jusqu'à 35 mm de diam., à staminodes pétaloïdes spatulés, rose pourpre, les autres staminodes étant jaunâtres à pointe rougeâtre. Calice lisse dont les pointes sont légèrement inégales. Capsules mesurant jusqu'à 8 mm de diam. Habitat: largement répandu sur les pentes et les plaines du Fynbos. – Cette espèce s'hybride naturellement avec *E. bracteata* au pied des pentes du Tafelberg, ce qui complique l'identification. Les fleurs d'*E. bracteata* sont sessiles alors que celle d'*E. anceps* sont pédonculées.

● **E. aspera** [du lat. rugueux; référence au calice]. (= *E. tuberculata*, = *E. muirii*) Succulentes étroites et érigées atteignant jusqu'à 40 cm de haut. Feuilles verruqueuses, à pointe retroussée vers l'extérieur, mesurant jusqu'à 30 mm de long. Fleurs en plein été-automne, mesurant jusqu'à 45 mm de diam., rose pourpre, parfois à pointes blanches, à staminodes blanches à jaunâtres, les externes montrant des pointes rougeâtres. Calice verruqueux à pointes de longueurs presque égales. Capsules de 5–6 mm de diam. Habitat: Western Cape, pointe du Cap, disséminé dans les sols sableux, Fynbos. – Reconnaissable à son calice verruqueux à pointes de longueurs quasiment équivalentes. (non illustré)

● **E. forficata** [fourchu]. Plantes érigées à prostrées, à ramification diffuse, atteignant jusqu'à 30 cm de haut et 30 cm de diam. Feuilles comprimées latéralement, à carène anguleuse et souvent falciforme, mesurant jusqu'à 30 mm de long et 12 mm de large, à pointe rougeâtre et recourbée vers l'extérieur. Fleurs en été, rose pourpre et mesurant jusqu'à 40 mm de diam. Capsules de 9–11 mm de diam. Habitat: répandu sur les pentes supérieures du Tafelberg (Western Cape), dans le Fynbos. Endémique sur la péninsule du Cap. – Facile à distinguer de toutes les autres espèces d'*Erepsia* de la péninsule du Cap grâce à ses grandes feuilles remarquablement carénées. Parfois cultivé. [nom commun: Tafelbergvygie]

Erepsia pentagona

Erepsia pillansii

Erepsia tuberculata

Durchmesser, violettrosa. Verbreitung: Hottentots Holland Mountains, oberhalb Gordons Bay (Western Cape).

● **E. lacera** [Lat., zerschlitzt; wegen des Blattrandes]. (= *Semnanthe lacera*) Aufrechte, bis 80 cm hohe, verzweigte Sträucher. Zweige zuerst weich und sukkulent, dann verholzend. Blätter aufsteigend, linealisch-lanzettlich, dreikantig, gekielt und Ränder zerschlitzt, 45×15 mm. Blüten im Frühling und Sommer, bis 50 mm Durchmesser, rosapurpurn, selten weiß, mit zahlreichen und dicht stehenden Blütenblättern. Kapseln bis 15 mm Durchmesser. Verbreitung: Auf die Granitdome Paarl und Paardeberg (Western Cape) beschränkt, in Fynbos, sich nach Feuern aus Samen erneuernd. – Sehr blühwillig und attraktiv. Leicht aus Samen oder durch Stecklinge zu vermehren, und am besten alle drei Jahre neu anzuziehen. [Volksnamen: Roosvy, Poeierkwasvygie.]

● **E. pentagona** [Gr., fünfkantig]. Aufrechte, bis 35 cm hohe Kleinsträucher. Blätter linealisch-lanzettlich mit zurückgebogener Spitze. Blüten im Sommer, tief königspurpurn, bis 45 mm Durchmesser. Verbreitung: Western Cape, bei Riversdale.

● **E. pillansii** [Nach Neville Pillans (1884–1964)]. (= *Kensitia pillansii*) Aufrechte, bis 60 cm hohe, verzweigte Sträucher. Zweige zuerst weich und sukkulent, später verholzt und geflügelt, gabelig. Blätter aufsteigend, linealisch-lanzettlich, seitlich zusammengedrückt, dreikantig und gekielt, rötlich gerandet, 50×5 mm, 8 mm breit. Blüten Spätfrühling bis Sommer, bis 40 mm Durchmesser, rosapurpurn, mit spateligen Blütenblättern. Kapseln bis 10 mm Durchmesser. Verbreitung: Auf den Piketberg (Western Cape) beschränkt, in Fynbos, sich nach Feuern aus Samen erneuernd. – Attraktiv für Fynbos-Gärten. Leicht aus Samen oder durch Stecklinge zu vermehren, und am besten alle drei Jahre neu anzuziehen. [Volksname: Lepelvygie.]

● **E. tuberculata*** [Lat., gehöckert, warzig.]. Zierliche, ausgespreizte, locker verzweigte Sträucher, bis 50 cm hoch, oft im Schatten anderer Sträucher wachsend. Blätter aufrecht, verjüngt, spitzenwärts zurückgebogen, basal verwachsen, bis 25× 2,5 mm. Blüten im Spätfrühling, bis 22 mm Durchmesser, zartrosa. Verbreitung: Vorberge des Langeberg, z. B. von Langkloof bis Garcia Pass, Riversdale-Distrikt (Western Cape).

● **E. inclaudens** [du lat. inclus]. Petits arbustes arrondis à étalés atteignant jusqu'à 20 cm de haut. Feuilles en sabre, luisantes et mesurant jusqu'à 25×6 mm. Fleurs en été, violet rose, mesurant jusqu'à 40 mm de diam. Habitat: Hottentots Holland Mountains, au dessus de Gordon Bay (Western Cape).

● **E. lacera** [du lat. découpé; référence au bord des feuilles]. (= *Semnanthe lacera*) Arbustes érigés et ramifiés atteignant jusqu'à 80 cm de haut. Rameaux tout d'abord souples et succulents puis lignifiés. Feuilles dressées, linéaires-lancéolées, trigones, carénées, à bordure laciniée et mesurant 45×15 mm. Fleurs au printemps et été, rose pourpre (plus rarement blanches), mesurant jusqu'à 50 mm de diam. et dotées de nombreuses étamines serrées. Capsules atteignant jusqu'à 15 mm de diam. Habitat: circonscrit aux dômes granitiques du Paarl et Paardeberg (Western Cape), dans le Fynbos. – Se renouvelle par semis après un incendie. Espèce attractive et très florifère. Facile à multiplier par semis ou bouturage; il est recommandé de renouveler le pied tous les 3 ans. [noms communs: Roosvy, Poeierkwasvygie]

● **E. pentagona** [du grec, à 5 côtés]. Petits arbustes érigés atteignant jusqu'à 35 cm de haut. Feuilles linéaires-lancéolées à pointe retroussée en arrière. Fleurs en été, pourpre profond, mesurant jusqu'à 45 mm de diam. Habitat: Western Cape près de Riversdale.

● **E. pillansii** [d'après Neville Pillans (1884–1964)]. (= *Kensitia pillansii*) Arbustes érigés et ramifiés atteignant jusqu'à 60 cm de haut. Rameaux fourchus tout d'abord souples et succulents puis lignifiés et ailés. Feuille dressées, linéaires-lancéolées, comprimées latéralement, trigones, carénées, bordées de rougeâtre et mesurant 50×5 mm (8 mm de large). Fleurs en fin de printemps-été, rose pourpre, mesurant jusqu'à 40 mm de diam. et dotées de pétales spatulés. Capsules atteignant jusqu'à 10 mm de diam. Habitat: limité au Pikerberg (Western Cape), dans le Fynbos. – Se renouvelle par semis après un incendie. Intéressant pour recréer un jardin de type Fynbos. Facile à multiplier par semis ou bouturage; il est recommandé de renouveler le pied tous les 3 ans. [nom commun: Lepelvygie]

● **E. tuberculata*** [du lat. verruqueux]. Jolis arbustes étalés, à ramification lâche, atteignant jusqu'à 50 cm de haut et poussant souvent à l'ombre d'autres arbustes. Feuilles érigées, effilées, connées, à pointe retroussée en arrière, mesurant jusqu'à 25×2,5 mm. Fleurs en fin de printemps, rose tendre et mesurant jusqu'à 22 mm de diam. Habitat: contreforts du Langeberg, par ex. depuis Langkloof jusqu'à Garcia Pass, district de Riversdale (Western Cape).

Eurystigma

Eurystigma* *[Gr. 'eurys', breit; und Gr. 'stigma', Narbe]. Einjährige mit aufsteigenden Trieben; Triebe und Blätter grün, gelblich oder rötlich grün; Zweige keulig. Blätter länglich, drehrund bis halbdrehrund. Blüten in Gruppen, gross (geöffnet bis 60 mm Durchmesser), gelb bis strohfarben. Fruchtkapseln 5-fächerig. – Eine monotypische Gattung, die auf die Tanqua-Karoo (westlicher Teil des Northern Cape) beschränkt ist. Regen fällt am Standort im Winter sowie im Spätsommer, und die Menge beträgt weniger als 100 mm pro Jahr. Pflanzen, die im Herbst oder Winter keimen, wachsen rasch und speichern genügend Wasser, um erst im späten Frühling oder Sommer zu blühen. Die Pflanzen werden in der Regel kaum kultiviert, da die Keimruhe der Samen nicht einfach zu brechen ist. Falls es zu einer erfolgreichen Keimung kommt, wachsen die Pflanzen im Gewächshaus problemlos und blühen leicht. [Volksname: Heuningslaai.]*

Eurystigma* *[du grec 'eurys', large et 'stigma', stigmate]. Plantes annuelles à tiges dressées; tiges et feuilles vertes, vert jaunâtre ou rougeâtre; rameaux claviformes. Feuilles oblongues, fusiformes à semi-fusiformes. Fleurs en groupes, grandes (jusqu'à 60 mm de diam. une fois épanouies) et jaunes à couleur paille. Fruits en capsules à 5 loges. Genre monospécifique circonscrit au Tanqua-Karoo (partie ouest du Northern Cape). La pluie y tombe en hiver et en fin d'été, à raison de moins de 100 mm par an. Les plantes qui germent en automne ou hiver poussent rapidement et stockent suffisamment d'eau afin de fleurir dès la fin du printemps ou l'automne. En général rarement cultivées car il n'est pas facile d'interrompre la dormance des graines. Toutefois, si la germination réussit, ces plantes sont aisées à cultiver sous serre et fleurissent facilement. [nom commun: Heuningslaai]*

Eurystigma clavatum

● **E. clavatum*** [Lat., keulig; wegen der Zweige]. Gruppen bildende, einjährige Sukkulenten, bis 15 cm hoch. Zweige länglich, keulig. Blätter zylindrisch, bis 65 mm lang. Blüten tagsüber offen, bis 60 mm Durchmesser, strohgelb, je nach Regenfällen im Frühling bis Sommer. Verbreitung: Tanqua-Karoo, auf Kieselebenen. – Wenn nach den Winterregen zahlreiche grosse Pflanzen aufblühen, ergibt sich ein herrlicher Anblick.

● **E. clavatum*** [du lat. en forme de massue; référence aux rameaux]. Succulentes annuelles formant des colonies et atteignant jusqu'à 15 cm de haut. Rameaux allongés et claviformes. Feuilles cylindriques mesurant jusqu'à 65 mm de long. Fleurs jaune paille s'ouvrant toute la journée après chaque averse intervenant du printemps jusqu'à l'été et mesurant jusqu'à 60 mm de diam. Habitat: sur les étendues caillouteuses du Tanque-Karoo. – Très beau spectacle lorsqu'un grand nombre de grosses plantes se mettent à fleurir après une averse hivernale.

Faucaria *[Lat. 'faux, fauces', Kehle, Schlund; wegen der einem zahnbewehrten Schlund ähnelnden Blattpaare]. Kleine, Gruppen bildende Blattsukkulenten. Zweige kurz, mit je 2–4 an der Basis verwachsenen und die Internodien bedeckenden Blattpaaren. Blätter gräulich grün, eiförmig-rhombisch, glatt oder warzig, Unterseite gerundet mit einem Kiel in Spitzennähe, Blattränder mit charakteristischen, grannenspitzigen Zähnen. Blüten vorwiegend im Herbst, einzeln an den Zweigenden, gelb, im Laufe des Nachmittags öffnend. Fruchtkapseln hart, holzig, 5-fächerig, verkehrt eiförmig und leicht zusammengedrückt. Samen gross, warzig. – Eine kleine, 9 Arten umfassende und auf das Eastern Cape und das östliche Western Cape beschränkte Gattung. Die Pflanzen kommen in Karoo, Noorsveld und Valley Bushveld vor. Die dichteste Konzentration findet sich um Grahamstown herum. Sie wachsen vor allem auf Schiefer- und Sandsteinfelsen, aber auch auf Quarzkieselflächen. Faucarien gedeihen an vollsonnigen Fundorten wie auch im Schatten von zwergigen Sträuchern. Sie lassen sich leicht aus Samen oder durch Stecklinge vermehren und gehören zu den am leichtesten zu kultivierenden Mittagsblumen. [Volksnamen: Tierbekvygie, Tiger Jaw.]*

Faucaria *[du lat. 'faux, fauces', goulot, gorge; référence à la ressemblance des paires de feuilles avec une mâchoire armée de dents]. Petites plantes à feuilles succulentes, formant des colonies et possédant de courts rameaux et 2–4 paires de feuilles connées et couvrant les entre-nœuds. Feuilles vert grisâtre, ovoïdes-rhomboïdales, lisses ou verruqueuses, à revers arrondi et caréné près de l'extrémité supérieure et à bordure dotée de dents apiculées caractéristiques. Fleurs principalement en automne, isolées et terminales, jaunes et s'ouvrant en cours d'après-midi. Fruits durs et lignifiés, en capsules à 5 loges, obovoïdes et légèrement comprimés. Grosses graines verruqueuses. Petit genre regroupant 9 espèces limitées à l'Eastern Cape et à l'est du Western Cape. Ces plantes poussent dans le Karoo, le Noorsveld et le Valley Bushveld. La concentration la plus importante se trouve autour de Grahamstown. Les Faucaria poussent surtout sur les rocailles de grès et de schiste mais aussi sur les sols quartzifères. Ils se plaisent aussi bien en plein soleil qu'à l'ombre d'arbustes nains du Karoo. Ils sont faciles à multiplier par semis ou bouturage et font partie des mésembs les plus aisées à cultiver. Acceptent bien la culture en pot ou en coupe. [noms communs: Tierbekvygie, Tiger Jaw]*

Faucaria albidens

Faucaria bosscheana

● **F. albidens*** [Lat. 'albus', weiß; Lat. 'dens', Zahn; wegen der Blattränder]. Kompakte, Gruppen bildende Pflanzen. Blätter länglich dreieckig, bis 25 × 10 mm, graugrün, glatt, Ränder weiß mit weißlichen Zähnen. Blüten im Herbst, gelb, bis 40 mm Durchmesser. Verbreitung: Südliche Great Karoo (Western Cape), in Karoo-Vegetation und auf steinigen Böden.

● **F. bosscheana** [Nach L. van den Bossche, belgischer Botaniker]. Pflanzen klein, Gruppen bildend. Blätter eiförmig-lanzettlich, im Gegensatz zu den anderen Arten ohne zahlreiche Blattrandzähne und Ränder sogar manchmal ganzrandig, weiß bis rosa. Blüten im Herbst, gelb. Verbreitung: Eastern Cape und Western Cape, Great Karoo.

● **F. britteniae** [Nach Grace Britten (1904–), südafrikanische Botanikerin und Sukkulentenliebhaberin]. Kompakt, Gruppen bildend, bis 20 cm Durchmesser. Blätter graugrün, Ränder mit rötlichen Kielen und Zähnen, bis 30 × 12 mm.

● **F. albidens*** [du lat. 'albus', blanc et 'dens', dent; référence au bord des feuilles]. Plantes compactes formant des colonies. Feuilles oblongues triangulaires mesurant jusqu'à 25 × 10 mm, gris vert, lisses, à bordure blanche dotée de dents blanchâtres. Fleurs en automne, jaunes et mesurant jusqu'à 40 mm de diam. Habitat: sud du Great Karoo (Western Cape), sur les sols pierreux du Karoo.

● **F. bosscheana** [d'après L. van den Bossche, botaniste belge]. Petites plantes formant des colonies. Feuilles ovoïdes-lancéolées qui, contrairement aux autres espèces, ne sont pas bordées de nombreuses dents, voire montrent une bordure entière, blanche à rose. Fleurs jaunes en automne. Habitat: Eastern Cape et Western Cape, Great Karoo.

● **F. britteniae** [d'après Grace Britten (1904–), botaniste sud-africaine et amateur de succulentes]. Plantes compactes formant des colonies et atteignant jusqu'à 20 cm de diam.

Faucaria britteniae

Faucaria felina

Faucaria gratiae (= F. hooleae)

Blüten im Herbst, gelb. Verbreitung: Eastern Cape, nördlich von Grahamstown.

● **F. felina** [Lat., katzenartig; wegen der Blattrandzähne]. Pflanzen kompakte Gruppen bildend, bis 15 cm Durchmesser. Blätter eiförmig-rhomboid, jeder Rand mit bis zu 10 Zähnen, bis 40×20 mm. Blüten im Herbst, gelb. Verbreitung: Eastern Cape, Western Cape. – Die am weitesten verbreitete Art der Gattung. Sie kommt von den Distrikten Port Elizabeth und Grahamstown bis Oudtshoorn und Cradock vor, hauptsächlich in Valley Bushveld und Karoo-Vegetation.

● **F. gratiae** [Vielleicht Lat., angenehm, lieblich]. Kompakte, Gruppen bildende Pflanzen. Blätter eiförmig-dreieckig, bis 20×7 mm, purpurgrün, fein weiß punktiert. Blüten im Herbst, gelb, bis 30 mm Durchmesser. Verbreitung: Grasland in flachen Böden zwischen Felsplatten, Distrikte Riebeeck East und Albany (Eastern Cape).

● **F. paucidens*** [Lat. 'pauci', wenige; Lat. 'dens', Zahn; wegen der Blattränder]. Kompakte, Gruppen bildende Pflanzen. Blätter länglich dreieckig, bis 50×10 mm, graugrün, Oberfläche glatt, Ränder mit bis zu 3 weißlichen Zähnen. Blüten im Herbst, gelb, bis 40 mm Durchmesser. Verbreitung: Südliche Great Karoo (Western Cape), in Karoo-Vegetation und an steinigen Orten.

● **F. subintegra** [Lat. 'sub', fast; Lat. 'integra', ganzrandig; wegen der Blattränder]. Zwergige, Polster bildende Sukkulenten. Blätter länglich eiförmig, bis 25×13 mm, grün, mit bis zu 6 undeutlichen Zähnen. Blüten im Herbt, gelb, bis 45 mm Durchmesser. Verbreitung: Nahe East London (Eastern Cape), auf Felsbänken in Dickichten.

● **F. tigrina** [Lat., wie ein Tiger; wegen der Blattrandzähne]. Kompakt, bis 8 cm Durchmesser. Blätter bis 15×15 mm, gefleckt, mit grossen Zähnen. Blüten im Herbst. Verbreitung: Eastern Cape, in einem beschränkten Gebiet um Grahamstown, in flachen, sauren, sandigen Böden. – Wohl dank der grossen, dicht stehenden Zähne und den gefleckten Blättern die schönste aller *Faucaria*-Arten.

● **F. tuberculosa** [Lat., gehöckert, warzig; wegen der Blätter]. Gruppen bis 10 cm Durchmesser bildend und ähnlich wie *F. felina*, aber mit rauh gewarzter Blattoberfläche, Blätter bis 35×20 mm. Blüten im Herbst, gelb. Verbreitung: Eastern Cape, Beaufort-Distrikt, in Karoo-Vegetation.

Faucaria tigrina

Feuilles gris vert, bordées de dents et d'arêtes rougeâtres, mesurant jusqu'à 30×12 mm. Fleurs jaunes en automne. Habitat: Eastern Cape, au nord de Grahamstown.

Faucaria paucidens

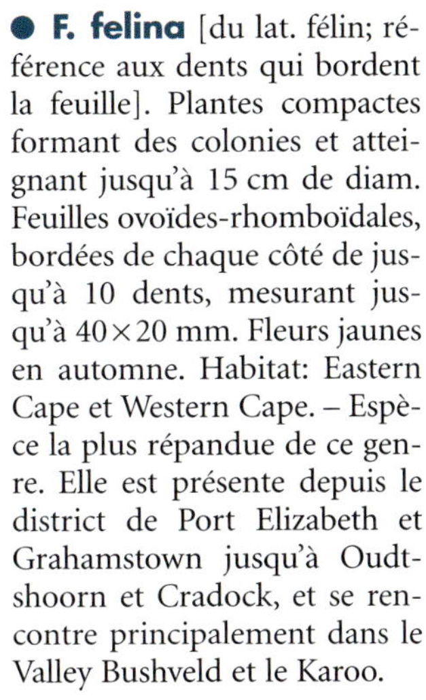

● **F. felina** [du lat. félin; référence aux dents qui bordent la feuille]. Plantes compactes formant des colonies et atteignant jusqu'à 15 cm de diam. Feuilles ovoïdes-rhomboïdales, bordées de chaque côté de jusqu'à 10 dents, mesurant jusqu'à 40×20 mm. Fleurs jaunes en automne. Habitat: Eastern Cape et Western Cape. – Espèce la plus répandue de ce genre. Elle est présente depuis le district de Port Elizabeth et Grahamstown jusqu'à Oudtshoorn et Cradock, et se rencontre principalement dans le Valley Bushveld et le Karoo.

Faucaria subintegra

● **F. gratiae** [peut-être du lat., agréable, aimable]. Plantes compactes formant des colonies. Feuilles ovoïdes-triangulaires mesurant jusqu'à 20×7 mm, vert pourpre et finement ponctuées de blanc. Fleurs jaunes, en automne, mesurant jusqu'à 30 mm de diam. Habitat: terrains herbus et plats séparant les plateaux rocheux, districts de Riebeeck East et d'Albany (Eastern Cape).

● **F. paucidens*** [du lat. 'pauci', peu et 'dens', dent; référence au bord de la feuille]. Plantes compactes formant des colonies. Feuilles oblongues triangulaires, mesurant jusqu'à 50×10 mm, gris vert, à avers lisse et bordure montrant jusqu'à 3 dents blanchâtres. Fleurs jaunes, en automne, mesurant jusqu'à 40 mm de diam. Habitat: sud du Great Karoo (Western Cape), dans les endroits caillouteux du système du Karoo.

● **F. subintegra** [du lat. 'sub', presque et 'integra', entier; référence à la bordure de la feuille]. Succulentes naines formant des coussins. Feuilles oblongues ovoïdes mesurant jusqu'à 25×13 mm, vertes, bordées de jusqu'à 6 dents peu nettes. Fleurs jaunes, en automne, mesurant jusqu'à 45 mm de diam. Habitat: près d'East London (Eastern Cape), sur les banquettes rocheuses du maquis.

● **F. tigrina** [du lat. comme un tigre; référence aux dents bordant la feuille]. Plantes compactes atteignant jusqu'à 8 cm de diam. Feuilles mesurant jusqu'à 15×15 mm, tachetées et bordées de grandes dents. Fleurs en automne. Habitat: Eastern Cape, dans une zone bien délimitée autour de Grahamstown, sur des sols plats, acides et sableux. – La plus belle espèce de *Faucaria* grâce à ses feuilles tachetées et bordées de grandes dents serrées.

● **F. tuberculosa** [du lat. verruqueux; référence à la feuille]. Plantes formant des colonies atteignant jusqu'à 10 cm de diam., semblables au *F. felina* mais possédant des feuilles à avers rugueux et verruqueux. Feuilles mesurant jusqu'à 35×20 mm. Fleurs jaunes, en automne. Habitat: Eastern Cape, District de Beaufort, système du Karoo.

Faucaria tuberculosa

Fenestraria

Fenestraria *[Lat., mit Fenstern; wegen der durchscheinenden Blattenden]. Zwergige, Gruppen bildende Sukkulenten, teilweise geophytisch und nur die Blattspitze über dem Sand sichtbar. Blätter in Büscheln, aufrecht, keulig, Spitze gestutzt und fensterähnlich. Blüten einzeln, endständig, gestielt, weiß oder gelblich orange, bis 80 mm Durchmesser. Fruchtkapseln bis 16-fächerig, Fächerflügel gut entwickelt, Verschlusskörperchen vorhanden. Verbreitung: Von Port Nolloth im Northern Cape bis ins südliche Namibia, an sandigen Orten entlang der Küste. – Die Gattung ist monotypisch. Die Pflanzen lassen sich leicht an einem sonnigen Ort und in einer sandigen Substratmischung in Töpfen pflegen. Sie können durch Samen oder Teilung vermehrt werden.*

Fenestaria *[du lat. à fenêtre; référence à l'extrémité translucide de la feuille]. Succulentes naines formant des colonies. Ce sont partiellement des géophytes et seule la pointe des feuilles émerge à la surface du sable. Feuilles en bouquets, érigée, claviformes, à pointe arrondie et montrant comme une fenêtre plus foncée. Fleurs isolées et terminales, pédonculées, blanches ou orange rougeâtre et mesurant jusqu'à 80 mm de diam. Fruits en capsules comportant jusqu'à 16 loges à ailettes bien développées; obturateurs présents. Habitat: depuis Port Nolloth dans le Northern Cape jusque dans le sud de la Namibie, dans les lieux sableux le long de la côte. – Genre monospécifique. Ces plantes se cultivent en pot, à un endroit ensoleillé et dans un mélange sableux. Multiplier par semis ou division.*

● **F. rhopalophylla subsp. aurantiaca** [Lat. 'aurantiaca', orange; wegen der Blüten]. Blattspitzen undeutlich dreieckig. Blüten im Winter, bis 70 mm Durchmesser, goldgelb bis gelblich orange. Verbreitung: Port Nolloth bis Alexander Bay, Northern Cape.

● **F. rhopalophylla subsp. rhopalophylla** [Gr. 'rhopalon', Keule; Gr. 'phyllon', Blatt]. Blattspitzen gerundet. Blüten im Winter, bis 30 mm Durchmesser, weiß. Verbreitung: Südliches Namibia, nördlich des Oranje-Flusses, entlang der Küste.

● **F. rhopalophylla subsp. aurantiaca** [du lat. 'aurantiaca', orange; référence à la fleur]. Extrémité des feuilles approximativement triangulaire. Fleurs en hiver, jaune doré à orange jaune et mesurant jusqu'à 70 mm de diam. Habitat: de Port Nolloth jusqu'à Alexander Bay, Northern Cape.

● **F. rhopalophylla subsp. rhopalophylla** [du grec 'rhopalon', massue et 'phyllon', feuille]. Extrémité des feuilles arrondie. Fleurs en hiver, blanches et mesurant jusqu'à 30 mm de diam. Habitat: sud de la Namibie, nord du fleuve Orange, le long de la côte.

Fenestraria rhopalophylla subsp. auranti

Fenestraria rhopalophylla subsp. rhopalophylla

Fenestraria rhopalophylla subsp. aurantiaca

Frithia

Frithia *[Nach Frank Frith (1872–1954), südafrikanischer Sukkulentenliebhaber]. Kompakte, Gruppen bildende Zwergpflanzen. Triebe unterirdisch und nur die Blätter sichtbar. Blätter in Büscheln, wechselständig, aufrecht und keulig, drehrund, mit gestutzter Spitze, graugrün mit dunklerem Fenster an der Spitze. Blüten Frühling bis Sommer, einzeln, rosa oder weiß. Fruchtkapseln 5- bis 6-fächerig, zerbrechlich, Verschlusskörperchen und Fächerdecken fehlend. – Die Gattung besteht aus 2 Arten, die auf die Kette der Magaliesberge zwischen Bronkhorstspruit und Rustenburg beschränkt sind (North-West Province, Gauteng). Die Pflanzen wachsen auf felsigem Untergrund in flachen, mit Kieseln gefüllten Pfannen und sind v.a. in trockenen Wintern schwierig zu finden. Regen fällt am Standort während des Sommers und die Menge beträgt 700–800 mm. Frithia kann in einem kiesigen, leicht sauren Boden kultiviert werden und muss während des Sommers reichlich gegossen werden.*

● **F. humilis** [Lat., niedrig, bescheiden]. Ähnlich wie die folgende Art, aber Blätter in der Regel kürzer als 15 mm, Fenster an der Blattspitze konkav und entlang der Ränder mit fein gekerbter Musterung. Blüten in Sommermitte, weiß mit gelbem Zentrum. Verbreitung: Östliche Magaliesberg-Kette (Gauteng) in trockenem Bushveld und Grasland, auf quarzitischen Sandsteinfelsen, in Felsritzen und flachen Pfannen.

● **F. pulchra** [Lat., hübsch]. Kompakte, zwergige, Gruppen bildende Pflanzen mit 6–9 Bättern in einer Rosette und teilweise eingesenkt. Blätter bis 20×6 mm, etwas keulig, fast zylindrisch, Spitze gestutzt und halbdurchscheinend. Blüten Frühling und Sommer, bis 23 mm Durchmesser, sehr auffällig, rosapurpurn mit weißem Zentrum. Verbreitung: Westlicher Teil der Magaliesberg-Kette (Gauteng, North-West Province) in trockenem Bushveld und Grasland, auf quarzitischen Sandsteinfelsen und in flachen Pfannen.

Frithia *[d'après Frank Frith (1872–1954), amateur de succulentes sud-africain]. Plantes naines et compactes formant des colonies. Tiges souterraines ne laissant que les feuilles visibles. Feuilles en bouquets, alternes, érigées et claviformes, fusiformes, gris vert, à extrémité pointue portant une fenêtre plus sombre. Fleurs du printemps à l'été, isolées, blanches à roses. Fruits en capsules à 5–6 loges, fragiles, sans obturateurs ni opercules. – Le genre se compose de 2 espèces uniquement présentes dans la chaîne du Magaliesberg, entre Bronkhorstpruit et Rustenburg (North-West Province, Gauteng). Ces plantes poussent sur des sous-sols rocheux, dans des cuvettes peu profondes et remplies de graviers, ce qui les rend difficiles à trouver, surtout durant les hivers secs. Les pluies y tombent pendant l'été, à raison de 700–800 mm annuels. Les Frithia peuvent être cultivés dans des sols caillouteux et légèrement acides et doivent être abondamment arrosés durant l'été.*

● **F. humilis** [du lat. bas, modeste]. Plantes naines et compactes formant des colonies et possédant 6–9 feuilles disposées en rosette et partiellement encastrées dans le sol. Feuilles généralement inférieures à 15 mm de long, dotées d'une fenêtre concave à leur extrémité et bordées de fins créneaux arrondis. Fleur en milieu d'été, blanches à cœur jaune. Habitat: est de la chaîne du Magaliesberg (Gauteng), dans le Bushveld aride et dans la prairie, dans les galets de grès quartzifères, sur les affleurements rocheux et dans les cuvettes peu profondes.

● **F. pulchra** [du lat. joli]. Semblable à l'espèce précédente mais à feuilles mesurant jusqu'à 20×6 mm, légèrement claviformes, presque cylindriques, à extrémité tronquée et semi-translucide. Très jolies fleurs au printemps et en été, pourpre rosé à cœur blanc et mesurant jusqu'à 23 mm de diam. Habitat: zone ouest de la chaîne du Magaliesberg (Gauteng, North-West Province), dans les prairies et le Bushveld aride, dans les galets de grès quartzifères et les cuvettes peu profondes.

Frithia pulchra

Frithia humilis

Gibbaeum

Gibbaeum *[Lat. 'gibba', Höcker, Buckel; wegen der unregelmässig angeschwollenen, verwachsenen Blattpaare]. Niederliegende bis kriechende, an den Knoten wurzelnde, Gruppen bildende, einzelne oder bis polsterförmige, langsam wachsende Zwergsukkulenten. Blätter zu ungleichen Paaren verwachsen, linealisch bis kugelig, stumpf gekielt, grün bis graugrün, Oberfläche glatt oder behaart. Blüten ansehnlich, weiß bis rosa bis malvenfarben. Fruchtkapseln klein, holzig, 5-fächerig. Samen klein. – Eine kleine Gattung mit 16 Arten, hauptsächlich auf die westliche Little Karoo beschränkt (Western Cape). Die Pflanzen kommen normalerweise auf Karoo- und Little Karoo-Quarzkieselebenen vor. Die dichteste Konzentration findet sich östlich von Barrydale. Zwei Arten kommen jedoch auch südlich des Langeberg vor, und eine andere Art dehnt sich bis in die Tanqua-Karoo aus. Die Pflanzen kommen mit Vorliebe auf Quarzkieselebenen vor, aber auch auf Schiefer und unterschiedlichen anderen Substraten. Wie im Falle der Knersvlakte verfügt auch die Little Karoo weltweit über eine der grössten Konzentrationen sukkulenter Pflanzen. Die Landschaft dieses Gebietes besteht aus niedrigen, gerundeten Hügeln mit zerstreuten Quarzkieselflecken, und die Böden ähneln denjenigen der Knersvlakte. Die Pflanzen bevorzugen vollsonnige Stellen oder kommen im Schatten von Karoosträuchern vor. Blüten erscheinen mehrheitlich während des Herbstes und Winters oder im Frühling; Regen fällt im Winter und Sommer. Die Vermehrung geschieht leicht aus Samen oder durch Stecklinge. Gibbaeum wachsen leicht in kleinen Töpfen oder Schalen. [Volksnamen: Volstruistone, Duimpie-Snuif, Papegaaibek, Visbekvygie, Volstruiswater, Hondebal.]*

● G. album [Lat., weiß; wegen den weißlichen Blättern]. Einzeln oder dichte, gerundete Polster bis 12 cm Durchmesser bildend, mit 1 bis mehreren Köpfen. Pro Trieb mit 2 ungleichen, basal paarweise verwachsenen Blättern, welche schiefe, fast kugelige Körperchen bilden. Blätter ungleich, pro verwachsenes Paar ein grösseres und ein kleineres, Oberflächen glatt, weiß bis silberig-grün. Blüten im Frühsommer, 25 mm Durchmesser, einzeln, weiß, rosa oder malvenfarben. Verbreitung: Auf die südwestliche Little Karoo beschränkt. [Volksname: Volstruistone.]

Gibbaeum *[du lat. 'gibba', bosse, protubérance; référence aux paires de feuilles soudées et irrégulièrement renflées]. Succulentes naines, prostrées à rampantes, dont les nœuds émettent des racines. Elles poussent lentement, en isolé ou en formant des colonies en coussins. Feuilles soudées en paires inégales, linéaires à sphériques, à carène arrondie, vertes à gris vert, à épiderme lisse ou velu. Jolies fleurs blanches à roses ou mauves. Petits fruits ligneux en capsules à 5 loges. Graines petites. – Petit genre comprenant 16 espèces principalement originaires de l'ouest du Little Karoo (Western Cape). Ces plantes poussent naturellement sur les étendues quartzifères du Karoo et du Little Karoo. La concentration la plus importante se situe à l'est de Barrydale. On rencontre aussi toutefois deux espèces au sud du Langeberg et une autre est présente jusque dans le Tanqua-Karoo. Les Gibbaeum préfèrent les étendues quartzifères mais aussi les schistes et différents autres substrats. Comme on le voit dans le Knersvlakte, le Little Karoo fournit aussi une des plus fortes concentrations de plantes succulentes du monde entier. Le paysage de ces régions se compose de collines basses et arrondies, parsemées d'amas de graviers quartzifères, et les sols ressemblent à ceux du Knersvlakte. Ces plantes préfèrent les endroits ensoleillés ou bien poussent à l'ombre d'autres arbustes du Karoo. Les fleurs s'épanouissent majoritairement pendant l'automne et l'hiver ou au printemps, les pluies tombant en hiver et en été. La multiplication s'opère facilement par semis ou bouturage. Les Gibbaeum poussent aisément dans un petit pot ou une jatte. [noms communs: Volstruistone, Duimpie-Snuif, Papagaaibek, Visbekvygie, Volstruiswater, Hondebal.]*

● G. album [du lat. blanc; référence aux feuilles blanchâtres] Plantes isolées ou formant des coussins denses et arrondis qui atteignent jusqu'à 12 cm de diam. et regroupent 1 à plusieurs pieds. Chaque tige porte 2 paires de feuilles inégales, connées et formant un corpuscule oblique et presque sphérique. Feuilles inégales, une petite et une grande par paire soudée, à épiderme lisses, blanc à vert argenté. Fleurs en début d'été, isolées, blanches, roses ou mauves et mesurant 25 mm de diam. Habitat: uniquement dans le sud-ouest du Little Karoo. [nom commun: Volstruistone]

Gibbaeum album f. album

Gibbaeum album f. roseum

Gibbaeum album f. roseum

Gibbaeum angulipes

Gibbaeum comptonii

Gibbaeum cryptopodium

Gibbaeum cryptopodium f. nuciforme

Gibbaeum dispar

Gibbaeum esterhuyseniae

Gibbaeum esterhuyseniae

Gibbaeum geminum

Gibbaeum gibbosum

● **G. angulipes** [Lat. 'angulus', Ecke, Winkel; Lat. 'pes', Fuss, wegen der Blätter]. Pflanzen Polster bildend, bis 30 cm Durchmesser. Zweige kriechend und an den Knoten wurzelnd. Blätter graugrün, ungleich, im unteren Drittel verwachsen, fast dreikantig, 15–20×8 mm, gekielt, verjüngt und zugespitzt. Blüten im Frühling, bis 25 mm Durchmesser, magenta. Kapseln 3 mm Durchmesser. Verbreitung: Auf die Nordhänge des Langeberg im Barrydale-Distrikt beschränkt. Die Pflanzen kommen auf Quarzkieselebenen und Hügeln vor.

● **G. comptonii** [Nach Robert H. Compton (1886–1979), zweiter Direktor der Kirstenbosch Botanical Gardens]. Zwergige, gebüschelte, Polster bildende Pflanzen. Blätter bis 30 mm Durchmesser, zu rundlichen Körperchen verwachsen, graugrün. Blüten im Frühling, bis 35 mm Durchmesser, magenta. Verbreitung: Südliche Great Karoo, nordwestliche Little Karoo, in Succulent Karoo zwischen Quarzkieseln.–Wird von den meisten Taxonomen als Syonym von *G. heathii* betrachtet.

● **G. cryptopodium*** [Gr. 'kryptos', verborgen; und Gr. 'podion', Füsschen; weil sich die Pflanzen so gut verbergen]. Pflanzen Gruppen bildend, bis 16 cm Durchmesser, Wurzelstock etwas holzig. Zweige kurz. Blätter fast gleich und zu grünen bis gelblich grünen (in der Trockenzeit rötlichen), fast kugeligen Körperchen bis 25×18 mm verwachsen. Blüten im Winter, bis 34 mm Durchmesser, rosarot. Kapseln 6 mm Durchmesser. Verbreitung: Auf den westlichen Teil der Little Karoo beschränkt und auf Quarzkieselebenen und Hügeln vorkommend. [Volksname: Wegkruipvygie.]

● **G. dispar** [Lat., ungleich; wegen der Blätter]. Pflanzen Gruppen bis 14 cm Durchmesser bildend, Wurzelstock fleischig, tief reichend. Blattpaare ungleiche, graugrüne (in der Trockenzeit rötliche), fast kugelige, samtige Körperchen bis 15×14 mm bildend, Spitzen stumpf. Blüten im Winter, rosarot, bis 34 mm Durchmesser. Kapseln 4 mm Durchmesser. Verbreitung: Auf Schieferfelsvorkommen in der zentralen Little Karoo beschränkt. [Volksnamen: Duimpiesnuif, Nabankvygie.]

● **G. esterhuyseniae** [Nach Elsie Esterhuysen (1912–), südafrikanische Botanikerin]. Pflanzen kleine, gerundete, bis 12 cm Durchmesser grosse Polster bildend. Blätter ungleich,

● **G. angulipes** [du lat. 'angulus', angle et 'pes', pied; référence à la feuille]. Plantes formant des coussins et atteignant jusqu'à 30 cm de diam. Rameaux rampants dont les nœuds émettent des racines. Feuilles gris vert, inégales, soudées sur leur tiers inférieur, presque trigones, de 15–20×8 mm, carénées, effilées et pointues. Fleurs au printemps, magenta et mesurant jusqu'à 25 mm de diam. Capsules de 3 mm de diam. Habitat: sur le versant nord du Langeberg, dans le district de Barrydale. Ces plantes poussent sur les étendues et les collines de graviers quartzifères.

● **G. comptonii** [d'après Robert H. Compton (1886–1979), deuxième directeur du Jardin Botanique de Kirstenbosch]. Plantes naines, en touffes, qui forment des coussins. Feuilles mesurant jusqu'à 30 mm de diam., soudées en corpuscules foliaires arrondis, gris vert. Fleurs au printemps, magenta et mesurant jusqu'à 35 mm de diam. Habitat: sud du Great Karoo, nord-ouest du Little Karoo, parmi les graviers quartzifères du Karoo à succulentes. – La majorité des toxonomistes le considère comme un synonyme de *G. heathii*.

● **G. cryptopodium*** [du grec 'cryptos', caché et 'podion' petits pieds; référence à l'excellent camouflage de ces plantes]. Plantes formant des colonies, atteignant jusqu'à 16 cm de diam. et possédant un rhizome un peu ligneux. Rameaux courts. Feuilles presque égales, soudées en corpuscules quasiment sphériques, verts à vert jaunâtre (rougeâtres durant les sécheresses) et mesurant jusqu'à 25×18 mm. Fleurs en hiver, rouge rose et mesurant jusqu'à 34 mm de diam. Capsules de 6 mm de diam. Habitat: partie ouest du Little Karoo, sur les étendues et les collines de graviers quartzifères. [nom commun: Wegkruipvygie]

● **G. dispar** [du lat. inégal; référence aux feuilles]. Plantes formant des colonies atteignant jusqu'à 14 cm de diam., à rhizome charnu et profond. Paires de feuilles inégales, gris vert (rougeâtres pendant les sécheresses), soudées en corpuscules presque sphériques, à extrémités arrondies, veloutées et mesurant jusqu'à 15×14 mm. Fleurs en hiver, rouge rosé et mesurant jusqu'à 34 mm de diam. Capsules de 4 mm de diam. Habitat: roches schisteuses du centre du Little Karoo. [noms communs: Duimpiesnuif, Nabankvygie]

● **G. esterhuyseniae** [d'après Elsie Esterhuysen (1912–), botaniste sud-africaine]. Petites plantes arrondies qui attei-

Gibbaeum gibbosum

Gibbaeum haagei var. haagei

Gibbaeum haagei var. parviflorum

kahl, trübgrün, im Sommer rötlich grün werdend. Blüten Spätfrühling bis Frühsommer, einzeln, magenta, bis 23 mm Durchmesser. Verbreitung: Auf den Stormsvlei-Distrikt beschränkt und auf Quarzkieselhügeln wachsend.

● **G. geminum** [Lat., Zwillings-; wegen der Blattpaare]. Pflanzen Polster bis 1 m Durchmesser bildend, Zweige kriechend und an den Knoten wurzelnd. Blätter graugrün, ungleich, im unteren Drittel verwachsen, fast drehrund, bis 12× 3 mm (die kleinsten in der Gattung), mit stumpfer Spitze. Blüten im Frühling, magenta, bis 14 mm Durchmesser. Kapseln 2 mm Durchmesser. Verbreitung: Auf die westlichen und zentralen Teile der Little Karoo beschränkt. Die Pflanzen kommen auf Quarzkieselebenen und Hügeln vor. [Volksname: Matbekkies.]

● **G. gibbosum** [Lat., gehöckert, gebuckelt; wegen der verdickten Blätter]. Pflanzen ausgebreitet und dichte, aus zahlreichen Köpfen bestehende, gerundete Polster bis 15 cm Durchmesser bildend; jeder Trieb mit 2 ungleichen Blättern. Blätter ungleich, eines grösser, eines kleiner, verwachsen und fast zylindrische Körperchen bildend, verjüngt, Oberflächen glatt, gräulich grün. Blüten im Herbst, bis 25 mm Durchmesser, einzeln, malvenfarben bis rosa. Verbreitung: Eine weit verbreitete Art, auch nördlich des Swartbergs und in der Tanqua-Karoo bei Ceres.

gnent jusqu'à 12 cm de diam. et forment de gros coussins. Feuilles inégales, glabres, d'un vert terne qui devient vert rougeâtre en été. Fleurs en fin de printemps-début d'été, isolées, magenta et mesurant jusqu'à 23 mm de diam. Habitat: limité au district de Stormsvlei, sur les collines à graviers quartzifères.

● **G. geminum** [du lat. jumeau; référence aux paires de feuilles]. Plantes formant des coussins qui atteignent jusqu'à 1 m de diam., à rameaux rampants dont les nœuds émettent des racines. Feuilles gris vert, inégales, soudées sur leur tiers inférieur, presque fusiformes, à pointe arrondie et mesurant jusqu'à 12×3 mm (les plus petites du genre). Fleurs au printemps, magenta, mesurant jusqu'à 14 mm de diam. Capsules de 2 mm de diam. Habitat: zone ouest et centrale du Little Karoo. Ces plantes poussent sur les étendues et les collines de graviers quartzifères. [nom commun: Matbekkies]

● **G. gibbosum** [du lat. bossu, gibbeux; référence aux feuilles renflées]. Plantes étalées et denses, formant des coussins arrondis qui atteignent jusqu'à 15 cm de diam. et comprennent de nombreux pieds. Chaque tige porte 2 feuilles inégales. Feuilles inégales, l'une plus grande que l'autre, effilées, soudées en corpuscule presque cylindrique, à épiderme lisse et vert grisâtre. Fleurs en automne, isolées, mauves à roses et mesurant jusqu'à 25 mm de diam. Habitat: espèce largement répandue, également présente au nord du Swartberg et dans le Tanqua-Karoo, près de Ceres.

Gibbaeum heathii f. elevatum

Gibbaeum heathii f. major

Gibbaeum heathii f. roseum

Gibbaeum johnstonii

Gibbaeum johnstonii

Gibbaeum nebrownii

Gibbaeum pachypodium

Gibbaeum petrense

Gibbaeum pilosulum

Gibbaeum pubescens

● **G. haagei var. haagei** [Nach Walther Haage (1899–1992), deutscher Kakteenspezialist]. Zwergige, Polster bildende, kompakte Pflanzen mit kriechenden Zweigen. Blätter ungleich, basal verwachsen, variabel, dreieckig, gekielt, Oberseite flach bis konkav, samtig gräulich grün, bis 40 mm lang. Blüten im Frühling, bis 30 mm Durchmesser, purpurrosa, bis 10 mm lang gestielt. Verbreitung: Auf die Quarzkieselhügel südlich der Langeberg-Kette und südwestlich von Swellendam (Western Cape) beschränkt. [Volksname: Visbekvygie.]

● **G. haagei var. parviflorum*** [Lat. 'parvus', klein; Lat. '-florus', -blütig]. Wie var. *haagei*, aber mit kleineren und dunkler rosaroten, gestreiften Blüten, und gräulicheren oder bläulich grünen Blättern mit etwas stärker gerundeten Spitzen.

● **G. heathii** [Nach Heath]. Pflanzen einzeln oder dichte, gerundete, aus manchmal zahlreichen Köpfen bestehende Polster bis 30 cm Durchmesser bildend; jeder Zweig mit 2 Blattpaaren. Blätter gleich oder fast gleich, basal verwachsen und fast kugelige bis halbellipsoide Körperchen bildend, Oberfächen glatt, graugrün. Blüten im Herbst, bis 30 mm Durchmesser, einzeln, magenta bis weiß. Kapseln 5–6 mm Durchmesser. Verbreitung: Eine sehr variable Art mit mehreren Lokalformen, in der westlichen Little Karoo weit verbreitet. [Volksnamen: Volstruiswater, Hondebal.]

● **G. haagei var. haagei** [d'après Walther Haage (1899–1992), spécialiste allemand des cactées]. Plantes naines, compactes, formant des coussins et possédant des rameaux rampants. Feuilles inégales, connées, variables, triangulaires et carénées, mesurant jusqu'à 40 mm de long, à avers plat à concave, veloutées et vert grisâtre. Fleurs au printemps, rose pourpre, dotées d'un pédoncule mesurant jusqu'à 10 mm de long, mesurant jusqu'à 30 mm de diam. Habitat: sur les collines de graviers quartzifères du sud de la chaîne du Langeberg et au sud-ouest de Swellendam (Western Cape). [nom commun: Visbekvygie]

● **G. haagei var. parviflorum*** [du lat. 'parvus', petit et '-florus', à fleurs]. Semblable à la var. *haagei* mais à fleurs rayées, plus petites et d'un rouge rosé plus foncé. Feuilles d'un vert plus grisâtre ou vert bleuté, à extrémité un peu plus arrondie.

● **G. heathii** [d'après Heath]. Plantes isolées ou formant des coussins denses et arrondis qui rassemblent parfois de nombreux pieds et atteignent jusqu'à 30 cm de diam.; chaque rameau porte 2 paires de feuilles. Feuilles égales ou quasiment, connées et formant de petits corpuscules presque sphériques à semi-ellipsoïdaux, à épiderme lisse et gris vert. Fleurs en automne, isolées, magenta à blanches et mesurant jusqu'à 30 mm de diam. Capsules de 5–6 mm de diam. Habitat: espèce très variable à plusieurs formes locales, largement répandue dans l'ouest du Little Karoo. [noms communs: Volstruiswater, Hondebal]

Gibbaeum pubescens

Gibbaeum shandii

● **G. johnstonii** [Nach Dr. Peter Johnston (1940–), Historiker]. Pflanzen Gruppen bildend, bis 6 cm Durchmesser; Wurzelstock etwas holzig. Zweige kurz. Blätter zu weichen, samtigen, graubraunen, zylindrischen Körperchen bis 15–25 ×8–18 mm verwachsen, Spitzen gestutzt. Blüten in Wintermitte, bis 10–25 mm Durchmesser, rosarot. Kapseln 5 mm Durchmesser. Verbreitung: Auf den westlichen Teil der Little Karoo beschränkt und auf schieferigen Rippen vorkommend. [Volksname: Valsbeesklou.]

● **G. nebrownii** [Nach Dr. N. E. Brown (1849–1934), englischer Botaniker]. Pflanzen Gruppen bildend, bis 6 cm Durchmesser, Wurzelstock etwas holzig. Zweige kurz. Blätter zu weichen, samtigen, graugrünen Körperchen verwachsen, bis 20×18 mm Durchmesser. Blüten im Herbst, bis 20 mm Durchmesser, rosa. Kapseln 5 mm Durchmesser. Verbreitung: Auf den westlichen Teil der Little Karoo beschränkt und auf Schieferrippen vorkommend. [Volksname: Nabankbesie.]

● **G. pachypodium** [Gr. 'pachys', dick; Gr. 'podion', Füsschen; wegen der dicken Blätter]. Ausgebreitet mit niederliegenden Zweigen, auf alle Seiten ausstrahlend und flache Polster von unterschiedlicher Form bildend, bis 40 cm Durchmesser. Blätter aufrecht, halb verwachsen, ungleich, flaumhaarig, grünlich bis graugrün, Spitzen oft gerötet, dreikantig bis halbzylindrisch und mit spitzen bis gerundeten Spitzen, das grössere Blatt eines Paares bis 100×15 mm, das kleinere bis 80×7 mm. Blüten im Herbst und frühen Winter, einzeln, bis 20 mm Durchmesser und weiß bis hellrosa. Verbreitung: Nahe Ockertskraal, entlang des Touws River in der Little Karoo.

● **G. petrense** [Zu Lat. 'petra', Fels; wegen der wie Steine aussehenden Blätter]. Pflanzen dichte, gerundete Polster bis 12 cm Durchmesser bildend und aus 1 bis zahlreichen Köpfen bestehend, jeder Trieb mit 2 ungleichen paarweise verwachsenen Blättern, die beiden Blätter eines Paares durch einen Spalt voneinander getrennt. Blätter ungleich, eines grösser, das andere kleiner, verwachsen, ein dreieckig-eiförmiges Blattpaar bildend, Oberflächen glatt, graugrün. Blüten im Frühling, bis 15 mm Durchmesser, einzeln, magenta. Verbreitung: Auf den westlichen Teil der Little Karoo (Western Cape) beschränkt. [Volksname: Klipvygie.]

● **G. pilosulum** [Lat., fein behaart]. Pflanzen Gruppen bildend, bis 13 cm Durchmesser, Wurzelstock etwas holzig. Zweige kurz. Blätter fast gleich und zu einem grünen bis gelblich grünen, fast kugeligen bis breit eiförmigen Körperchen bis 25 mm Durchmesser verwachsen, Oberfläche behaart. Blüten in Wintermitte, bis 16 mm Durchmesser, rosa. Kapseln 6 mm Durchmesser. Verbreitung: Auf den Westteil der Little Karoo beschränkt, auf Quarzkieselebenen und Hügeln vorkommend. [Volksname: Wegkruipvygie.]

● **G. pubescens** [Lat., flaumhaarig]. Pflanzen dichte, gerundete Polster aus zahlreichen Köpfen bildend, bis 30 cm Durchmesser. Zweige je mit 2 ungleichen, paarweise verwachsenen Blättern. Blätter basel verwachsen und zylindrisch-eiförmige Körperchen bildend, eines pro Paar grösser, eines

● **G. johnstonii** [d'après le Dr. Peter Johnston (1940–), historien]. Plantes formant des colonies atteignant jusqu'à 6 cm de diam., à rhizome légèrement lignifié. Rameaux courts. Feuilles soudées en corpuscules cylindriques, souples, veloutés et gris brun, mesurant jusqu'à 15–25×8–18 mm et dotées d'une extrémité tronquée. Fleur en plein hiver, rouge rosé et mesurant jusqu'à 10–25 mm de diam. Capsules de 5 mm de diam. Habitat: limité à la partie ouest du Little Karoo, sur les affleurements schisteux.

● **G. nebrownii** [d'après le Dr. N. E. Brown (1849–1934), botaniste anglais]. Plantes formant des colonies et atteignant jusqu'à 6 cm de diam., à rhizome un peu lignifié et à rameaux courts. Feuilles soudées en corpuscules souples, veloutés et gris vert, mesurant jusqu'à 20×18 mm. Fleurs en automne, roses et mesurant jusqu'à 20 mm de diam. Capsules de 5 mm de diam. Habitat: partie ouest du Little Karoo, sur les affleurements schisteux. [nom commun: Nabankbesie]

● **G. pachypodium** [du grec 'pachys', épais et 'podion', petits pieds; référence aux feuilles épaisses]. Plantes étalées à rameaux rampants et rayonnant en tous sens, constituant des coussins plats et de forme variable qui atteignent jusqu'à 40 cm de diam. Feuilles érigées, à moitié soudées, inégales, duveteuses et verdâtres à gris vert. Possédant une extrémité souvent rougeâtre, les feuilles sont trigones à semi-cylindriques, à pointe aiguë à arrondie. La plus grande feuille d'une paire atteint jusqu'à 100×15 mm alors que la plus petite ne va que jusqu'à 80×7 mm. Fleurs en automne et début d'hiver, isolées, blanches à rose clair et mesurant jusqu'à 20 mm de diam. Habitat: près d'Ockertskraal, le long de la Touws River dans le Little Karoo.

● **G. petrense** [du lat. 'petra', galet; référence à l'aspect des feuilles]. Plantes formant des coussins denses et arrondis atteignant jusqu'à 12 cm de diam. et se composant de 1 à plusieurs pieds. Chaque tige porte deux paires de feuilles inégales soudées, les 2 feuilles d'une paire étant séparées par une fente. Feuilles inégales, l'une plus grande que l'autre, soudées et formant une paire triangulaire-ovoïde à surface lisse et gris vert. Fleurs au printemps, isolées, magenta et mesurant jusqu'à 15 mm de diam. Habitat: partie ouest du Little Karoo (Western Cape). [nom commun: Klipvygie]

● **G. pilosulum** [du lat. à fin duvet]. Plantes poussant en colonies et atteignant jusqu'à 13 cm de diam., à rhizome un peu lignifié et à courts rameaux. Feuilles presque égales et soudées en corpuscules vert à vert jaune, presque sphériques à largement ovoïdes, à surface duveteuse, mesurant jusqu'à 25 mm de diam. Fleur en plein hiver, roses et mesurant jusqu'à 16 mm de diam. Capsules de 6 mm de diam. Habitat: dans la partie ouest du Little Karoo, sur les étendues et les collines à graviers quartzifères. [nom commun: Wegkruipvygie]

● **G. pubescens** [du lat. cotonneux]. Plantes formant des coussins arrondis et denses, composés de nombreux pieds, atteignant jusqu'à 30 cm de diam. Rameaux portant chacun 2 paires de feuilles inégales et soudées. Feuilles (l'une plus grande que l'autre) connées et formant un corpuscule cylin-

Gibbaeum velutinum

Gibbaeum velutinum

Gibbaeum tischleri cf.

kleiner, Oberflächen dicht behaart, silbergrün. Blüten im Winter und frühen Frühling, bis 25 mm Durchmesser, einzeln, magenta. Verbreitung: Häufig im Gebiet von Ladismith, und auf den Quarzflecken auffällig. [Volksnamen: Haaibek-Vygie, Visbekvygie, Silwerbekvygie.] – Eng mit *G. shandii* verwandt, aber sofort an den kleineren, dicht silbergrünen Blättern kenntlich.

● **G. shandii** [Nach Shand]. Pflanzen dichte, runde Polster aus zahlreichen Köpfen bildend, bis 30 cm Durchmesser; jeder Trieb mit 2 unterschiedlichen, paarweise verwachsenen Blättern. Blätter basal verwachsen und zylindrisch-eiförmige Körperchen bildend, eines pro Paar grösser, das andere kleiner, Oberflächen behaart, graugrün mit rötlich braunem Hauch. Blüten im Winter und frühen Frühling, bis 25 mm Durchmesser, einzeln, magenta. Verbreitung: Nordwestlich der Region von Ladismith häufig und auf den Quarzflächen auffällig. [Volksnamen: Haaibek-Vygie, Visbekvygie, Grysbekvygie.] – *G. shandii* ist eng mit *G. pubescens* verwandt, ist aber weniger behaart, graugrün mit rötlich braunem Hauch, sowie kräftiger, und kommt nordwestlich von Ladismith vor. *G. pubescens* hat silbergrüne, wenig kleinere Blätter und ist südwestlich von Ladismith häufig.

● **G. tischleri*** [Nach Tischler]. Zwergige, Polster bildende, kompakte Pflanzen mit niederliegenden Zweigen. Blätter ungleich, basal verwachsen, variabel, bis 20 × 8 mm, dreieckig, gekielt, schmutzig graugrün mit rostbraunen Flecken. Blüten im Frühling, bis 20 mm Durchmesser, weiß bis violett. Verbreitung: Zentrale Little Karoo, auf Quarzebenen.

● **G. velutinum** [Lat., samtig; wegen der Blattoberflächen]. Pflanzen gross, kräftig und ausgebreitete Polster bis 25 cm Durchmesser bildend, insgesamt einem *Glottiphyllum* ähnlich sehend. Blätter graugrün, bis 70 mm lang und 20 mm hoch, samtig. Blüten im Spätfrühling, einzeln, 20–40 mm lang gestielt, weiß bis hellrosa und bis 40 mm Durchmesser. Verbreitung: Auf den südwestlichen Teil der Little Karoo beschränkt, auf Quarzkieshügeln.

drique-ovoïde à surface vert argenté et très duveteuse. Fleurs en hiver et début de printemps, isolées, magenta et mesurant jusqu'à 25 mm de diam. Fréquent dans la région de Ladismith et remarquable dans les poches de quartz. – Etroitement apparenté au *G. shandii* mais immédiatement reconnaissable à ces feuilles plus petites et d'un vert argenté profond.

● **G. shandii** [d'après Shand]. Plantes formant des coussins denses et arrondis qui regroupent de nombreux pieds et atteignent jusqu'à 30 cm de diam. Chaque tige porte 2 paires de feuilles inégales et soudées. Feuilles connées et formant des corpuscules cylindriques-ovoïdes où l'un est plus grand que l'autre. Epiderme duveteux et gris vert teinté de brun rougeâtre. Fleurs en hiver et début de printemps, isolées, magenta et mesurant jusqu'à 25 mm de diam. Habitat: fréquent dans le nord-ouest de la région de Ladismith et remarquable sur les étendues quartzifères. [noms communs: Haaibek-Vygie, Visbekvygie, Grysbekvygie] – *G. shandii* est étroitement apparenté au *G. pubescens* mais s'avère moins duveteux, plus vigoureux et gris vert nuancé de brun rougeâtre. Il pousse au nord–ouest de Ladismith. Le *G. pubescens* possède des feuilles un peu plus petites, vert argenté.

● **G. tischleri*** [d'après Tischler]. Plantes naines et compactes qui forment des coussins et possèdent des rameaux prostrés. Feuilles inégales, connées, variables, mesurant jusqu'à 20 × 8 mm, triangulaires, carénées et d'un gris vert sale taché de brun rouille. Fleurs au printemps, blanches à violettes et mesurant jusqu'à 20 mm de diam. Habitat: au centre du Little Karoo, sur les étendues de quartz.

● **G. velutinum** [du lat. velouté; référence à la surface de la feuille]. Plantes vigoureuses formant de grands coussins étalés atteignant jusqu'à 25 cm de diam. et ressemblant globalement à un *Glottiphyllum*. Feuilles gris vert, veloutées et mesurant jusqu'à 70 mm de long et 20 mm de haut. Fleurs en fin de printemps, isolées, à pédoncule de 20–40 mm de long, blanches à rose clair et mesurant jusqu'à 40 mm de diam. Habitat: partie sud-ouest du Little Karoo.

Glottiphyllum

Glottiphyllum *[Gr. 'glossa, glotta', Zunge; Gr. 'phyllon', Blatt]. Hochsukkulente, rasch wachsende, büschelige und niedrig bleibende Pflanzen mit grünen bis graugrünen, weichen Blättern. Zweige kurz, mit eng stehenden Blättern bedeckt. Blätter länglich, zungenförmig bis stark reduziert, fast gleich bis gleich in gegenständigen Paaren. Blüten gross, gelb, in den Blattachseln, einzeln, sitzend bis kurz gestielt. Fruchtkapseln gerundet, bis 20-fächerig, gross, schwammig, ausdauernd oder sich kurz nach der Reife ablösend. – Eine Gattung mit 16 Arten, mehrheitlich aus der Little Karoo und benachbarten Gebieten im Eastern Cape und dem südlichen Western Cape. Diese rasch wachsenden, sukkulenten Pflanzen werden oft an Hängen und zur Bodenstabilisierung eingesetzt. Sie sind für trockene Gärten hervorragend geeignet, werden aber durch zu häufiges Giessen »aufgeblasen«. Sie bilden leicht Hybriden. [Volksnamen: Skilpadkos, Tongvygies, Volstruisvygie.]*

● **G. carnosum** [Lat., fleischig]. Kompakte, Gruppen bildende Sukkulenten. Blätter gedrängt, zweizeilig, bis 65×20 mm, blaugrün bis grün, ein Blatt pro Paar zurückgebogen oder mit hakiger Spitze. Blüten im Herbst, sitzend, bis 65 mm Durchmesser, gelb. Früchte nicht ausdauernd. Verbreitung: Westliche Little Karoo (Western Cape), auf Kieselebenen wachsend.

● **G. cruciatum** [Lat., gekreuzt; wegen der Blattstellung]. Kompakte, Gruppen bildende Pflanzen bis 25 cm Durchmesser. Zweige ausgebreitet, mit aufsteigenden, verjüngten, dreikantig-drehrunden Blättern bis 15×8 mm, oft rötlich gespitzt. Blüten im Winter und Frühling, bis 50 mm Durchmesser, 20–40 mm lang gestielt. Kapseln vor der Reife rötlich, schwammig werdend, mit hohem Rand, 20×18 mm, nicht ausdauernd. Verbreitung: Zentrale Little Karoo (Western Cape), auf Konglomeraten.

● **G. depressum** [Lat., niedergedrückt; wegen des niedrigen Wuchses]. Feste, kompakte, spärlich verzweigte, vielköpfige Pflanzen. Blätter sehr variabel, oft zurückgebogen und mit hakiger Spitze. Blüten in Wintermitte, ungestielt, leuchtend gelb. Kapseln mit hohem Rand, früh abfallend und

Glottiphyllum *[du grec 'glossa', langue et 'phyllon', feuille]. Plantes très succulentes, à croissance rapide, formant des touffes basses et dotées de feuilles charnues, vertes à gris vert. Rameaux courts et couverts de feuilles serrées. Feuilles oblongues, en forme de langue à très réduites, presque égales à égales, en paires opposées. Grandes fleurs jaunes, isolées, axillaires et sessiles à brièvement pétiolées. Fruits en capsules arrondis, comportant jusqu'à 20 loges, gros, spongieux, persistants ou tombant rapidement une fois mûrs. – Genre regroupant 16 espèces majoritairement originaires du Little Karoo et des régions voisines de l'Eastern Cape ainsi que dans le sud du Western Cape. Ces plantes succulentes à croissance rapide sont souvent employées pour sur les talus ou pour stabiliser les sols. Elles conviennent particulièrement bien aux jardins secs mais les arrosages trop fréquents les hypertrophient. S'hybrident facilement. [noms communs: Skilpadkos, Tongvygie, Volstruisvygie]*

● **G. carnosum** [du lat. charnu]. Succulentes compactes formant des colonies. Feuilles serrées, distiques, mesurant jusqu'à 65×20 mm, glauques à vertes, une feuille de chaque paire étant retroussée vers l'arrière ou uncinée. Fleurs en automne, sessiles, jaunes et mesurant jusqu'à 65 mm de diam. Fruits non persistants. Habitat: ouest du Little Karoo (Western Cape), sur les étendues caillouteuses.

● **G. cruciatum** [du lat. en croix; référence à la phyllotaxie]. Plantes compactes formant des colonies atteignant jusqu'à 25 cm de diam. Rameaux étalés, à feuilles ascendantes, effilées, trigones-fusiformes, mesurant jusqu'à 15×8 mm et souvent dotées d'une extrémité rougeâtre. Fleurs en hiver et printemps, mesurant jusqu'à 50 mm de diam. et portées par un pédoncule de 20–40 mm de long. Capsules rougeâtres avant maturité puis devenant spongieuses, à hauts rebords, mesurant 20×18 mm, non persistantes. Habitat: centre du Little Karoo (Western Cape), sur les conglomérats.

● **G. depressum** [du lat. prostré, déprimé; référence au port]. Plantes fermes, compactes et peu ramifiées, qui possèdent plusieurs pieds. Feuilles très variables, souvent recourbées en ar-

Glottiphyllum carnosum

Glottiphyllum cruciatum

Glottiphyllum depressum

Glottiphyllum difforme

rière et uncinées. Fleurs en plein hiver, sessiles et jaune lumineux. Capsules à hauts rebords, tombant rapidement et disséminées par le vent. Habitat: largement répandu dans le Little Karoo (Western Cape). – Arroser avec parcimonie.

● **G. difforme** [du lat. difforme, inégal; référence aux feuilles]. Succulentes formant des coussins atteignant jusqu'à 50 cm de diam. Feuilles mesurant jusqu'à 40×8 mm, trigones-arrondies, montrant 2 grandes dents sur l'avers, à extrémité carénée, vertes et devenant rougeâtres par temps sec. Fleurs en hiver et printemps, jaune lumineux, mesurant jusqu'à 20 mm de diam. et portées par un pédoncule mesurant jusqu'à 20 mm de long. Capsules à rebords hauts, de 10 mm de diam., persistants. Habitat: dans le Steytlerville-Karroo et le sud est du Great Karoo ainsi que près de Victoria West, sous une forme vigoureuse. Rarement cultivé.

Glottiphyllum fergusoniae

● **G. fergusoniae** [d'après Mrs. E. Ferguson, Le Cap]. Succulentes compactes formant des colonies. Feuilles serrées, semi-cylindriques, dressées, vertes et mesurant jusqu'à 120×22 mm. Fleurs en automne, sessiles et jaunes, mesurant jusqu'à 65 mm de diam. Capsules persistantes. Habitat: ouest du Little Karoo (Western Cape), sur les étendues de graviers.

● **G. grandiflorum** [du lat. 'grandis', grand et '-florus', à fleurs]. Plantes très succulentes, fermes, compactes et prostrées, atteignant jusqu'à 15 cm de diam., modérément ramifiées. Feuilles étalées, rubanées, mesurant jusqu'à 70×12 mm, vertes, à pointe arrondie. Fleurs en hiver, presque sessiles, jaune lumineux. Capsules de 15 mm de diam., arrondies-aplaties, non persistantes. Habitat: largement répandu dans le Valley Bushveld de l'Eastern Cape. – Facile à multiplier par bouturage.

Glottiphyllum longum

Glottiphyllum neilii

Glottiphyllum nelii

durch den Wind verbreitet. Verbreitung: Durch die Little Karoo (Western Cape) weit verbreitet. – Spärlich zu giessen.

● **G. difforme** [Lat., ungleich geformt; wegen der Blätter]. Polster bildende Sukkulenten, bis 50 cm Durchmesser. Blätter bis 40×8 mm, dreikantig-gerundet, mit 2 grossen Zähnen auf der Oberseite, zur Spitze gekielt, grün, in der Trockenzeit rötlich werdend. Blüten im Winter und Frühling, leuchtend gelb, 20 mm Durchmesser, bis 20 mm gestielt. Kapseln mit hohen Rändern, 10 mm Durchmesser, ausdauernd. Verbreitung: Steytlerville-Karoo und südöstlicher Teil der Great Karoo, ebenso mit einer kräftigen Form bei Victoria West. – Selten kultiviert.

● **G. fergusoniae** [Nach Mrs. E. Ferguson, Kapstadt]. Kompakte, Gruppen bildende Sukkulenten. Blätter gedrängt, halbzylindrisch, aufsteigend, bis 120×22 mm, grün. Blüten im Herbst, sitzend, bis 65 mm Durchmesser, gelb. Kapseln ausdauernd. Verbreitung: Westliche Little Karoo (Western Cape), auf Kieselebenen wachsend.

● **G. grandiflorum** [Lat. 'grandis', gross; Lat. '-florus', -blütig]. Feste, kompakte, niederliegende, hoch sukkulente Pflanzen, bis 15 cm Durchmesser, mässig verzweigt. Blätter ausgebreitet, bandförmig, bis 70×12 mm, grün, mit gerundeten Spitzen. Blüten im Winter, fast sitzend, leuchtend gelb. Kapseln 15 mm Durchmesser, gerundet-niedergedrückt, nicht ausdauernd. Verbreitung: Im Eastern Cape in Valley Bushveld weit verbreitet. – Leicht durch Stecklinge zu vermehren.

● **G. linguiforme** [Lat. 'lingua', Zunge; Lat. '-formis', -förmig; wegen der Blattform]. Gruppen bildende Pflanzen mit kurzen, niederliegenden Trieben. Blätter gedrängt, bandförmig, breit, gräulich grün. Blüten im Winter und Frühling, ungestielt, gross, gelb. Kapseln gross und nach der Reife rasch abfallend. Verbreitung: In der östlichen Little Karoo (Western Cape) weit verbreitet.

● **G. longum** [Lat., lang; vielleicht wegen der Blätter]. Kompakte, feste, niederliegende und rasch ausgebreitete Pflanzen. Triebe niederliegend, mässig verzweigt. Blätter ausgebreitet, bandförmig, mit gerundeten Spitzen. Blüten im Winter, kurz gestielt, leuchtend gelb. Kapseln mit niedrigem Rand, ausdauernd. Verbreitung: In den südlichen Tei-

● **G. linguiforme** [du lat. 'lingua', langue et '-formis', en forme de; référence à la feuille]. Plantes poussant en colonies et dotées de courtes tiges prostrées. Feuilles serrées, rubanées, larges, vert grisâtre. Fleurs en hiver et printemps, sessiles, grandes et jaunes. Grosses capsules tombant rapidement une fois mûres. Habitat: fréquent dans l'est du Little Karoo (Western Cape).

● **G. longum** [du lat. long; peut-être en référence à la feuille] Plantes compactes, fermes et prostrées, s'étalant rapidement. Tiges prostrées et modérément ramifiées. Feuilles étalées, rubanées, à extrémité arrondie. Fleurs en hiver, à court pédoncule, d'un jaune lumineux. Capsules persistantes à bords bas. Habitat: largement répandu dans la partie sud du

Glottiphyllum cruciatum

Glottiphyllum grandiflorum

Glottiphyllum linguiforme

Glottiphyllum oligocarpum

Glottiphyllum peersii

Glottiphyllum regium

Glottiphyllum salmii

Glottiphyllum suave

Glottiphyllum surrectum

len des Western Cape und Eastern Cape in Renosterveld und Dickichten weit verbreitet. – Leicht durch Stecklinge zu vermehren.

● **G. neilii** [Nach Mr. Neil, Gärtnereibesitzer in Südafrika]. Kompakte, robuste Pflanzen, bis 20 cm Durchmesser, mit bis zu 3 gedrungenen »Köpfen« mit dick fleischigen, gegenständigen, sich in der Trockenzeit rötlich färbenden Blättern. Blüten im Winter und Frühling, gelb, bis 70 mm Durchmesser, bis 50 mm lang gestielt. Kapseln schwammig, ausdauernd. Verbreitung: Auf die südliche Great Karoo nahe Prince Albert (Western Cape) beschränkt und auf steinigem Boden wachsend.

● **G. nelii** [Nach Prof. G. C. Nel (1885–1950), südafrikanischer Botaniker und Spezialist für *Gibbaeum* und *Lithops*]. Kompakte, Gruppen bildende Sukkulenten. Blätter gedrängt, zweizeilig, bis 50×12 mm, blaugrün bis grün, Spitze gerundet, oberer Blattrand durchscheinend. Blüten im Herbst, gelb, bis 40 mm Durchmesser. Kapseln ausdauernd. Verbreitung: Südliche Grenze der Great Karoo (Western Cape), auf Kieselebenen wachsend.

● **G. oligocarpum** [Gr. 'oligos', wenige; Gr. 'karpos', Frucht]. Zwergige, kompakte und Gruppen bildende Sukkulenten. Triebe niederliegend, kurz. Blätter in gegenständigen Reihen, bis 45×22 mm, bandförmig, mit gerundeter Spitze, blaugrün. Blüten im Winter, bis 60 mm Durchmesser, gelb. Kapseln ausdauernd. Verbreitung: Eastern Cape, in Succulent Karoo-Vegetation.

● **G. peersii** [Nach Victor Peers (1874–1940), Sukkulentensammler und Amateur-Archäologe]. Niederliegende, Gruppen bildende, mässig verzweigte Pflanzen. Blätter grün, während der Trockenzeit rötlich verfärbend, ausgebreitet-aufsteigend, dreikantig-drehrund, bis 60×15 mm, ungleich und manchmal mit etwas missgestalteten Zähnchen, mit schwammigen Rändern und einer auffälligen, weißen Linie entlang der Oberseite. Blüten im Winter, bis 15 mm lang gestielt, leuchtend gelb. Kapseln bis 13 mm Durchmesser, mit hohen Rändern, ausdauernd. Verbreitung: Auf die südliche Great

Western Cape et de l'Eastern Cape, dans le Renosterveld et le maquis. – Facile à multiplier par bouturage.

● **G. neilii** [d'après Mr. Neil, possesseur de jardin en Afrique du Sud]. Plantes compactes et robustes atteignant jusqu'à 20 cm de diam. et composées de jusqu'à 3 pieds aplatis à feuilles épaisses, charnues, opposées et devenant rougeâtres par temps sec. Fleurs en hiver et printemps, jaunes, mesurant jusqu'à 70 mm de diam. et dotées d'un pédoncule atteignant jusqu'à 50 mm de long. Capsules spongieuses et persistantes. Habitat: limité au sud du Great Karoo, près de Prince Albert (Western Cape), sur les sols pierreux.

● **G. nelii** [d'après le Prof. G. C. Nel (1885–1950), botaniste sud-africain et spécialiste du *Gibbaeum* et du *Lithops*]. Succulentes compactes formant des colonies. Feuilles serrées, distiques, mesurant jusqu'à 50×12 mm, glauques à vertes, à extrémité arrondie et bord supérieur translucide. Fleurs en automne, jaunes et mesurant jusqu'à 40 mm de diam. Capsules persistantes. Habitat: limite sud du Great Karoo (Western Cape), sur les étendues gravillonneuses.

● **G. oligocarpum** [du grec 'oligos', peu et 'karpos', fruit]. Succulentes naines et compactes qui forment des colonies. Tiges courtes et prostrées. Feuilles disposées en rangs opposés et mesurant jusqu'à 45×22 mm, rubanées, glauques et à extrémité arrondie. Fleurs en hiver, jaunes et mesurant jusqu'à 60 mm de diam. Capsules persistantes. Habitat: Eastern Cape, dans le Karoo à succulentes.

● **G. peersii** [d'après Victor Peers (1874–1940), collectionneur de succulentes et archéologue amateur]. Plantes prostrées et modérément ramifiées, formant des colonies. Feuilles vertes devenant rougeâtres par temps sec, étalées-redressées, trigones-fusiformes, mesurant jusqu'à 60×15 mm, inégales et présentant parfois quelques dents déformées, à bordure spongieuse, marquées d'une remarquable ligne blanche tout le long de l'avers. Fleurs en hiver, à pédoncule mesurant jusqu'à 15 mm de long, jaune lumineux. Capsules persistantes atteignant jusqu'à 13 mm de diam., à rebords

Karoo (Western Cape) beschränkt. – Selten kultiviert, aber ein guter Kandidat für einen trockenen Steingarten.

● **G. regium** [Lat., königlich; wegen der stattlichen Grösse]. Die grösste Art der Gattung. Pflanzen Gruppen bildend mit kurzen Trieben und aufsteigenden Blättern. Blätter bis 130 mm hoch, drehrund. Blüten im Winter und Frühling, gestielt, bis 30 mm Durchmesser, gelb. Kapseln gross, schwammig, ausdauernd. Verbreitung: Auf die zentralen Gebiete der Little Karoo (Western Cape) beschränkt.

● **G. salmii** [Nach Prinz Joseph Salm-Reifferscheid-Dyck (1773–1861), preussischer Botaniker und Sukkulentenspezialist]. Zwergige, kompakte, Gruppen bildende Sukkulenten. Triebe niederliegend, kurz. Blätter halbzylindrisch, bis 100 × 22 mm, verjüngt, grün. Blüten im Winter, bis 60 mm Durchmesser, gelb. Verbreitung: Little Karoo (Western Cape), in Succulent Karoo-Vegetation.

● **G. suave** [Lat., süss; wegen des Blütenduftes]. Zwergige, kompakte und Gruppen bildende Sukkulenten. Triebe niederliegend, kurz. Blätter in gegenständigen Reihen, bis 50 × 20 mm, bandförmig mit gerundeter Spitze. Blüten im Winter, bis 65 mm Durchmesser, gelb. Kapseln nicht ausdauernd. Verbreitung: Little Karoo bei Ladismith (Western Cape), in Succulent Karoo-Vegetation.

● **G. surrectum** [Lat., sich erhebend, aufsteigend; wegen der Blätter]. Kleine, gebüschelte Pflanzen, mit kurzen Trieben. Blätter aufrecht, drehrund, zugespitzt. Blüten im Winter und frühen Frühling, kurz gestielt, gelb. Kapseln mit niedrigem Rand, ausdauernd. Verbreitung: Durch die Little Karoo (Western Cape) weit verbreitet.

hauts. Habitat: limité au sud du Great Karoo (Western Cape). – Rarement cultivé mais intéressant pour les jardins secs.

● **G. regium** [du lat. royal; référence à la taille impressionnante]. La plus grande espèce de ce genre. Plantes poussant en colonies, dotées de tiges courtes et de feuilles redressées. Feuilles fusiformes mesurant jusqu'à 130 mm de haut. Fleurs en hiver et printemps, pédonculées, jaunes et mesurant jusqu'à 30 mm de diam. Grosses capsules spongieuses et persistantes. Habitat: circonscrit à la région centrale du Little Karoo (Western Cape).

● **G. salmii** [d'après le Prince Joseph Salm-Reifferscheid-Dyck (1773–1861), botaniste prussien et spécialiste des succulentes]. Succulentes naines et compactes formant des colonies. Courtes tiges prostrées. Feuilles semi-cylindriques mesurant jusqu'à 100 × 22 mm, effilées et vertes. Fleurs en hiver, jaunes et mesurant jusqu'à 60 mm de diam. Habitat: Little Karoo (Western Cape), dans le Karoo à succulentes.

● **G. suave** [du lat. suave, doux; référence au parfum des fleurs]. Succulentes naines et compactes qui forment des colonies. Courtes tiges prostrées. Feuilles en rangées opposées, mesurant jusqu'à 50 × 20 mm, rubanées à extrémité arrondie. Fleurs en hiver, jaunes et mesurant jusqu'à 65 mm de diam. Capsules non persistantes. Habitat: Little Karoo près de Ladismith (Western Cape), dans le Karoo à succulentes.

● **G. surrectum** [du lat. dressé, émergeant; référence aux feuilles]. Petites plantes en touffes à tiges courtes. Feuilles dressées, fusiformes et pointues. Fleurs en hiver et début de printemps, brièvement pédonculées, jaunes. Capsules persistantes à bords bas. Habitat: largement répandu à travers le Little Karoo (Western Cape).

Hallianthus

Hallianthus *[Nach Harry Hall (1906–1989), Kurator der Sukkulentenabteilung der Kirstenbosch Botanical Gardens]. Ausgebreitete, niederliegende Kleinsträucher. Blätter seitlich zusammengedrückt, in gegenständigen Paaren, gekielt und mit gerundetem Ende, bis 12 × 6 mm, braun bis rötlich grün. Blüten im Herbst und Winter, rosa oder weiß, bis 25 mm Durchmesser, bis 10 mm lang gekielt. Fruchtkapseln mit gerundeter Oberseite, 10-fächerig, Fächerdecken und Verschlusskörperchen vorhanden. – Hallianthus ist eine monotypische, auf das Namaqualand beschränkte Gattung und kommt an den unteren Berghängen in steinigem Boden und zwischen Felsen in Succulent Karoo vor. Regen fällt vor Allem im Winter, durchschnittlich weniger als 100 mm pro Jahr. Die Pflanzen wachsen in Kultur gut und können aus Samen oder durch Stecklinge vermehrt werden.*

● **H. planus** [Lat., flach]. Beschreibung wie für die Gattung. Verbreitung: Richtersveld im Namaqualand (Northern Cape).

Hallianthus *[d'après Harry Hall (1906–1989), curateur de la section Succulentes du Jardin Botanique de Kirstenbosch]. Petits arbustes étalés et prostrés. Feuilles comprimées latéralement, en paires opposées, carénées, à extrémité arrondie jusqu'à 12 × 6 mm brunes à vert rougeâtre. Fleurs en automne et hiver, roses ou blanches jusqu'à 25 mm de diam. et 10 mm de long. Fruits en capsules à sommet arrondi, comportant 10 loges, des opercules et des obturateurs. Hallianthus est un genre monospécifique circonscrit au Namaqualand qui pousse en bas des contreforts des montagnes, sur les sols pierreux et entre les galets du Karoo à succulentes. Les pluies tombent principalement en hiver, à raison en moyenne de moins de 100 mm par an. Ces plantes se cultivent bien et peuvent être multipliées par semis ou par bouturage.*

● **H. planus** [du lat. plat]. Description: idem genre. Habitat: dans le Richtersveld du Namaqualand (Northern Cape).

Hallianthus planus

Hallianthus planus

Hammeria

Hammeria *[Nach Steven Hammer, US-amerikanischer Mittagsblumenspezialist]. Büschel bildende bis kriechende Kleinsträucher mit gegenständigen Blattpaaren, Zweige kriechend, an den Knoten wurzelnd. Blätter länglich, halbdrehrund, im Spitzenbereich gezähnt. Blüten im Spätwinter und Frühling, rosa, einzeln. Fruchtkapseln 5-fächerig, Klappenflügel vorhanden, Verschlusskörperchen fehlend. – Hammeria (2 Arten) ist auf die Tanqua-Karoo (westliche Teile des Northern Cape und nordöstliche Teile des Western Cape) beschränkt und wächst in schieferigem Boden. Regen fällt am Standort im Winter und im Spätsommer, und die Menge beträgt weniger als 100 mm pro Jahr. Sie sind in Kultur wüchsig und leicht aus Samen oder Stecklingen zu vermehren. Im Hochsommer sollten sie am besten trocken gehalten werden.*

Hammeria *[d'après Steven Hammer, spécialiste américain des mésembs]. Petits arbustes en touffes à rampants, à paires de feuilles opposées et à rameaux rampants dont les nœuds émettent des racines. Feuilles oblongues, semi-fusiformes, dentées sur la zone sommitale. Fleurs en fin d'hiver-printemps, roses et isolées. Fruits en capsules à 5 loges pourvus de valves ailées mais démunis d'obturateurs. – Hammeria (2 espèces) est circonscrit au Tanqua-Karoo (partie ouest du Northern Cape et partie nord du Western Cape) et pousse dans les terrains schisteux. Les pluies y tombent en hiver et en fin d'été, à raison de moins de 100 mm annuels. Elles se montrent vigoureuses en culture et se multiplient facilement par semis ou bouturage. En plein été, il est préférable de les maintenir au sec.*

● **H. salteri*** [Nach Terence M. Salter (1883–1969), südafrikanischer Amateurbotaniker]. Zwergige Kleinsträucher mit ausgebreiteten, bis 15 cm langen Zweigen. Blätter aufsteigend, seitlich zusammengedrückt, gekielt, zur Spitze gezähnt, bis 15× 5 mm. Blüten im Spätwinter und Frühling, bis 28 mm Durchmesser, rosapurpurn, dunkler purpurn gestreift. Verbreitung: Tanqua-Karoo (Northern Cape, Western Cape); auf Schiefer zwischen ebenen Kiesstellen.

Hammeria salteri

● **H. salteri*** [d'après Terence M. Salter (1883–1969), botaniste amateur sud-africain]. Petits arbustes nains à rameaux étalés atteignant jusqu'à 15 cm de long. Feuilles dressées, comprimées latéralement, carénées, à extrémité dentée, mesurant jusqu'à 15× 5 mm. Fleurs en fin d'hiver et printemps, mesurant jusqu'à 28 mm de diam., rose pourpre rayé de pourpre plus foncé. Habitat: Tanqua-Karoo (Northern Cape et Western Cape), sur les schistes s'intercalant entre les étendues plates et caillouteuses.

Hartmanthus pergamentaceus

Hartmanthus

Hartmanthus *[Nach Dr. H. E. K. Hartmann (1942–), deutsche Botanikerin; Gr. 'anthos', Blüte]. Aufrechte, zwergige Kleinsträucher mit spärlich verzweigten, verholzten Trieben. Blätter seitlich zusammengedrückt, fest, weiß bis graugrün, gekielt. Blüten Winter und früher Frühling, weiß oder hellrosa. Fruchtkapseln 6-fächerig, Fächerdecken vorhanden oder fehlend, Verschlusskörperchen fehlend. Samen birnenförmig. – Eine kleine Gattung mit 2 Arten aus dem unteren Oranje-Tal im Richtersveld (Northern Cape) sowie dem benachbarten südlichen Namibia. Die Pflanzen wachsen auf Quarzkieselebenen und Hügeln in Succulent Karoo-Vegetation. Regen fällt am Standort vorwiegend im Winter, und die Menge beträgt 50 mm pro Jahr. [Volksname: Halfmaanvygie.]*

● **H. pergamentaceus** [Lat., pergamentartig]. Aufrechte, spärlich verzweigte Kleinsträucher, bis 30 cm hoch. Blätter fest, aufsteigend, bis 70 × 16 mm, Oberseite flach, Unterseite stumpf gekielt. Blüten Winter und früher Frühling, einzeln, bis 44 mm Durchmesser, weiß. Verbreitung: Wie für die Gattung.

Hartmanthus *[d'après le Dr. H. E. K. Hartmann (1942–), botaniste allemande; du grec 'anthos', fleur]. Petits arbustes nains et érigés, à tiges ligneuses et peu ramifiées. Feuilles fermes, comprimées latéralement, carénées et blanches à gris vert. Fleurs en hiver et début de printemps, blanches ou rose clair. Fruits en capsules à 6 loges, à opercules présents ou non mais à obturateurs absents. Graines pyriformes. – Petit genre groupant 2 espèces originaires de la zone inférieure de la vallée de l'Orange, dans le Richtersveld (Northern Cape), ainsi que du sud de la Namibie voisine. Ces plantes poussent sur les étendues et les collines quartzifères du Karoo à succulentes. Les pluies y tombent majoritairement en hiver, à raison de 50 mm par an. [nom commun: Halfmaanvygie]*

● **H. pergamentaceus** [du lat. parcheminé]. Petits arbustes érigés et peu ramifiés qui atteignent jusqu'à 30 cm de haut. Feuilles fermes, dressées, mesurant jusqu'à 70 × 16 mm, à avers plat et revers souligné d'une carène arrondie. Fleurs en hiver et début de printemps, isolées, blanches et mesurant jusqu'à 44 mm de diam. Habitat: comme pour le genre.

Hereroa

Hereroa *[Nach dem Volk der Herero in Namibia]. Zwergige, feste, langsam wachsende, bis 20 cm hohe Kleinsträucher. Blätter länglich, ausdauernd, dunkelgrün, gefleckt. Blüten gelb, gegen Abend öffnend. Fruchtkapseln 5- bis 10-fächerig, hart, ausdauernd, Fächerdecken vorhanden, mit Verschlusskörperchen. Verbreitung: In der Karoo des Northern Cape, Western Cape, Eastern Cape, North-West Province, Free State und Gauteng weit verbreitet. – Die Gattung zählt etwa 20 Arten, die sich leicht vermehren lassen. [Volksnamen: Nagvygie, Slaapvygie.]*

Hereroa *[d'après le peuple des Herero, en Namibie]. Petits arbustes nains, fermes, à croissance lente et atteignant jusqu'à 20 cm de haut. Feuilles oblongues, durables, vert foncé et tachetées. Fleurs jaunes s'ouvrant dans la soirée. Fruits en capsules à 5 à 10 loges, durs, persistants, à opercules et obturateurs. Habitat: largement présent dans le Karoo du Northern Cape, du Western Cape, de l'Eastern Cape, de la North-West Province, du Free State et du Gauteng. – Ce genre compte environ 20 espèces qu'il est facile de multiplier. [noms communs: Nagvygie, Slaapvygie]*

Hereroa aspera

● **H. aspera** [Lat., rauh; wegen der Blätter]. Aufrechte, zwergige, bis 8 cm hohe Kleinsträucher. Blätter schief stehend, halbzylindrisch, Oberseite flach, Spitze stumpf, durch vorstehende Punkte aufgerauht, blaugrün, oft rötlich, bis 25×3 mm. Blüten Winter und früher Frühling, einzeln, gestielt, bis 36 mm Durchmesser, gelb, Blütenblattspitzen gerötet. Verbreitung: In der Little Karoo (Western Cape) häufig.

● **H. calycina** [Lat., mit einem Kelch versehen]. Zwergige Kleinsträucher mit büscheligem Wuchs. Zweige kurz, mit 4 Blättern. Blätter seitlich zusammengedrückt, dick, sichelförmig, bis 40×8 mm. Blüten Winter und Frühling, bis 30 mm Durchmesser, gelb. Verbreitung: Nördliches Eastern Cape, um Queenstown.

● **H. crassa** [Lat., dick]. Kompakte, robuste Zwergsträucher, bis 12 cm hoch. Blätter dick, die Paare ungleich, sichelförmig und Spitze schief stumpf oder leicht gestutzt, bläulich grün, mit gedrängten, vorstehenden Punkten besetzt, Ränder und Kiel gesägt, bis 25×17 mm. Blüten im Frühsommer, einzeln, goldgelb, bis 40 mm Durchmesser, gegen Abend und nachts offen, duftend, Blütenblattspitzen rötlich. Verbreitung: Great Karoo, von Laingsburg bis Beaufort West und Prince Albert (Western Cape).

● **H. fimbriata** [Lat., gefranst, gewimpert]. Kräftige, gerundete, aufsteigende, bis 20 cm hohe Kleinsträucher. Blätter halbzylindrisch, linealisch-dreieckig, sichelförmig, bis 35×8 mm. Blüten im Herbst, bis 40 mm Durchmesser, gelb. Verbreitung: Südliche Great Karoo (Western Cape), in Succulent Karoo-Vegetation. (Ohne Abbildung)

● **H. teretifolia** [Lat. 'teres, teretis', drehrund; Lat. 'folium', Blatt]. Zwergige Kleinsträucher. Blätter drehrund, bis 50×8 mm. Blüten im Herbst und Winter, gelb, bis 35 mm Durchmesser. Verbreitung: Tanqua-Karoo (Western Cape). (Ohne Abbildung)

Hereroa calycina

● **H. aspera** [du lat. rugueux; référence aux feuilles]. Petits arbustes nains et érigés, atteignant jusqu'à 8 cm de haut. Feuilles disposées obliquement, semi-cylindriques, à avers plat, à extrémité arrondie, rendues rugueuses par des points saillants, glauques, souvent rougeâtres et mesurant jusqu'à 25×3 mm. Fleurs en hiver et début de printemps, isolées, pédonculées, jaunes à extrémité des pétales rougeâtre, mesurant jusqu'à 36 mm de diam. Habitat: fréquent dans le Little Karoo (Western Cape).

● **H. calycina** [du lat. doté d'un calice]. Petits arbustes nains poussant en touffes. Rameaux courts portant 4 feuilles. Feuilles comprimées latéralement, épaisses, falciformes et mesurant jusqu'à 40×8 mm. Fleurs en hiver et printemps, jaunes et mesurant jusqu'à 30 mm de diam. Habitat: nord de l'Eastern Cape, autour de Queenstown.

● **H. crassa** [du lat. épais]. Arbustes nains compacts et robustes, atteignant jusqu'à 12 cm de haut. Feuilles épaisses formant une paire inégale, falciformes, à extrémité obliquement arrondie ou légèrement tronquée, vert bleuté, couvertes de points serrés et saillants, à bordure et carène dentées, mesurant jusqu'à 25×17 mm. Fleurs en début d'été, isolées, jaune doré et mesurant jusqu'à 40 mm de diam. Parfumées, elles s'ouvrent dans la soirée et la nuit et la pointe de leurs pétales est rougeâtre. Habitat: Great Karoo, depuis Laingsburg jusqu'à Beaufort West et Prince Albert (Western Cape).

● **H. fimbriata** [du lat. frangé, cilié]. Petits arbustes vigoureux, arrondis et dressés, atteignant jusqu'à 20 cm de haut. Feuilles semi-cylindriques, linéaires-triangulaires, falciformes et mesurant jusqu'à 35×8 mm. Fleurs en automne, jaunes et mesurant jusqu'à 40 mm de diam. Habitat: sud du Great Karoo (Western Cape), dans le Karoo à succulentes. (non illustré)

● **H. teretifolia** [du lat. 'teres, teretis', fusiforme et 'folium', feuille]. Petits arbustes nains. Feuilles fusiformes mesurant jusqu'à 50×8 mm. Fleurs en automne et hiver, jaunes et mesurant jusqu'à 35 mm de diam. Habitat: Tanqua-Karoo (Western Cape). (non illustré)

Hereroa crassa

Hymenogyne

Hymenogyne *[Gr. 'hymen', Haut; Gr. 'gynos', Frau; wegen der jeden Samen einhüllenden Hautschicht]. Kleine, einjährige Pflanzen mit niederliegenden Zweigen und gegenständigen, abgeflachten Blättern. Blätter gestielt, unterschiedlich in der Form, meist länglich verkehrt lanzettlich, glatt, blaugrün. Blüten im Frühling, einzeln, weiß, mit ausgebreitetem Blütenstiel. Fruchtkapseln 9- bis 12-fächerig, in Teilfrüchte zerfallend, mit zahlreichen, geflügelten Samen. Verbreitung: Küstennaher Fynbos und Strandveld im Western Cape. Regen fällt v.a. im Winter, und die Menge beträgt 200–300 mm pro Jahr. – Die Pflanzen sind schwierig zu vermehren und werden nicht kultiviert. [Volksname: Waaisaad-Vygie.]*

● **H. glabra** [Lat., kahl; wegen der Blätter]. Kleine, bis 10 cm hohe, einjährige Pflanzen mit niederliegenden Zweigen und gegenständigen, abgeflachten Blättern. Blätter spatelig-lanzettlich, mit einem langen Stiel. Blüten im Frühling, einzeln, weiß, mit ausgebreitetem Blütenstiel. Verbreitung: Küstennaher Fynbos und Strandveld bei Malmesbury (Western Cape).

Hymenogyne *[du grec 'hymen', peau et 'gynos', femme; référence à la couche membraneuse qui entoure chaque graine]. Petites plantes annuelles à rameaux prostrés et feuilles opposées et aplaties. Feuilles pétiolées, de forme variable, généralement oblongues oblancéolées, lisses et glauques. Fleurs au printemps, isolées, blanches, à pédoncule élargi. Fruits en capsules à 9 à 12 loges, se brisant en plusieurs parties, à nombreuses graines ailées. Habitat: zone côtière du Fynbos et du Strandveld dans le Western Cape. Les pluies tombent surtout en hiver, à raison de 200–300 mm par an. – Difficiles à multiplier, ces plantes ne sont pas cultivées. [nom commun: Waaisaad-Vygie]*

● **H. glabra** [du lat. glabre; référence aux feuilles]. Petites plantes annuelles à rameaux prostrés et feuilles opposées et aplaties. Feuilles spatulées-lancéolées, à long pétiole. Fleurs au printemps, isolées, blanches, à pédoncule élargi. Habitat: zone côtière du Fynbos et du Strandveld près de Malmesbury (Western Cape).

Hymenogyne glabra

Ihlenfeldtia

Ihlenfeldtia *[Nach Prof. Dr. Hans-Dieter Ihlenfeldt (1932–), deutscher Botaniker und Mittagsblumenspezialist]. Kompakte, Gruppen bildende Pflanzen. Blätter länglich, verjüngt und etwas seitlich zusammengedrückt, gekielt, graugrün, fein punktiert, gelegentlich an den Spitzen gezähnt. Blüten im Winter, gross, auffällig, gelb, purpurn oder weiß bis rosa. Fruchtkapseln 10- bis 15-fächerig, Fächerdecken und Verschlusskörperchen vorhanden. – Ihlenfeldtia ist eine kleine, nahe mit Cheiridopsis verwandte Gattung. Die zwei Arten kommen im Bushmanland (Northern Cape) zwischen Springbok und Pofadder vor. Sie wachsen auf Quarzebenen in Succulent Karoo. Regen fällt im Spätsommer und Frühling, und die Menge beträgt weniger als 125 mm pro Jahr. Die Pflanzen lassen sich leicht aus Samen oder durch Stecklinge vermehren. Im Herbst müssen sie gut gegossen werden. Ausserhalb ihres Verbreitungsgebietes werden sie am besten im Gewächshaus kultiviert.*

● **I. excavata** [Lat., ausgehöhlt; wegen der Blattform]. Kompakte, Gruppen bildende, sukkulente Pflanzen, bis 12 cm Durchmesser. Blätter länglich eiförmig bis dreieckig, verjüngt, bis 40 × 20 mm, etwas seitlich zusammengedrückt, gerundet-gekielt, graugrün, dunkler grün punktiert. Blüten Winter und Frühling, gross und ansehnlich, bis 50 mm Durchmesser, leuchtend kanariengelb bis orange. Verbreitung: Bushmanland (Northern Cape), auf Quarzkieselebenen.

● **I. vanzylii** [Nach G. H. van Zyl]. Kompakte, Gruppen bildende, sukkulente Pflanzen. Blätter länglich, verjüngt, bis 25 × 14 mm, etwas seitlich zusammengedrückt, gekielt, graugrün oder gelblich grün und fein dunkler grün punktiert, gelegentlich mit Zähnen im Spitzenbereich, Oberfläche fein samtig behaart. Blüten im Winter, gross und ansehnlich, bis 60 mm Durchmesser, leuchtend kanariengelb bis orange. Verbreitung: Bushmanland (Northern Cape), auf Quarzkieselebenen.

Ihlenfeldtia *[d'après le Prof. Hans-Dieter Ihlenfeldt (1932–), botaniste allemand et spécialiste des mésembs]. Plantes compactes poussant en colonies. Feuilles oblongues, effilées et légèrement comprimées latéralement, carénées, gris vert, finement pointillées et à extrémité parfois dentée. Fleurs en hiver, grandes et belles, jaunes, pourpres ou blanches à roses. Fruits en capsules à 10 à 15 loges, à opercules et obturateurs. – Ihlenfeldtia est un petit genre apparenté au Cheiridopsis. Les 2 espèces sont originaires du Bushmanland (Northern Cape), entre Springbok et Pofadder. Elles poussent sur les étendues quartzifères du Karoo à succulentes. Les pluies tombent en fin d'été et au printemps, à raison de moins de 125 mm par an. Faciles à multiplier par semis ou bouturage. Réclament de bons arrosages en automne. En dehors de leur habitat naturel, il est mieux de les cultiver sous serre.*

● **I. excavata** [du lat. creusé, évidé; référence à la forme de la feuille] Plantes succulentes compactes formant des colonies et atteignant jusqu'à 12 cm de diam. Feuilles oblongues ovoïdes à triangulaires, effilées, mesurant jusqu'à 40 × 20 mm, un peu comprimées latéralement, arrondies-carénées, gris vert ponctué de vert foncé. Fleurs en hiver et printemps, grandes et attractives, mesurant jusqu'à 50 mm de diam., jaune canari lumineux à oranges. Habitat: Bushmanland (Northern Cape), sur les étendues de graviers quartzifères.

● **I. vanzylii** [d'après G. H. van Zyl] Plantes succulentes compactes et formant des colonies. Feuilles oblongues, effilées, mesurant jusqu'à 25 × 14 mm, légèrement comprimées latéralement, carénées, gris vert ou vert jaunâtre et finement ponctuées de vert foncé. Zone sommitale de la feuille parfois dentée. Epiderme à fin duvet velouté. Grandes et belles fleurs en hiver, mesurant jusqu'à 60 mm de diam., jaune canari lumineux à oranges. Habitat: Bushmanland (Northern Cape), sur les étendues de graviers quartzifères.

Ihlenfeldtia vanzylii

Ihlenfeldtia excavata

Jacobsenia

Jacobsenia *[Nach Hermann Jacobsen (1898–1978), deutscher Sukkulentenspezialist]. Kompakte Kleinsträucher, Gruppen bildend, mit verlängerten, Blüten tragenden Trieben, bis 30 cm hoch. Blätter weichfleischig, zylindrisch. Blüten gestielt, weiß. Fruchtkapseln 5-fächerig, Fächerdecken vorhanden, ohne Verschlusskörperchen. Verbreitung: Namaqualand (Northern Cape, nördliches Western Cape), Succulent Karoo. – Eine kleine Gattung mit drei Arten. Selten kultiviert und im Sommer trocken zu halten.*

Jacobsenia kolbei

Jacobsenia *[d'après Hermann Jacobsen (1898–1978), spécialiste allemand des succulentes]. Petits arbustes compacts formant des colonies, atteignant jusqu'à 30 cm de haut et possédant des tiges allongées et florifères. Feuilles souples, charnues et cylindriques. Fleurs pédonculées et blanches. Fruits en capsules à 5 loges, à opercules mais dépourvus d'obturateurs. Habitat: Namaqualand (Northern Cape, nord du Western Cape), Karoo à succulentes. – Petit genre regroupant 3 espèces. Rarement cultivé et devant être tenu au sec en été.*

● **J. hallii** [Nach Harry Hall (1906–1986), südafrikanischer Sukkulentenspezialist]. Beschreibung wie für die Gattung. Blätter bis 70×8 mm. Blüten im Winter, gross, bis 90 mm Durchmesser, reinweiß. Verbreitung: Namaqualand (Northern Cape, nördliches Western Cape). (Ohne Abbildung)

● **J. hallii** [d'après Harry Hall (1906–1986), spécialiste sud-africain des succulentes]. Description similaire à celle du genre. Feuilles mesurant jusqu'à 70×8 mm. Fleurs en hiver, grandes, blanc pur et mesurant jusqu'à 90 mm de diam. Habitat: Namaqualand (Northern Cape, nord du Western Cape). (non illustré)

● **J. kolbei** [Nach F. C. Kolbe (1845–1936), südafrikanischer Botaniker]. Aufrechte Kleinsträucher, bis 30 cm hoch. Blätter länglich, leicht sichelförmig, fast drehrund und verjüngt, Oberfläche fein papillös, grün, bis 35×9 mm. Blüten im Frühling, bis 50 mm Durchmesser, weiß, bis 50 mm lang gestielt. Verbreitung: Südliches Namaqualand (Nordgrenze des Western Cape, südlicher Teil des Northern Cape), zwischen Felsen in Succulent Karoo.

● **J. kolbei** [d'après F. C. Kolbe (1845–1936), botaniste sud-africain]. Petits arbustes érigés atteignant jusqu'à 30 cm de haut. Feuilles oblongues, légèrement falciformes, presque fusiformes et effilées, à épiderme doté de fines papilles, vertes, mesurant jusqu'à 35×9 mm. Fleurs au printemps, blanches, mesurant jusqu'à 50 mm de diam., à pédoncule atteignant jusqu'à 50 mm de long. Habitat: sud du Namaqualand (limite nord du Western Cape, partie sud du Northern Cape), parmi les pierres du Karoo à succulentes.

Jensenobotrya

Jensenobotrya *[Nach Emil Jensen († 1940), Sukkulentenliebhaber in Lüderitz; Gr. 'botrys', Traube; wegen der stark verdickten, wie Traubenbeeren aussehenden Blätter]. Pflanzen ausgespreizt und Polster bildend, mit einem dicken Haupttrieb. Blätter kurz, keulig, bräunlich grün. Blüten im Herbst und Winter, rosa bis weiß. Fruchtkapseln 5-fächerig, Fächerflügel und Verschlusskörperchen fehlend. – Die Gattung ist monotypisch und in der Spencer Bay im südlichen Namibia entlang der Küste endemisch. Regen fällt weniger als 25 mm pro Jahr, aber regelmässige Küstennebel bringen zusätzliche Feuchtigkeit. Die Pflanzen wachsen zwischen Felsen an steilen Hängen oder Klippenflächen. Sie können erfolgreich in sandigem Boden gezogen werden und sind in Kultur wüchsig. Die Vermehrung erfolgt leicht aus Samen oder durch Stecklinge. [Volksname: Druiwetrosvygie.]*

Jensenobotrya *[d'après Emil Jensen († 1940), amateur de succulentes à Lüderitz; du grec 'botrys', grappe; référence aux feuilles très épaisses et ressemblant à des grains de raisin]. Plantes étalées à forte tige principale, formant des coussins. Feuilles brèves, claviformes, vert brunâtre. Fleurs en automne et hiver, roses à blanches. Fruits en capsules à 5 loges, dépourvus de valves ailées et d'obturateurs. – Ce genre monospécifique est endémique dans la Spencer Bay, le long de la côte au sud de la Namibie. Les pluies y sont inférieures à 25 mm par an mais des brouillards côtiers réguliers apportent une humidité supplémentaire. Ces plantes poussent parmi les pierres sur les pentes abruptes ou les crêtes. Elles peuvent être cultivées avec succès dans des substrats sableux et se montrent vigoureuses. La multiplication se fait facilement par semis ou bouturage. [nom commun: Druiwetrosvygie]*

● **J. lossowiana** [Nach Dr. Otto von Lossow (1888–1947), deutscher Arzt in Namibia]. Gruppen bildende und ausgebreitete, sukkulente Pflanzen. Blätter gedrängt, basal verwachsen, keulig, an der breitesten Stelle bis 15 mm Durchmesser, bräunlich grün bis blaugrün, Oberfläche glatt. Blüten Winter und Frühling, elfenbeinweiß bis sehr hell rosa, 30 mm Durchmesser. Verbreitung: Spencer Bay, Südküste von Namibia, zwischen Felsen.

Jensenobotrya lossowiana

● **J. lossowiana** [d'après le Dr. Otto von Lossow (1888–1947), médecin allemand en Namibie]. Plantes succulentes étalées et formant des colonies. Feuilles serrées, connées, claviformes, mesurant jusqu'à 15 mm de diam. à leur point le plus large, vert brunâtre à glauques, à épiderme lisse. Fleurs en hiver et printemps, blanc ivoire à rose très clair, de 30 mm de diam. Habitat: Spencer Bay, côte sud de la Namibie, parmi les pierres.

Jordaaniella

Jordaaniella *[Nach Prof. Pieter G. Jordaan (1913–), Botaniker an der Universität Stellenbosch]. Niederliegende, an den Knoten wurzelnde, Polster bildende, rasch wachsende Sukkulenten. Blätter linealisch bis keulig, drehrund, stumpf gekielt. Blüten gross und ansehnlich, gelb, weiß, lachsrosa bis kupferfarben. Fruchtkapseln bis 18-fächerig, mit auffälligem Verschlusskörperchen. – Jordaaniella umfasst 7 Arten, die entlang der sandigen Küstenebenen vom Winterregengebiet des südlichen Namibias bis zum Ostende des Western Cape weit verbreitet sind. [Volksname: Strandvygie.]*

● **J. anemoniflora*** [Lat., mit Blüten wie eine Anemone]. Das »Anemoonenvygie« ist in der Natur ausgerottet, lebt aber in Kultur fort. Es hatte eine beschränkte Verbreitung entlang der Küste zwischen Macassar und Somerset Strand. Es kam im Strandveld vor, das heute mit Häusern überbaut ist. Die Pflanzen sind durch die grossen, lachsrosa bis weißen, bis 90 mm Durchmesser grossen Blüten charakterisiert, welche von Juli bis September erscheinen. Früher war die Art als *Cephalophyllum anemoniflorum* bekannt. Wegen der Ähnlichkeit mit *J. dubia* sind einige Botaniker der Ansicht, dass sie den Rang einer eigenen Art nicht verdient. – Leicht durch Stecklinge zu vermehren. [Volksname: Anemoonvygie.]

● **J. clavifolia** [Lat. 'clava', Keule; Lat. 'folium', Blatt]. Niederliegende, ausgebreitete, bis 1 m Durchmesser grosse Polster bildend. Blätter annähernd zylindrisch-keulig, bis 22 × 3 mm. Blüten im Winter, bis 50 mm Durchmesser, gelb mit kupferrotem Hauch. Verbreitung: Northern Cape, sandige Küstenebenen in Karoo-Vegetation. [Volksname: Knuppelblaar-Vygie.]

● **J. cuprea** [Lat., kupferig; wegen der Blütenfarbe]. Robuste, niederliegende Sukkulenten mit langen, kriechenden, an den Knoten wurzelnden Zweigen, Triebe robust, bis 13 mm Durchmesser. Blüten Wintermitte bis früher Frühling, ansehnlich, kupferfarben bis orange, bis 70 mm Durchmesser. Verbreitung: Westliches Namaqualand (südliches Namibia, Northern Cape), z. B. von nahe Hondeklip Bay bis Port Nolloth. – Dies ist die robusteste Art der Gattung.

● **J. dubia** [Lat., zweifelhaft]. (= *Cephalophyllum procumbens*) Niederliegende, an den Knoten wurzelnde und Polster bildende Sukkulenten. Blätter linealisch, halbzylindrisch, bis 50 mm lang und 6 mm Durchmesser. Blüten Wintermitte bis Frühling, bis 50 mm Durchmesser, leuchtend gelb. Verbreitung: Eine weit verbreitete, auf das Strandveld beschränkte Art, wo sie im Western Cape von George im Osten bis Saldanha im Westen auf weichem Sand wächst.

● **J. maritima*** [Lat., zum Meer gehörig; wegen der Verbreitung in Küstennähe]. (= *Cephalophyllum maritimum*) Niederliegende Sukkulenten mit dünnen, kriechenden, an den Knoten wurzelnden Zweigen. Blätter aufrecht, halbzylindrisch bis zylindrisch, zur etwas stumpfen bis spitzen Spitze verjüngt, rötlich grün, bis 35 × 4 mm. Blüten im Spätwinter, bis 40 mm Durchmesser, rosarot, selten gelb oder orange.

Jordaaniella *[d'après le Prof. Pieter G. Jordaan (1913–), botaniste à l'université de Stellenbosch]. Succulentes prostrées poussant rapidement, formant des coussins et émettant des racines au niveau des nœuds. Feuilles linéaires à claviformes, fusiformes, à carène arrondie. Grandes et belles fleurs blanches, jaunes, saumon à cuivre. Fruits en capsules comptant jusqu'à 18 loges, à remarquables obturateurs. – Jordaaniella regroupe 7 espèces largement répandues le long des plaines côtières de la région à pluies hivernales, depuis le sud de la Namibie jusqu'à l'extrémité est du Western Cape. [nom commun: Strandvygie]*

● **J. anemoniflora*** [du lat. à fleur d'anémone]. L'«Anemoonenvygie» a disparu de la nature mais perdure grâce à la culture. Elle occupait un habitat précis, le long de la côte entre Macassar et Somerset Strand. Elle poussait dans le Strandveld qui est aujourd'hui sur-bâti. Ces plantes se caractérisent par leurs grandes fleurs atteignant jusqu'à 90 mm de diam., rose saumon à blanches. Elles s'ouvrent de juillet à septembre. Précédemment, cette espèce était dénommée *Cephalophyllum anemoniflorum*. D'autre part, sa ressemblance avec *J. dubia* conduit quelques botanistes à penser qu'elle ne mérite pas une classification en tant qu'espèce à part entière. – Facile à multiplier par bouturage. [nom commun: Anemoonvygie]

● **J. clavifolia** [du lat. 'clava', massue et 'folium', feuille]. Plantes prostrées et étalées qui forment de gros coussins atteignant jusqu'à 1 m de diam. Feuilles à peu près cylindriques-claviformes et mesurant jusqu'à 22 × 3 mm. Fleurs en hiver, jaune teinté de rouge cuivré, mesurant jusqu'à 50 mm de diam. Habitat: Northern Cape, sur les plaines côtières sableuses du Karoo. [nom commun: Knuppelblaar-Vygie]

● **J. cuprea** [du lat. cuivré; référence à la couleur des feuilles] Robustes succulentes prostrées à longs rameaux rampants dont les nœuds émettent des racines et à tiges robustes mesurant jusqu'à 13 mm de diam. Belles fleurs en milieu d'hiver-début de printemps, cuivrées à orangées et mesurant jusqu'à 70 mm de diam. Habitat: ouest du Namaqualand (sud de la Namibie, Northern Cape), par ex. depuis les alentours de Hondeklip Bay jusqu'à Port Nolloth. – Espèce la plus robuste du genre.

● **J. dubia** [du lat. douteux]. (= *Cephalophyllum procumbens*) Succulentes prostrées formant des coussins et dont les nœuds émettent des racines. Feuilles linéaires, semi-cylindriques, mesurant jusqu'à 50 mm de long et 6 mm de diam. Fleurs en milieu d'hiver-printemps, jaune lumineux et mesurant jusqu'à 50 mm de diam. Habitat: espèce largement répandue dans une zone limitée au Strandveld où elle pousse sur le Western Cape depuis George à l'est jusqu'à Saldanha à l'ouest, dans les sols sableux et meubles.

● **J. maritima*** [du lat. maritime; référence à l'habitat côtier]. (= *Cephalophyllum maritimum*) Succulentes prostrées à minces rameaux rampants dont les nœuds émettent des racines. Feuilles érigées, semi-cylindriques à cylindriques, à extrémité effilée, un peu arrondie à pointue, vert rougeâtre et me-

Jordaaniella anemoniflora

Jordaaniella anemoniflora

Jordaaniella clavifolia

Jordaaniella cuprea

Jordaaniella dubia (= Cephalophyllum procumbens)

Jordaaniella maritima

surant jusqu'à 35×4 mm. Fleurs en fin d'hiver, rouge rosé, plus rarement jaunes ou oranges, mesurant jusqu'à 40 mm de diam. Habitat: partie est du Western Cape, sur les dunes de sable le long de la côte sud-ouest du Cap (de Still Bay à Puntjie). – Même si cette espèce fut auparavant rattachée à *J. dubia*, nous la considérons ici comme une espèce à part entière.

● **J. salmonea** [du lat. couleur saumon; référence aux fleurs] Succulentes prostrées à courts rameaux vigoureux dont les nœuds émettent des racines. Port en coussins denses. Feuilles vertes, dressées à obliques, légèrement velues mesurant jusqu'à 55×7 mm. Fleurs en automne jusqu'en début de printemps, grandes et très décoratives, mesurant jusqu'à 70 mm de diam.; périphérie de la corolle d'un rose saumon cuivré profond et centre plus clair et plutôt jaune. Habitat: Namaqualand, depuis Springbok et Steinkopf jusqu'à Port Nolloth (Northern Cape), sur les étendues sableuses. – Ce nom n'est pas encore homologué.

Verbreitung: Östlicher Teil des Western Cape, Dünensande entlang der südwestlichen Kapküste (Still Bay bis Puntjie).–Auch wenn diese Art früher zu *J. dubia* gestellt wurde, wird sie hier doch als charakteristische und Eigenständigkeit verdienende Art behandelt.

● **J. salmonea** [Lat., lachsfarben; wegen der Blüten]. Niederliegende Sukkulenten mit kurzen, kräftigen Zweigen, an den Knoten wurzelnd und dichte Gruppen bildend. Blätter grün, aufrecht bis schief, leicht behaart und mit roten Spitzen, halbzylindrisch, bis 55×7 mm. Blüten Herbst bis Frühwinter, gross, sehr ansehnlich, bis 70 mm Durchmesser, Peripherie tief kupferig lachsfarben, gegen die Mitte heller und gelblich. Verbreitung: Namaqualand von Springbok und Steinkopf bis Port Nolloth (Northern Cape), auf sandigen Ebenen. – Dieser Name wurde noch nicht gültig veröffentlicht.

Jordaaniella salmonea

Jordaaniella maritima

Jordaaniella maritima

Juttadinteria albata

Juttadinteria tetrasepala

Juttadinteria

Juttadinteria *[Nach Jutta Dinter, Gattin des deutschen Botanikers Kurt Dinter (1868–1945)]. Halbstrauchig bis gebüschelt und Gruppen bildend, mit halbholzigen Wurzeln. Blätter in gegenständigen Paaren, zylindrisch-länglich bis dreieckig, gekielt und Ränder oft gezähnt, Oberflächen graugrün bis blaugrün, glatt. Blüten kurz gestielt bis fast sitzend, weiß oder hellrosa. Fruchtkapseln 8-fächerig, Klappen mit mehrheitlich reduzierten Flügeln und Fächerdecken, ohne Verschlusskörperchen. – Eine Gattung mit 10 Arten, auf das Küstengebiet des südlichen Namibias und des Northern Cape (Richtersveld) beschränkt, wo die Pflanzen auf Felsvorkommen in Succulent Karoo heimisch sind. Regen fällt im Winter. Die Vermehrung erfolgt durch Stecklinge oder Samen. Im Sommer trocken halten und am besten im Gewächshaus zu pflegen.*

● **J. albata** [Lat., weiß gekleidet; wegen der Blattfarbe]. Aufrechte Kleinsträucher, bis 30 cm hoch. Blätter länglich, grau-weiß-grün, bis 40 × 10 mm, Oberseite flach bis konvex. Blüten im Winter, weiß, bis 40 mm Durchmesser. Verbreitung: Nördliches Richtersveld (Northern Cape), in Succulent Karoo wachsend.

● **J. tetrasepala*** [Gr. 'tetra', vier; Gr. 'sepalon', Kelchblatt]. Kompakte, sukkulente Kleinsträucher, bis 8 cm hoch. Blätter länglich, gekielt, bis 20 × 9 mm, graugrün. Blüten im Winter, bis 28 mm Durchmesser, weiß. Verbreitung: Nördliches Richtersveld (Northern Cape), in Succulent Karoo, zwischen Felsen.

Juttadinteria *[d'après Jutta Dinter, épouse du botaniste allemand Kurt Dinter (1868–1945)]. Plantes semi-arbustives ou poussant en touffes, formant des colonies et possédant des racines sub-ligneuses. Feuilles en paires opposées, cylindriques-oblongues à triangulaires, carénées et souvent bordées de dents. Epiderme lisse et gris vert à glauque. Fleurs brièvement pédonculées à quasiment sessiles, blanches ou rose clair. Fruits en capsules à 8 loges, à valves dotées d'ailettes généralement réduites, à opercules mais sans obturateurs. – Genre comprenant 10 espèces originaires de la zone côtière du sud de la Namibie et du Northern Cape (Richtersveld). Ces plantes y poussent dans les pierrailles du Karoo à succulentes. Les pluies y sont hivernales. Multiplication aisée par semis ou bouturage. Laisser les Juttadinteria au sec durant l'été et les cultiver de préférence sous serre.*

● **J. albata** [du lat. vêtu de blanc; référence à la couleur des feuilles]. Petits arbustes érigés qui atteignent jusqu'à 30 cm de haut. Feuilles oblongues, gris-blanc-vert, mesurant jusqu'à 40 × 10 mm, à avers plat à convexe. Fleurs en hiver, blanches et mesurant jusqu'à 40 mm de diam. Habitat: nord du Richtersveld (Northern Cape), dans le Karoo à succulentes.

● **J. tetrasepala*** [du grec 'tetra', quatre et 'sepalon', sépale]. Petits arbustes succulents et compacts, atteignant jusqu'à 8 cm de haut. Feuilles oblongues, carénées, gris vert et mesurant jusqu'à 20 × 9 mm. Fleurs en hiver, blanches et mesurant jusqu'à 28 mm de diam. Habitat: nord du Richtersveld (Northern Cape), parmi les cailloux du Karoo à succulentes.

Khadia

Khadia *[Zu 'khadi', dem Namen des südafrikanischen Volkes der Sotho für die Pflanze als Zugabe bei der Bierherstellung]. Zwergige, kompakte und Gruppen bildende bis niederliegende Pflanzen, Zweige an den Knoten wurzelnd; Wurzelstock manchmal verdickt. Blätter aufsteigend, länglich, verjüngt und im Querschnitt zylindrisch-dreikantig, Oberfläche kahl. Blüten weiß bis dunkelrosa oder purpurn, kurz bis lang gestielt. Fruchtkapseln 5- bis 11-fächerig, Fächerränder gross, Fächerdecken vorhanden. Samen gross (1 mm Durchmesser). – Eine kleine Gattung mit 6 Arten, auf die Gras bewachsenen Highveld-Regionen des nördlichen Südafrikas (Gauteng, Northern Province, Mpumalanga) beschränkt. Die Pflanzen wachsen in kiesigen, flachen Böden über anstehendem Gestein. Regen fällt vorwiegend im Sommer, und die Menge beträgt 600–900 mm. Die Vermehrung erfolgt durch Teilung, Stecklinge oder aus Samen. Die Pflanzen bevorzugen quarzitische Sandsteine und saure Böden. [Volksnamen: Klipbankvygie, Khadi-Vygie.]*

● **K. acutipetala** [Lat. 'acutus', spitz; und Lat. 'petalum', Blütenblatt]. Gebüschelte Kleinsträucher, 8 cm Durchmesser. Blätter gedrängt, aufsteigend bis ausgebreitet, länglich dreieckig, spitz zulaufend, bis 30×8 mm, grün, Unterseite im oberen Teil gekielt. Blüten im Frühling und Frühsommer, rosa bis purpurn, bis 40 mm Durchmesser, bis 6 mm gestielt. Verbreitung: Zentrales Gauteng, in Grasland zwischen Felsen. [Volksname: Khadi-Vygie.]

● **K. beswickii** [Nach Beswick]. Gebüschelte Kleinsträucher, bis 6 cm Durchmesser. Blätter gedrängt, aufsteigend bis ausgebreitet, dreieckig, bis 25×10 mm, Unterseite im oberen Teil gekielt. Blüten im Frühling und Frühsommer, weiß, bis 35 mm Durchmesser. Verbreitung: Zentrales Gauteng, in Grasland zwischen Felsen. [Volksname: Khadi-Vygie.]

Khadia *[référence à 'khadi', nom que le peuple des Sotho donne à cette plante qui entre dans la fabrication de la bière]. Plantes naines, compactes et formant des colonies, à rameaux dont les nœuds émettent des racines et à rhizome parfois épaissi. Feuilles dressées, oblongues et effilées, à section cylindrique-trigone et à épiderme lisse. Fleurs blanches à rose foncé ou pourpres, à pédoncule long ou court. Fruits en capsules à 5 à 11 loges, à valves à large bord et à opercules. Grosses graines (1 mm de diam.). – Petit genre comportant 6 espèces circonscrites aux régions herbeuses du Highveld dans le nord de l'Afrique du Sud (Gauteng, Northern Province, Mpumalanga). Ces plantes poussent sur les sols plats et caillouteux à sous-sol rocheux. Les pluies tombent majoritairement en été, à raison de 600–900 mm par an. La multiplication est possible par division, bouturage ou semis. Les Khadia préfèrent les sols acides et les grès quartzifères. [noms communs: Klipbankvygie, Khadi-Vygie]*

● **K. acutipetala** [du lat. 'acutus', pointu et 'petalum', pétale]. Petits arbustes en touffes atteignant jusqu'à 8 cm de diam. Feuilles serrées, redressées à étalées, oblongues triangulaires, à extrémité effilée, vertes et mesurant jusqu'à 30×8 mm. La partie supérieure du revers est carénée. Fleurs au printemps et début d'été, roses à pourpres, mesurant jusqu'à 40 mm de diam. et dotées d'un pédoncule atteignant jusqu'à 6 mm. Habitat: centre du Gauteng, entre les rochers des prairies. [nom commun: Khadi-Vygie]

● **K. beswickii** [d'après Beswick]. Petits arbustes en touffes, atteignant jusqu'à 6 cm de diam. Feuilles serrées, redressées à étalées, triangulaires, mesurant jusqu'à 25×10 mm, carénées sur la partie supérieure du revers. Fleurs au printemps et début d'été, blanches et mesurant jusqu'à 35 mm de diam. Habitat: centre du Gauteng, parmi les pierres des prairies. [nom commun: Khadi-Vygie]

Khadia acutipetala

Khadia acutipetala

Khadia beswickii

Lampranthus

Lampranthus *[Gr. 'lampros', glänzend, leuchtend; Gr. 'anthos', Blüte]. Eine sehr vielgestaltige Gruppe, aber Pflanzen immer kahl, aufrecht bis niederliegend (dann oft an den Knoten wurzelnd). Blätter drehrund oder gekielt. Blüten endständig, einzeln oder in Cymen, bis 60 mm Durchmesser, von sehr unterschiedlicher Färbung, leuchtend und ansehnlich. Fruchtkapseln 5- bis 7-fächerig, ohne Verschlusskörperchen, mit Fächerdecken und geflügelten Kielen. – Eine grosse Gattung mit ungefähr 140 Arten, vorwiegend in den Winterregengebieten des Kaps vorkommend, und dank der farbigen, grossen Blüten sehr populär. Die Arten können mit Arten von Erepsia und Ruschia verwechselt werden, aber die zuletzt genannten zeigen ein deutliches Verschlusskörperchen. Von Erepsia unterscheiden sie sich durch die Staubblätter, welche nicht von den Staminodien verborgen werden. Es handelt sich um im Frühling dank der Farbigkeit sehr auffallende Gartenpflanzen. Sie lassen sich leicht durch Triebstecklinge oder aus Samen vermehren. Es handelt sich um richtige Edelsteine. [Volksnamen: Skittervygies, Pragvygies.]*

● **L. affinis** [Lat., verwandt, ähnlich]. Aufrecht ausgebreitete Sträucher, bis 70 cm hoch. Zweige locker und brüchig. Blätter halbzylindrisch, Unterseite stumpf gekielt, Spitze gerundet bis halbspitz, bläulich grün, bis 30×4 mm. Blüten im Frühling und Frühsommer, einzeln, bis 50 mm Durchmesser, von sehr hell rosa über rosa bis zart pastell-fliederfarben variierend. Verbreitung: Schattige Schluchten und Pässe des Swartberges, z. B. Seweweekspoort, wo die Pflanzen auf der schattigen Ostseite des Passes wachsen.

● **L. albus*** [Lat., weiß; wegen der Blüten]. Robuste Kleinsträucher, bis 20 cm hoch. Blätter sichelförmig, seitlich zusammengedrückt, mit gerundeter Spitze, bis 20×3 mm, blaugrün. Blüten Herbst bis früher Winter, weiß, bis 40 mm Durchmesser. Verbreitung: Northern Cape.

● **L. amoenus** [Lat., lieblich; wegen der Blüten]. Aufrechte, gerundete Sträucher, meist 40–50 cm hoch, selten bis 1 m hoch. Zweige verholzt. Blätter länglich, fast drehrund, grün. Blütenstand dicht, mit zahlreichen Einzelblüten. Blüten im

Lampranthus *[du grec 'lampros', brillant, lumineux et 'anthos', fleur]. Groupe montrant de grandes variations mais dont les membres sont toujours glabres et érigés à prostrés (à nœuds émettant souvent des racines). Feuilles fusiformes ou carénées. Fleurs terminales, isolées ou en cymes, mesurant jusqu'à 60 mm de diam. et arborant toute une palette de belles couleurs lumineuses. Fruits en capsules à 5–7 loges, sans obturateurs mais à opercules et carènes ailées. – Genre important regroupant environ 140 espèces qui sont originaires des régions à pluies hivernales du Cap et que leurs grandes fleurs colorées ont rendues très populaires. Il est possible de les confondre avec des espèces d'Erepsia et de Ruschia mais ce dernier possède des obturateurs bien nets. La différence avec l'Erepsia se fait grâce aux étamines qui ne sont pas cachées par les staminodes. Les Lampranthus font de très belles plantes de jardin, colorées au printemps. Il est facile de les multiplier par bouturage des tiges ou par semis. De véritables petits bijoux! [noms communs: Skittervygies, Pragvygies]*

● **L. affinis** [du lat. apparenté, semblable]. Arbustes larges et érigés qui atteignent jusqu'à 70 cm de haut. Rameaux lâches et cassants. Feuilles semi-cylindriques, marquées d'une carène arrondie au revers, à pointe arrondie à sub-aiguë, vert bleuté et mesurant jusqu'à 30×4 mm. Fleurs au printemps et début d'été, isolées, mesurant jusqu'à 50 mm de diam., à coloris variant du rose très clair au lilas pastel délicat en passant par le rose. Habitat: vallons ombragés et défilés du Swartberg, par ex. celui de Seweweekspoort où ces plantes poussent sur le versant est et ombragé du défilé.

● **L. albus*** [du lat. blanc; référence aux fleurs]. Petits arbustes robustes atteignant jusqu'à 20 cm de haut. Feuilles falciformes, comprimées latéralement, à extrémité arrondie, glauques et mesurant jusqu'à 20×3 mm. Fleurs en automne-début d'hiver, blanches et mesurant jusqu'à 40 mm de diam. Habitat: Northern Cape.

● **L. amoenus** [du lat. gracieux; référence aux fleurs]. Arbustes arrondis et érigés atteignant généralement 40–50 cm

Lampranthus densipetalus cf.

Lampranthus affinis

Lampranthus affinis

Lampranthus albus

Lampranthus amoenus

Lampranthus antemeridianus

Lampranthus arenosus cf.

Lampranthus aurantiacus

Lampranthus aureus

Frühling, bis 40 mm Durchmesser, rosa bis violettmagenta. Kapseln 5-fächerig, holzig. Verbreitung: Im Strandveld und Renosterveld der Westküste nördlich von Kapstadt weit verbreitet. – Häufig kultiviert und zur Blütezeit sehr auffällig. Muss alle 3–4 Jahre durch neue Stecklinge ersetzt werden.

● **L. antemeridianus** [Lat. 'ante', vor; Lat. 'meridianus', mittäglich; wegen des Öffnungszeitpunktes der Blüten]. Zierliche, aufrechte Kleinsträucher, bis 15 cm hoch. Blätter aufrecht, Unterseite zur Spitze hin undeutlich gekielt, Oberseite flach mit konvexen Punkten, bläulich grün, 20–25 × 2 mm. Blüten im Frühling, bis 35 mm Durchmesser, goldgelb, Aussenseite der Blütenblätter lachsrot. Verbreitung: Western Cape, in sandigen Substraten in den Distrikten Riversdale, Albertinia und Still Bay.

● **L. arenosus** [Lat., sandig; wegen des Fundortes]. Kleinsträucher, bis 25 cm hoch. Zweige niederliegend. Blätter bis 20 × 2,5 mm, aufrecht, blaugrün-grün bis gelbgrün. Blüten im Frühling, bis 45 mm Durchmesser, blendend leuchtend rosa. Verbreitung: Western Cape, im küstennahen Strandveld.

● **L. aurantiacus*** [Lat., orangerot; wegen der Blüten]. Aufrechte, sukkulente Kleinsträucher, bis 15 cm hoch. Zweige holzig. Blätter dreikantig, blaugrün. Blüten im Frühling, endständig, einzeln oder bis 3 zusammen, goldorange bis tief zinnoberrot, bis 30 mm Durchmesser. Kapseln holzig. Verbreitung: Westküste nördlich von Kapstadt (Western Cape), in Strandveld und küstennahem Fynbos.

● **L. aureus** [Lat., goldgelb; wegen der Blüten]. Aufrechte, sukkulente Kleinsträucher, bis 20 cm hoch. Zweige holzig.

de haut et plus rarement jusqu'à 1 m. Rameaux ligneux. Feuilles oblongues et presque fusiformes. Inflorescences denses regroupant de nombreuses fleurs isolées. Fleurs au printemps, roses à violet magenta, mesurant jusqu'à 40 mm de diam. Capsules lignifiées à 5 loges. Habitat: largement répandu dans le Strandveld et le Renostersveld de la côte ouest au nord du Cap. Fréquemment cultivé et très attractif pendant la floraison. Doit être remplacé tous les 3–4 ans par une nouvelle bouture.

● **L. antemeridianus** [du lat. 'ante', avant et 'meridianus', du midi; référence au moment de l'ouverture des fleurs]. Jolis petits arbustes érigés atteignant jusqu'à 15 cm de haut. Feuilles dressées, à carène indistincte à l'extrémité du revers, à avers plat à pointillés convexes, vert bleuté et mesurant jusqu'à 20–25 × 2 mm. Fleurs au printemps, jaune doré, à extérieur des pétales rouge saumoné et mesurant jusqu'à 35 mm de diam. Habitat: Western Cape, dans les substrats sableux des districts de Riversdale, Albertinia et Still Bay.

● **L. arenosus** [du lat. sableux; référence à l'habitat naturel]. Petits arbustes atteignant jusqu'à 25 cm. Rameaux prostrés. Feuilles mesurant jusqu'à 20 × 2,5 mm, dressées, vert glauque à vert jaune. Fleurs au printemps, rose lumineux éclatant, mesurant jusqu'à 45 mm de diam. Habitat: Western Cape, près de la côte du Strandveld.

● **L. aurantiacus*** [du lat. rouge orangé; référence aux fleurs]. Petits arbustes succulents et érigés qui atteignent jusqu'à 15 cm de haut. Rameaux ligneux. Feuilles trigones et glauques. Fleurs au printemps, terminales, isolées ou par 3, orange doré à rouge vermillon profond, mesurant jusqu'à 30 mm de diam. Capsules ligneuses. Habitat: côte ouest au nord du Cap.

Lampranthus aureus

Lampranthus aureus

Lampranthus aureus

Lampranthus aureus

Lampranthus aureus

Lampranthus berghiae cf.

Lampranthus bicolor

Lampranthus blandus

Lampranthus austricolus

Blätter dreikantig, blaugrün. Blüten im Frühling, endständig, einzeln oder bis 3 zusammen, sehr auffällig, goldorange, gelb oder cremeweiß, bis 40 mm Durchmesser. Kapseln holzig, bis 10 mm Durchmesser. Verbreitung: Westküste nördlich von Kapstadt (Western Cape), in Strandveld und küstennahem Fynbos.

● **L. austricola** [Lat. 'auster', Südwind; Lat. '-cola', Einwohner; wegen des südlichen Vorkommens]. Diffus verzweigt und oft mit rundlicher Gestalt. Blätter stumpf gekielt, glatt, bis 20×2 mm. Blüten im Sommer, rosapurpurn, bis 35 mm Durchmesser. Verbreitung: Western Cape, an den unteren Westabhängen von Devil's Peak bis Cape Point häufig, in Fynbos und Renosterveld vorkommend. Oft als Pionier an gestörten Stellen. – Unterscheidet sich von *L. emarginatus* durch die glatten Blätter.

● **L. berghiae** [Nach Mrs. Bergh]. Aufrechte Sträucher, bis 50 cm hoch. Blätter seitlich zusammengedrückt, gekielt, bis 30×2,5 mm. Blüten im Frühling, bis 40 mm Durchmesser, rosa. Verbreitung: Western Cape, Clanwilliam bis Piketberg, in trockenem Fynbos.

● **L. bicolor** [Lat., zweifarbig; wegen der Blüten]. Aufrechte, verzweigte, sukkulente Kräuter, bis 30 cm hoch. Blätter stumpf gekielt, aufrecht, bis 35 mm lang und 2,5 mm Durchmesser. Blüten im Sommer, bis 35 mm Durchmesser, Blütenblätter oberseits gelb, unterseits rot. Verbreitung: Western Cape, von Steenberg nach Süden häufig, in Fynbos an Hängen und auf Ebenen. – Eng mit *L. promontorii* verwandt, der aber sichelförmige Blätter hat. Selten kultiviert.

● **L. aureus** [du lat. jaune doré; référence à la fleur]. Petits arbustes succulents et érigés qui atteignent jusqu'à 20 cm de haut. Rameaux ligneux. Feuilles trigones et glauques. Très belles fleurs au printemps, terminales, isolées ou par 3, orange doré, jaunes ou blanc crème, mesurant jusqu'à 40 mm de diam. Capsules ligneuses atteignant jusqu'à 10 mm de diam. Habitat: côte ouest au nord du Cap (Western Cape), dans le Strandveld et le Fynbos côtier.

● **L. austricola** [du lat. 'auster', sud et '-cole', habitant; référence à l'habitat méridional]. Plantes à ramification diffuse et silhouette souvent arrondie. Feuilles à carène arrondie, lisses et mesurant jusqu'à 20×2 mm. Fleurs en été, rose pourpre et mesurant jusqu'à 35 mm de diam. Habitat: Western Cape, fréquent au pied des versants ouest depuis Devil's Peak jusqu'à Cape Point, dans le Fynbos et le Renosterveld. Souvent plante pionnière dans les endroits perturbés. – Ses feuilles lisses permettent de le différencier du *L. emarginatus*.

● **L. berghiae** [d'après Mrs Bergh]. Arbustes érigés atteignant jusqu'à 50 cm de haut. Feuilles comprimées latéralement, carénées et mesurant jusqu'à 30×2,5 mm. Fleurs au printemps, roses et mesurant jusqu'à 40 mm de diam. Habitat: Western Cape, de Clanwilliam à Piketberg, dans le Fynbos aride.

● **L. bicolor** [du lat. bicolore; référence aux fleurs]. Herbacées succulentes, érigées et ramifiées, mesurant jusqu'à 30 cm de haut. Feuilles à carène arrondie, dressées et mesurant jusqu'à 35 mm de long pour 2,5 mm de diam. Fleurs en été, mesurant jusqu'à 35 mm de diam., à pétales jaunes au dessus et rouges au dessous. Habitat: Western Cape, fréquent depuis

Lampranthus citrinus

Lampranthus coccineus

Lampranthus coccineus

Lampranthus coralliflorus

Lampranthus coralliflorus cf.

Lampranthus curvifolius

Lampranthus dependens cf.

● **L. blandus** [Lat., freundlich, reizend]. Niederliegende Kleinsträucher, bis 50 cm hoch. Blätter bis 40×3 mm, dreikantig, verjüngt, graugrün. Blüten im Frühling, endständig, bis 60 mm Durchmesser, hellrosa bis rosarot. Verbreitung: Eastern Cape (Bathurst und Port Alfred).

● **L. calcaratus** [Lat., gespornt; wegen der Blätter]. Aufrecht oder diffus verzweigt, bis 20 cm hoch. Blätter gekielt, basal auf der Rückseite an der Basis oft gespornt, blaugrün, bis 25 mm lang und 3 mm Durchmesser. Blüten im Winter und Frühling, bis 25 mm Durchmesser, gelb. Verbreitung: Lokal, oft in saisonal feuchten Niederungen in Renosterveld oder küstennahem Fynbos auf der Kap-Halbinsel und benachbarten Gebieten (Western Cape). – Typisch für diese Art sind die brüchigen Seitenzweige, die nach dem Abfallen Wurzeln schlagen und neue Pflanzen bilden. (Ohne Abbildung)

● **L. cedarbergensis*** [Lat., nach dem Vorkommen am Cedarberg]. Aufrechte, bis 15 cm hohe Kleinsträucher. Blätter gekielt, bis 20×4 mm. Blüten im Frühling, rosa, bis 25 mm Durchmesser. Verbreitung: Western Cape, Cedarberg. (Ohne Abbildung)

● **L. citrinus** [Lat., zitronenfarben; wegen der Blüten]. Aufrechte, bis 12 cm hohe Kleinsträucher. Blätter gekielt, seitlich konvex, mit aufgesetztem Spitzchen, grün, bis 15×2 mm. Blüten im Frühling, bis 50 mm Durchmesser, zitronengelb. Verbreitung: Western Cape, Malmesbury.

● **L. coccineus** [Lat., scharlachrot; wegen der Blüten]. Aufrechte Kleinsträucher, bis 90 cm hoch. Blätter drehrund-dreikantig, graugrün, bis 25×2 mm. Blüten im Frühling, bis 40 mm Durchmesser, sehr ansehnlich, glänzend rot. Verbreitung: Cape Town bis Saldanha (Western Cape).

● **L. conspicuus** [Lat., auffällig; wegen der Blüten]. Aufrechte Kleinsträucher, bis 45 cm hoch. Blätter bis 70×5 mm, halbzylindrisch, blaugrün. Blüten im Frühling, bis 50 mm Durchmesser, sehr ansehnlich, purpurrot. Verbreitung: Eastern Cape, Albany-Distrikt. (Ohne Abbildung)

● **L. convexus** [Lat., konvex, gerundet; wegen der Blattoberseite]. Aufrechte, verzweigte Kleinsträucher, bis 23 cm hoch, Basis des Haupttriebes bis 1 cm Durchmesser, mit grauer Rinde. Blätter länglich, bis 27×2 mm, ausgebreitet, stumpf gekielt, Oberseite konvex. Blüten bis 18 mm Durchmesser, rosa. Verbreitung: Tulbagh (Western Cape), in Fynbos. (Ohne Abbildung)

Steenberg jusqu'au sud, dans le Fynbos sur les pentes et les plaines. – Etroitement apparenté au *L. promontorii* qui se distingue, lui, par des feuilles falciformes. Rarement cultivé.

● **L. blandus** [du lat. aimable, charmant] Petits arbustes prostrés atteignant jusqu'à 50 cm de haut. Feuilles mesurant jusqu'à 40×3 mm, trigones, effilées et gris vert. Fleurs au printemps, terminales, rose clair à rouge rosé et mesurant jusqu'à 60 mm de diam. Habitat: Eastern Cape (Bathurst et Port Alfred).

● **L. calcaratus** [du lat. doté d'éperon; référence aux feuilles]. Arbustes érigés ou à ramification diffuse, atteignant jusqu'à 20 cm de haut. Feuilles carénées, souvent dotées d'un éperon à la base du revers, glauques et mesurant jusqu'à 25 mm de long et 3 mm de diam. Fleurs en hiver et printemps, jaunes et atteignant jusqu'à 25 mm de diam. Habitat: local, souvent dans les dépressions humides de manière saisonnière dans le Renostersveld ou la zone côtière du Fynbos dans la péninsule du Cap et les régions avoisinantes (Western Cape). – Les rameaux latéraux cassants qui émettent des racines une fois au sol afin de former de nouveaux pieds, constituent une caractéristique de cette espèce. (non illustré)

● **L. cedarbergensis*** [du lat. d'après l'habitat près du Cedarberg]. Petits arbustes érigés atteignant jusqu'à 15 cm de haut. Feuilles carénées mesurant jusqu'à 20×4 mm. Fleurs au printemps, roses et mesurant jusqu'à 25 mm de diam. Habitat: Western Cape, Cedarberg. (non illustré)

● **L. citrinus** [du lat. couleur citron; référence aux fleurs]. Petits arbustes érigés mesurant jusqu'à 12 cm de haut. Feuilles carénées, convexes latéralement, à petite pointe allongée, mesurant jusqu'à 15×12 mm. Fleurs au printemps, jaune citron et mesurant jusqu'à 50 mm de diam. Habitat: Western Cape, Malmesbury.

● **L. coccineus** [du lat. écarlate; référence à la fleur]. Petits arbustes érigés atteignant jusqu'à 90 cm de haut. Feuilles fusiformes-trigones, gris vert et mesurant jusqu'à 25×2 mm. Très belles fleurs au printemps, rouge éclatant et mesurant jusqu'à 40 mm de diam. Habitat: depuis la ville du Cap jusqu'à Saldanha (Western Cape).

● **L. conspicuus** [du lat. remarquable; référence aux fleurs]. Petits arbustes érigés atteignant jusqu'à 45 cm de haut. Feuilles mesurant jusqu'à 70×5 mm, semi-cylindriques et glauques. Très belles fleurs au printemps, rouge pourpre et mesurant jusqu'à 50 mm de diam. Habitat: Eastern Cape, district d'Albany. (non illustré)

Lampranthus dulcis cf.

Lampranthus egregius cf.

Lampranthus emarginatus

Lampranthus excedens

Lampranthus explanatus

Lampranthus falciformis var. maritimus

● **L. coralliflorus** [Lat. 'corallium', Koralle; Lat. '-florus', -blütig; wegen der Blütenfarbe]. Aufrechte Kleinsträucher, bis 60 cm hoch. Blätter fast zylindrisch, bis 50×4 mm. Blüten im Frühling und Sommer, rötlich purpurn, bis 50 mm Durchmesser. Verbreitung: Eastern Cape, Valley Bushveld. – Sehr blühwillig und eine attraktive Gartenpflanze.

● **L. curvifolius** [Lat. 'curvus', Bogen; Lat. '-folius', -blätterig]. Zuerst kompakt mit kurzen, niederliegenden bis kriechenden, rötlichen, bis 10 cm langen Zweigen. Blätter fast drehrund, spitz, mit rötlichem Spitzchen, leicht auswärts gebogen. Blüten Herbst bis Frühling, bis 25 mm Durchmesser, Staubblätter und Staminodien zu einem rosa gespitzten Kegel vereinigt, Blütenblätter rosa, zur Basis weißlich. Verbreitung: Signal Hill bis Klein Leeukoppie auf der Kap-Halbinsel (Western Cape), auf nackten Granitblöcken in flachem Boden im Renosterveld häufig. – Mit *L. spiniformis* und *L. filicaulis* verwandt. Diagnostisches Merkmal ist der büschelige Wuchs.

● **L. densipetalus** [Lat. 'densus', dicht; Gr. 'petalon', Blütenblatt]. Aufrechte, kahle Kleinsträucher, bis 28 cm hoch. Zweige bis 30 cm lang. Blätter ausgebreitet, bläulich, länglich, bis 20×3 mm. Blüten im Winter, bis 35 mm Durchmesser, weiß. Verbreitung: Piketberg (Western Cape), Khamiesberg (Northern Cape), in trockener Fynbos- und Renosterveld-Vegetation.

● **L. dependens** [Lat., herabhängend]. Kahle Kleinsträucher mit niederliegenden Zweigen. Blätter linealisch, ausgebreitet, zylindrisch, bis 55×4 mm. Blüten im Frühling, bis 40 mm Durchmesser, bis 45 mm lang gestielt, dunkelpurpurn. Verbreitung: Westliche Little Karoo (Western Cape), in Succulent Karoo.

● **L. dulcis** [Lat., süss]. Kleinsträucher, bis 25 cm hoch. Blätter ausgebreitet, annähernd sichelförmig, Oberseite flach, Unterseite gekielt, bis 7×2 mm, Oberflächen kahl. Blüten bis 80 mm Durchmesser, hellrosa, bis 30 mm lang gestielt. Verbreitung: Western Cape, in Strandveld-Vegetation.

● **L. egregius** [Lat., herausragend, ausgezeichnet; wegen der Blüten]. Aufrechte Kleinsträucher, bis 40 cm hoch. Blätter etwas seitlich zusammengedrückt, trübgrün, bis 25×4 mm. Blüten im Spätwinter, bis 60 mm Durchmesser, purpurn mit weißem Zentrum. Verbreitung: Western Cape, bei Montagu und Touwsrivier, Little Karoo.

● **L. emarginatus** [Lat., ausgerandet, ausgenommen; wegen der Blütenblattspitzen]. Diffus verzweigt und bis 30 cm hoch, aus einer zentralen, senkrechten Pfahlwurzel. Blätter

● **L. convexus** [du lat. convexe, arrondi; référence à l'avers de la feuille]. Petits arbustes érigés et ramifiés, à écorce grise, atteignant jusqu'à 23 cm de haut. Base de l'axe principal mesurant jusqu'à 1 cm de diam. Feuilles oblongues mesurant jusqu'à 27×2 mm, étalées, à carène arrondie et avers convexe. Fleurs roses mesurant jusqu'à 18 mm de diam. Habitat: Tulbagh (Western Cape), dans le Fynbos. (non illustré)

● **L. coralliflorus** [du lat. 'corallium', corail et '-florus', à fleurs; référence à la couleur des fleurs]. Petits arbustes érigés atteignant jusqu'à 60 cm de haut. Feuilles presque cylindriques mesurant jusqu'à 50×4 mm. Fleurs au printemps et été, pourpre rougeâtre et mesurant jusqu'à 50 mm de diam. Habitat: Eastern Cape, Valley Bushveld. – Plante attractive et très florifère pour le jardin.

● **L. curvifolius** [du lat. 'curvus', courbe et '-folius', à feuilles]. Plantes tout d'abord compactes, à rameaux courts, prostrés à rampants et atteignant jusqu'à 10 cm de long. Feuilles presque fusiformes, pointues, à extrémité rougeâtre, légèrement recourbées vers l'extérieur. Fleurs de l'automne au printemps, mesurant jusqu'à 25 mm de diam., à étamines et staminodes réunis en cône rose et pointu et à pétales roses à base blanchâtre. Habitat: de Signal Hill à Klein Leeukoppie dans la péninsule du Cap (Western Cape). – Apparenté aux *L. spiniformis* et *L. filicaulis*. Le port en touffe est une caractéristique permettant l'identification.

● **L. densipetalus** [du lat. 'densus', dense et 'petalon', pétale]. Petits arbustes glabres atteignant jusqu'à 28 cm de haut. Rameaux mesurant jusqu'à 30 cm de long. Feuilles étalées, oblongues, bleutées et mesurant jusqu'à 20×3 mm. Fleurs en hiver, blanches et mesurant jusqu'à 35 mm de diam. Habitat: Piketberg (Western Cape), Khamiesberg (Northern Cape), dans le Fynbos aride et le Renosterveld.

● **L. dependens** [du lat. retombant]. Petits arbustes glabres à rameaux prostrés. Feuilles étalées, linéaires, cylindriques et mesurant jusqu'à 55×4 mm. Fleurs au printemps, pourpre foncé, mesurant jusqu'à 40 mm de diam. et à pédoncule atteignant jusqu'à 45 mm de long. Habitat: ouest du Little Karoo (Western Cape), dans le Karoo à succulentes.

● **L. dulcis** [du lat. suave]. Petits arbustes mesurant jusqu'à 25 cm de haut. Feuilles étalées, approximativement falciformes, à avers plat et revers caréné, mesurant jusqu'à 7×2 mm. Epiderme lisse. Fleurs rose clair mesurant jusqu'à 80 mm de diam., à pédoncule atteignant jusqu'à 30 mm de long. Habitat: Western Cape, dans le Strandveld.

Lampranthus fergusoniae cf.

Lampranthus filicaulis

Lampranthus formosus

Lampranthus furvus

Lampranthus galpiniae

Lampranthus glaucus

warzig, stumpf gekielt, blaugrün-grün, bis 25 mm lang und 2 mm Durchmesser. Blüten im Hochsommer, bis 35 mm Durchmesser, rosapurpurn. Verbreitung: Häufig auf den Ebenen und an den unteren Hängen der Kap-Halbinsel (Western Cape), in Renosterveld und Fynbos. – Oft als Pionier an gestörten Stellen. Die warzigen, blaugrünen, gekielten Blätter sind ein diagnostisches Merkmal.

● **L. excedens*** [Lat., überragend]. Aufrechte Kleinsträucher, bis 50 cm hoch. Blätter seitlich zusammengedrückt und zur Spitze verbreitert, gekielt, bis 20×4 mm. Blüten Winter und früher Frühling, ansehnlich, dunkelrosa, bis 30 mm Durchmesser, tags und nachts offen bleibend. Verbreitung: Western Cape, in trockenem Fynbos auf quarzitischem Sandstein, zwischen Clanwilliam und Piketberg.

● **L. explanatus** [Lat., flach ausgebreitet; wegen der Wuchsform]. Niederliegend und Polster bildend, blühende Triebe aufrecht, bis 8 cm hoch. Blätter fast drehrund, spitz, bis 25 mm lang und 2 mm Durchmesser. Blüten im Frühling, einzeln, bis 30–40 mm Durchmesser, gelb. Verbreitung: Häufig in sandigem Boden (Strandveld und Fynbos), Western Cape. – Ein hübscher Bodendecker auf den Ebenen des Kapgebietes und für Strandveld-Gärten geeignet. Leicht durch Stecklinge zu vermehren.

● **L. falciformis var. falciformis*** [Lat., sichelförmig; wegen der Blätter]. Niederliegend, diffus verzweigt, bis 30 cm hoch. Blätter stumpf gekielt, sichelförmig, bis 20 mm lang und 5 mm breit. Blüten im Sommer, rosa, bis 40 mm Durchmesser. Kapseln tendenziell hygroskopisch und nach dem ersten Öffnen geöffnet bleibend. Verbreitung: An den oberen Hängen der Berge der Kap-Halbinsel (Western Cape) häufig, wo die Pflanzen zwischen Felsen in Fynbos wachsen. – Diagnostisch sind neben anderen Merkmalen die sichelförmigen Blätter und die rosafarbenen, im Hochsommer erscheinenden Blüten.

● **L. falciformis var. maritimus*** [Lat., dem Meer zugehörig; wegen des küstennahen Vorkommens]. Unterscheidet sich von var. *falciformis* durch die kleineren, rosafarbenen Blüten von 18 mm Durchmesser. Die Blütezeit erstreckt sich auf beinahe das ganze Jahr, aber die meisten Blüten erscheinen im Frühling und Sommer. Verbreitung: Western Cape, bei Rooiels, Puntjie und Still Bay.

● **L. fergusoniae** [Nach Mrs. E. Ferguson, Kapstadt]. Kleine, niederliegende Kräuter mit ausgebreiteten Zweigen. Blätter bis 17×1,5 mm, verlängert, zusammengedrückt. Blüten im Spätfrühling, bis 30 mm Durchmesser, gelb bis orange-

● **L. egregius** [du lat. excellent, élevé; référence à la fleur]. Petits arbustes érigés mesurant jusqu'à 40 cm de haut. Feuilles légèrement comprimées latéralement, d'un vert terne, atteignant jusqu'à 25×4 mm. Fleurs en fin d'hiver, pourpres à cœur blanc, mesurant jusqu'à 60 mm de diam. Habitat: Western Cape, près de Montagu et Touwsrivier, Little Karoo.

● **L. emarginatus** [du lat. abrégé, retranché; référence à la pointe des pétales]. Arbustes à ramification diffuse, atteignant jusqu'à 30 cm de haut, doté d'une racine en piquet centrale et verticale. Feuilles verruqueuses, à carène arrondie, vert glauque et mesurant jusqu'à 25 mm de long et 2 mm de diam. Fleurs en plein été, rose pourpre et mesurant jusqu'à 35 mm de diam. Habitat: fréquent sur les plaines et le pieds des pentes de la péninsule du Cap (Western Cape), dans le Renostersveld et le Fynbos. – Plante pionnière fréquente sur les sols perturbés. Les feuilles verruqueuses, glauques et carénées constituent une caractéristique d'identification.

● **L. excedens*** [du lat. proéminent]. Petits arbustes érigés atteignant jusqu'à 50 cm de haut. Feuilles comprimées latéralement, à extrémité élargie, carénées et mesurant jusqu'à 20×4 mm. Fleurs en hiver et début de printemps, attractives, rose foncé, mesurant jusqu'à 30 mm de diam. et demeurant ouvertes nuit et jour. Habitat: Western Cape, sur les grès quartzifères du Fynbos aride, entre Clanwilliam et Piketberg.

● **L. explanatus** [du lat. plat et étalé; référence au port]. Plantes prostrées et formant des coussins, à tiges florifères érigées, mesurant jusqu'à 8 cm de haut. Feuilles presque fusiformes, aiguës, mesurant jusqu'à 25 mm de long et 2 mm de diam. Fleurs au printemps, isolées, jaunes et mesurant jusqu'à 30–40 mm de diam. Habitat: fréquent sur les sols sableux (Strandveld et Fynbos) du Western Cape. – Joli couvre-sol des plaines de la région du Cap, convenant à la réalisation de jardins de type Strandveld. Facile à multiplier par bouturage.

● **L. falciformis var. falciformis*** [du lat. en forme de faux; référence à la feuille]. Plantes prostrées, à ramification diffuse, qui atteignent jusqu'à 30 cm de haut. Feuilles à carène arrondie, falciformes et mesurant jusqu'à 20 mm de long pour 5 mm de large. Fleurs en été, roses et atteignant jusqu'à 40 mm de diam. Capsules tendant à être hygroscopiques et demeurant définitivement ouvertes. Habitat: fréquent sur les pentes supérieures des montagnes de la péninsule du Cap (Western Cape) où il pousse entre les pierres du Fynbos. – Les critères d'identification sont, entre autres, la feuille falciforme et la fleur rose s'épanouissant en plein été.

Lampranthus haworthii

Lampranthus haworthii

Lampranthus haworthii

Lampranthus haworthii

Lampranthus haworthii

Lampranthus hoerleinianus

rot. Verbreitung: Western Cape, nahe Riversdale, auf Kalksteinsanden im Kalkstein-Fynbos.

● **L. filicaulis** [Lat. 'filum', Faden; Lat. 'caulis', Stängel; wegen der schlanken Triebe]. Niederliegend mit schlanken, verlängerten, rötlichen Trieben, blühende Triebe aufrecht und Blüten 2–5 cm oberhalb der obersten Blätter. Blätter fast aufrecht, spitz, bis 35 mm lang und 5 mm Durchmesser. Blüten in Wintermitte, rosa, bis 25 mm Durchmesser, Staminodien und Staubblätter zu einem Kegel zusammentretend. Verbreitung: Im küstennahen Fynbos häufig, oft in saisonal nassen Senken, in sandigem Boden oder Lehm. – Die schlanken Zweige und die 2–5 cm langen Blütenstiele sind charakteristisch. Selten kultiviert.

● **L. formosus** [Lat., wohl gestaltet, stattlich]. Kleine aber kräftige Kleinsträucher mit Blättern in Büscheln. Blätter aufwärts gebogen, 50×6 mm. Blüten im Herbst und Frühwinter, zu 3, bis 45 mm Durchmesser, purpurrot mit weißem Zentrum. Verbreitung: Eastern Cape.

● **L. furvus** [Lat., finster, dunkel; wegen der Narben]. Kleine Kleinsträucher, bis 12 cm hoch. Blätter sichelförmig, leicht zusammengedrückt und zur Spitze hin gekielt, bis 10×2 mm. Blüten im Frühling, bis 25 mm Durchmesser, purpurn, mit dunkelpurpurnen Narben. Verbreitung: Western Cape, nahe Gordons Bay und im östlichen Teil der Kap-Westküste, entlang der unmittelbaren Küste sowie wenig im Inland.

● **L. galpiniae** [Nach Marie E. Galpin († 1933), Gattin des südafrikanischen Botanikers E. E. Galpin]. Aufrechte, zwergige Kleinsträucher, bis 10 cm hoch. Blätter aufrecht, halbzylindrisch, etwas seitlich zusammengedrückt, bis 20×2 mm. Blüten im Frühling, bis 58 mm Durchmesser, weiß mit rosafarbenem Zentrum. Verbreitung: Western Cape, im Strandveld nahe Struisbaai und Puntjie.

● **L. glaucus** [Lat., blaugrün, bläulich grün; wegen der Blätter]. Aufrechte, bis 20 cm hohe Kleinsträucher. Blätter seitlich zusammengedrückt, blaugrün, bis 20 mm lang und 5 mm breit. Blüten im Frühling, gelb, bis 40 mm Durchmesser. Verbreitung: Gelegentlich auf Sand über tonigem Grund wachsend, in Renosterveld und Strandveld. – Wegen den sehr ansehnlichen Blüten häufig kultiviert.

● **L. godmaniae** [Nach Mrs. Dame Alice Godman]. Aufrechte Kleinsträucher, bis 35 cm hoch. Blätter bläulich grün, zur Spitze seitlich zusammengedrückt, bis 40×5 mm. Blüten im Winter, bis 42 mm Durchmesser, purpurrosa. Verbreitung:

● **L. falciformis var. maritimus*** [du lat. maritime; référence à l'habitat côtier]. Se distingue de la var. *falciformis* par ses fleurs roses plus petites (jusqu'à 18 mm de diam.). La floraison s'étend sur quasiment toute l'année mais la majorité des fleurs s'épanouit au printemps et été. Habitat: Western Cape, près de Rooiels, Puntjie et Still Bay.

● **L. fergusoniae** [d'après Mrs. E. Ferguson, Le Cap]. Petites herbacées prostrées à rameaux étalés. Feuilles allongées et comprimées, mesurant jusqu'à 17×1,5 mm. Fleurs en fin de printemps, jaunes à rouge orangé et mesurant jusqu'à 30 mm de diam. Habitat: Western Cape, près de Riversdale, sur les sables calcaires du Fynbos calcaire.

● **L. filicaulis** [du lat. 'filum', fil, filament et 'caulis', tige; référence à la minceur des tiges]. Tiges prostrées, allongées et rougeâtres; les tiges florifères sont érigées et portent des fleurs situées à 2–5 cm au dessus des feuilles supérieures. Feuilles presque dressées, aiguës, mesurant jusqu'à 35 mm de long et 5 mm de diam. Fleurs en plein hiver, roses, atteignant jusqu'à 25 mm de diam., à staminodes et étamines réunis en cône. Habitat: fréquent dans la zone côtière du Fynbos, souvent dans les cuvettes trempées de manière saisonnière, dans les sols sableux ou argileux. – Les rameaux minces et les pédoncules des fleurs mesurant 2–5 cm de long sont caractéristiques. Rarement cultivé.

● **L. formosus** [du lat. imposant]. Arbustes de petite taille mais vigoureux, à feuilles en touffes. Feuilles recourbées vers le haut, de 50×6 mm. Fleurs en automne et début d'hiver, groupées par 3 et mesurant jusqu'à 45 mm de diam., rouge pourpre à cœur blanc. Habitat: Eastern Cape.

● **L. furvus** [du lat. obscur, sombre; référence au stigmate]. Petits arbustes atteignant jusqu'à 12 cm de haut. Feuilles falciformes, légèrement comprimées et dont la pointe est carénée, mesurant jusqu'à 10×2 mm. Fleurs au printemps mesurant jusqu'à 25 mm de diam., pourpres à stigmate pourpre foncé. Habitat: Western Cape, près de Gordons Bay et dans la zone est de la côte ouest du Cap, le long de la côte même ainsi qu'un peu à l'intérieur des terres.

● **L. galpiniae** [d'après Marie E. Galpin († 1933), épouse du botaniste sud-africain E. E. Galpin]. Petis arbustes nains et érigés atteignant jusqu'à 10 cm de haut. Feuilles dressées, semi-cylindriques, légèrement comprimées latéralement et mesurant jusqu'à 20×2 mm. Fleurs au printemps, mesurant jusqu'à 58 mm de diam., blanches à cœur rose. Habitat: Western Cape, dans le Strandveld près de Struisbaai et Puntjie.

Lampranthus longistamineus

Lampranthus martleyi cf.

Lampranthus maximiliani

Lampranthus middlemostii cf.

Lampranthus multiradiatus

Lampranthus multiradiatus

Northern Cape, Namaqualand, Springbok und Komaggas. (Ohne Abbildung)

● **L. haworthii** [Nach Adrian Haworth (1768–1833), britischer Sukkulentenspezialist]. Kräftige, holzige Sträucher, bis 70 cm hoch. Blätter halbzylindrisch, bis 40×6 mm, hellgrün, bereift. Blüten Winter bis früher Frühling, bis 70 mm Durchmesser, weiß, rosa oder hellpurpurn, auffällig. Verbreitung: Western Cape, in Succulent Karoo. – Häufig kultiviert.

● **L. hoerleinianus** Ausgebreitet-aufrechte bis niederliegende Kleinsträucher, bis 25×50 cm. Blätter aufsteigend, halbzylindrisch, bis 30×4 mm, bereift. Blüten im frühen Frühling, zu 3, bis 40 mm Durchmesser, Färbung variabel von weiß über malvenfarben bis rosa. Verbreitung: Namaqualand (Northern Cape und südliches Namibia).

● **L. longistamineus** [Lat. 'longus', lang; Lat. 'stamineus', mit Staubblättern]. Aufrechte, verzweigte Kleinsträucher, bis 13 cm hoch. Blätter aufsteigend-ausgebreitet, seitlich konvex, trüb blaugrün, bis 25×6 mm. Blüten in Wintermitte, bis 30 mm Durchmesser, gelb, bis 1 cm lang gestielt. Verbreitung: Western Cape, bei Clanwilliam, an Berghängen in trockener Fynbos-Vegetation.

● **L. lunatus*** [Lat., halbmondförmig; wegen der Blätter]. Aufrechte Kleinsträucher. Blätter dreikantig, seitlich zusammengedrückt, halbmondförmig, bis 15×6 mm, bereift. Blüten im Frühling, in Rispen, bis zu 5 zusammen, bis 24 mm Durchmesser, hell rosarot. Verbreitung: Western Cape, trockener Fynbos nahe Clanwilliam. (Ohne Abbildung)

● **L. magnificus** [Lat., grossartig; wegen der Blüten]. Niederliegende Kleinsträucher. Blätter halbzylindrisch, spitz, grün, bis 45×2,5 mm. Blüten im Frühling, bis 50 mm Durchmesser, kupferrot. Verbreitung: Western Cape, nahe Malmesbury, in Fynbos. (Ohne Abbildung)

● **L. martleyi** Kräftige, aufrechte, holzige Sträucher, bis 50 cm hoch. Blätter aufrecht, Oberseite flach, Unterseite stumpf gekielt, Spitze spitz oder kurz spitz zulaufend, bis 25×3 mm. Blüten im Frühling, silberig rosa, bis 40 mm Durchmesser. Verbreitung: Malmesbury-Distrikt (Western Cape).

● **L. maximiliani*** [Nach Maximilian (Max) Schlechter, Bruder des deutschen Botanikers Rudolf Schlechter]. Niederliegende, Polster bildende Sukkulenten. Blätter klein, bis 8×4 mm, für mehr als die halbe Länge miteinander verwachsen, blaugrün, gekielt und entlang der Kanten mit einem purpurnen

● **L. glaucus** [du lat. glauque, vert bleuté; référence à la feuille]. Petits arbustes érigés atteignant jusqu'à 20 cm de haut. Feuilles latéralement comprimées, glauques et mesurant jusqu'à 20 mm de long et 5 mm de large. Fleurs au printemps, jaunes et mesurant jusqu'à 40 mm de diam. Habitat: pousse parfois sur des sables couvrant un sol argileux, dans le Renosterveld et le Strandveld. – Fréquemment cultivé pour ses très jolies fleurs.

● **L. godmaniae** [d'après Mrs. Dame Alice Godman]. Petits arbustes érigés atteignant jusqu'à 35 cm de haut. Feuilles vert bleuté, à extrémité comprimée latéralement, mesurant jusqu'à 40×5 mm. Fleurs en hiver, rose pourpré et mesurant jusqu'à 42 mm de diam. Habitat: Northern Cape, Namaqualand, Springbok et Komaggas. (non illustré)

● **L. haworthii** [d'après Adrian Haworth (1768–1833), spécialiste britannique des succulentes]. Vigoureux arbustes ligneux atteignant jusqu'à 70 cm de haut. Feuilles semi-cylindriques, vert clair, pruineuses et mesurant jusqu'à 40×6 mm. Remarquables fleurs en hiver-début de printemps, blanches, roses ou pourpre clair et mesurant jusqu'à 70 mm de diam. Habitat: Western Cape, dans le Karoo à succulentes. – Souvent cultivé.

● **L. hoerleinianus** Petits arbustes étalés-érigés à prostrés et mesurant jusqu'à 25×50 cm. Feuilles ascendantes, semi-cylindriques, pruineuses et mesurant jusqu'à 30×4 mm. Fleurs en début de printemps, groupées par 3 et mesurant jusqu'à 40 mm de diam. Les coloris varient du blanc au rose en passant par les mauves. Habitat: Namaqualand (Northern Cape et sud de la Namibie).

● **L. longistamineus** [du lat. 'longus', long et 'stamineus', à étamines]. Petits arbustes érigés et ramifiés mesurant jusqu'à 13 cm de haut. Feuilles dressées-étalées, à côtés convexes, d'un vert terne, mesurant jusqu'à 25×6 mm. Fleurs en milieu d'hiver, jaunes et mesurant jusqu'à 30 mm de diam., à pédoncule mesurant jusqu'à 1 cm de long. Habitat: Western Cape, près de Clanwilliam, sur les pentes des montagnes du Fynbos aride.

● **L. lunatus*** [du lat. en demi-lune; référence à la feuille]. Petits arbustes érigés. Feuilles trigones, comprimées latéralement, en demi-lune, pruineuses et mesurant jusqu'à 15×6 mm. Fleurs au printemps, groupées jusqu'à 5 en panicules, rouge rosé clair et mesurant jusqu'à 24 mm de diam. Habitat: Western Cape, dans le Fynbos aride près de Clanwilliam. (non illustré)

● **L. magnificus** [du lat. magnifique; référence à la fleur]. Petits arbustes prostrés. Feuilles semi-cylindriques, aiguës, vertes et mesurant jusqu'à 45×2,5 mm. Fleurs au printemps,

Lampranthus multiradiatus

Lampranthus multiseriatus

Lampranthus ornatus cf. (= Oscularia ornata)

Lampranthus peersii cf.

Lampranthus promontorii

Lampranthus plenus cf.

Streifen. Blüten im Winter und Frühling, rosa, bis 25 mm Durchmesser, ansehnlich. Verbreitung: Western Cape, Northern Cape; trockener Fynbos auf oberflächennahen Sandsteinblöcken und zu Tage tretenden Felsen (Gifberg bis Nieuwoudtville, Kante des Escarpments). [Volksname: Bloukraalvygie.]

● **L. middlemostii** [Nach A. J. Middlemost (1902–1970), Gärtner an den Kirstenbosch Botanical Gardens]. Verzweigte Kleinsträucher, bis 30 cm hoch und 60 cm Durchmesser, mit niederliegenden Zweigen. Blätter länglich, sichelförmig, bis 8 × 1,5 mm. Blüten im Winter, weiß mit hellrosa Mitte. Verbreitung: Caledon-Distrikt (Western Cape), in Fynbos.

● **L. multiradiatus** [Lat. 'multi', viel; Lat. 'radiatus', strahlig; wegen der zahlreichen Blütenblätter]. Niederliegend, diffus verzweigt, bis 30 cm hoch. Blätter blaugrün, stumpf gekielt, oft sichelförmig. Blüten im Frühling, unterschiedlich weiß oder rosa bis purpurn, bis 50 mm Durchmesser. Verbreitung: Häufig auf der Kap-Halbinsel und dem benachbarten Western Cape, in Renosterveld, Fynbos und Succulent Karoo vorkommend. – Die blaugrünen, sichelförmigen Blätter und die grossen Blüten sind diagnostisch. Die Art kann vielleicht mit *L. falciformis* verwechselt werden, welcher jedoch im Frühling und Sommer blüht und an oberen Berghängen in Fynbos vorkommt. – Wegen der Reichblütigkeit häufig kultiviert und leicht durch Stecklinge oder aus Samen zu vermehren.

● **L. multiseriatus** [Lat. 'multi', viel; Lat. 'seriatus', -reihig; wegen der zahlreichen Blütenblätter]. Niederliegende, Polster bildende Pflanzen. Blätter seitlich zusammengedrückt, blaugrün, bis 18 × 1,5 mm. Blüten im Frühling, bis 44 mm Durchmesser, in Rosatönen. Verbreitung: Western Cape, trockener, küstennaher Fynbos nahe Albertinia.

● **L. ornatus*** [Lat., geschmückt]. Aufrechte, kräftige Kleinsträucher, bis 30 cm hoch. Blätter sichelförmig, hell blaugrün, bis 40 × 12 mm. Blüten Herbst bis Winter, bis 45 mm Durchmesser, schön tiefrosa. Verbreitung: Western Cape, Clanwilliam- und Vanrhynsdorp-Distrikt.

● **L. peersii** [Nach Victor Peers (1874–1940), Sukkulentensammler und Amateur-Archäologe]. Aufsteigend-ausgebreitete Kleinsträucher, bis 30 cm hoch. Blätter dreikantig, blaugrün. Blüten im Frühling, bis 44 mm Durchmesser, orange, nach rot und rosapurpurn verfärbend. Verbreitung: Western Cape, Strandveld nahe Graafwater.

● **L. pittenii** [Schreibfehler, nach Joost van Putten]. Aufrechte Kleinsträucher, bis 30 cm hoch. Blätter sichelförmig,

rouge cuivré et mesurant jusqu'à 50 mm de diam. Habitat: Western Cape, dans le Fynbos près de Malmesbury. (non illustré)

● **L. martleyi** [d'après Martley]. Arbustes ligneux, vigoureux et érigés, qui atteignent jusqu'à 50 cm de haut. Feuilles dressées, à avers plat et revers marqué d'une carène arrondie, à pointe aiguë ou brièvement acuminée, mesurant jusqu'à 25 × 3 mm. Fleurs au printemps, rose argenté, mesurant jusqu'à 40 mm de diam. Habitat: district de Malmesbury (Western Cape).

● **L. maximiliani*** [d'après Maximilian (Max) Schlechter, frère du botaniste allemand Rudolf Schlechter]. Succulentes prostrées formant des coussins. Petites feuilles mesurant jusqu'à 8 × 4 mm, soudées sur plus de la moitié de leur hauteur, glauques, carénées et rayées de pourpre le long de l'arête. Fleurs en hiver et printemps, roses, charmantes et mesurant jusqu'à 25 mm de diam. Habitat: Western Cape, Northern Cape; sur les blocs de grès superficiels et les rochers qui affleurent dans le Fynbos aride (de Gifberg jusqu'à Nieuwoudtville, au sommet des escarpements). [nom commun: Bloukraalvygie]

● **L. middlemostii** [d'après A. J. Middlemost (1902–1970), jardinier au Jardin Botanique de Kirstenbosch]. Petits arbustes ramifiés qui atteignent jusqu'à 30 cm de haut et 60 cm de diam. et possèdent des rameaux prostrés. Feuilles oblongues, falciformes, mesurant jusqu'à 8 × 1,5 mm. Fleurs en hiver, blanches à cœur rose clair. Habitat: district de Caledon (Western Cape), dans le Fynbos.

● **L. multiradiatus** [du lat. 'multi', plusieurs et 'radiatus', rayonnant; références aux nombreux pétales]. Plantes prostrées, à ramification diffuse, mesurant jusqu'à 30 cm de haut. Feuilles glauques, à carène arrondie, souvent falciformes. Fleurs au printemps, indifféremment blanches ou roses à pourpres et mesurant jusqu'à 50 mm de diam. Habitat: Fréquent dans la péninsule du Cap et le Western Cape voisin, dans le Renosterveld, le Fynbos et le Karoo à succulentes. – Les feuilles glauques et falciformes ainsi que les grandes fleurs sont caractéristiques. Cette espèce peut être parfois confondue avec *L. falciformis* mais cette dernière fleurit au printemps et en été et est originaire des pentes supérieures des montagnes du Fynbos. – Souvent cultivé pour sa riche floraison et facile à multiplier par bouturage ou semis.

● **L. multiseriatus** [du lat. 'multi', plusieurs et 'seriatus' rayonnant; référence aux nombreux pétales]. Plantes prostrées formant des coussins. Feuilles comprimées latéralement, glauques et mesurant jusqu'à 18 × 1,5 mm. Fleurs au printemps, dans les tons de rose et mesurant jusqu'à 44 mm

Lampranthus roseus

Lampranthus roseus

Lampranthus roseus

Lampranthus roseus

Lampranthus roseus

Lampranthus roseus

zur Spitze seitlich zusammengedrückt, bis 25×6 mm. Blüten im Frühling, bis 70 mm Durchmesser, purpurn mit weißem Zentrum. Verbreitung: Western Cape, Strandveld nahe Graafwater. (Ohne Abbildung)

● **L. plenus** [Lat., voll, gefüllt; wegen der zahlreichen Blütenblätter]. Aufrechte, verzweigte Kleinsträucher, bis 40 cm hoch. Blätter aufsteigend, länglich, bis 15×3 mm, grün. Blüten im Frühling, bis 35 mm Durchmesser, bis 6 mm lang gestielt, rosa. Verbreitung: Tal des Olifants River (Western Cape), in Succulent Karoo.

● **L. promontorii** [Lat., des Kaps; wegen des Vorkommens am südafrikanischen Kap]. Aufrechte Kleinsträucher, bis 15 cm hoch. Blätter sichelförmig, aufrecht, seitlich zusammengedrückt, dreikantig, bis 23×5 mm. Blüten im Winter, bis 23 mm Durchmesser, gelb. Verbreitung: Western Cape, im Naturschutzgebiet von Cape Point endemisch, in Fynbos.

● **L. reptans** [Lat., kriechend]. Niederliegend und Polster bildend, neue Zweige bogig und rötlich, während der Trockenzeit kleine Gruppen bildend. Blätter spitz, sichelförmig, scharf gekielt, bis 30 mm lang und 5 mm breit. Blüten im Winter und frühen Frühling, einzeln, bis 45 mm Durchmesser, weiß oder gelb. Verbreitung: Gelegentlich in sandigem Boden (über Lehm als Untergrund) in Strandveld und küstennahem Fynbos. (Ohne Abbildung)

● **L. roseus** [Lat., rosa; wegen der Blütenfarbe]. Niederliegende Kleinsträucher, bis 60 cm hoch. Blätter halbzylindrisch, bis 30×4 mm. Blüten im Frühling, sehr variabel, bis 40 mm Durchmesser, weiß bis hellrosa, magenta, violett und rosarot. Verbreitung: Western Cape, trockener Fynbos. – Häufig kultiviert und eine sehr lohnenswerte und blühwillige Art.

● **L. salteri** [Nach Terence M. Salter (1883–1969), südafrikanischer Amateurbotaniker]. Niederliegende, wuchernde Kleinsträucher mit dünnen, rötlichen, an den Knoten wurzelnden Zweigen. Blätter dünn, linealisch, etwas zusammengedrückt, Oberseite flach, scharf bis kurz verjüngt zugespitzt, grün, mit wenigen, erhabenen Punkten, bis 30×2 mm. Blüten im Frühling, einzeln, bis 30 mm Durchmesser, goldgelb bis orange. Verbreitung: Western Cape, küstennahe Sandböden von Cape Agulhas bis Gansbaai.

● **L. saturatus** [Lat., gesättigt; wegen der Blütenfarbe]. Aufrechte Kleinsträucher, bis 50 cm hoch. Blätter basal zu einer Scheide verwachsen, halbzylindrisch, blaugrün, bis 40×5 mm. Blüten im Frühling, bis 26 mm Durchmesser, pur-

de diam. Habitat: Western Cape, dans le Fynbos aride et côtier près d'Albertinia.

● **L. ornatus*** [du lat. orné, décoré] Vigoureux petits arbustes érigés atteignant jusqu'à 30 cm de haut. Feuilles falciformes, glauque clair, mesurant jusqu'à 40×12 mm. Fleurs en automne-hiver, d'un beau rose profond, mesurant jusqu'à 45 mm de diam. Habitat: Western Cape.

● **L. peersii** [d'après Victor Peers (1874–1940), collectionneur de succulentes et archéologue amateur]. Petits arbustes dressés-étalés et atteignant jusqu'à 30 cm de haut. Feuilles trigones et glauques. Fleurs au printemps, mesurant jusqu'à 44 mm de diam., oranges puis se teintant de rouge et de rose pourpré. Habitat: Western Cape, dans le Strandveld près de Graafwater.

● **L. pittenii** [erreur de transcription de Joost van Putten]. Petits arbustes érigés mesurant jusqu'à 30 cm de haut. Feuilles falciformes à extrémité comprimée latéralement, mesurant jusqu'à 25×6 mm. Fleurs au printemps, pourpre à cœur blanc, atteignant jusqu'à 70 mm de diam. Habitat: Western Cape, dans le Strandveld près de Graafwater. (non illustré)

● **L. plenus** [du lat. plein, double, référence aux nombreux pétales]. Petits arbustes érigés et ramifiés, atteignant jusqu'à 40 cm de haut. Feuilles redressées, oblongues, vertes et mesurant jusqu'à 15×3 mm. Fleurs au printemps, roses, portées sur un pédoncule mesurant jusqu'à 6 mm de long, atteignant jusqu'à 35 mm de diam. Habitat: vallée de l'Olifant river (Western Cape), dans le Karoo à succulentes.

● **L. promontorii** [du lat. du cap; référence à l'habitat du Cap sud-africain]. Petits arbuste érigés atteignant jusqu'à 15 cm de haut. Feuilles falciformes, érigées, comprimées latéralement, trigones et mesurant jusqu'à 23×5 mm. Fleurs en hiver, jaunes et mesurant jusqu'à 23 mm de diam. Habitat: Western Cape, endémique dans le Fynbos de la réserve naturelle de Cap Point.

● **L. reptans** [du lat. rampant]. Plantes prostrées, en coussins, à rameaux juvéniles arqués et rougeâtres, formant de petites colonies durant la saison sèche. Feuilles aiguës, falciformes, à carène marquée, mesurant jusqu'à 30 mm de long et 5 mm de large. Fleurs en hiver-début de printemps, isolées, blanches ou jaunes et mesurant jusqu'à 45 mm de diam. Habitat: parfois sur les sols sableux (avec sous-sol argileux) dans le Strandveld et le Fynbos côtier. (non illustré)

● **L. roseus** [du lat. rose; référence aux fleurs]. Petits arbustes prostrés atteignant jusqu'à 60 cm de haut. Feuilles se-

Lampranthus salteri cf.

Lampranthus saturatus

Lampranthus schlechteri cf.

Lampranthus spectabilis

Lampranthus spectabilis

Lampranthus sternens cf.

purn. Verbreitung: Zwischen Clanwilliam und Vanrhynsdorp (Western Cape), in Succulent Karoo.

● **L. scaber** [Lat., rauh; wegen der Blattoberflächen]. Gerundete Kleinsträucher, bis 35 cm hoch. Blätter linealisch, dreikantig, bis 30×2,5 mm, rauh. Blüten Spätfrühling bis Frühsommer, bis 30 mm Durchmesser, violettrosa. Verbreitung: Western Cape, in trockenem Fynbos in den Bergen. (Ohne Abbildung)

● **L. schlechteri** [Nach Rudolf Schlechter (1872–1925), deutscher Botaniker]. Aufrechte Kleinsträucher, bis 20 cm hoch. Blätter fadendünn, zylindrisch, bis 20×2 mm. Blüten im Frühling, bis 40 mm Durchmesser, lachsrosa. Verbreitung: Western Cape, nahe dem Berg River, French Hoek, in Fynbos.

● **L. spectabilis** [Lat., sehenswert, ansehnlich; wegen der Blüten]. Ausgebreitete Kleinsträucher, bis 50 cm Durchmesser und 30 cm hoch. Blätter etwas gebüschelt, etwas seitlich zusammengedrückt, gekielt, bereift, bis 80×6 mm. Blüten Frühling bis Frühsommer, bis 70 mm Durchmesser, purpurn bis rosa oder weiß. Verbreitung: Eastern Cape.

● **L. spiniformis** [Lat., dornenförmig; wegen der Blätter]. Niederliegend bis aufrecht, bis 20 cm hoch. Blätter fast drehrund, an der Spitze deutlich hakig auswärts gekrümmt, dunkelgrün mit rötlicher Spitze, bis 35 mm lang und 2–3 mm breit. Blüten Spätherbst bis Wintermitte, bis 25 mm Durchmesser, hellrosa, im Zentrum bis fast weiß (Aussenseite orange), Staubblätter zu einem Kegel geordnet, als gelbes »Auge« im Blütenzentrum. Verbreitung: Western Cape, auf Ebenen und unteren Hängen in küstennahem Fynbos und Renosterveld. (Ohne Abbildung)

● **L. stenus** [Gr. 'stenos', eng, schmal; wegen der Blätter]. Zwergige Kleinsträucher, bis 20 cm hoch. Blätter fast zylindrisch, weißlich grün. Blüten im Sommer, hellrosa bis weiß, bis 30 mm Durchmesser. Verbreitung: Western Cape, in küstennahem Fynbos. (Ohne Abbildung)

● **L. sternens** [Lat., Polster bildend]. Niedrige Kleinsträucher. Blätter annähernd sichelförmig, halbzylindrisch, zu den Enden hin undeutlich gekielt, grün. Blüten Frühling bis Frühsommer, bis 30 mm Durchmesser, goldgelb. Verbreitung: Cape Agulhas bis Gouritz River (Western Cape), in küstennahem Fynbos.

● **L. stipulaceus** [Lat., halmartig; wegen der schlanken Blätter]. Kräftige, aufrechte, bis 50 cm hohe Kleinsträucher. Blätter halbzylindrisch, zur Spitze etwas dreikantig, bis 50×4 mm Durchmesser, dunkel gräulichgrün. Blüten im Früh-

mi-cylindriques mesurant jusqu'à 30×4 mm. Fleurs au printemps, très variables, mesurant jusqu'à 40 mm de diam., blanches à rose clair, magenta, violettes et rouge rosé. Habitat: Western Cape, dans le Fynbos aride. – Souvent cultivée, cette espèce florifère est très intéressante.

● **L. salteri** [d'après Terence M. Salter (1883–1969), botaniste amateur sud-africain]. Petits arbustes prostrés et luxuriants, à minces rameaux rougeâtres dont les nœuds émettent des racines. Feuilles minces, linéaires et légèrement comprimées, à avers plat, à pointe aiguë à brièvement acuminée, vertes, portant quelques points en relief et mesurant jusqu'à 30×2 mm. Fleurs isolées, au printemps, jaune doré à orange et mesurant jusqu'à 30 mm de diam. Habitat: Western Cape, sols sableux de la zone côtière depuis Cape Agulhas jusqu'à Gansbaai.

● **L. saturatus** [du lat. intense; référence à la couleur de la fleur]. Petits arbustes érigés atteignant jusqu'à 50 cm de haut. Feuilles à base soudée en gaine, semi-cylindriques, glauques et mesurant jusqu'à 40×5 mm. Fleurs au printemps, pourpres, mesurant jusqu'à 26 mm de diam. Habitat: entre Clanwilliam et Vanrhynsdorp (Western Cape), dans le Karoo à succulentes.

● **L. scaber** [du lat. rugueux; référence à la texture de la feuille]. Petits arbuste arrondis mesurant jusqu'à 35 cm de haut. Feuilles linéaires atteignant jusqu'à 30×2,5 mm, trigones et rugueuses. Fleurs en fin de printemps-début d'été, violet rose et mesurant jusqu'à 30 mm de diam. Habitat: Western Cape, dans les montagnes du Fynbos aride. (non illustré)

● **L. schlechteri** [d'après Rudolf Schlechter (1872–1925), botaniste allemand]. Petits arbustes érigés atteignant jusqu'à 20 cm de haut. Feuilles filiformes, cylindriques et mesurant jusqu'à 20×2 mm. Fleurs au printemps, rose saumon et mesurant jusqu'à 40 mm de diam. Habitat: Western Cape, dans le Fynbos près du Mont River, French Hoek.

● **L. spectabilis** [du lat. décoratif, de bel aspect; référence à la fleur]. Petits arbustes étalés atteignant jusqu'à 50 cm de diam. et 30 cm de haut. Feuilles plus ou moins en touffes, un peu comprimées latéralement, carénées, pruineuses et mesurant jusqu'à 80×6 mm. Fleurs au printemps-début d'été, pourpres à roses ou blanches, mesurant jusqu'à 70 mm de diam. Habitat: Eastern Cape.

● **L. spiniformis** [du lat. en forme d'aiguille; référence à la feuille]. Plantes prostrées à érigées et atteignant jusqu'à 20 cm de haut. Feuilles presque fusiformes, à extrémité nettement recourbée en crochet vers l'extérieur, vert foncé à pointe rou-

Lampranthus stipulaceus

Lampranthus stipulaceus

Lampranthus suavissimus

Lampranthus suavissimus

Lampranthus suavissimus

Lampranthus tegens

ling, bis 40 mm Durchmesser, purpurn. Verbreitung: Western Cape, in der Little Karoo auf Schieferrippen. – Eine sehr attraktive Art. [Volksname: Osvygie.]

● **L. suavissimus** [Lat., süssest, hübschest]. Aufrechte, kräftige Sträucher, bis 1 m hoch. Blätter ausgebreitet, aufsteigend, etwas sichelförmig, seitlich zusammengedrückt, blaugrün, bis 35×4 mm. Blüten im Frühling, bis 55 mm Durchmesser, weiß bis rosa und purpurn. Verbreitung: Northern Cape, bei Hondeklip Bay.

● **L. tegens** [Lat., bedeckend]. Niederliegend, Polster bildend, an den Knoten wurzelnd; Zweige bogig, blühende Zweige aufrecht, bis 7 cm lang. Blätter etwas stumpf gekielt, glatt, blaugrün, bis 13 mm lang. Blüten Spätfrühling bis Sommer, bis 20 mm Durchmesser, rosa, Staminodien und Staubblätter zu einem Kegel zusammentretend. Verbreitung: Kaphalbinsel (Western Cape), in Renosterveld-Gebieten, in lehmigen Böden.

● **L. tenuifolius** [Lat. 'tenuis', dünn, schmal; Lat. '-folius', -blätterig]. Diffus verzweigte Kräuter, die niederliegenden Zweige an den Knoten wurzelnd, blühende Zweige aufrecht, bis 20 cm hoch. Blätter aufrecht, stumpf gekielt bist fast drehrund. Blüten im Spätfrühling, bis 55 mm Durchmesser, 10–60 mm oberhalb der obersten Blätter stehend, rot bis purpurrosa, ansehnlich. Verbreitung: Western Cape, zerstreut im Strandveld bei Kommetjie und Buffels Bay.

● **L. thermarum*** [Lat. 'therma', warme Quelle; wegen des Vorkommens bei den Olifants River Baths]. Aufrechte Kleinsträucher, bis 20 cm hoch. Blätter aufrecht, bis 16×2 mm, bläulich grün. Blüten im Frühling, bis 22 mm Durchmesser, rosa, Tag und Nacht offen. Verbreitung: Western Cape, bei Citrusdal, in trockenem Fynbos. (Ohne Abbildung)

geâtre et mesurant jusqu'à 35 mm de long et 2–3 de large. Fleurs en fin d'automne-milieu d'hiver, rose clair à cœur presque blanc (orange à l'extérieur) et mesurant jusqu'à 25 mm de diam. Les étamines disposées en cône forment un «œil» jaune au centre de la fleur. Habitat: Western Cape, sur les plaines et les pentes inférieures de la zone côtière du Fynbos et du Renosterveld. (non illustré)

● **L. stenus** [du grec 'stenos', étroit, resserré; référence à la feuille]. Petits arbustes nains atteignant jusqu'à 20 cm de haut. Feuilles presque cylindriques, vert blanchâtre. Fleurs en été, rose clair à blanches et mesurant jusqu'à 30 mm de diam. Habitat: Western Cape, dans le Fynbos côtier. (non illustré)

● **L. sternens** [du lat. formant des coussins]. Petits arbustes bas. Feuilles à peu près falciformes, semi-cylindriques, dont l'extrémité présente une carène indistincte, vertes. Fleurs au printemps-début d'été, jaune d'or et mesurant jusqu'à 30 mm de diam. Habitat: du Cap Agulhas à la Gouritz River (Western Cape), dans le Fynbos côtier.

● **L. stipulaceus** [du lat. brin; référence à l'étroitesse des feuilles]. Petits arbustes vigoureux et érigés qui atteignent jusqu'à 50 cm de haut. Feuilles semi-cylindriques à extrémité légèrement trigone, gris vert foncé et mesurant jusqu'à 50× 4 mm de diam. Fleurs au printemps, pourpres et mesurant jusqu'à 40 mm de diam. Habitat: Western Cape, dans le Little Karoo sur les affleurements schisteux. – Espèce très attractive. [nom commun: Osvygie]

● **L. suavissimus** [du lat. le plus doux, le plus joli]. Arbustes érigés et vigoureux qui atteignent jusqu'à 1 m de haut. Feuilles étalées, dressées, légèrement falciformes, comprimées latéralement, glauques et mesurant jusqu'à 35×4 mm. Fleurs au printemps, blanches à roses et pourpres, mesurant jusqu'à 55 mm de diam. Habitat: Northern Cape, près de Hondeklip Bay.

● **L. tegens** [du lat. couvrant]. Plantes basses et formant des coussins. Rameaux arqués dont les nœuds émettent des racines, mesurant jusqu'à 7 cm de long. Rameaux florifère érigés. Feuilles à carène légèrement arrondie, lisses, glauques et mesurant jusqu'à 13 mm de long. Fleurs en fin de printemps-été, roses, à étamines et staminodes rassemblés en cône, mesurant jusqu'à 20 mm de diam. Habitat: péninsule du Cap (Western Cape), sur les sols argileux de la région du Renosterveld.

● **L. tenuifolius** [du lat. 'tenuis', mince, étroit et 'folius', à feuilles]. Herbacées mesurant jusqu'à 20 cm de haut, à ramification diffuse et à rameaux prostrés dont les nœuds émet-

Lampranthus tenuifolius

Lampranthus tenuifolius

Lampranthus variabilis

Lampranthus vernalis

Lampranthus viatorum

Lampranthus zeyheri

Lampranthus zeyheri

Lampranthus watermeyeri

Lampranthus aestivus cf.

Lampranthus sp.

● **L. variabilis** [Lat., variabel]. Niederliegende, diffus verzweigte Kräuter, bis 20 cm hoch, an den Knoten wurzelnd. Blätter stumpf oder scharf gekielt, leicht blaugrün. Blüten im Frühling, 40–50 mm Durchmesser, leuchtend rot, im Alter orange werdend. Verbreitung: Western Cape, selten auf der Kap-Halbinsel, im Norden (Goodswood) in küstennahem Fynbos. – Die charakteristischen Merkmale sind die auffälligen, zuerst roten Blütenblätter, die im Alter nach orange verfärben (deshalb auch der Name *variabilis*).

● **L. vernalis** [Lat., frühlingshaft]. Ausgebreitete Kleinsträucher, bis 40 cm Durchmesser. Blätter halbzylindrisch, zur Spitze hin gekielt, grün, bis 20×2,5 mm. Blüten im Frühling, bis 44 mm Durchmesser, scharlachrot, sehr auffällig. Verbreitung: Western Cape, Gebiet von Saldanha Bay.

● **L. viatorum** [Lat. 'via', Weg, Strasse; wegen des Vorkommens an Strassenrändern]. Verzweigte Kleinsträucher, bis 15 cm hoch. Blätter dreikantig. Blüten im Frühwinter, bis 23 mm Durchmesser, attraktiv, rosa, Blütenblätter spiralig verdreht. Verbreitung: Northern Cape, in Succulent Karoo von Bitterfontein im Süden bis Eksteenfontein im Nordern.

● **L. watermeyeri** [Nach Watermeyer]. Aufrechte Kleinsträucher, bis 70 cm hoch. Blätter halbzylindrisch, bis 35×6 mm, blaugrün. Blüten Winter bis früher Frühling, bis 50 mm Durchmesser, weiß bis hellrosa, mit deutlichem,

tent des racines. Rameaux florifères érigés. Feuilles érigées, approximativement carénées à presque fusiformes. Jolies fleurs en fin de printemps, situées à 10–60 mm au-dessus des feuilles supérieures, rouges à rose pourpre et mesurant jusqu'à 55 mm de diam. Habitat: Western Cape, disséminé dans le Strandveld près de Kommetjie et Buffels Bay.

● **L. thermarum*** [du lat. 'therma', source chaude; référence à l'habitat naturel près des bains de l'Olifants River]. Petits arbustes érigés atteignant jusqu'à 20 cm de haut. Feuilles dressées, vert bleuté et mesurant jusqu'à 16×2 mm. Fleurs au printemps, roses, s'ouvrant nuit et jour et mesurant jusqu'à 22 mm de diam. Habitat: Western Cape, dans le Fynbos aride près de Citrusdal. (non illustré)

● **L. variabilis** [du lat. variable]. Herbacées prostrées, à ramification diffuse, qui atteignent jusqu'à 20 cm de haut et dont les nœuds émettent des racines. Feuilles à carène arrondie ou anguleuse, légèrement glauques. Fleurs au printemps, de 40–50 mm de diam. Habitat: Western Cape, rare sur la péninsule du Cap, dans le nord de la zone côtière du Fynbos (Goodswood). – Les signes distinctifs de l'espèce sont les remarquables pétales tout d'abord rouges puis devenant oranges avec l'âge (d'où le nom de *variabilis*).

● **L. vernalis** [du lat. printanier]. Petits arbustes étalés atteignant jusqu'à 40 cm de diam. Feuilles semi-cylindriques, à extrémité carénée, vertes et mesurant jusqu'à 20×2,5 mm. Fleurs au printemps, d'un très beau rouge écarlate, mesurant jusqu'à 44 mm de diam. Habitat: Western Cape, région de Saldanha Bay.

● **L. viatorum** [du lat. 'via', route, chemin; référence à l'habitat naturel au bord des chemins]. Petits arbustes ramifiés atteignant jusqu'à 15 cm de haut. Feuilles trigones. Jolies fleurs en début d'hiver, roses, à pétales spiralés, mesurant jusqu'à 23 mm de diam. Habitat: Northern Cape, dans le Karoo à succulentes depuis Bitterfontein au sud jusqu'à Eksteenfontein au nord.

● **L. watermeyeri** [d'après Watermeyer]. Petits arbustes érigés atteignant jusqu'à 70 cm de haut. Feuilles semi-cylindriques, glauques et mesurant jusqu'à 35×6 mm. Fleurs en hiver-début de printemps, mesurant jusqu'à 50 mm de diam.,

Lampranthus sp.

Lampranthus sp.

dunkler rosafarbenem bis rötlichem Zentrum. Verbreitung: Western Cape, Succulent Karoo, nördlich von Clanwilliam. – Eine sehr attraktive Gartenpflanze.

● **L. zeyheri** [Nach Carl Zeyher (1799–1858), deutscher Pflanzensammler]. Verholzte Sträucher, bis 1 m hoch. Blätter zylindrisch, glänzend gräulich grün, bis 40×4 mm. Blüten im Frühling, bis 60 mm Durchmesser, unterschiedlich purpurviolett, auffällig. Verbreitung: Eastern Cape, Bushveld nahe Uitenhage. – Häufig kultiviert und eine blühwillige Gartenpflanze.

blanches à rose clair, à cœur nettement marqué, rose foncé à rougeâtre. Habitat: Western Cape, dans le Karoo à succulentes au nord de Clanwilliam. – Très attractive pour le jardin.

● **L. zeyheri** [d'après Carl Zeyher (1799–1858), collectionneur de plantes allemand]. Arbustes ligneux atteignant jusqu'à 1 m de haut. Feuilles cylindriques, d'un vert gris luisant, mesurant jusqu'à 40×4 mm. Belles fleurs au printemps, mesurant jusqu'à 60 mm de diam., de divers tons de violet pourpre. Habitat: Eastern Cape, dans le Bushveld près de Uitenhage. – Plante florifère et souvent cultivée dans les jardins.

Lapidaria

Lapidaria *[Gr. 'lapis', Stein; wegen der Erscheinung als Lebende Steine]. Zwergige, einzelne oder Gruppen bildende, hoch sukkulente Pflanzen. Blätter gegenständig, basal verwachsen, etwas dreikantig, Rückseite gekielt, Oberfläche glatt, graugrün bis weißlich grün, Spitze stumpf. Blüten einzeln, endständig, kurz gestielt, gelb, bis 50 mm Durchmesser, Blütenblätter in 3 Reihen. Fruchtkapseln 6- bis 7-fächerig. – Eine monotypische Gattung mit der einzigen Art L. margaretae. Die Pflanzen wachsen auf Quarzkieselhügeln und -ebenen in einem Mosaik aus Succulent Karoo und Nama Karoo im Bushmanland (Northern Cape) zwischen Pofadder und Springbok, sowie im benachbarten südlichen Namibia. – Gelegentlich kultiviert. Die Pflege ist ähnlich wie bei Lithops.*

● **L. margaretae** [Nach Margarethe Friedrich, der Entdeckerin der Art]. Beschreibung wie für die Gattung. [Volksname: Klipvygie.]

Lapidaria *[du grec 'lapis', pierre; référence à l'aspect de pierre vivante]. Plantes très succulentes, naines, poussant en isolé ou formant des colonies. Feuilles opposées, connées, légèrement trigones, à revers caréné et avers lisse, gris vert à vert blanchâtre, à extrémité arrondie. Fleurs isolées, terminales, brièvement pédonculées, jaunes et mesurant jusqu'à 50 mm de diam. Pétales disposés sur 3 rangées. Fruits en capsules à 6–7 loges. – Genre se composant uniquement de l'espèce L. margaretae. Ces plantes poussent sur les collines et les étendues quartzifères, en mosaïque dans le Karoo à succulentes et le Nama Karoo du Bushmanland (Northern Cape), entre Pofadder et Springbok ainsi que dans le sud de la Namibie voisine. – Parfois cultivé. Les soins requis sont les mêmes que pour les Lithops.*

● **L. margaretae** [d'après Margarethe Friedrich qui découvrit cette espèce]. Même description que pour le genre. [nom commun: Klipvygie]

Lapidaria margaretae

Lapidaria margaretae

Leipoldtia

Leipoldtia *[Nach Dr. Louis Leipoldt (1880–1947), südafrikanischer Schriftsteller und Pflanzensammler]. Kleinsträucher, bis 40 cm hoch; Triebe oft sukkulent und verholzend. Blätter gegenständig, linealisch, zylindrisch-dreikantig. Blüten in Cymen, mit 5 Kelchblättern; Blütenblätter leuchtend gefärbt, linealisch-spatelig; Staubblätter zu einem Kegel zusammentretend; Fruchtknoten leicht konvex; Narbenlappen 10–12. Fruchtkapseln gerundet, 10- bis 12-fächerig. – Ungefähr 20 Arten in den Winterregengebieten der ganzen Succulent Karoo (Western Cape, Northern Cape, südwestliches Namibia). – Gelegentlich kultiviert. Die Pflanzen sind blühwillig und Stecklinge bilden leicht Wurzeln.*

● **L. britteniae*** [Nach Lilian Britten (1886–1952), südafrikanische Botanikerin]. Ausgebreitete Kleinsträucher, bis 30 cm hoch. Blätter dreikantig, bis 16 × 14 mm. Blüten im Winter und Frühling, bis 28 mm Durchmesser, rötlich purpurn. Verbreitung: Little Karoo (Western Cape), in Succulent Karoo-Vegetation.

● **L. frutescens** [Lat., strauchig]. Aufrechte, kahle Sträucher, bis 60 cm hoch, von kräftiger Erscheinung. Blätter aufsteigend, halbzylindrisch, blaugrün, bis 85 × 10 mm. Blüten in Wintermitte, bis 60 mm Durchmesser, strohgelb. Verbreitung: Northern Cape, zwischen Groot Mist und Port Nolloth entlang der Westküste.

● **L. schultzei** [Nach Leonhard S. Schultze (1872–1955), deutscher Zoologe, der im Namaqualand Pflanzen sammelte]. Kompakte Kleinsträucher, bis 25 cm hoch. Blätter dreikantig, bläulich grün, bis 15 × 5 mm. Blüten Winter bis früher Frühling, bis 20 mm Durchmesser, rosa, Blütenblätter mit trübrosa Streifen. Verbreitung: Northern Cape, Succulent Karoo westlich von Springbok.

Leipoldtia *[d'après le Dr. Louis Leipoldt (1880–1947), écrivain et collectionneur de plantes sud-africain]. Petits arbustes atteignant jusqu'à 40 cm de haut, à tiges souvent succulentes puis ligneuses. Feuilles opposées, linéaires, cylindriques-trigones. Fleurs en cymes, à 5 sépales. Pétales linéaires-spatulés aux couleurs lumineuses. Etamines disposées en cône, ovaire légèrement convexe, 10 à 12 stigmates. Fruits en capsules arrondies à 10–12 loges. – Environ 20 espèces réparties dans les régions à pluies hivernales de tout le Karoo à succulentes (Western Cape, Northern Cape, sud-ouest de la Namibie). – Parfois cultivées. Ces plantes sont florifères et leurs boutures racinent facilement.*

● **L. britteniae*** [d'après Lilian Britten (1886–1952), botaniste sud-africaine]. Petits arbustes étalés atteignant jusqu'à 30 cm de haut. Feuilles trigones mesurant jusqu'à 16 × 14 mm. Fleurs en hiver et printemps, pourpre rougeâtre et mesurant jusqu'à 28 mm de diam. Habitat: Little Karoo (Western Cape), dans le Karoo à succulentes.

● **L. frutescens** [du lat. arbustif]. Arbustes glabres et érigés qui atteignent jusqu'à 60 cm de haut et offrent un aspect vigoureux. Feuilles dressées, semi-cylindriques, glauques et mesurant jusqu'à 85 × 10 mm. Fleurs en plein hiver, jaune paille et mesurant jusqu'à 60 mm de diam. Habitat: Northern Cape, entre Groot Mist et Port Nolloth, le long de la côte ouest.

● **L. schultzei** [d'après Leonard S. Schultze (1872–1955), zoologiste allemand qui collecta des plantes dans le Namaqualand]. Petits arbustes compacts atteignant jusqu'à 25 cm de haut. Feuilles trigones, vert bleuté et mesurant jusqu'à 15 × 5 mm. Fleurs en hiver-début de printemps, roses, à pétales rayés de rose éteint, mesurant jusqu'à 20 mm de diam. Habitat: Northern Cape, dans le Karoo à succulentes à l'ouest de Springbok.

Leipoldtia britteniae

Leipoldtia schultzei

Leipoldtia frutescens

Lithops

Lithops *[Gr. 'lithos', Stein; Gr. 'opsis', Aussehen; wegen der Erscheinung der Pflanzen (»Lebende Steine«)]. Kompakte, einzelne oder Gruppen bildende, stark reduzierte, sukkulente Pflanzen. Blätter pro Paar zu einem kreisförmigen Körperchen verbunden, Spitze gestutzt, mit einer Spalte zwischen den beiden Blättern; Blätter grün, graugrün oder bräunlich und unterschiedlich gemustert. Blüten im Herbst, einzeln, aus der Spalte zwischen den Blättern erscheinend, bis 55 mm Durchmesser, weiß oder gelb. Verbreitung: Namibia, Northern Cape, Free State, Gauteng, Northern Province, v.a. in den trockenen Inlandregionen mit Sommerregen, aber auch mit einigen Arten im Winterregengebiet des Namaqualandes, wo sie auf Kieshügeln oder -ebenen in Succulent Karoo, Nama Karoo sowie in Grasland und Bushveld vorkommen. – Die Pflanzen wachsen geophytisch, und nur die obersten Blattteile sind oberirdisch. Diese bestehen aus durchsichtigem Gewebe (Fenster), durch welche Licht einfällt. Lithops-Arten werden häufig kultiviert und sind sowohl in Südafrika wie in anderen Ländern leicht erhältlich. Sie lassen sich leicht aus Samen anziehen und blühen bereits im 3. Jahr nach der Aussaat. Das Giessen ist auf den Sommer und Herbst zu beschränken. Das beste Kulturmedium ist ein kiesiges Substrat, und ausserhalb der natürlichen Vorkommensgebiete werden die Pflanzen am besten in Gewächshäusern gepflegt. Es sind zahlreiche Auslesen und Cultivare im Angebot, und die Monografie von Cole (1988) enthält weiterführende Informationen.*

● **L. aucampiae subsp. euniceae** [Nach Mrs. Juanita Aucamp und Mrs. Eunice E. Burmeister]. Pflanzen mit eingesenkten Körperchen, kleine Gruppen bildend. Körperchen graugrün, gestutzt, mit dunklen, offenen Fenstern und seichter Spalte, gemustert und Ränder mit feiner Strichelung. Blüten im Herbst, gelb, bis 45 mm Durchmesser. Verbreitung: Hopetown, Great Karoo (Northern Cape), in Karoo-Vegetation zwischen Standsteinen.

Lithops *[du grec 'lithos', pierre et '-opsis', apparence; référence à l'aspect de la plante, «caillou vivant»] Plantes succulentes compactes et très réduites qui poussent en isolé ou forment des colonies. Feuilles en paires formant des corpuscules circulaires, à sommet arrondi, où les deux feuilles sont séparées par une fente. Feuilles vertes, gris vert ou brunâtres, et diversement marbrées. Fleurs en automne, isolées, émergeant de la fente séparant les feuilles, blanches ou jaunes et mesurant jusqu'à 55 mm de diam. Habitat: Namibie, Northern Cape, Free State, Gauteng, North Province, surtout dans les zones sèches à pluies estivales de l'intérieur des terres. Toutefois, quelques espèces poussent dans les régions à pluies hivernales du Namaqualand. Collines ou étendues caillouteuses du Karoo à succulentes, du Nama Karoo ainsi que dans les prairies et le Bushveld. – Ces plantes sont des géophytes et seule la partie supérieure des feuilles est aérienne. Celle-ci comporte des tissus transparents (fenêtre) qui permettent à la lumière de pénétrer. Les Lithops sont souvent cultivés et il est facile de s'en procurer, tant en Afrique du Sud que dans d'autres pays. Il est facile de les obtenir à partir de graines et ils fleurissent dès la 3ème année suivant les semis. L'arrosage doit être limité à l'été et l'automne. La meilleure base de culture consiste en un substrat gravillonneux et, en dehors des régions où ils poussent naturellement, il est recommandé de les cultiver sous serre. Il existe de nombreux cultivars et sélections sur le marché et la monographie de Cole (1988) fournit des informations supplémentaires.*

● **L. aucampiae subsp. euniceae** [d'après Mrs. Juanita Aucamp et Mrs. Eunice E. Burmeister]. Plantes formant des colonies et possédant des corpuscules encastrés au sol. Corpuscules gris vert, à sommet tronqué, à fenêtre foncée et ouverte et à fente peu profonde. Feuilles marbrées et bordées de fines hachures. Fleurs en automne, jaunes et mesurant jusqu'à 45 mm de diam. Habitat: Hopetown, Great Karoo (Northern Cape), parmi les grès du Karoo à succulentes.

Lithops aucampiae subsp. euniceae

Lithops bromfieldii var. insularis

Lithops divergens var. amethystina

Lithops fulleri

Lithops hookeri var. hookeri

Lithops karasmontana subsp. karasmon.

Lithops karasmontana subsp. bella

Lithops lesliei var. lesliei

Lithops localis

● **L. bromfieldii var. insularis*** [Nach H. Bromfield; Lat. 'insularis', Insel-; wegen des Vorkommens in einem kleinen, inselartigen Gebiet]. Pflanzen Gruppen bildend. Körperchen kreiselförmig, bis 15 mm hoch, gestutzt, Oberfläche rötlich braun bis dunkeloliv mit unregelmässig gemusterten Fenstern. Blüten im Herbst, bis 40 mm Durchmesser, gelb. Verbreitung: Nahe Upington (Northern Cape), in Karoo-Vegetation zwischen losen Steinen.

● **L. divergens var. amethystina*** [Lat. 'divergens', spreizend; wegen der Blätter; Lat. 'amethystinus', amethystfarben]. Pflanzen mit eingesenkten Körperchen, kleine Gruppen bildend. Körperchen graugrün mit offeneren Fenstern, gemustert, mit konvexer Spitze. Blüten im Herbst, gelb mit weißem Zentrum, bis 35 mm Durchmesser. Verbreitung: Kliprand, Bushmanland (Northern Cape), in Karoo-Vegetation zwischen Kalkschotter.

● **L. fulleri*** [Nach Ernest Fuller, um 1926 Postbeamter in Kenhardt, RSA]. Kompakte, einzelne oder Gruppen bildende Pflanzen. Blätter grau, entlang der Ränder mit dunkleren Inseln und purpurnen Linien. Blüten im Herbst, weiß, bis 42 mm Durchmesser. Verbreitung: Namibia sowie Northern Cape, in Nama-Karoo auf Quarzkieselhügeln oder -ebenen.

● **L. hookeri var. hookeri** [Nach Joseph D. Hooker (1817–1911), früherer Direktor der Royal Botanic Gardens Kew]. Pflanzen mit eingesenkten Körperchen, kleine Gruppen bildend. Körperchen graugrün mit dunkler bräunlichen, gemusterten Fenstern oder Furchen und schmalen Linien, gestutzt. Blüten im Herbst, gelb, bis 45 mm Durchmesser. Verbreitung: Great Karoo (Northern Cape), in Karoo-Vegetation zwischen Quarz- und Sandsteinkieseln.

● **L. karasmontana subsp. karasmontana** [Nach dem Vorkommen in der Karasbergkette im südlichen Namibia]. Pflanzen mit eingesenkten Körperchen, kleine Gruppen bildend. Körperchen unterschiedlich grau bis graugrün oder braungrün, ohne Fenster, mit wenigen, dunkleren, purpurnen Strichelungen, gestutzt. Blüten im Herbst, weiß, bis 35 mm Durchmesser. Verbreitung: Südliches Namibia, in Karoo-Vegetation zwischen Kieseln aus Quarzit, Gneis, Krustenkalk und Sandstein.

● **L. karasmontana subsp. bella** [Lat., hübsch, schön]. Unterschiede zu subsp. *karasmontana*: Fenster durchscheinend. Verbreitung: Südliches Namibia (zwischen Aus und Witputz), in Karoo-Vegetation wie subsp. *karasmontana*.

● **L. bromfieldii var. insularis*** [d'après H. Bromfield; du lat. 'insularis', insulaire; référence à l'habitat dans de petites zones isolées]. Plantes formant des colonies. Corpuscules circulaires atteignant jusqu'à 15 mm de haut, tronqué, à épiderme brun rougeâtre à olive foncé et doté de fenêtres aux contours variables. Fleurs en automne, jaunes et mesurant jusqu'à 40 mm de diam. Habitat: près de Upington (Northern Cape), parmi les pierres éparses du Karoo.

● **L. divergens var. amethystina*** [du lat. 'divergens', étalé; référence à la feuille; du lat. 'amethystinus', de couleur améthyste]. Plantes formant de petites colonies et possédant des corpuscules encastrés au sol. Corpuscules gris vert à fenêtres ouvertes, marbrés et à sommet convexe. Fleurs en automne, jaunes à cœur blanc, mesurant jusqu'à 35 mm de diam. Habitat: Kliprand, Bushmanland (Northern Cape), dans les pierrailles calcaires du Karoo.

● **L. fulleri*** [d'après Ernest Fuller, employé des Postes à Kenhardt, RSA, vers 1926]. Plantes compactes poussant en isolé ou en colonies. Feuilles grises, bordées de lignes pourpres et de zones plus foncées. Fleurs en automne, blanches et mesurant jusqu'à 42 mm de diam. Habitat: Namibie ainsi que Northern Cape, sur les collines ou les étendues de graviers quartzifères du Nama Karoo.

● **L. hookeri var. hookeri** [d'après Joseph D. Hooker (1817–1911), autrefois directeur du Jardin Botanique Royal de Kew]. Plantes à corpuscules encastrés, formant de petites colonies. Corpuscules gris vert à sommet tronqué, à fenêtres ou sillons et étroites lignes brunâtre foncé marbré. Fleurs en automne, jaunes et mesurant jusqu'à 45 mm de diam. Habitat: Great Karoo (Northern Cape), parmi les galets de grès et de quartz du Karoo.

● **L. karasmontana subsp. karasmontana** [référence à l'habitat dans la chaîne du Karasberg, au sud de la Namibie]. Plantes à corpuscules encastrés, formant de petites colonies. Corpuscules gris à gris vert ou encore brun vert, sans fenêtres, marqués de quelques hachures pourpre plus foncé, à sommet tronqué. Fleurs en automne, blanches et mesurant jusqu'à 35 mm de diam. Habitat: sud de la Namibie, parmi les galets de quartzite, gneiss, gypse et grès du Karoo.

● **L. karasmontana subsp. bella** [du lat. joli, beau]. Différence avec la sous-espèce précédente: fenêtres translucides. Habitat: sud de la Namibie (entre Aus et Witputz), dans le Karoo comme la ssp. *karasmontana*.

Lithops marmorata

Lithops meyeri

Lithops olivacea var. olivacea

Lithops otzeniana

● **L. lesliei** [Nach Owen Leslie, der die Art 1908 entdeckte]. Kompakt, Gruppen bildend. Körperchen fein punktiert und gestrichelt, grün bis graugrün. Blüten im Herbst, gelb, selten weiß, bis 55 mm Durchmesser. Verbreitung: Free State, North-West Province, Gauteng, Grasland, zwischen Kieseln. – Die am leichtesten zu kultivierende Art.

● **L. localis** [Lat., lokal; Bezug unklar]. Pflanzen mit eingesenkten Körperchen, kleine Gruppen bildend. Körperchen 38 × 20 mm, graubraun mit grünlichen, durchscheinenden Punkten, Spitze gerundet. Blüten im Herbst, goldgelb, bis 35 mm Durchmesser. Verbreitung: Western Cape in Karoo-Vegetation zwischen Schieferfelsen und auf -rippen.

● **L. marmorata** [Lat., marmoriert]. Pflanzen mit eingesenkten Körperchen, kleine Gruppen bildend. Körperchen graugrün mit dunkleren Fenstern und tiefer Spalte, gemustert, Spitze gestutzt bis gerundet. Blüten im Herbst, weiß, bis 45 mm Durchmesser. Verbreitung: Northern Cape, Namaqualand und Bushmanland, in Succulent Karoo-Vegetation.

● **L. meyeri** [Nach G. Meyer (1867–1958), Pfarrer und Missionar in Südafrika]. Pflanzen mit eingesenkten Körperchen, kleine Gruppen bildend. Körperchen graugrün, bis 30 × 20 mm, mit tiefer Spalte, Spitzen gestutzt bis gerundet, nicht deutlich gemustert. Blüten im Herbst, gelb, bis 35 mm Durchmesser. Verbreitung: Richtersveld (Northern Cape), in Succulent Karoo-Vegetation wachsend.

● **L. naureeniae** [Nach Naureen Cole, Gattin des *Lithops*-Spezialisten D. T. Cole]. Pflanzen mit eingesenkten Körperchen, kleine Gruppen bildend. Körperchen graugrün mit dunklen, offenen Fenstern und tiefer Spalte, gemustert. Blüten im Herbst, gelb, bis 35 mm Durchmesser. Verbreitung: Bushman-

● **L. lesliei** [d'après Owen Leslie qui découvrit cette espèce en 1908]. Plantes compactes formant des colonies. Corpuscules verts à gris vert, finement ponctués et hachurés. Fleurs en automne, jaunes ou plus rarement blanches, mesurant jusqu'à 55 mm de diam. Habitat: Free State, North-West Province, Gauteng, parmi les graviers des prairies. C'est l'espèce la plus facile à cultiver.

● **L. localis** [du lat. local; référence obscure]. Plantes à corpuscules encastrées, poussant en petites colonies. Corpuscules de 38 × 20 mm, gris brun à points verdâtres translucides et à sommet arrondi. Fleurs en automne, jaune d'or et mesurant jusqu'à 35 mm de diam. Habitat: Western Cape, parmi les éboulis et sur les affleurements de schiste du Karoo.

● **L. marmorata** [du lat. marbré]. Plantes à masses foliaires encastrées, poussant en petites colonies. Corpuscules gris vert, marbrés, à fenêtres plus foncées et fente profonde, dont le sommet est tronqué à arrondi. Fleurs en automne, blanches et mesurant jusqu'à 45 mm de diam. Habitat: Northern Cape, dans le Karoo à succulentes du Namaqualand et du Bushmanland.

● **L. meyeri** [d'après G. Meyer (1867–1958), pasteur et missionnaire en Afrique du Sud]. Corpuscules foliaires encastrés, poussant en petites colonies. Corpuscules gris vert, à marbrures peu nettes, mesurant jusqu'à 30 × 20 mm, à fente profonde et sommet tronqué à arrondi. Fleurs en automne, jaunes et mesurant jusqu'à 35 mm de diam. Habitat: Richtersveld (Northern Cape), dans le Karoo à succulentes.

● **L. naureeniae** [d'après Naureen Cole, épouse du spécialiste des *Lithops*, D. T. Cole]. Plantes à corpuscules encastrées, poussant en petites colonies. Corpuscules gris vert, marbrés, à

Lithops localis

Lithops naureeniae

Lithops pseudotruncatella subsp. volkii

Lithops villetii

land und nahe Hopetown (Great Karoo, Northern Cape), in Karoo-Vegetation zwischen Sandsteinkieseln wachsend.

● **L. olivacea var. olivacea** [Lat., olivgrün]. Pflanzen mit eingesenkten Körperchen, kleine Gruppen bildend. Körperchen graugrün mit dunklen, offenen, olivgrünen Fenstern und flacher Spalte, gemustert und Ränder mit feiner Strichelung, Spitze gestutzt. Blüten im Herbst, gelb mit weißem Zentrum, bis 45 mm Durchmesser. Verbreitung: Kenhardt bis Hopetown (Great Karoo, Northern Cape), in Succulent Karoo-Vegetation zwischen Quarzschutt und -kieseln wachsend.

● **L. otzeniana** [Nach M. Otzen, dem Entdecker der Art]. Pflanzen mit eingesenkten Körperchen, kleine Gruppen bildend. Körperchen graugrün mit dunklen, offenen Fenstern mit ausgenommenen Rändern, Spitze gerundet. Blüten im Herbst, gelb, bis 30 mm Durchmesser. Verbreitung: Loeriesfontein, Bushmanland (Northern Cape), in Karoo-Vegetation zwischen Gneiskieseln wachsend.

● **L. pseudotruncatella subsp. pseudotruncatella** [Gr. 'pseudo', ähnlich wie; Lat. 'truncatus', gestutzt]. Vielköpfige Pflanzen. Körperchen verkehrt konisch, ausgeprägt gestutzt und niedergedrückt, bis 30 mm hoch, Fenster glatt, hell bräunlich grau, auf der Endfläche mit einem Adernetz, hellbraun und marmoriert. Blüten im Herbst, bis 35 mm Durchmesser, goldgelb. Verbreitung: Berge in Namibia nahe Okahandja und weiter nach Osten, Khomas-Hochland, sowie Eros-Berge. – Eine leicht wüchsige, weit verbreitete Art, die leicht auch in grosser Menge gezogen werden kann. (Ohne Abbildung)

● **L. pseudotruncatella subsp. volkii** [Nach Prof. O. A. Volk (1903–), deutscher Botaniker]. Gruppen bildende Pflanzen; Körperchen kreiselförmig, bis 30 mm hoch, Spitze konvex, Oberfläche graubraun, mit einem Netzwerk aus Adern und Punkten. Blüten im Herbst, bis 35 mm Durchmesser, gelb. Verbreitung: Zentrales Namibia, in Karoo-Vegetation zwischen zerstreuten Felsen und Kieseln.

● **L. villetii subsp. villetii** [Nach A. C. T. Villet, Sukkulentenliebhaber in Worcester, Südafrika]. Kompakte, Gruppen bildende Pflanzen, bis 8 cm Durchmesser. Körperchen graugrün, mit grossen, offenen Fenstern mit deutlich gezähnten Rändern. Blüten im Herbst, weiß, bis 25 mm Durchmesser. Verbreitung: Kliprand und Loeriesfontein (Bushmanland, Northern Cape), in Nama-Karoo, auf Schiefer- und Kalkschuttebenen.

fenêtres ouvertes et foncées et à fente profonde. Fleurs en automne, jaunes et mesurant jusqu'à 35 mm de diam. Habitat: dans le Bushmanland et près de Hopetown (Great Karoo, Northern Cape), poussant parmi les galets gréseux du Karoo.

● **L. olivacea var. olivacea** [du lat. vert olive]. Plantes à encastrés, poussant en petites colonies. Corpuscules gris vert à fenêtres ouvertes, vert olive foncé, à fente superficielle et à sommet tronqué. Epiderme marbré et bords marqués de hachures fines. Fleurs en automne, jaunes à cœur blanc, mesurant jusqu'à 45 mm de diam. Habitat: de Kenhardt jusqu'à Hopetown (Great Karoo, Northern Cape), dans les éboulis et les graviers quartzifères du Karoo à succulentes.

● **L. otzeniana** [d'après M. Otzen qui découvrit cette espèce]. Plantes à corpuscules encastrés, poussant en petites colonies. Corpuscules gris vert, à sommet arrondi, dont les fenêtres foncées et ouvertes possèdent des bords festonnés. Fleurs en automne, jaunes et mesurant jusqu'à 30 mm de diam. Habitat: Loeriesfontein, Bushmanland (Northern Cape), parmi les galets de gneiss du Karoo.

● **L. pseudotruncatella subsp. pseudotruncatella** [du grec 'pseudo', semblable à et du lat. 'truncatus', tronqué]. Plantes possédant plusieurs pieds. Corpuscules obconiques, brun clair et marbrés, fortement tronqués et tassés, atteignant jusqu'à 30 mm de haut, à fenêtres lisses et gris brun clair. Surface sommitale montrant un réseau vasculaire. Fleurs en automne, jaune doré et mesurant jusqu'à 35 mm de diam. Habitat: montagnes de Namibie près d'Okahandja et plus loin vers l'est, plateau de Khomas et Mont Eros. – Espèce largement répandue qui pousse facilement et se prête bien à la culture en vastes groupes. (non illustré)

● **L. pseudotruncatella subsp. volkii** [d'après le Prof. O. A. Volk (1903–), botaniste allemand]. Plantes poussant en colonies. Corpuscules circulaires atteignant jusqu'à 30 mm de haut, à sommet convexe et à surface brun gris marquée de point et d'un fin réseau vasculaire. Fleurs en automne, jaunes et mesurant jusqu'à 35 mm de diam. Habitat: centre de la Namibie, parmi les pierres et galets épars du Karoo.

● **L. villetii subsp. villetii** [d'après A. C. Villet, amateur de succulentes de Worcester, Afrique du Sud] Plantes compactes atteignant jusqu'à 8 cm de diam. et poussant en colonies. Corpuscules gris vert à grandes fenêtres ouvertes à bordure nettement dentelée. Fleurs en automne, blanches et mesurant jusqu'à 25 mm de diam. Habitat: Kliprand et Loeriesfontein (Bushmanland, Northern Cape), sur les éboulis de schiste et de calcaire du Nama-Karoo.

Machairophyllum

Machairophyllum *[Gr. 'machaira', Säbel, Schlachtmesser; Gr. 'phyllon', Blatt; wegen der Blattform]. Kompakte, Gruppen oder manchmal Polster bildende Pflanzen, bis 1 m Durchmesser. Blätter säbelförmig, hell blaugrün, bis 100× 20 mm. Blüten einzeln, bis 65 mm Durchmesser, meist goldgelb. Fruchtkapseln 5- bis 15-fächerig, ausdauernd, Fächerdecken und Verschlusskörperchen vorhanden. – Eine kleine Gattung mit weniger als 10 Arten, die alle auf trockenen Fynbos auf quarzitischen Sandsteinböden oder Konglomeratböden beschränkt sind. Selten kultiviert. [Volksname: Sabelvygie.]*

● **M. albidum** [Lat., weißlich; wegen der Blattfarbe]. Kompakte, Gruppen bis Polster bildende Pflanzen. Polster bis 40 cm Durchmesser. Blätter säbelförmig, hell blaugrün, bis 100×20 mm. Blüten im Frühling, einzeln, bis 60 mm Durchmesser, gelb. Verbreitung: Western Cape, Cloete's Pass und Robinson Pass des Langebergs, auf trockenen Fynbos auf quarzitischen Sandsteinböden beschränkt.

● **M. brevifolium** [Lat. 'brevis', kurz; Lat. 'folium', Blatt]. Kompakte, Gruppen bildende Pflanzen, bis 10 cm Durchmesser. Blätter säbelförmig, hell blaugrün, bis 25×13 mm. Blüten im Winter und Frühling, einzeln, bis 60 mm Durchmesser, gelb. Verbreitung: Western Cape, auf Konglomerathügel nahe Oudtshoorn beschränkt, oft an steilen Hängen wachsend.

Machairophyllum *[du grec 'machaira', sabre et 'phyllon', feuille; référence à la forme de la feuille]. Plantes compactes formant des colonies ou parfois des coussins mesurant jusqu'à 1 m de diam. Feuilles en sabre, glauque clair, mesurant jusqu'à 100 × 20 mm. Fleurs isolées, généralement jaune d'or et mesurant jusqu'à 65 mm de diam. Fruits durables en capsule à 5 à 15 loges, dotés d'opercules et d'obturateurs. – Genre comprenant moins de 10 espèces, toutes originaires des sols de grès quartzifère ou de conglomérat du Fynbos aride. Rarement cultivé. [nom commun: Sabelvygie]*

● **M. albidum** [du lat. blanchâtre; référence à la couleur de la feuille]. Plantes compactes formant des colonies ou des coussins. Coussins mesurant jusqu'à 40 cm de diam. Feuilles en sabre, glauque clair, atteignant jusqu'à 100×20 mm. Fleurs au printemps, isolées, jaunes et mesurant jusqu'à 60 mm de diam. Habitat: Western Cape, cols de Cloete et de Robinson dans le Langeberg, exclusivement sur les sols gréseux et quartzifères du Fynbos aride.

● **M. brevifolium** [du lat. 'brevis', court et 'folium', feuille]. Plantes compactes formant des colonies et atteignant jusqu'à 10 cm de diam. Feuilles en sabre, glauque clair, mesurant jusqu'à 25×13 mm. Fleurs en hiver et au printemps, isolées, jaunes et mesurant jusqu'à 60 mm de diam. Habitat: Western Cape, limité aux collines de conglomérat près d'Oudthoorn, souvent sur les pentes abruptes.

Machairophyllum albidum

Machairophyllum brevifolium

Malephora

Malephora *[Gr. 'male', Armloch; Gr. 'phoros', tragend; wegen der durch die Blattscheiden hindurch verlängerten Triebe]. Niederliegende, ausgespreizte, sukkulente Kräuter. Blätter an der Basis leicht verwachsen, halbzylindrisch, blaugrün. Blüten einzeln, gelb bis orange oder rot. Kapseln 8- bis 11-fächerig. – Eine kleine Gattung mit 14 Arten, vorwiegend in den Winterregengebieten der Karoo vorkommend. Durch den oft Polster bildenden Wuchs nützliche Bodendecker. [Volksnamen: Geelvingerkanna, Geelvingervygie, Vingerkanna, Springbokvygie.]*

● **M. crassa** [Lat., dick]. Ausgebreitete, Polster bildende Pflanzen. Zweige niederliegend, an den Knoten wurzelnd. Blätter aufsteigend, bis 40×13 mm, länglich, bläulich grün, mit rötlichen Spitzen. Blüten je nach Regenfällen im Winter, Frühling oder Sommer, goldgelb, bis 60 mm Durchmesser. Verbreitung: Tanqua-Karoo (Western Cape), in Succulent Karoo-Vegetation wachsend.

Malephora *[du grec 'male', aisselle et 'phoros' portant; référence aux tiges allongées traversant les gaines foliaires]. Plantes herbacées succulentes, étalées et basses. Feuilles légèrement soudées à la base, semi-cylindriques et glauques. Fleurs isolées, jaunes à oranges ou rouges. Capsules à 8 à 11 loges. – Genre restreint à 14 espèces majoritairement originaires des zones à pluies hivernales du Karoo. Intéressant couvre-sol grâce à son port souvent en coussin. [noms communs: Geelvingerkanna, Geelvingervygie, Vingerkanna, Springbokvygie]*

● **M. crassa** [du lat. épais]. Plantes étalées formant des coussins. Rameaux rampants dont les nœuds émettent des racines. Feuilles dressées, allongées, vert bleuté à pointe rougeâtre, mesurant jusqu'à 40×13 mm. Fleurs s'épanouissant après chaque pluie en hiver, printemps ou été, jaune doré et mesurant jusqu'à 60 mm de diam. Habitat: Tanqua-Karoo (Western Cape), dans le Karoo à succulentes.

Malephora crassa

Malephora crocea var. purpureo-crocea

Malephora crocea var. crocea

Malephora herrei

● **M. crocea var. crocea** [Lat., saffrangelb; wegen der Blütenfarbe]. Niederliegende bis ausgestreckte, ausgebreitete, sukkulente Kräuter. Blätter halbzylindrisch, bis 45 mm lang und 6 mm breit. Blüten im Spätwinter und Frühling, bis 40 mm Durchmesser, goldgelb, Aussenseite rötlich. Kapseln bis zu 11-fächerig. Verbreitung: In der Karoo und im Namaqualand weit verbreitet.

● **M. crocea var. purpureo-crocea*** [Lat. 'purpureus', purpurn; wegen der Blütenfarbe]. Niederliegende bis ausgestreckte, ausgebreitete, sukkulente Kräuter. Blätter halbzylindrisch, bis 45 mm lang und 6 mm breit. Blüten im Spätwinter und Frühling, bis 40 mm Durchmesser, orange, ziegelrot bis rötlich purpurn. Kapseln bis 11-fächerig. Verbreitung: In der Karoo und im Namaqualand weit verbreitet.

● **M. framesii** [Nach Percyval Ross Frames (1863–1947), südafrikanischer Sukkulentensammler]. Niederliegende, ausgebreitete Pflanzen. Blätter bis 40×14 mm, bläulich grün. Blüten Winter bis Spätfrühling, gelb. Verbreitung: Western Cape, küstennah, St. Helena Bay bis Hondeklip Bay.

● **M. herrei** [Nach Hans Herre (1895–1979), Mittagsblumenspezialist und ehemaliger Kurator am Stellenbosch University Garden]. Niederliegende, ausgebreitete Pflanzen. Blätter bis 50×5 mm, grün. Blüten im Frühling, bis 50 mm Durchmesser, orange bis goldgelb. Verbreitung: Free State, nahe Faure Smith, in Nama Karoo-Vegetation wachsend.

● **M. lutea** [Lat., gelb; wegen der Blütenfarbe]. Niederliegende, ausgebreitete Pflanzen. Blätter bis 45×4 mm, gelblich grün. Blüten je nach Regenfällen Frühling bis Sommer, bis 25 mm Durchmesser, gelb oder orange. Verbreitung: Western Cape, Little Karoo.

● **M. crocea var. crocea** [du lat. jaune safran; référence à la couleur de la fleur]. Herbacées succulentes étalées, prostrées à rampantes. Feuilles semi-cylindriques mesurant jusqu'à 45 mm de long pour 6 mm de large. Fleurs en fin d'hiver et printemps, jaune doré et rougeâtres à l'extérieur, mesurant jusqu'à 40 mm de diam. Capsules comportant jusqu'à 11 loges. Habitat: largement répandu dans le Karoo du Namaqualand.

● **M. crocea var. purpureo-crocea*** [du lat. 'purpureus', pourpre; référence à la fleur]. Herbacées succulentes étalées, prostrées à rampantes. Feuilles semi-cylindriques mesurant jusqu'à 45 mm de long pour 6 mm de large. Fleurs en fin d'hiver et printemps, oranges, rouge brique à pourpre rougeâtre et mesurant jusqu'à 40 mm de diam. Capsules comportant jusqu'à 11 loges. Habitat: Karoo du Namaqualand.

● **M. framesii** [d'après Percyval Ross Frames (1863–1947), collectionneur de succulentes sud-africain]. Plantes basses et étalées. Feuilles vert bleuté mesurant jusqu'à 40×14 mm. Fleurs jaunes en hiver-fin de printemps. Habitat: Western Cape, zone côtière depuis St. Helena Bay jusqu'à Hondeklip Bay.

● **M. herrei** [d'après Hans Herre (1895–1979), spécialiste des mésembs et autrefois curateur du Jardin de l'Université de Stellenbosch]. Plantes basses et étalées. Feuilles vertes mesurant jusqu'à 50×5 mm. Fleurs au printemps, oranges à jaune doré et mesurant jusqu'à 50 mm de diam. Habitat: Free State, près de Faure Smith, dans le Nama Karoo.

● **M. lutea** [du lat. jaune; référence à la fleur]. Plantes basses et étalées. Feuilles vert jaunâtre mesurant jusqu'à 45×4 mm. Fleurs s'épanouissant après chaque pluie depuis le printemps jusqu'en été, jaunes ou oranges et mesurant jusqu'à 25 mm de diam. Habitat: Western Cape, Little Karoo.

Malephora framesii

Malephora lutea

Malephora thunbergii

Malephora sp.

● **M. thunbergii** [Nach Carl Thunberg (1743–1828), schwedischer Botaniker]. Niederliegende, Polster bildende Pflanzen. Blätter bis 50×8 mm, halbzylindrisch, grün. Blüten im Frühling, bis 40 mm Durchmesser, gelb. Verbreitung: Western Cape, Succulent Karoo-Gebiete, vorwiegend in der Little Karoo.

● **M. sp.** Niederliegende Sträucher, bis 20 cm hoch. Verzweigung offen, Zweige oft den Boden berührend und dann an den Knoten wurzelnd. Blätter halbzylindrisch, bis 60×6 mm, glatt und blaugrün, mit gerundeter Spitze. Blüten im Frühling, bis 45 mm Durchmesser, reinweiß. Verbreitung: Karoo nordöstlich von Prince Albert (Western Cape).

● **M. thunbergii** [d'après Carl Thunberg (1743–1828), botaniste suédois]. Plantes basses formant des coussins. Feuilles semi-cylindriques, vertes, mesurant jusqu'à 50×8 mm. Fleurs au printemps, jaunes et mesurant jusqu'à 40 mm de diam. Habitat: Western Cape, zone du Karoo à succulentes, surtout dans le Little Karroo.

● **M. sp.** Arbustes bas atteignant jusqu'à 20 cm de haut. Ramification lâche et rameaux souvent plaqués au sol et émettant alors des racines au niveau des nœuds. Feuilles semi-cylindriques, lisses et glauques, à extrémité arrondie, mesurant jusqu'à 60×6 mm. Fleurs au printemps, blanc pur, mesurant jusqu'à 45 mm de diam. Habitat: dans le Karoo au nord de Prince Albert (Western Cape).

Marlothistella

Marlothistella *[Nach Dr. Rudolf Marloth (1855–1931), Botaniker und Apotheker in Stellenbosch; Lat. 'stella', Stern]. Vielköpfige Sukkulenten; Wurzeln karottenähnlich, fleischig. Zweige kurz, Internodien unsichtbar. Blätter halbzylindrisch, spitz, glatt, punktiert. Blüten im Winter, ansehnlich. Fruchtkapseln 5-fächerig mit grossen Verschlusskörperchen. Verbreitung: Eastern Cape, Western Cape, in Fynbos. – Eine Gattung mit zwei Arten. [Volksname: Grasvygie.]*

● **M. stenophylla** [Gr. 'stenos', schmal; Gr. 'phyllon', Blatt]. Büschelförmig und ausdauernd, aus einem rübenartigen Wurzelstock kleine Polster bildend. Blätter in einer Rosette, dreieckig länglich, spitz, grün, bis 45×4 mm. Blüten in Wintermitte, bis 35 mm Durchmesser, bis 15 mm lang gestielt, rosa bis purpurn, Blütenblätter dunkler rosa oder purpurn gestreift. Verbreitung: Auf steinigen Böden in trockenem, grasigem Fynbos im östlichen Teil des Western Cape.

Marlothistella *[d'après le Dr. Rudolf Marloth (1855–1931), botaniste et pharmacien à Stellenbosch et du lat. 'stella', étoile]. Succulentes à pieds multiples et à racines charnues ressemblant à des carottes. Courts rameaux à entre-nœuds imperceptibles. Feuilles semi-cylindriques, pointues, lisses et ponctuées. Jolies fleurs en hiver. Fruits en capsule à 5 loges à gros obturateurs. Habitat: Eastern Cape, Western Cape, dans le Fynbos. – Genre ne comportant que 2 espèces. [nom commun: Grassvygie]*

● **M. stenophylla** [du grec 'stenos', étroit et 'phyllon', feuille]. Plantes en touffe dotées d'un rhizome tubéreux et formant des coussins durables. Feuilles en rosette, triangulaires allongées, pointues, vertes et mesurant jusqu'à 45 ×4 mm. Fleurs en plein hiver, portées par un pédoncule atteignant jusqu'à 15 mm de long et mesurant elles-mêmes jusqu'à 35 mm de diam. Roses à pourpres, leurs pétales sont rayés de rose foncé ou pourpre. Habitat: sols caillouteux du Fynbos aride à graminées de la partie est du Western Cape.

Marlothistella stenophylla

Mesembryanthemum *[Gr. 'mesembria', Mittag; Gr. 'anthemos', Blüte; weil viele Arten die Blüten über Mittag geöffnet haben]. Ein- oder zweijährige, sukkulente Kräuter mit niederliegenden bis kriechenden Zweigen aus einer basalen Rosette. Blätter meist mit grossen, glänzenden Papillen. Blüten weiß oder malvenfarben. Fruchtkapseln 5-fächerig, mit axillärer Plazentation, Fächer ohne Decken oder Verschlusskörperchen. Verbreitung: In den Winterregengebieten Südafrikas (Northern Cape, Western Cape, Eastern Cape) weit verbreitet. – In Südafrika selten kultiviert. Rasch wachsende Pionierpflanzen bzw. Unkräuter. In dieser Gattung finden sich die grössten Blätter der Familie. [Volksnamen: Brakslaai, Brakvy, Olifantslaai, Soutslaai, Volstruisslaai, Slaaibos, Kama.]*

● **M. aitonis** [Nach William Aiton (1731–1793), Gärtner und Botaniker an den Royal Botanic Gardens Kew]. Niederliegend, sukkulent, ein- oder zweijährig, bis 70 cm Durchmesser. Blätter verkehrt eiförmig, in der Sonne rötlich werdend, bis 50 mm lang und 25 mm breit. Blüten im Frühling und Sommer, weiß oder leicht rosa oder malvenfarben. Verbreitung: Eastern Cape, Western Cape, etc., in Valley Bushveld und Küstenvegetation, oft als Pionier an gestörten Stellen. – Selten kultiviert. [Volksnamen: Brakslaai, Slaaibos.]

● **M. crystallinum** [Lat., kristallartig; wegen der Blattpapillen]. Niederliegend, ausgebreitet, alle Teile mit grossen, glitzernden Papillen bedeckt. Blätter eiförmig-spatelig, untere Blätter sehr gross und gedrängt. Blüten im Sommer, 30–50 mm Durchmesser, weiß oder rosa. Verbreitung: Western Cape, Küstengebiete. – In Europa verbreitet kultiviert und als »Eiskraut« bekannt.

● **M. guerichianum** [Nach Georg Gürich (1859–1938), deutscher Geologe]. Aufsteigende, weiche, sukkulente Pflanzen. Blätter mehrere basale Paare, bis 150×80 mm, papillat, eiförmig bis rhombisch. Blüten im Sommer, bis 40 mm Durchmesser, weiß. Verbreitung: Northern Cape, Namaqualand und Inlandgebiete. [Volksname: Soutslaai.]

Mesembryanthemum *[du grec 'mesembria', midi et 'anthemos', fleur; référence à l'épanouissement des fleurs de nombreuses espèces après midi]. Herbacées succulentes annuelles ou bisannuelles, à rameaux bas à rampants émergeant d'une rosette basale. Feuilles généralement dotées de grosses papilles luisantes. Fleurs blanches ou mauves. Fruits en capsule à 5 loges, à placentation axile et dépourvus d'obturateurs et d'opercules. Habitat: largement répandu dans les régions à pluies hivernales d'Afrique du Sud (Northern Cape, Western Cape, Eastern Cape). – Rarement cultivé dans sa patrie sud-africaine. Plantes pionnières à croissance rapides et donc considérées comme des adventices. C'est dans ce genre que l'on trouve les plus grosses feuilles de toute la famille. [noms communs: Brakslaai, Brakvy, Olifantslaai, Soutslaai, Volstruisslaai, Slaaibos, Kama]*

● **M. aitonis** [d'après William Aiton (1731–1793)]. Annuelles ou bisannuelles succulentes et basses atteignant jusqu'à 70 cm de diam. Feuilles obovoïdes rougissant au soleil et mesurant jusqu'à 50 mm de long pour 25 mm de large. Fleurs au printemps et été, blanches ou légèrement roses ou mauves. Habitat: Eastern Cape, Western Cape, etc., dans le Valley Bushveld et la végétation côtière, souvent en tant que plante pionnière dans les zones dévastées. – Rarement cultivé. [noms communs: Brakslaai, Slaaibos]

● **M. crystallinum** [du lat. cristallisé; référence aux papilles des feuilles]. Plantes basses et étalées dont toutes les parties portent de grosses papilles scintillantes. Feuilles ovoïdes-spatulées. Fleurs en été, blanches ou roses, de 30–50 mm de diam. Habitat: Western Cape, zone côtière. – Souvent cultivé en Europe sous le nom de «ficoïde glaciale».

● **M. guerichianum** [d'après Georg Gürich (1859–1938), géologue allemand]. Plantes succulentes, tendres et dressées. Feuilles disposées en plusieurs paires basales, ovoïdes à rhombiformes, dotées de papilles, mesurant jusqu'à 150×80 mm. Fleurs blanches en été, mesurant jusqu'à 40 mm de diam. Habitat: Northern Cape, Namaqualand et intérieur des terres. [nom commun: Soutslaai]

Mesembryanthemum aitonis

Mesembryanthemum guerichianum

Mesembryanthemum crystallinum

Mesembryanthemum nodiflorum

Mesembryanthemum subtruncatum

● **M. nodiflorum** [Lat. 'nodus', Knoten; und Lat. '-florus', -blütig; wegen der eher unbedeutenden Blüten]. Niederliegend-ausgebreitet, alle Teile mit Papillen bedeckt, gräulich grün bis rötlich grün. Blätter linealisch, bis 25×2 mm. Blüten im Frühling, bis 10 mm Durchmesser, weiß. Verbreitung: Im Northern Cape und Western Cape weit verbreitet, in Succulent Karoo wachsend. – Im südlichen und südöstlichen Europa sowie in Kalifornien (USA), Mexiko und anderswo verwildert.

● **M. subtruncatum** [Lat. 'sub-', etwas, fast; und Lat. 'truncatus', gestutzt; wegen der Blätter]. Einjährige, kleine, niederliegende bis aufrechte Pflanzen, bis 15 cm breit und 10 cm hoch. Blätter keulig, drehrund, rötlich werdend, bis 12 ×2 mm (an der Spitze 3 mm). Blüten Spätfrühling und Sommer, weiß, bis 40 mm Durchmesser. Verbreitung: Western Cape, Northern Cape, Tanqua-Karoo und westliche untere Great Karoo, in Nama Karoo-Vegetation.

● **M. nodiflorum** [[du lat. 'nodus', nœud et 'florus', à fleurs; référence à l'insignifiance des fleurs]. Plantes basses et étalées dont toutes les parties sont couvertes de papilles. Feuilles linéaires, gris vert à vert rougeâtre, mesurant jusqu'à 25 × 2 mm. Fleurs blanches au printemps, mesurant jusqu'à 10 mm de diam. Habitat: largement répandu dans le Karoo à succulentes des Northern et Western Capes. – Naturalisé dans le sud et les sud-est de l'Europe ainsi qu'en Californie, au Mexique et encore à d'autres endroits.

● **M. subtruncatum** [du lat. 'sub-', un peu, presque et 'truncatus', tronqué, référence à la feuille]. Petites plantes annuelles, basses à érigées, atteignant jusqu'à 15 cm de large et 10 cm de haut. Feuilles claviformes et fusiformes, devenant rougeâtres et mesurant jusqu'à 12×2 mm (3 mm à l'extrémité). Fleurs blanches en fin de printemps-été, mesurant jusqu'à 40 mm de diam. Habitat: Western Cape, Northern Cape, Tanqua-Karoo et ouest du Great Karoo inférieur; dans le Karoo à succulentes.

Mestoklema

Mestoklema *[Gr. 'mestos', voll; und Gr. 'klema', Zweig]. Aufrechte Kleinsträucher mit grossem, knolligem Wurzelstock. Blätter gegenständig, dreikantig bis fast drehrund, Spitzen zurückgebogen. Blüten klein. Fruchtkapseln 5-fächerig, Fächerdecken vorhanden, Verschlusskörperchen fehlend. – Eine kleine Gattung, weit in den trockenen Sommerregengebieten des Eastern Cape, Free State, Northern Cape sowie in Namibia verbreitet. Selten kultiviert. M. tuberosum ist eine attraktive Caudexpflanze. [Volksnamen: Donkievygie, Donkiebos, Patatvygie, Lidjiesganna, Horingdoring.]*

● **M. tuberosum** [Lat., knollig; wegen der Wurzeln]. Aufrechte Kleinsträucher, bis 70×50 cm, mit grauer, rissiger Rinde. Untere Zweige dick sukkulent; Wurzeln knollig, bis 40 mm Durchmesser und mehr. Blätter grün, winzig papillat, bis 7×1,5 mm. Blüten Herbst bis Frühwinter, bis 8 mm Durchmesser, orangegelb. Verbreitung: Eastern Cape, in Valley Bushveld.

Mestoklema *[du grec 'mestos', plein et 'klema', rameau]. Petits arbustes érigés à gros rhizome tubéreux. Feuilles opposées, trigones à presque fusiformes, à pointe retroussée en arrière. Petites fleurs. Fruits en capsule à 5 loges, dotés d'opercules mais sans obturateurs. – Genre restreint, largement répandu dans les régions sèches à pluies estivales de l'Eastern Cape, du Free State, du Northern Cape ainsi que de la Namibie. Rarement cultivé. M. tuberosum est une intéressante plante à caudex. [noms communs: Donkievygie, Donkiebos, Patatvygie, Lidjiesganna, Horingdoring]*

● **M. tuberosum** [du lat. tubéreux; référence aux racines]. Petits arbustes érigés à écorce grise et ridée, atteignant jusqu'à 70×50 cm. Rameaux inférieurs épais et succulents. Racines tubéreuses atteignant jusqu'à 40 mm de diam., voire plus. Feuilles vertes couvertes de minuscules papilles et mesurant jusqu'à 7×1,5 mm. Fleurs jaune orangé en automne-début d'hiver, mesurant jusqu'à 8 mm de diam. Habitat: Eastern Cape, dans le Valley Bushveld.

Mestoklema tuberosum

Meyerophytum

Meyerophytum *[Nach G. Meyer (1867–1958), Pfarrer und Missionar in Südafrika]. Verzweigte Kleinsträucher, mit ungleich grossen Blattpaaren; erstes Blattpaar als gerundetes Körperchen, zweites Blattpaar länglich und Blätter an der Basis verwachsen. Blüten im Winter, einzeln, dunkelrosa bis violettpurpurn mit weißem Zentrum. Fruchtkapseln 5-fächerig, mit Fächerdecken, Verschlusskörperchen fehlend. Verbreitung: Namaqualand (Northern Cape), in Succulent Karoo-Vegetation wachsend. – Die Gattung war bis vor kurzem monotypisch. [Volksname: Witoogvygie.]*

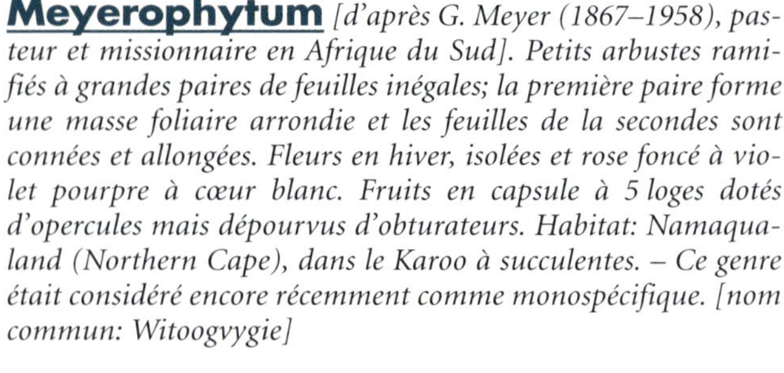

Meyerophytum *[d'après G. Meyer (1867–1958), pasteur et missionnaire en Afrique du Sud]. Petits arbustes ramifiés à grandes paires de feuilles inégales; la première paire forme une masse foliaire arrondie et les feuilles de la secondes sont connées et allongées. Fleurs en hiver, isolées et rose foncé à violet pourpre à cœur blanc. Fruits en capsule à 5 loges dotés d'opercules mais dépourvus d'obturateurs. Habitat: Namaqualand (Northern Cape), dans le Karoo à succulentes. – Ce genre était considéré encore récemment comme monospécifique. [nom commun: Witoogvygie]*

● **M. meyeri** [Wie für die Gattung]. Ausgebreitete Kleinsträucher, bis 60 cm Durchmesser und 20 cm hoch. Blätter dimorph, einerseits verwachsen und gerundete Körperchen bildend, andererseits verlängerte Körperchen bis 10 × 4 mm bildend. Blüten im Winter, dunkelrosa mit weißem Zentrum. Verbreitung: Namaqualand (Northern Cape), in Succulent Karoo-Vegetation wachsend.

Meyerophytum meyeri

● **M. meyeri** [comme pour le genre]. Petits arbustes étalés atteignant jusqu'à 60 cm de diam. et 20 cm de haut. Feuilles dimorphes, soit soudées en une masse foliaire arrondie, soit formant une masse allongée mesurant jusqu'à 10 × 4 mm. Fleurs en hiver, rose foncé à cœur blanc. Habitat: Namaqualand (Northern Cape), dans le Karoo à succulentes.

Mitrophyllum

Mitrophyllum *[Gr. 'mitros', Mitra, Bischofsmütze; Gr. 'phyllon', Blatt; wegen der Form des verwachsenen Blattpaares während der Sommerruhe]. Niedrige, ausgebreitete Sträucher bis kompakte, gerundete, Gruppen bildende Pflanzen. Triebe oft gegliedert. Blätter zweigestaltig, Blätter der Sommerruhezeit auf dem grösseren Teil der Länge verwachsen, zylindrisch verjüngt und nach dem Vertrocknen eine trockene Schutzhülle um das folgende Paar bildend; Folgeblätter (Winterblätter) zuerst ein Paar ausgebreitete Blätter, gefolgt von einem weiteren verwachsenen Paar, welches im folgenden Sommer die nächste Schutzhülle ergibt. Blütenstand verlängerte, lockere Cymen. Blüten Herbst bis Frühling, gelb, rosa oder weiß. Fruchtkapseln 5- bis 7-fächerig, Fächerdecken und Verschlusskörperchen fehlend. Verbreitung: Auf die Küstengebiete des Namaqualandes beschränkt und in Succulent Karoo wachsend. Regen fällt vorwiegend im Winter, und die Menge beträgt weniger als 100 mm pro Jahr. Die Pflanzen werden nicht häufig kultiviert, lassen sich aber leicht aus Stecklingen oder Samen anziehen. [Volksnamen: Biskophoede, Knyptangvygie.]*

Mitrophyllum *[du grec 'mitros', mitre et 'phyllon', feuille; référence à la forme des paires de feuilles soudées pendant le repos estival]. Arbustes bas et étalés à plantes compactes et arrondies, formant des colonies. Tiges souvent ramifiées. Feuilles de 2 types, celles de la période de repos estival sont cylindriques, effilées et soudées sur la majeure partie de leur longueur. Après la sécheresse, elles forment une gaine sèche et protectrice autour de la paire de feuilles suivante. Cette dernière (feuilles hivernales) se compose de feuilles étalées et est suivie d'une nouvelle paire de feuilles soudées qui, l'été suivant, constituera la nouvelle gaine protectrice. Inflorescence allongée, en cymes lâches. Fleurs de l'automne au printemps, jaunes, roses ou blanches. Fruits en capsule à 5 à 7 loges, sans opercules ni obturateurs. Habitat: limité à la bande côtière du Namaqualand, dans le Karoo à succulentes. Les pluies tombent majoritairement en hiver et s'élèvent à moins de 100 mm annuels. Rarement cultivées, ces plantes sont pourtant faciles à multiplier par semis ou boutures. [noms communs: Biskophoede, Knyptangvygie]*

Mitrophyllum dissitum

● **M. dissitum** [Lat., entfernt, zerstreut; wegen der Anordnung der Blätter]. Kleinsträucher, bis 30 cm hoch. Zweige bis 5 mm Durchmesser. Blätter zweigestaltig, die ersten zu einem fleischigen, konischen Körperchen von bis 45 × 10 mm verwachsen, freier Teil aufrecht, bis 25 × 6 mm, das zweite Blattpaar an der Basis verwachsen, bis 45 × 11 mm, zur Spitze verjüngt. Blüten je nach Regenfällen Herbst bis Frühling, gelb, bis 30 mm Durchmesser. Verbreitung: Richtersveld (Northern Cape), in Succulent Karoo wachsend.

● **M. grande** [Lat., gross; wegen des Wuchses]. Gruppen bildende Kleinsträucher, bis 67 cm hoch. Zweige verdickt. Blätter zweigestaltig, die ersten zu einem fleischigen, koni-

● **M. dissitum** [du lat. disséminé, épars; référence à la disposition des feuilles]. Petits arbustes atteignant jusqu'à 30 cm de haut. Rameaux mesurant jusqu'à 5 mm de diam. Feuilles de 2 types: les premières sont soudées en masse foliaire charnue et conique mesurant jusqu'à 45 × 10 mm dont la partie non soudée est érigée et atteint jusqu'à 25 × 6 mm. La seconde paire de feuilles est connée, effilée à la pointe et mesure jusqu'à 45 × 11 mm. Fleurs s'ouvrant après chaque pluie de l'automne au printemps, jaunes et mesurant jusqu'à 30 mm de diam. Habitat: Richtersveld (Northern Cape), dans le Karoo à succulentes.

● **M. grande** [du lat. grand; référence au développement]. Petits arbustes poussant en groupes et atteignant jusqu'à 67 cm de haut. Rameaux épais. Feuilles de 2 types, les premières sont soudées en masses foliaires charnues et coniques, à pointe bilobée, mesurant jusqu'à 200 × 50 mm. La seconde paire de feuilles étalées et effilées atteint jusqu'à 70 × 15 mm. Fleurs blanches au

Mitrophyllum grande

schen Körperchen von bis 200×50 mm verwachsen, mit 2-lappiger Spitze, das zweite Blattpaar bis 70×15 mm, ausgebreitet, verjüngt. Blüten im Frühling, weiß, bis 45 mm Durchmesser. Verbreitung: Richtersveld (Northern Cape), in Succulent Karoo an unteren Hängen wachsend. [Volksname: Biskophoede.]

● **M. mitratum** [Lat., mit einer Mitra; wegen der Form des verwachsenen Blattpaares]. Gruppen bildende Kleinsträucher, bis 30 cm hoch. Zweige verdickt. Blätter zweigestaltig, die ersten zu einem fleischigen, konischen Körperchen von bis 80×20 mm verwachsen, Spitze zweilappig, freie Teile 12 mm, das zweite Blattpaar bis 100×10 mm und ausgebreitet, verjüngt. Blüten im Frühling, weiß, bis 30 mm Durchmesser. Verbreitung: Richtersveld (Northern Cape), in Succulent Karoo an unteren Hängen wachsend. [Volksname: Biskophoede.]

printemps, mesurant jusqu'à 45 mm de diam. Habitat: Richtersveld (Northern Cape), sur les pentes inférieures du Karoo à succulentes. [nom commun: Biskophoede]

● **M. mitratum** [du lat. portant une mitre; référence à la forme de la paire de feuilles soudées]. Petits arbustes poussant en groupes et atteignant jusqu'à 30 cm de haut. Rameaux épais. Feuilles de 2 types, les premières sont soudées en une masse foliaire conique à extrémité bilobée mesurant jusqu'à 80×20 mm. La partie non soudée fait 12 mm. Le second type de paire de feuilles étalées et effilées atteint jusqu'à 100×10 mm. Fleurs blanches au printemps et mesurant jusqu'à 30 mm de diam. Habitat: Richtersveld (Northern Cape), sur les pentes inférieures du Karoo à succulentes. [nom commun: Biskophoede]

Mitrophyllum mitratum

Monilaria

Monilaria *[Lat. 'monile', Perlenkette; wegen den in regelmässigen Abständen eingeschnürten Trieben]. Aufrechte, zwergige Kleinsträucher mit in perlenartige Abschnitte gegliederten Trieben. Blätter weich, länglich, fast zylindrisch, papillat, jeweils von einem kleinen und rudimentären Paar gefolgt. Blüten Spätherbst bis Frühling, einzeln, bis 40 mm Durchmesser, weiß, gelb oder purpurn. Fruchtkapseln 5- bis 7-fächerig, flach, Fächerdecken und Verschlusskörperchen fehlend. Verbreitung: Western Cape, Northern Cape, in Succulent Karoo-Vegetation sowie auf der Knersvlakte und im Namaqualand. [Volksnamen: Bobbejaanvingers, Kraalvygie, Ertjievygie.]*

Monilaria *[du lat. 'monile', collier de perles; référence aux renflements réguliers le long des tiges]. Petits arbustes nains, érigés, dont les tiges portent des renflements réguliers ressemblant à des perles. Feuilles tendres, oblongues, presque cylindriques et portant des papilles, à chaque fois accompagnées d'une petite paire rudimentaire. Fleurs en fin d'automne-printemps, isolées, blanches, jaunes ou pourpres et mesurant jusqu'à 40 mm de diam. Fruits aplatis en capsules à 5 à 7 loges, sans opercules ni obturateurs. Habitat: Western Cape, Northern Cape, dans le Karoo à succulentes ainsi que dans le Knersvlakte et le Namaqualand. [noms communs: Bobbejaanvingers, Kraalvygie, Ertjievygie]*

Monilaria moniliformis

Monilaria pisiformis cf.

● **M. moniliformis** [Lat. 'monile', Perlenkette; Lat. '-formis', -förmig; wegen der Triebe]. Zwergige, aufrechte Kleinsträucher, bis 10 cm hoch. Blätter bis 30×4 mm. Blüten Winter bis Frühling, bis 35 mm Durchmesser, weiß. Verbreitung: Western Cape, Knersvlakte. [Volksname: Bobbejaanvingers.]

● **M. pisiformis** [Lat. 'pisum', Erbse; Lat. '-formis', -förmig; wegen der Triebe]. Zwergige, aufrechte Kleinsträucher mit niedrigen, sukkulenten, perlenkettenartig gegliederten Stämmchen und Zweigen, Zweige mit den Resten der ausdauernden Blätter bedeckt. Ruheblätter sehr kurz, fast bis zur Spitze zu kleinen, kugeligen, dunkelgrünen, erbsengrossen Körperchen verwachsen, Blätter der Vegetationszeit glänzend papillös, gräulich grün, bis 50×3 mm. Blüten im Winter, bis 30 mm Durchmesser, weiß mit rötlich gelbem Zentrum. Verbreitung: Knersvlakte, Vanrhynsdorp-Bezirk (Western Cape).

Monilaria moniliformis

● **M. moniliformis** [du lat. 'monile', collier de perles et '-formis' en forme de; référence aux tiges]. Petits arbustes nains et érigés atteignant jusqu'à 10 cm de haut. Feuilles mesurant jusqu'à 30×4 mm. Fleurs de l'hiver jusqu'au printemps, blanches et mesurant jusqu'à 35 mm de diam. Habitat: Western Cape, dans le Knersvlakte. [nom commun: Bobbejaanvingers]

● **M. pisiformis** [du lat. 'pisum', pois et '-formis', en forme de; référence aux tiges]. Petits arbustes nains et érigés à petits troncs et rameaux bas, succulents et présentant des renflements en «collier de perles». Rameaux couverts des restes des feuilles. Feuilles de la période de repos très courtes, soudées presque jusqu'à la pointe en petites masses foliaires sphériques et vert sombre, de la taille d'un pois. Les feuilles de la période végétative sont vert grisâtre, couvertes de papilles scintillantes et mesurent jusqu'à 50×3 mm. Fleurs en hiver, blanches à cœur jaune rougeâtre, mesurant jusqu'à 30 mm de diam. Habitat: Knersvlakte, district de Vanrhynsdorp (Western Cape).

Mossia

Mossia *[Nach Prof. Dr. Charles E. Moss (1870–1930), britischer Botaniker in Südafrika]. Niederliegende, Polster bildende Pflanzen, an den Knoten wurzelnd. Zweige kriechend. Blätter gegenständig, dreieckig bis länglich dreieckig, bis 10 mm lang, blaugrün. Blüten im Sommer, klein, unscheinbar, weiß bis strohfarben, gegen Abend öffnend. Fruchtkapseln 5-fächerig, flach, brüchig. Verbreitung: Zentrales Südafrika (Gauteng, Free State bis Eastern Cape), meist auf Sandsteinfelsen beschränkt und in flachem, sandigem Kies in Grasland wachsend. Regen fällt hauptsächlich im Sommer, und die Menge beträgt 600–800 mm pro Jahr. Die Gattung ist monotypisch.*

Mossia *[d'après le Prof. Charles E. Moss (1870–1930), botaniste anglais installé en Afrique du Sud]. Plantes basses formant des coussins et dont les nœuds émettent des racines. Rameaux rampants. Feuilles opposées, triangulaires à triangulaires oblongues, glauques et atteignant jusqu'à 10 mm de long. Petites fleurs en été, insignifiantes, blanches à jaune paille et s'ouvrant en fin de journée. Fruits aplatis et friables, en capsules à 5 loges. Habitat: centre de l'Afrique du Sud (Gauteng, depuis le Free State jusqu'à l'Eastern Cape), généralement limité aux rocailles gréseuses et aux étendues plates, sableuses et caillouteuses des prairies. Les pluies y tombent majoritairement en été, à raison de 600–800 mm par an. Genre monospécifique.*

● **M. intervallaris** [Lat., in Abständen; wegen der Anordnung der Blätter in entfernt stehenden Büscheln]. Beschreibung wie für die Gattung. [Volksname: Krale-Vygie.]

Mossia intervallaris

● **M. intervallaris** [du lat. à intervalle; référence à la disposition des feuilles en bouquets bien séparés]. Même description que pour le genre. [nom commun: Krale-Vygie]

Muiria

Muiria *[Nach Dr. J. Muir (1874–1947), schottischer Arzt und Pflanzensammler, der sich in Südafrika niederliess]. Hochsukkulente, verzweigte und dadurch mehrköpfige Pflanzen. Blätter zu einem eiförmig-konischen Körperchen verwachsen, Epidermis graugrün, samtig-haarig, ältere Blätter eine scheidenartige Schutzhülle bildend. Blüten im Sommer aus der Spalte zwischen den Blattenden erscheinend, wachsweiß (selten rosa), bis 20 mm Durchmesser. Fruchtkapseln 6- bis 7-fächerig, Fächerdecken und Verschlusskörperchen fehlend. – Diese monotypische Gattung ist eng mit Gibbaeum verwandt. Verbreitung: Western Cape, Little Karoo, östlich von Barrydale, auf Quarzkieselhügeln und -ebenen.*

● **M. hortenseae** [Nach Hortense Muir, Gattin von Dr. J. Muir]. Beschreibung wie für die Gattung. – Selten kultiviert. Benötigt ein Gewächshaus und muss während des Sommers und des Winters spärlich gegossen werden. Samen keimt nur mit Schwierigkeiten und sollte vor dem Säen einige Jahre zum Nachreifen gelagert werden. Am natürlichen Standort hybridisiert *M. hortenseae* mit *Gibbaeum album*, und für diese Hybridpflanzen wurde der Name *Muirio-gibbaeum muirioides* publiziert. [Volksname: Muiskopvygie.]

Muiria *[d'après le Dr. J. Muir (1874–1947), médecin écossais et collectionneur de plantes qui se fixa en Afrique du Sud]. Plantes très succulentes, ramifiées et présentant donc plusieurs têtes. Feuilles soudées en corpuscules ovoïdes-coniques à épiderme gris vert velouté et pubescent. Feuilles plus anciennes formant des gaines protectrices. Fleurs apparaissant en été dans la fente séparant le sommet des feuilles, d'un blanc cireux (rarement roses) et mesurant jusqu'à 20 mm de diam. Fruits en capsules à 6–7 loges, sans opercules ni obturateurs. – Ce genre monospécifique est étroitement apparenté au Gibbaeum. Habitat: Western Cape, Little Karoo, sur les étendues et les collines de graviers quartzifères à l'est de Barrydale.*

● **M. hortenseae** [d'après Hortense Muir, épouse du Dr. J. Muir]. Même description que pour le genre. Rarement cultivé. Nécessite une serre et doit être arrosé parcimonieusement durant l'été et l'hiver. Les graines ne germent que difficilement et doivent être mises en stratification pendant quelques années avant d'être semées. Dans la nature, le *M. hortenseae* s'hybride avec le *Gibbaeum album* et les plantes qui en résultent sont décrites sous le nom de *Muirio-gibbaeum muirioides*. [nom commun: Muiskopvygie]

Muirio-gibbaeum muirioides

Muiria hortenseae

Muiria hortenseae

Namaquanthus

Namaquanthus *[Nach dem Vorkommen im Namaqualand; Gr. 'anthos', Blüte]. Aufrechte, robuste, langlebige Kleinsträucher, bis 20×30 cm. Blätter bis 70×15 mm, fast drehrund, grün. Blüten Herbst bis früher Frühling, gross, rosapurpurn, bis 50 mm Durchmesser. Fruchtkapseln gerundet, bis 16-fächerig, Fächerdecken vorhanden, Verschlusskörperchen fehlend. Samen bis 1,5×1 mm, igelstachelig, hell. Verbreitung: Northern Cape, im Namaqualand nahe Steenbok endemisch und nur auf einer einzigen Hügelkante auf quarzitischem Sandstein vorkommend.*

Namaquanthus *[d'après l'habitat du Namaqualand et du grec 'anthos', fleur]. Petits arbustes durables, robustes et érigés, atteignant jusqu'à 20×30 cm. Feuilles presque fusiformes, vertes et mesurant jusqu'à 70×15 mm. Grandes fleurs en automne-début de printemps, rose pourpré et mesurant jusqu'à 50 mm de diam. Fruits en capsules arrondies comportant jusqu'à 16 loges, à opercules mais sans obturateurs. Graines claires, hérissées d'épines et mesurant jusqu'à 1,5 × 1 mm. Habitat: Northern Cape, endémique dans le Namaqualand près de Steenbock et seulement présent sur un unique versant de colline de grès quartzifère.*

● **N. vanheerdei** [Nach Oom Piet von Heerde, ehemaliger Lehrer und Sukkulentensammler in Springbok, der die Art entdeckte]. Beschreibung und Verbreitung wie für die Gattung. *N. vanheerdei* ist ein attraktiver Kleinstrauch, der in Kultur leicht gedeiht. Die Pflanzen müssen im Sommer trocken gehalten werden. Sie werden ausserhalb des natürlichen Vorkommens am besten im Gewächshaus gepflegt. Leicht aus Samen zu vermehren. [Volksname: Steenbokvygie.]

Namaquanthus vanheerdei

● **N. vanheerdei** [d'après Oom Piet von Heerde, autrefois professeur et collectionneur de succulentes à Springbok, il découvrit cette espèce] Description et habitat identiques à ceux du genre. *N. vanheerdei* est un beau petit arbuste facile à cultiver. Ces plantes doivent être tenues au sec en été. En dehors de leur habitat naturel, il est conseillé de les garder sous serre. Faciles à multiplier par semis. [nom commun: Steenbokvygie]

Namibia

Namibia *[Nach dem Vorkommen in der Namib-Wüste]. Pflanzen kompakte Gruppen bildend, Zweige kurz und von den Blättern verdeckt. Blätter dreieckig-eiförmig, gekielt, an der Basis verwachsen. Blüten Winter bis Frühling, einzeln, endständig, rosa oder weiß. Fruchtkapseln 9- bis 25-fächerig, Fächerdecken und Verschlusskörperchen fehlend. Verbreitung: Auf das südliche Namibia entlang der Namib-Küste beschränkt und zwischen Felsen und Steinen in sandigem Boden vorkommend. – In Kultur schwierig; muss während der Sommermonate trocken gehalten werden. Die Gattung umfasst 2 Arten. [Volksname: Namib-Vygie.]*

Namibia *[d'après l'habitat dans le désert de Namibie]. Plantes compactes et formant des colonies. Rameaux courts et recouverts par les feuilles. Feuilles triangulaires-ovoïdes, carénées et connées. Fleurs en hiver-printemps, isolées, terminales et roses ou blanches. Fruits en capsules à 9–25 loges, sans opercules ni obturateurs. Habitat: limité au sud de la Namibie, le long de la côte namibienne, parmi les galets et les pierres dans les sols sableux. – Difficile à cultiver, doit être maintenu au sec pendant l'été. Ce genre regroupe 2 espèces. [nom commun: Namib-Vygie]*

● **N. pomonae** [Wegen des Vorkommens bei Pomona, Namibia]. Gruppen bildende Sukkulenten, runde Polster bis 20 cm Durchmesser bildend. Blätter für 1/3 ihrer Länge verwachsen, bis 30×15 mm, dick sukkulent und bootförmig, graugrün. Blüten Wintermitte bis Spätfrühling, bis 30 mm Durchmesser, weiß oder hellrosa. Verbreitung: Südküste Namibias.

Namibia pomonae

● **N. pomonae** [référence à l'habitat près de Pomona, en Namibie]. Succulentes formant des colonies en forme de coussins arrondis atteignant jusqu'à 20 cm de diam. Feuilles soudées sur 1/3 de leur longueur, charnues, succulentes, en forme de bateau, gris vert et mesurant jusqu'à 30×15 mm. Fleurs en plein hiver jusqu'en fin de printemps, blanches ou rose clair et mesurant jusqu'à 30 mm de diam. Habitat: côte sud de la Namibie.

Nananthus

Nananthus *[Gr. 'nanos', klein; Gr. 'anthos', Blüte]. Zwergige, gebüschelte Pflanzen bis 5 cm hoch aus einem knolligen Wurzelstock; Knolle bis 1,3×4,5 cm. Zweige mit 4–6 Blättern. Blätter gegenständig, aufsteigend oder ausgebreitet, 15–50 mm lang, in Aufsicht mit quadratischem oder länglichem Basalteil mit parallelen Seiten, oberer Teil verbreitert und in der Nähe der Mitte oder deutlich darüber am breitesten, linealisch-lanzettlich, eiförmig oder breit eiförmig, etwas stumpflich, spitz oder spitz zulaufend, stumpf gekielt, punktiert, Punkte oft weiß bis weißlich. Blüten einzeln, bald nach Mittag öffnend, bis 30 mm Durchmesser, an der Basis mit Brakteen, Blütenblätter gelb, mit oder ohne rotem Mittelstreifen. Fruchtkapseln mit halbkugeliger Unterseite und flacher oder halbkugeliger Oberseite, bis 9-fächerig. – Ungefähr 5 Arten, in den trockeneren Teilen des Transvaal und der Northwestern Province, Northern Province, im Free State und in Gauteng sowie in Botswana in Grasland vorkommend. [Volksnamen: Brakvygie, Vlaktevygie, Stryvygie, Moervygie, (Sotho) Mosedi.]*

● **N. aloides** [Gr., ähnlich wie eine *Aloe*]. Kleine, gebüschelte Sukkulenten mit einem essbaren, knolligen Wurzelstock. Blätter bis zu 8, dicht zusammengedrängt, jüngere Blätter aufrecht, ältere Blätter ausgebreitet, bis 50 mm lang, schief lanzettlich oder schmal rhomboidal, verjüngt, mit aufgesetztem Spitzchen, Oberseite flach oder leicht gefurcht, zur Spitze dreikantig, dunkelgrün, mit zahlreichen, vorstehenden, weißen Wärzchen bedeckt. Blüten im Spätwinter und Frühling, kurz gestielt, bis 25 mm Durchmesser, gelb, jedes Blütenblatt mit einem roten Mittelstreifen. Verbreitung: Griqualand West im Northern Cape. [Volksnamen: (Sotho) Mosedi.]

● **N. transvaalensis*** [Nach dem Vorkommen in der vormaligen Provinz Transvaal]. Zwergige, Gruppen bildende, rosettige Pflanzen mit knolliger Basis. Blätter bis 30×10 mm, länglich verjüngt, ausgebreitet, bräunlich grün, gewarzt. Blüten im Sommer und Herbst, gelb bis orangegelb, bis etwa 30 mm Durchmesser, Blütenblätter je mit einem schmalen, roten Mittelstreifen. Verbreitung: Trockenes Grasland im westlichen Gauteng und der North West Province.

● **N. wilmaniae*** [Nach Maria Wilman (1867–1957), Geologin und Botanikerin]. Kleine, gebüschelte Sukkulenten aus einem knolligen Wurzelstock. Blätter bis zu 4, zusammengedrängt, bis 22×13 mm, eiförmig, spitz bis spitz zulaufend, Oberseite flach, Unterseite gekielt und unterhalb der Spitze zusammengedrückt, trüb olivgrün, mit hellen Punkten bedeckt. Blüten Winter und früher Frühling, sitzend, bis 20 mm Durchmesser, gelb mit roten Mittelstreifen. Verbreitung: Griqualand West im Northern Cape.

Nananthus *[du grec 'nanos', petit et 'anthos', fleur]. Plantes naines, en touffe, atteignant jusqu'à 5 cm de haut et possédant un rhizome tubéreux dont chaque tubercule mesure jusqu'à 1,3 × 4,5 cm. Rameaux portant 4–6 feuilles. Feuilles opposées, dressées ou étalées, linéaires-lancéolées et ovoïdes à largement ovoïdes, mesurant 15–50 mm de long. Vue de dessus, leur base est carrée ou allongée et possède des faces parallèles et leur partie supérieure s'élargit; la zone la plus large se situant à mi-hauteur ou bien au-dessus. Légèrement obtuses, aiguës ou acuminées, dotées d'une carène peu marquée, les feuilles sont pointillées, souvent de blanc ou de blanchâtre. Fleurs isolées s'ouvrant juste après midi, mesurant jusqu'à 30 mm de diam. et dotées de bractées basales. Pétales jaunes avec ou sans rayure centrale rouge. Fruits en capsules dotées de jusqu'à 9 loges, à base hémisphérique et sommet aplati ou également hémisphérique. – A peu près 5 espèces originaires des prairies des régions sèches du Transvaal, des North-West et North Provinces, du Free State, du Gauteng ainsi que du Botswana. [noms communs: Brakvygie, Vlaktevygie, Stryvygie, Moervygie, (Sotho) Mosedi]*

● **N. aloides** [du grec, qui ressemble à un *Aloe*]. Petites succulentes en touffe à rhizome tubéreux comestible. Feuilles étroitement serrées, par 8 au maximum, les juvéniles étant érigées et les plus anciennes étalées. Mesurant jusqu'à 50 mm de long, la feuille est obliquement lancéolée à étroitement rhomboïdale, effilée et mucronée. La face supérieure aplatie ou légèrement ridée, à extrémité triangulaire, est vert foncé et parsemée de nombreuses petites verrues blanches et saillantes. Fleurs brièvement pédonculées, s'ouvrant en fin d'hiver-printemps et mesurant jusqu'à 25 mm de diam. Chaque pétale jaune présente une rayure centrale rouge. Habitat: Griqualand occidental dans le Northern Cape. [nom commun: (Sotho) Mosedi]

● **N. transvaalensis*** [d'après l'habitat dans l'ancienne province du Transvaal]. Plantes naines, en rosette, formant des colonies et possédant une base tubéreuse. Feuilles mesurant jusqu'à 30×10 mm, oblongues effilées, étalées, vert brunâtre et verruqueuses. Fleurs en été et automne, jaunes à jaune orangé, mesurant jusqu'à environ 30 mm de diam. Pétales dotés d'une étroite rayure centrale rouge. Habitat: prairies sèches de l'ouest du Gauteng et de la North–West Province.

● **N. wilmaniae*** [d'après Maria Wilman (1867–1957), géologue et botaniste]. Petites succulentes en touffe dotées d'un rhizome tubéreux. Feuilles mesurant jusqu'à 22× 13 mm, étroitement serrées, par 4 au maximum, ovoïdes, aiguës à acuminées, d'un vert olive terne marqué de points clairs. La face supérieure est plate et la face inférieure carénée est comprimée en dessous de la pointe. Fleurs sessiles en hiver et début de printemps, jaunes à rayures centrales rouges, mesurant jusqu'à 20 mm de diam. Habitat: Griqualand occidental dans le Northern Cape.

Nananthus aloides

Nananthus transvaalensis

Nananthus wilmaniae

Nelia

Nelia *[Nach Prof. G. C. Nel (1885–1950), Botaniker in Stellenbosch]. Zwergige, kompakte, gebüschelte Pflanzen. Blätter aufsteigend, gegenständig, an der Basis kurz verwachsen, länglich und fast drehrund bis dreikantig, Oberfläche glatt, blaugrün bis graugrün. Blüten im Winter und Frühling, 1–3 zusammen an Hochblätter tragenden Stielen, geöffnet bleibend, weiß, Staminodien die Staubblätter verdeckend. Fruchtkapseln 5-fächerig, verkehrt konisch, Fächerdecken auf einen Rand reduziert, Verschlusskörperchen fehlend. Verbreitung: Auf das nördliche Namaqualand und die Richtersveldküste (Northern Cape) beschränkt, in Succulent Karoo-Vegetation. Regen fällt vorwiegend im Winter, und die Menge beträgt 50–200 mm pro Jahr. [Volksname: Poeierkwasvygie.]*

● **N. meyeri*** [Nach G. Meyer (1867–1958), Pfarrer und Missionar in Südafrika]. Zwergige, kompakte, gebüschelte Pflanzen, bis 8 cm hoch. Blätter bis 30×8 mm, länglich dreikantig, bläulich grün. Blüten im Winter und Frühling, bis 16 mm Durchmesser, weißlich gelb. Verbreitung: Auf die Küstenberge des Richtersveldes (Northern Cape) beschränkt, in Succulent Karoo-Vegetation.

● **N. pillansii** [Nach Neville S. Pillans (1884–1964), Botaniker am Bolus-Herbarium der Universität von Kapstadt]. Zwergige, kompakte, gebüschelte Pflanzen, bis 8 cm hoch. Blätter bis 30×8 mm, länglich und fast drehrund, weißlich grün. Blüten im Winter und Frühling, 14 mm Durchmesser, weiß. Verbreitung: Auf die Küstenberge des Richtersveldes (Northern Cape) beschränkt, in Succulent Karoo-Vegetation.

● **N. schlechteri** [Nach Max Schlechter (1874–1960), Sukkulentensammler in Namaqualand]. Zwergige, kompakte, gebüschelte Pflanzen, bis 8 cm hoch. Blätter bis 25×8 mm, länglich, fast drehrund und zur Spitze verbreitert, Oberflächen blaugrün. Blüten im Winter und Frühling, 18 mm Durchmesser, weiß. Verbreitung: Auf die Küstenberge des Richtersvelds (Northern Cape) beschränkt, wo die Pflanzen in Succulent Karoo-Vegetation vorkommen.

Nelia *[d'après le Prof. G. C. Nel (1885–1950), botaniste à Stellenbosch]. Plantes naines et compactes, en touffe. Feuilles dressées, opposées, brièvement connées, oblongues et presque fusiformes à trigones. Epiderme lisse et glauque à gris vert. Fleurs en hiver et printemps, groupées par 1–3 sur un pédoncule doté de bractées, blanches, demeurant ouvertes et dont les staminodes recouvrent les étamines. Fruits en capsules à 5 loges, obconiques, à opercules réduits à l'état de rebord et sans obturateurs. Habitat: limité au Karoo à succulentes dans le nord du Namaqualand et sur la côte du Richtersveld (Northern Cape). Les pluies y tombent majoritairement en hiver, à raison de 50–200 mm par an. [nom commun: Poeierkwasvygie]*

● **N. meyeri*** [d'après G. Meyer (1867–1958), pasteur et missionnaire en Afrique du Sud]. Plantes naines et compactes formant des touffes atteignant jusqu'à 8 cm de haut. Feuilles mesurant jusqu'à 30×8 mm, trigones oblongues et vert bleuté. Fleurs en hiver et printemps, jaune blanchâtre et mesurant jusqu'à 16 mm de diam. Habitat: limité au Karoo à succulentes des montagnes côtières du Richtersveld (Northern Cape).

● **N. pillansii** [d'après Neville S. Pillan (1884–1964), botaniste au Bolus-Herbarium de l'Université du Cap]. Plantes naines et compactes formant des touffes atteignant jusqu'à 8 cm de haut. Feuilles mesurant jusqu'à 30×8 mm, oblongues et presque fusiformes, vert blanchâtre. Fleurs en hiver et printemps, blanches et mesurant jusqu'à 14 mm de diam. Habitat: limité au Karoo à succulentes des montagnes côtières du Richtersveld (Northern Cape).

● **N. schlechteri** [d'après Max Schlechter (1874–1960), collectionneur de succulentes du Namaqualand]. Plantes naines et compactes formant des touffes atteignant jusqu'à 8 cm de haut. Feuilles mesurant jusqu'à 25×8 mm, oblongues, presque fusiformes, à extrémité élargie et épiderme glauque. Fleurs en hiver et printemps, blanches et mesurant jusqu'à 18 mm de diam. Habitat: Karoo à succulentes des montagnes côtières du Richtersveld.

Nelia meyeri

Nelia pillansii

Nelia schlechteri

Neohenricia

Neohenricia *[Nach Dr. Marguerite Henrici (1892–1971), südafrikanische Botanikerin]. Pflanzen zwergig, Polster bildend, an den Knoten wurzelnd. Zweige kurz, mit 2–8 Blattpaaren. Blätter keulig-dreikantig, graugrün, Oberflächen warzig. Blüten im Sommer, gelblich bis rosa, einzeln auf zurückgebogenen Stielen. Fruchtkapseln brüchig, 4- bis 6-fächerig, Fächerdecken auf einen kleinen Rand reduziert, Verschlusskörperchen fehlend. Verbreitung: Die Gattung Neohenricia umfasst 2 Arten im zentralen Südafrika. N. sibbettii kommt in Karoo-Vegetation in flachen Felstaschen auf Sandsteinfelsen vor, N. spiculata in Grasland-Vegetation auf anstehendem Doleritfels. – Die Pflanzen sind in Kultur in einem kiesig-sandigen Boden leicht zu halten, werden aber häufig von Spinnmilben befallen. Leicht aus Stecklingen zu vermehren. [Volksnamen: Vratvygie, Coral Plant.]*

Neohenricia *[d'après le Dr. Marguerite Henrici (1892–1971), botaniste sud-africaine]. Plantes naines en coussin dont les nœuds émettent des racines. Rameaux courts dotés de 2–8 paires de feuilles. Feuilles claviformes-trigones, gris vert, à surface verruqueuse. Fleurs en été, jaunâtres à roses, isolées au bout d'un pédoncule recourbé vers l'arrière. Fruits friables en capsules à 4 à 6 loges, à opercules réduits à l'état de rebord et sans obturateurs. Habitat: le genre Neohenricia regroupe 2 espèces du centre de l'Afrique du Sud. N. sibbettii pousse dans le Karoo, dans les poches caillouteuses superficielles des pierrailles de grès, alors que N. spiculata est originaire des prairies situées sur les affleurements de dolérite. – Ces plantes sont faciles à cultiver sur un sol sableux et gravillonneux mais elles sont souvent attaquées par les araignées rouges. Faciles à multiplier par boutures. [noms communs: Vratvygie, Coral Plant]*

● **N. sibbettii** [Nach Herrn Sibbett]. Zwergige, Polster bildende Pflanzen, an den Knoten wurzelnd. Blätter keulig, bis 10×2 mm, graugrün, Spitzenbereich warzig. Blüten im Sommer, gelblich mit rot gespitzten Blütenblättern, bis 12 mm Durchmesser. Verbreitung: Northern Cape und südlicher Free State, in flachen Felstaschen auf Sandstein, in Karoo-Vegetation. [Volksname: Vratvygie.]

● **N. sibbettii** [d'après Monsieur Sibbett]. Plantes naines en coussin dont les nœuds émettent des racines. Feuilles claviformes mesurant jusqu'à 10×2 mm, gris vert, à extrémité verruqueuse. Fleurs en été, à pétales jaunâtres à pointe rouge, mesurant jusqu'à 12 mm de diam. Habitat: poches caillouteuses superficielles des sols gréseux du Karoo, dans le Northern Cape et au sud du Free State. [nom commun: Vratvygie]

Neohenricia sibbettii

Octopoma

Octopoma *[Gr. 'okto', acht; Gr. 'poma', Deckel; wegen der Fruchtkapseln]. Zwergige Kleinsträucher mit blaugrünen Blättern. Blätter an der Basis verwachsen, gegenständig, glatt. Blüten Frühling bis Frühsommer, rosa, purpurn oder weiß. Fruchtkapseln bis 10-fächerig, Fächerdecken und Verschlusskörperchen vorhanden. Verbreitung: Western Cape, Northern Cape, in Gebieten mit Succulent Karoo-Vegetation. – Selten kultiviert. [Volksname: Vaalvygie.]*

Octopoma *[du grec 'okto', huit et 'poma', couvercle; référence aux fruits en capsule]. Petits arbustes nains à feuilles glauques. Feuilles connées, opposées et lisses. Fleurs au printemps-début d'été, roses, pourpres ou blanches. Fruits en capsules dotées de jusqu'à 10 loges, à opercules et obturateurs. Habitat: zones du Karoo à succulentes dans le Western Cape et le Northern Cape. – Rarement cultivé. [nom commun: Vaalvygie]*

● **O. connatum** [Lat., vereinigt; wegen der basal verwachsenen Blätter]. Kompakte, gerundete Kleinsträucher, bis 12 cm hoch und 13 cm Durchmesser. Triebe basal bis 9 mm Durchmesser. Blätter dreikantig bis fast drehrund, seitlich konvex, bis 25×5 mm, gekielt, bläulich grün, Spitze stumpf. Blüten einzeln, bis 27 mm Durchmesser, purpurn. Verbreitung: Quarzkieselebenen im Northern Cape und Western Cape (von Vanrhynsdorp nordwärts). (Ohne Abbildung)

● **O. octojuge** [Lat. 'octo', acht; Lat. 'iugum', Joch, Paar; wegen der 8 Fruchtfächer]. Zwergige Kleinsträucher, bis 10 cm hoch. Blätter bis 7×4 mm, fast zylindrisch. Blüten im Sommer, bis 30 mm Durchmesser, rosapurpurn bis weiß. Ver-

● **O. connatum** [du lat. réuni; référence aux feuilles connées]. Petits arbustes compacts et arrondis, atteignant jusqu'à 12 cm de haut et 13 cm de diam. Tiges basales mesurant jusqu'à 9 mm de diam. Feuilles trigones à presque fusiformes, à faces convexes, carénées, obtuses, vert bleuté et mesurant jusqu'à 25×5 mm. Fleurs isolées, pourpres et mesurant jusqu'à 27 mm de diam. Habitat: étendues de graviers quartzifères du Northern Cape et du Western Cape (vers le nord à partir de Vanrhynsdorp). (non illustré)

● **O. octojuge** [du lat. 'octo', huit et 'iugum', paire; référence aux 8 loges du fruit]. Petits arbustes nains mesurant jusqu'à 10 cm de haut. Feuilles presque cylindriques mesu-

Octopoma octojuge

Octopoma quadrisepalum

breitung: Western Cape, Little Karoo, in Succulent Karoo-Vegetation wachsend.

● **O. quadrisepalum** [Lat. 'quadri-', vier; Lat. 'sepalum', Kelchblatt]. Kompakte, zwergige Kleinsträucher, bis 13 cm hoch. Blätter bootförmig, bis 3×4 mm, blaugrün. Blüten im Frühling, einzeln, rosa. Verbreitung: In der Little Karoo (Western Cape) weit verbreitet.

rant jusqu'à 7×4 mm. Fleurs en été, rose pourpre à blanches, mesurant jusqu'à 30 mm de diam. Habitat: Karoo à succulentes dans le Little Karroo, Western Cape.

● **O. quadrisepalum** [du lat. 'quadri', quatre et 'sepalum', sépale]. Petits arbustes nains et compacts atteignant jusqu'à 13 cm de haut. Feuilles en forme de bateau, glauques et mesurant jusqu'à 3×4 mm. Fleurs au printemps, isolées et roses. Habitat: largement répandu dans le Little Karoo (Western Cape).

Odontophorus

Odontophorus *[Gr. 'odous, odontos', Zahn; Gr. 'phorein', tragen; wegen der Blattrandzähne]. Gruppen bildende bis ausgebreitete, verzweigte Kleinsträucher. Blätter gekielt, graugrün, weich und oft samtig oder behaart, Spitzenbereich mit Randzähnen. Blüten im Winter, gelb oder weiß. Fruchtkapseln 8- bis 11-fächerig. Verbreitung: Richtersveld, in gebirgigen Gebieten, zwischen Quarzfelsen oder Kieseln in Succulent Karoo-Vegetation wachsend. [Volksname: Tandjiesvygie.]*

● **O. angustifolius subsp. angustifolius** [Lat. 'angustus', schmal; Lat. '-folius', -blätterig]. Gebüschelte, zwergige, gerundete Kleinsträucher. Blätter aufsteigend, länglich linealisch, verjüngt, graugrün, Ränder und Kiel gezähnt. Blüten Spätwinter bis früher Frühling, bis 40 mm Durchmesser, gelb mit hellerer Mitte. Verbreitung: Richtersveld (Northern Cape), auf Quarzkieselebenen.

● **O. angustifolius subsp. protoparcoides** [Wegen der Ähnlichkeit mit der Raupe von *Protoparce* (Tomatenschwärmer), wegen der endständigen, dunklen Borsten]. Gebüschelte, zwergige Sukkulenten. Blätter verjüngt, aufsteigend, mit schwärzlichen Zähnen. Blüten in Wintermitte, bis 35 mm Durchmesser, gelb. Verbreitung: Rosyntjiesberg, Richtersveld (Northern Cape), auf Bergkuppen zwischen Quarzkies, in Succulent Karoo-Vegetation. [Volksname: Verdwaalvygie.]

● **O. marlothii** [Nach Dr. Rudolf Marloth (1855–1931), Botaniker und Apotheker in Stellenbosch]. Zwergige Kleinsträucher mit verlängerten Trieben. Blätter bis 35×8 mm, Oberseite leicht konvex, zur Spitze etwas verbreitert und lang dreieckig, Unterseite zuerst rundlich, zur Spitze gekielt und seitlich zusammengedrückt, seitliche Kanten oberseits mit

Odontophorus angustifolius subsp. angustifolius

Odontophorus *[du grec 'odous, odontos', dent et 'phorein', porter; référence aux feuilles dentées]. Petits arbustes ramifiés, étalés ou formant des colonies. Feuilles carénées, gris vert, tendres et souvent veloutées ou velues, bordées de dents dans la zone sommitale. Fleurs en hiver, jaunes ou blanches. Fruits en capsules à 8 à 11 loges. Habitat: parmi les galets ou graviers quartzifères du Karoo à succulentes des régions montagneuses du Richtersveld. [nom commun: Tandjiesvygie]*

● **O. angustifolius subsp. angustifolius** [du lat. 'angustus', étroit et '-folius', à feuilles]. Petits arbustes nains en touffe arrondie. Feuilles ascendantes, linéaires oblongues, effilées et gris vert. Bords et carène dentés. Fleurs en fin d'hiver-début de printemps, jaunes à cœur plus clair, mesurant jusqu'à 40 mm de diam. Habitat: étendues de graviers quartzifères du Richtersveld (Northern Cape).

● **O. angustifolius subsp. protoparcoides** [référence à la ressemblance entre la chenille du *Protoparce* (parasite de la tomate) et les soies foncées et terminales des feuilles]. Succulentes naines, en touffes. Feuilles effilées, redressées, à dents noirâtres. Fleurs en plein hiver, jaunes et mesurant jusqu'à 35 mm de diam. Habitat: dans le Karoo à succulentes, parmi les graviers quartzifères des croupes montagneuses du Rosyntjiesberg et du Richtersveld (Northern Cape). [nom commun: Verdwaalvygie]

● **O. marlothii** [d'après le Dr. Rudolf Marloth (1855–1931), botaniste et pharmacien à Stellenbosch]. Petits arbustes nains à tiges allongées. Feuilles mesurant jusqu'à 35×8 mm, à avers lé-

Odontophorus angustifolius subsp. protoparcoides

Odontophorus marlothii

Odontophorus nanus

Odontophorus pusillus

6–7 Zähnen, Oberflächen grau bis dunkelgrün, mit gerundeten, vorstehenden, fein weißlich behaarten Warzen bedeckt und Blätter dadurch mit rauhem Aussehen. Blüten Herbst bis Frühwinter, bis 30 mm Durchmesser, gelb. Verbreitung: Northern Cape, Namaqualand.

● **O. nanus** [Lat., zwergig]. Zwergige, gebüschelte Sukkulenten. Zweige sehr kurz. Blätter gedrängt, Oberseite im Profil fast eiförmig, bauchig erweitert, 15 mm lang, 10 mm breit und 7–9 mm dick, Oberflächen rauh und hell gelblich grün bis gräulich grün, mit zahlreichen, helleren Punkten bedeckt, Blattränder gezähnt, Zähne steif. Blüten im Winter, bis 7 mm lang gestielt, bis 30 mm Durchmesser, weiß. Verbreitung: Northern Cape, Namaqualand.

● **O. pusillus** [Lat., winzig]. Gerundete bis ausgebreitete, verzweigte Kleinsträucher, bis 20 cm Durchmesser. Blätter graugrün, bis 25×8 mm, samtig, manchmal in Spitzennähe mit einem Paar kleiner Zähne. Blüten im Winter, gelb, bis 25 mm Durchmesser. Verbreitung: Quaggas, Richtersveld (Northern Cape), auf einer Bergkuppe in Succulent Karoo-Vegetation wachsend. [Volksname: Kwaggavygie.]

gèrement convexe dont l'extrémité est un peu élargie et triangulaire allongée. Revers tout d'abord arrondi puis devenant caréné et latéralement comprimé vers l'extrémité. Les arêtes latérales de l'avers sont bordées de 6–7 dents. Epiderme couvert de verrues porteuses d'un fin duvet blanc, ce qui donne un aspect rugueux au feuillage. Fleurs en automne-début d'hiver, jaunes, jusqu'à 30 mm de diam. Habitat: Namaqualand.

● **O. nanus** [du lat. nain]. Succulentes naines en touffes. Rameaux très courts. Feuilles serrées, mesurant 15 mm de long pour 10 de large et 7–9 d'épaisseur, à avers presque ovoïde vu de profil puis devenant pansu. Epiderme rugueux et vert jaunâtre clair à vert grisâtre, couvert de nombreux points plus clairs. Feuilles bordées de dents rigides. Fleurs blanches, en hiver, dotées d'un pédoncule mesurant jusqu'à 7 mm de long et mesurant elles-mêmes jusqu'à 30 mm de diam. Habitat: Northern Cape, Namaqualand.

● **O. pusillus** [du lat. minuscule]. Petits arbustes ramifiés, arrondis à étalés et atteignant jusqu'à 20 cm de diam. Feuilles gris vert mesurant jusqu'à 25×8 mm, veloutées et parfois dotées d'une paires de petites dents dans la zone sommitale. Fleurs en hiver, jaunes et mesurant jusqu'à 25 mm de diam. Habitat: sur la croupe montagneuse du Karoo à succulentes du Quaggas et du Richtersveld (Northern Cape). [nom commun: Kwaggavygie]

Oophytum

Oophytum *[Gr. 'oon', Ei; Gr. 'phyton', Pflanze; wegen der Form der Blattkörperchen]. Zwergige Pflanzen, halbkugelige Polster bis 6 cm Durchmesser bildend. Blätter zu einem eiförmigen bis kugeligen Körperchen verwachsen, im Ruhestadium vertrocknend und eine schützende Hülle um das neue Körperchen bildend. Blüten einzeln, bis 22 mm Durchmesser. Fruchtkapseln 5- bis 6-fächerig, mit häutigen Klappenflügeln, ohne Fächerdecken oder Verschlusskörperchen. Samen zusammengedrückt. Verbreitung: Ein kleine Gattung mit 3 Arten, auf die Quarzkieselebenen (Knersvlakte) nördlich von Vanrhynsdorp beschränkt und in Succulent Karoo wachsend. – Gelegentlich kultiviert und ausserhalb des Verbreitungsgebietes am besten in Töpfen unter kontrollierten Bedingungen zu pflegen. Im Sommer trocken halten. [Volksnamen: Krapogies, Eiervygie.]*

● **O. nanum** [Lat., zwergig]. Ähnlich wie die folgenden Arten, aber Körperchen fast kugelig, bis 7 mm Durchmesser. Blüten im Winter, bis 10 mm Durchmesser, weiß, rötlich purpurn gerandet. Verbreitung: Quarzkieselhügel und -ebenen nördlich von Vanrhynsdorp.

● **O. nordenstamii*** [Nach Bertil Nordenstam (*1936), schwedischer Botaniker]. Blattkörperchen fast kugelig, bis 20 × 13 mm. Blüten im Winter, weiß, selten hellrosa. Verbreitung: Nahe Holrivier, westliche Knersvlakte, auf Quarzkieselebenen.

● **O. oviforme** [Lat. 'ovus', Ei; Lat. '-formis', -förmig; wegen der verwachsenen Blattpaare]. Gruppen bildende, zwergige, mehrjährige Blattsukkulenten, kleine, dichte, halbkugelige Polster von 4–6 cm Durchmesser bildend. Zweige kurz und von alten Blattscheiden bedeckt. Blätter gegenständig, zu weichen, konischen, grünen bis rötlichen Körperchen mit kleiner Endspalte verwachsen, Blattkörperchen 25 × 8 mm, Oberflächen fein warzig, während des Sommers vertrocknend und eine grauweiße, das neue Blattpaar vollständig umgebende Schutzhülle bildend. Blüten im Winter, einzeln, bis 22 mm Durchmesser, hell purpurrosa oder weiß mit rosa Mittelstreifen. Verbreitung: Quarzkieselhügel nördlich von Vanrhynsdorp.

Oophytum *[du grec 'oon', œuf et 'phyton', plante; référence à la forme des masses foliaires]. Plantes naines formant des coussins hémisphériques atteignant jusqu'à 6 cm de diam. Feuilles soudées en corpuscules ovoïdes à sphériques, se desséchant en phase de repos et formant alors une gaine protectrice autour des nouvelles masses. Fleurs isolées et mesurant jusqu'à 22 mm de diam. Fruits en capsules à 5 à 6 loges, à valves à ailettes membraneuses, sans opercules ni obturateurs. Graines comprimées. Habitat: petit genre regroupant 3 espèces poussant dans le Karoo à succulentes sur les étendues de graviers quartzifères (Knersvlakte) au nord de Vanrhynsdorp. – Parfois cultivé et, en dehors de son habitat naturel, il est conseillé de le maintenir en pot, sous des conditions bien contrôlées. Conserver au sec durant l'été. [noms communs: Krapogies, Eiervygie]*

● **O. nanum** [du lat. nain]. Semblable à l'espèce suivante mais les corpuscules presque sphériques mesurent jusqu'à 7 mm de diam. Fleurs en hiver, blanches bordées de pourpre rougeâtre et mesurant jusqu'à 10 mm de diam. Habitat: collines et étendues de graviers quartzifères au nord de Vanrhynsdorp.

● **O. nordenstamii*** [d'après Bertil Nordenstam (*1936), botaniste suédois]. Corpuscules presque sphériques et mesurant jusqu'à 20 × 13 mm. Fleurs en hiver, blanches ou plus rarement rose clair. Habitat: sur les étendues de graviers quartzifères près de Holrivier, à l'ouest du Knersvlakte.

● **O. oviforme** [du lat. 'ovus', œuf et '-formis', en forme de: référence aux paires de feuilles soudées]. Plantes naines pluriannuelles poussant en colonies et formant de petits coussins denses et hémisphériques atteignant jusqu'à 4–6 cm de diam. Rameaux courts et couverts des anciennes gaines foliaires. Feuilles opposées, soudées en corpuscules tendres, coniques, vertes à rougeâtres et dotées d'une petite fente sommitale. Masses foliaires de 25 × 8 mm, à épiderme finement variqueux. Pendant l'été, les feuilles se dessèchent et forment une gaine protectrice gris blanc qui entoure totalement la nouvelle paire de feuilles. Fleurs en hiver, isolées, rose pourpre clair ou blanches à rayures centrales roses, mesurant jusqu'à 22 mm de diam. Habitat: collines de graviers quartzifères au nord de Vanrhynsdorp.

Oophytum nanum

Oophytum nordenstamii

Oophytum oviforme

Oophytum oviforme

Orthopterum

Orthopterum *[Gr. 'orthos', aufrecht; Gr. 'pteron', Flügel; wegen der Konstruktion der Fruchtkapseln]. Zwergige, ausdauernde, kurztriebige Sukkulenten, Gruppen bildend, Triebe mit bis zu 8 Blättern. Blätter gegenständig, etwas ungleich, fast aufrecht, linealisch-lanzettlich, an der Spitze mit einem kleinen Dorn, Oberseite flach oder etwas konvex, Unterseite gerundet und zur Spitze gekielt, entlang des Kiels und der Blattränder mit 1–2 Warzen mit durchscheinenden, zurückgebogenen Zähnen, sonst Blätter glatt, hellgrün, mit dunkelgrünen Punkten übersät. Blüten sitzend, goldgelb, aussen rötlich, am Nachmittag öffnend, bis 50 mm Durchmesser. Fruchtkapseln bis 6-fächerig, Klappen im offenen Zustand zurückgebogen. – Eine kleine Gattung mit 2 Arten. Leicht durch Teilung oder Aussaat zu vermehren und in Steingärten oder in Töpfen zu pflegen. [Volksname: Koega-Vygie.]*

Orthopterum *[du grec 'orthos', érigé et 'pteron', aile; référence à la morphologie des fruits en capsule]. Succulentes naines, vivaces, à tiges courtes et formant des colonies. Tiges portant jusqu'à 8 feuilles. Feuilles opposées, un peu inégales, presque dressées, linéaires-lancéolées, dotées d'une petite épine sommitale. Avers plat ou légèrement convexe et revers arrondi à extrémité carénée. Bords de la feuille et carène portant 1–2 verrues et des dents translucides et recourbées en arrière. Sinon, ensemble de la feuille lisse et vert clair pointillé de vert sombre. Fleurs sessiles, jaune doré, rougeâtres à l'extérieur, s'ouvrant l'après-midi et mesurant jusqu'à 50 mm de diam. Fruits en capsules dotées de jusqu'à 6 loges, à valves retroussées en arrière lorsqu'elles sont ouvertes. – Petit genre regroupant 2 espèces. Facile à multiplier par division ou semis; à cultiver en rocaille ou en pot. [nom commun: Koega-Vygie]*

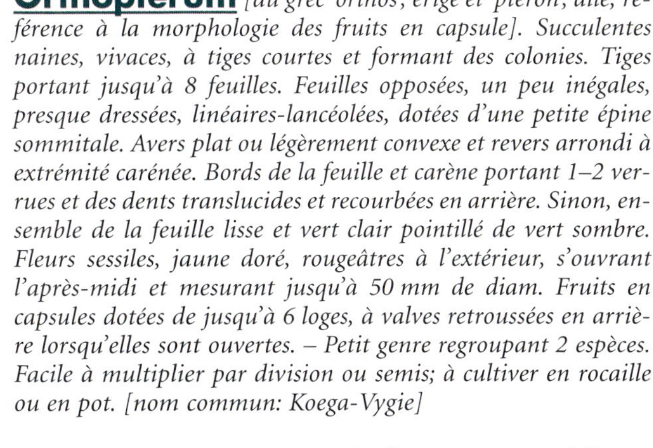

● **O. coeganum** [Nach dem Vorkommen am Coega Kop]. Gruppen bildend, bis 8 cm Durchmesser. Blätter linealisch bis lanzettlich, bis 35 × 10 mm, Rückseite rundlich gekielt, Ränder immer mit einem undeutlich grannigen Zahn, hellgrün, mit dunkler grünen Punkten besetzt. Blüten in Wintermitte, bis 45 mm Durchmesser, goldgelb. Verbreitung: Nur vom Coega Kop nahe Uitenhage (Eastern Cape) bekannt.

Orthopterum coeganum

● **O. coeganum** [d'après l'habitat de Coega Kop]. Plantes poussant en groupes et atteignant jusqu'à 8 cm de diam. Feuilles linéaires à lancéolées mesurant jusqu'à 35 × 10 mm, à revers portant une carène arrondie et à bordure toujours garnie d'une dent aristée indistincte. Epiderme vert clair pointillé de vert foncé. Fleurs en plein hiver, jaune doré, mesurant jusqu'à 45 mm de diam. Habitat: uniquement présent à Coega Kop, près de Uitenhage (Eastern Cape).

Oscularia

Oscularia *[Lat. 'osculum', kleiner Mund; wegen der gezähnten Blattpaare]. Ausgespreizte bis gerundete, ausgebreitete, reich verzweigte Kleinsträucher. Zweige holzig, rötlich braun. Blätter graugrün bis hellblau, dreieckig-keulig oder seitlich zusammengedrückt und sichelförmig, Ränder oft mit rötlichen Zähnen besetzt. Blüten rosa bis weiß; Staubblätter zu einer Säule vereinigt. Fruchtkapseln 5-fächerig, Fächerdecken vorhanden, Verschlusskörperchen fehlend. Samen birnenförmig, rauh. – Eine kleine Gattung mit 8 Arten, auf das Western Cape beschränkt. Die Pflanzen kommen in Fynbos-Vegetation zwischen mineralarmen, quarzitischen Sandsteinfelsen vor. Regen fällt während der kühleren Monate, und die Menge beträgt 300–800 mm pro Jahr. Am besten alle 3 Jahre aus Stecklingen zu verjüngen. Häufig als Gartenpflanzen kultiviert und ausgezeichnet für Steingärten und steile Hänge geeignet. Die Vermehrung aus Samen oder Stecklingen ist einfach. [Volksname: Kransvygie.]*

Oscularia *[du lat. 'osculum', petite bouche; référence aux paires de feuilles dentées]. Petits arbustes très ramifiés et étalés à arrondis. Rameaux ligneux, brun rougeâtre. Feuilles gris vert à bleu clair, triangulaires claviformes ou comprimées latéralement et falciformes, souvent bordées de dents rougeâtres. Fleurs roses à blanches, à étamines réunies en colonne. Fruits en capsules à 5 loges, à opercules présents mais obturateurs absents. Graines pyriformes et rugueuses. – Petit genre comportant 8 espèces originaires du Western Cape. Ces plantes poussent dans le Fynbos, parmi les galets de grès quartzifères pauvres en minéraux. Les pluies y tombent durant les mois plus frais, à raison de 300–800 mm par an. il est conseillé de rajeunir les plantes tous les 3 ans grâce à des boutures. Souvent cultivées dans les jardins et particulièrement adaptées aux rocailles et aux pentes abruptes. Faciles à multiplier par semis ou bouturage. [nom commun: Kransvygie]*

Oscularia comptonii

Oscularia copiosa

Oscularia deltoides

Oscularia piquetbergensis

Oscularia primiverna

Oscularia steenbergensis

● **O. comptonii** [Nach Robert H. Compton (1886–1979), zweiter Direktor der Kirstenbosch Botanical Gardens]. Ausgespreizte bis gerundete Kleinsträucher, bis 23 cm hoch. Blätter aufsteigend, sichelförmig, blaugrün, bis 40×6 mm. Blüten im Winter, 27 mm Durchmesser, weiß mit rosa Zentrum. Verbreitung: Zwischen Sandsteinfelsen in trockener Fynbos-Vegetation nahe Vanrhynsdorp und Klawer (Western Cape). – Ausgezeichnet für Steingärten und steile Hänge geeignet. Die Vermehrung erfolgt leicht aus Samen oder Stecklingen.

● **O. copiosa** [Lat., reichlich]. Ausgespreizte bis gerundete Kleinsträucher, bis 23 cm hoch. Blätter aufsteigend, sichelförmig, blaugrün, bis 20×3 mm. Blüten im Winter und Frühling, 26 mm Durchmesser, rosa. Verbreitung: Zwischen Sandsteinfelsen in trockener Fynbos-Vegetation entlang der Westküste (Western Cape). – Ausgezeichnet für Steingärten und steile Hänge geeignet. Die Vermehrung aus Samen oder Stecklingen ist leicht.

● **O. deltoides** [Lat., dreieckig; wegen der Blattform]. Ausgebreitete Kleinsträucher. Blätter blaugrün, dreieckig und keulig, mit rötlichen Zähnen, bis 12×6 mm. Blüten im Sommer, purpurrosa, bis 8 mm Durchmesser. Verbreitung: Du Toits Kloof und Langeberg-Gebirge (Western Cape). – Eine sehr reichblütige Art. Leicht aus Stecklingen zu ziehen. Oft im Schatten überhängender Felsen oder am Eingang zu Höhlen wachsend. [Volksname: Grotvygie.]

● **O. piquetbergensis** [Nach dem Vorkommen am Piketberg]. Ähnlich wie *O. deltoides*, aber mit gerundeten, ungezähnten Blättern. Blüten im Sommer, rosa. Verbreitung: Am Piketberg (Western Cape) endemisch.

● **O. primiverna** [Lat. 'primus', der Erste; und Lat. 'vernus', Frühlings-; wegen der]. Blütezeit Ausgebreitete, niederliegende Kleinsträucher, grosse Polster bildend. Blätter blaugrün, seitlich zusammengedrückt, bis 24×9 mm. Blüten im frühen Frühling, bis 18 mm Durchmesser, leuchtend rosa bis lachsrosa. Verbreitung: Western Cape, bei Citrusdal, Pickenierskloof Pass. – Rasch wüchsig.

● **O. steenbergensis** [Nach dem Vorkommen bei Steenberg]. Kompakte, sukkulente Kleinsträucher, bis 7 cm hoch. Blätter seitlich zusammengedrückt, sichelförmig, blaugrün. Blüten Wintermitte bis Frühling, bis 23 mm Durchmesser, rosa; Staubblätter und Staminodien zu einem Kegel zusammentretend. Verbreitung: Selten auf Felsen, Steenberg (Western Cape), in Fynbos vorkommend.

● **O. comptonii** [d'après Robert H. Compton (1886–1979), deuxième directeur du Jardin Botanique de Kirstenbosch]. Petits arbustes étalés à arrondis atteignant jusqu'à 23 cm de haut. Feuilles ascendantes, falciformes, glauques et mesurant jusqu'à 40×6 mm. Fleurs en hiver, mesurant jusqu'à 27 mm de diam. et blanches à cœur rose. Habitat: parmi les galets de grès du Fynbos aride près de Vanrhynsdorp et Klawer (Western Cape). – Excellent pour les rocailles et talus abrupts. La multiplication réussit aussi bien par semis ou par bouturage.

● **O. copiosa** [du lat. abondamment]. Petits arbustes étalés à arrondis et atteignant jusqu'à 23 cm de haut. Feuilles dressées, falciformes, glauques et mesurant jusqu'à 20×3 mm. Fleurs en hiver et printemps, roses et mesurant jusqu'à 26 mm de diam. Habitat: parmi les galets gréseux du Fynbos aride, le long de la côte ouest (Western Cape). – Convient bien aux rocailles et aux talus pentus. La multiplication est facile par semis ou bouturage.

● **O. deltoides** [du lat. triangulaire; référence à la forme de la feuille]. Petits arbustes étalés. Feuilles glauques, triangulaires et claviformes, dotées de dents rougeâtres et mesurant jusqu'à 12×6 mm. Fleurs en été, rose pourpre et mesurant jusqu'à 8 mm de diam. Habitat: Du Toits Kloof et Monts Langeberg (Western Cape). – Espèce très florifère. Bouturage facile. Pousse souvent sur les rochers ombragés et en surplomb ou à l'entrée des grottes. [nom commun: Grotvygie]

● **O. piquetbergensis** [d'après l'habitat du Piketberg]. Semblable à l'*O. deltoides* mais à feuilles arrondies et non dentées. Fleurs roses en été. Habitat: endémique au Piketberg (Western Cape).

● **O. primiverna** [du lat. 'primus', premier et 'vernus', printemps; référence à la date de floraison]. Petits arbustes étalés et prostrés, formant de gros coussins. Feuilles glauques, latéralement comprimées et mesurant jusqu'à 24×9 mm. Fleurs en début de printemps, rose lumineux à rose saumon et mesurant jusqu'à 18 mm de diam. Habitat: Western Cape, près de Citrusdal, Col de Pickenierskloof. – Croissance rapide.

● **O. steenbergensis** [d'après l'habitat près de Steenberg]. Petits arbustes succulents et compacts atteignant jusqu'à 7 cm de haut. Feuilles falciformes, comprimées latéralement et glauques. Fleurs du milieu d'hiver au printemps, roses, mesurant jusqu'à 23 mm de diam. et dont les étamines et les staminodes sont réunis en cône. Habitat: peu répandu, dans les pierrailles de Fynbos de Steenberg (Western Cape).

Ottosonderia

Ottosonderia *[Nach Dr. Otto Sonder (1812–1881), deutscher Botaniker]. Dicht gebüschelte, robuste Kleinsträucher. Blätter gegenständig, zur stumpfen Spitze verjüngt. Blütenstand mehrjährig; Blüten im Winter, rosa bis purpurn, Blütenblätter in 2 Reihen. Fruchtkapseln 6- bis 8-fächerig, Klappenflügel fehlend, Verschlusskörperchen vorhanden. Verbreitung: Namaqualand, in Succulent Karoo-Vegetation wachsend. – Die Gattung umfasst nur 2 Arten. [Volksnamen: Granietvygie, Kruisvygie.]*

Ottosonderia *[d'après le Dr. Otto Sonder (1812–1881), botaniste allemand]. Robustes petits arbustes formant des touffes denses. Feuilles opposées, effilées et obtuses. Inflorescences pluriannuelles. Fleurs en hiver, roses à pourpres, à pétales disposés sur 2 rangs. Fruits en capsules à 6 à 8 loges, dénués d'ailettes mais dotés d'obturateurs. Habitat: dans le Karoo à succulentes du Namaqualand. – Genre comprenant seulement 2 espèces. [noms communs: Granietvygie, Kruisvygie]*

Ottosonderia monticola

● **O. monticola** [Lat. 'mons, montis', Berg; Lat. '-cola', bewohnend; wegen des Vorkommens]. Dichte, gebüschelte, robuste Kleinsträucher, bis 22 cm hoch. Blätter in Büscheln, bis 60×5 mm, gegenständig, zur stumpfen Spitze verjüngt. Blütenstand ausdauernd; Blüten im Winter, rosa bis purpurn, Blütenblätter in 2 Reihen. Kapseln 6- bis 8-fächerig, Flügel fehlend, Verschlusskörperchen vorhanden. Verbreitung: Namaqualand (Northern Cape), in Succulent Karoo-Vegetation auf Granitdomen.

● **O. monticola** [du lat. 'mons, montis', montagne et '-cola' habitant; référence à l'habitat naturel]. Robustes petits arbustes formant des touffes denses atteignant jusqu'à 22 cm de haut. Feuilles opposées, en touffe, mesurant jusqu'à 60×5 mm, effilées et obtuses. Inflorescences durables. Fleurs en hiver, roses à pourpres, à pétales disposés sur 2 rangs. Capsules à 6 à 8 loges, sans ailettes mais avec obturateurs. Habitat: dômes granitique du Karoo à succulentes dans le Namaqualand (Northern Cape).

Phyllobolus

Phyllobolus *[Gr. 'phyllon', Blatt; Gr. 'ballein', werfen; wegen der jährlich abfallenden Blätter der Typart]. Aufrechte bis kriechende Kleinsträucher, oft aus einem verdickten Wurzelstock. Triebe holzig bis fleischig. Blätter weich, fast zylindrisch bis abgeflacht. Blüten Wintermitte bis Hochsommer, einzeln oder in Gruppen, Farbe von grün, gelb, strohfarben bis weiß, rot und purpurn variierend. Fruchtkapseln bis 5-fächerig, Klappenflügel vorhanden. Verbreitung: Westliche Teile von Südafrika und Namibia. – Eine Gattung mit 34 bekannten, in den Winterregengebieten der Karoo-Region häufigen Arten. Selten kultivierte, rasch wachsende Pflanzen. [Volksnamen: Ouma-se-pram, Brakveldvygie.]*

Phyllobolus *[du grec 'phyllon', feuille et 'ballein', jeter; référence à la chute annuelle des feuilles de l'espèce type]. Petits arbustes érigés à rampants, souvent dotés d'un rhizome charnu. Tiges ligneuses à charnues. Feuilles tendres, presque cylindriques à aplaties. Fleurs depuis le milieu de l'hiver jusqu'en plein été, isolées ou groupées, dont les coloris varient du vert au pourpre en passant par le jaune, le jaune paille à blanc et le rouge. Fruits en capsules comportant jusqu'à 5 loges, à valves ailées. Habitat: partie ouest de l'Afrique du sud et de la Namibie. – Genre regroupant 34 espèces connues et fréquentes dans les zones à pluies hivernales de la région du Karoo. Plantes rarement cultivées mais poussant rapidement. [noms communs: Ouma-se-pram, Brakveldvygie]*

● **P. canaliculatus** [Lat., gerieft, rinnig; wegen der gefurchten Blätter]. Niederliegend, Zweige schlank, warzig, verlängert. Blätter 15–25 mm lang, weich, fast drehrund und mit Warzen bedeckt, Oberseite gefurcht. Blüten Frühling bis

● **P. canaliculatus** [du lat. cannelé, ridé: référence à l'aspect de la feuille]. Plantes prostrées à longs rameaux grêles et verruqueux. Feuilles de 15–25 mm de long, tendres, presque fusiformes et couvertes de verrues, à, épiderme ridé. Fleurs au

Phyllobolus canaliculatus

Phyllobolus delus

Phyllobolus prasinus

Hochsommer, weiß bis hell malvenfarben. Kapseln 5-fächerig. Verbreitung: Western Cape, häufig in losem Sand im Strandveld in Meeresnähe.

● **P. delus** [Gr., sichtbar, offensichtlich]. (= *Sphalmanthus hallii*) Ausgebreitete, krautige Sträucher mit recht steifen Zweigen, Polster bildend, krautige Teile dicht behaart, grün. Blätter zur etwas spitzen bis stumpfen Spitze verjüngt, Unterseite gerundet, bis 25×3 mm. Blüten im Sommer, bis 15 mm Durchmesser, tief burgunderrot. Verbreitung: Western Cape, Knersvlakte.

● **P. grossus** [Lat., grob, massig]. (= *Sphalmanthus leipoldtii*) Kleinsträucher, bis 15 cm hoch. Blüten im Frühling, rosa, unterseits rot. Verbreitung: Western Cape, Little Karoo. (Ohne Abbildung)

● **P. nitidus** [Lat., glänzend]. Aufsteigende Kleinsträucher bis 30 cm hoch. Blätter fast zylindrisch, länglich eiförmig, bis 17×2,5 mm. Blüten im Frühling, bis 35 mm Durchmesser, hellgelb bis leuchtend rosa. Kapseln 4- bis 5-fächerig. Verbreitung: Western Cape und Northern Cape, in Succulent Karoo weit verbreitet.

Phyllobolus nitidus cf.

printemps-plein été, blanches à mauve clair. Capsules à 5 loges. Habitat: fréquent dans les sables épars du Strandveld, près de la mer (Western Cape).

● **P. delus** [du grec, visible, évident]. (= *Sphalmanthus hallii*) Arbustes herbacés et étalés à rameaux rigides et formant des coussins. Parties herbacées vertes et dotées d'un duvet épais. Feuilles effilées, un peu aiguës à obtuses, à revers arrondis, mesurant jusqu'à 25×3 mm. Fleurs en été, rouge bourgogne profond, mesurant jusqu'à 15 mm de diam. Habitat: Western Cape, Knersvlakte.

● **P. grossus** [du lat. grossier, massif]. (= *Sphalmanthus leipoldtii*) Petits arbustes atteignant jusqu'à 15 cm de haut. Fleurs au printemps, roses à revers rouge. Habitat: Western Cape, Little Karoo. (non illustré)

● **P. nitidus** [du lat. brillant]. Petits arbustes dressés et atteignant jusqu'à 30 cm de haut. Feuilles presque cylindriques,

Phyllobolus resurgens

Phyllobolus sinuosus

Phyllobolus splendens

● **P. prasinus** [Lat., lauchgrün]. Geophytisch aus einem knolligen Wurzelstock. Zweige niederliegend und bis 25 cm lang. Blätter aufsteigend, gegenständig oder wechselständig, bis 45×5 mm. Blüten im Frühling, gelb, bis 40 mm Durchmesser, bis 15 mm lang gestielt. Verbreitung: Namaqualand (Northern Cape), in Succulent Karoo-Vegetation vorkommend.

● **P. resurgens** [Lat., auferstehend, sich erhebend; weil die oberirdischen Teile jedes Jahr vertrocknen, um dann wieder neu auszutreiben]. Zwergige, gebüschelte Kleinsträucher aus einem knolligen Wurzelstock. Blätter in einer Rosette, bis 50×4 mm, Oberflächen fein warzig. Blüten im Frühling, einzeln, aus der Mitte der Blattrosette erscheinend, hellgelb bis grünlich gelb bis lachsfarben mit dunkel bräunlich orangefarbener Mitte, etwa 20 mm Durchmesser, duftend. Verbreitung: Im Northern Cape und Western Cape in Succulent Karoo weit verbreitet, in flachen, sandigen Böden. [Volksname: Groenvygie.]

● **P. sinuosus** [Lat., voller Krümmungen]. (= *Sphalmanthus glandulifer*) Niederliegende, weich krautige Sträucher mit knolligen Wurzeln. Zweige verlängert, bis 25 cm lang. Blätter wechselständig, aufsteigend bis ausgebreitet, Oberseite flach, an der Basis konkav, etwas zugespitzt, bis 50×5 mm. Blüten im Winter, rosagelb mit kupferroter Mitte, bis 35 mm Durchmesser auf bis 12 mm langen Stielen. Verbreitung: Northern Cape, Namaqualand, Küstensand.

● **P. splendens** [Lat., glänzend]. (= *Aridaria brevifolia*) Sträucher, bis 1 m hoch; Wurzeln nicht knollig. Blätter halbzylindrisch, etwas sichelförmig, bis 20×3 mm. Blüten Frühling bis Hochsommer, bis 70 mm Durchmesser, weiß bis gelblich. Verbreitung: Western Cape, Little Karoo. [Volksname: Brakveldvygie.]

● **P. tenuiflorus** [Lat. 'tenuis', schlank, dünn; '-florus', -blütig]. (= *Sphalmanthus tenuiflorus*) Zarte, ausgebreitete Kleinsträucher. Blätter aufrecht, halbzylindrisch mit stumpfer Spitze, mit winzigen Wärzchen bedeckt, grün, bis 30×4 mm. Blüten im Winter, bis 20 mm Durchmesser, weinrot. Verbreitung: Western Cape, Knersvlakte im Vanrhynsdorp-Distrikt.

Phyllobolus tenuiflorus

ovoïdes oblongues, mesurant jusqu'à 17×2,5 mm. Fleurs au printemps, jaune clair à rose lumineux, mesurant jusqu'à 35 mm de diam. Capsules à 4 à 5 loges. Habitat: Western et Northern Capes, largement répandu dans le Karoo à succulentes.

● **P. prasinus** [du lat. vert poireau]. Géophytes dotés d'un rhizome tubéreux. Rameaux prostrés et mesurant jusqu'à 25 cm de long. Feuilles dressées, opposées ou alternes et mesurant jusqu'à 45×5 mm. Fleurs au printemps, jaunes, mesurant jusqu'à 40 mm de diam. et dotées d'un pédoncule atteignant jusqu'à 15 mm de long. Habitat: dans le Karoo à succulentes du Namaqualand (Northern Cape).

● **P. resurgens** [du lat. ressusciter]. Petits arbustes nains, en touffes, dotés d'un rhizome tubéreux. Feuilles en rosette, mesurant jusqu'à 50×4 mm, à épiderme finement verruqueux. Fleurs au printemps, isolées, émergeant du centre des rosettes de feuilles, jaune clair à jeune verdâtre ou saumon à cœur brun orangé foncé parfumées, mesurant environ 20 mm de diam. Habitat: largement présent dans les sols sableux et plats du Karoo à succulentes des Northern et Western Capes. [nom commun: Groenvygie]

● **P. sinuosus** [du lat. tout à fait ondulé]. (= *Sphalmanthus glandulifer*) Arbustes tendres, herbacés et prostrés, à racines tubéreuses. Rameaux étirés atteignant jusqu'à 25 cm de long. Feuilles alternes, dressées à étalées, mesurant jusqu'à 50×5 mm. Fleurs en hiver, jaune rosé à cœur rouge cuivré, mesurant jusqu'à 35 mm de diam. et portées par un pédoncule atteignant jusqu'à 12 mm de long. Habitat: sables côtiers du Namaqualand, Northern Cape.

● **P. splendens** [du lat. scintillant]. (= *Aridaria brevifolia*) Arbustes atteignant jusqu'à 1 m de haut, à racines non tubéreuses. Feuilles semi-cylindriques, légèrement falciformes, mesurant jusqu'à 20×3 mm. Fleurs du printemps au cœur de l'été, blanches à jaunâtres et mesurant jusqu'à 70 mm de diam. Habitat: Little Karoo, Western Cape. [nom commun: Brakveldvygie]

● **P. tenuiflorus** [du lat. 'tenuis', grêle, mince et '-florus', à fleurs]. (= *Sphalmanthus tenuiflorus*) Délicats petits arbustes étalés. Feuilles dressées, semi-cylindriques, obtuses, couvertes de minuscules verrues, vertes et mesurant jusqu'à 30×4 mm. Fleurs en hiver, rouge vineux et mesurant jusqu'à 20 mm de diam. Habitat: Knersvlakte dans le district de Vanrhynsdorp, Western Cape.

Phyllobolus sp.

Pleiospilos

Pleiospilos *[Gr. 'pleios', voll; Gr. 'spilos', Punkt; wegen der punktierten Blätter]. Kompakte, hoch sukkulente Pflanzen. Blätter gross, gegenständig, eiförmig, graugrün bis bräunlich. Blüten gelb bis orange, bis 80 mm Durchmesser. Fruchtkapseln 9- bis 15-fächerig, Fächerdecken vorhanden, Verschlusskörperchen vorhanden oder fehlend. Verbreitung: Hauptsächlich Great Karoo, aber auch in der östlichen Little Karoo, zwischen Beaufort-Schiefern und anderen Felsen, oft schwer zu finden. – Eine kleine Gattung mit 5 Arten, von Sukkulentenliebhabern häufig kultiviert. Langsam wachsend. Leicht aus Samen zu vermehren, die rasch keimen. Die Pflanzen werden leicht von Spinnmilben befallen, welche die Blätter verunstalten.*

Pleiospilos bolusii

Pleiospilos compactus subsp. compactus

Pleiospilos compactus subsp. fergusoniae

Pleiospilos compactus subsp. nov.

Pleiospilos *[du grec 'pleios', plein et 'spilos', point; référence aux feuilles pointillées]. Plantes compactes et très succulentes. Grandes feuilles opposées, ovoïdes, gris vert à brunâtres. Fleurs jaunes à oranges mesurant jusqu'à 80 mm de diam. Fruits en capsules à 9 à 15 loges, opercules présents et obturateurs présents ou absents. Habitat: essentiellement dans le Great Karoo mais aussi dans l'est du Little Karoo, souvent difficile à détecter parmi les schistes de Beaufort et les autres galets. Petit genre comprenant 5 espèces souvent cultivées. Croissance lente. Facile à multiplier grâce aux graines qui germent rapidement. Ces plantes sont souvent attaquées par les araignées rouges qui déforment les feuilles.*

● **P. bolusii** [d'après Harry Bolus (1834–1911), homme d'affaires et botaniste sud-africain]. Plantes compactes à tige unique ou peu ramifiées. Chaque tige porte 1 paire de feuilles. Feuilles très épaisses, succulentes et mesurant jusqu'à 70× 30 mm. Grandes fleurs en automne, jaune clair ou blanches, mesurant jusqu'à 80 mm de diam. Habitat: difficile à détecter parmi les débris de schiste de Beaufort du Great Karoo, de Beaufort West à Graaff Reinet, Northern et Eastern Capes. – Doit être peu arrosée en été. [nom commun: Lewerplant]

● **P. compactus subsp. compactus** [du lat. compact; référence au port]. Plantes dont la ramification permet la formation de groupes atteignant jusqu'à 30 cm de diam. Feuilles mesurant jusqu'à 80×20 mm. Fleurs en automne, jaunes et mesurant jusqu'à 70 mm de diam. Habitat: souvent sur les collines et étendues caillouteuses du sud du Great Karoo et du Little Karoo, Western et Northern Capes. – Fréquemment cultivé en rocaille. Multiplication par semis ou boutures de tige. Il existe un bon nombre de formes différentes:

● **P. compactus subsp. fergusoniae** [d'après Mrs. E. Ferguson, Le Cap]. Plantes succulentes compactes et formant des groupes. Feuilles oblongues, mesurant jusqu'à 70× 20 mm, à extrémité obtuse à aiguë. Fleurs en automne, jaune foncé, mesurant jusqu'à 55 mm de diam. Habitat: sols pierreux du Karoo à succulentes, Little Karroo (Western Cape). [nom commun: Klein-Lewerplant]

● **P. compactus subsp. sororius** [du lat. sororal; référence à la croissance en colonies]. Plantes succulentes compactes et formant des colonies. Feuilles oblongues mesurant jusqu'à 50×10 mm, à extrémité obtuse à aiguë. Fleurs en automne, jaune lumineux, mesurant jusqu'à 50 mm de diam. Habitat: sols pierreux du Karoo à succulentes dans le Little Karoo (Western Cape) et le sud-est du Great Karoo (Eastern Cape). [nom commun: Klein-Lewerplant]

● **P. compactus subsp. nov.** Plantes succulentes compactes et formant des colonies. Feuilles oblongues mesurant jusqu'à 35×12 mm, à extrémité obtuse à aiguë. Fleurs en automne, jaunes et mesurant jusqu'à 50 mm de diam. Habitat: Northern Cape. [nom commun: Klein-Lewerplant]

● **P. nelii** [d'après le Prof. G. C. Nel (1885–1950), botaniste à Stellenbosch]. Semblable au *P. bolusii* mais à feuilles arrondies. Fleurs en automne, d'un bel orangé, mesurant jusqu'à 70 mm de diam. Habitat: difficile à découvrir parmi les éclats de schiste de Beaufort du sud-est du Great Karoo, Northern Cape. – Arroser parcimonieusement en été. [nom commun: Kwaggabal]

● **P. simulans** [du lat. imitant, mimant; référence à la similitude avec les pierres environnantes]. Un peu semblable à *P. bolusii* mais à feuilles aplaties et ovoïdes triangulaires. Feuilles généralement groupées par 2, mesurant jusqu'à 80×70 mm, étalées et se recourbant vers l'arrière avec le temps. Fleurs en

Pleiospilos compactus subsp. sororius

Pleiospilos compactus subsp. nov.

● **P. bolusii** [Nach Harry Bolus (1834–1911), Geschäftsmann und Botaniker in Südafrika]. Kompakt, einzeln oder spärlich verzweigt, mit 1 Blattpaar pro Trieb. Blätter bis 70×30 mm, sehr dick, sukkulent. Blüten im Herbst, gross, hellgelb oder weiß, bis 80 mm Durchmesser. Verbreitung: Northern Cape und Eastern Cape, Great Karoo, Beaufort West bis Graaff Reinet, zwischen Stücken von Beaufort-Schiefern, schwierig zu finden. – Darf im Sommer nur spärlich gegossen werden. [Volksname: Lewerplant.]

● **P. compactus subsp. compactus** [Lat., kompakt; wegen des Wuchses]. Pflanzen durch Verzweigung Gruppen bis 30 cm Durchmesser bildend. Blätter bis 80×20 mm. Blüten im Herbst, gelb, bis 70 mm Durchmesser. Verbreitung: Western Cape und Eastern Cape, südliche Great Karoo und Little Karoo, oft auf Kieselebenen und Hügeln. – Häufig in Steingärten kultiviert. Vermehrung aus Samen oder durch Triebstecklinge. Es können eine Anzahl verschiedener Formen unterschieden werden:

● **P. compactus subsp. fergusoniae** [Nach Mrs. E. Ferguson, Kapstadt]. Kompakte, Gruppen bildende, sukkulente Pflanzen. Blätter länglich, bis 70×20 mm, Spitze stumpf bis spitz. Blüten im Herbst, dunkelgelb, bis 55 mm Durchmesser. Verbreitung: Little Karoo (Western Cape), in Succulent Karoo-Vegetation auf steinigen Böden wachsend. [Volksname: Klein-Lewerplant.]

● **P. compactus subsp. sororius** [Lat., schwesterlich; wegen des Gruppen bildenden Wuchses]. Kompakte, Gruppen bildende, sukkulente Pflanzen. Blätter länglich, bis 50×10 mm, Spitze stumpf bis spitz. Blüten im Herbst, leuchtend gelb, bis 50 mm Durchmesser. Verbreitung: Little Karoo (Western Cape) und südöstliche Great Karoo (Eastern Cape), in Succulent Karoo-Vegetation auf steinigem Boden wachsend. [Volksname: Klein-Lewerplant.]

● **P. compactus subsp. nov.** Kompakte, Gruppen bildende, sukkulente Pflanzen. Blätter länglich, bis 35×12 mm, Spitze stumpf bis spitz. Blüten im Herbst, gelb, bis 50 mm Durchmesser. Verbreitung: Northern Cape. [Volksname: Klein-Lewerplant.]

● **P. nelii** [Nach Prof. G. C. Nel (1885–1950), Botaniker in Stellenbosch]. Ähnlich wie *P. bolusii*, aber mit gerundeten Blättern. Blüten im Herbst, bis 70 mm Durchmesser, hübsch orangefarben. Verbreitung: Northern Cape, südöstliche Great Karoo, zwischen Stücken von Beaufort-Schiefern und schwierig zu finden. – Im Sommer spärlich giessen. [Volksname: Kwaggabal.]

● **P. simulans** [Lat., nachahmend, täuschend; wegen der Ähnlichkeit mit den umgebenden Steinen]. Etwas ähnlich wie *P. bolusii*, aber mit abgeflachten, eiförmig-dreieckigen Blättern. Blätter meist 2 zusammen, bis 80×70 mm, ausgebreitet und mit der Zeit zurückgebogen. Blüten Herbst bis Frühwinter, bis zu 4, fast sitzend, gelb, hellgelb oder bis orange, schwach duftend, bis 60 mm Durchmesser. Verbreitung: Eastern Cape, Distrikte Klipplaat und Aberdeen, am Fundort selten.

Pleiospilos nelii

Pleiospilos nelii

Pleiospilos simulans

automne-début d'hiver, regroupées jusqu'à 4, presque sessiles, jaunes, jaune clair ou oranges, légèrement parfumées et mesurant jusqu'à 60 mm de diam. Habitat: rare dans la nature, district de Klipplaat et Aberdeen, Eastern Cape.

Polymita

Polymita *[Gr. 'poly', viele; Gr. 'mitos', Faden; wegen der zahlreichen, fadendünnen Blütenblätter]. Kissen bildende, reich verzweigte, langsam wachsende und langlebige Kleinsträucher. Blätter fest und hart, graugrün, scheidig verwachsen, verjüngt, mit oder ohne Kiel. Blüten einzeln oder in Cymen, weiß. Fruchtkapseln 8- bis 12-fächerig, Fächerdecken und Verschlusskörperchen vorhanden. – Eine kleine Gattung mit 2 Arten, im nördlichen Namaqualand (Northern Cape) auf steinigem Boden auf Hügeln und Bergen in Succulent Karoo vorkommend. Die Regenmenge beträgt 100–300 mm pro Jahr und fällt vorwiegend im Winter. Die Pflanzen sind leicht aus Stecklingen oder aus Samen zu ziehen. Während der Sommermonate ist das Giessen einzuschränken. [Volksname: Vleisbos.]*

Polymita *[du grec 'poly', plusieurs et 'mitos', filament; référence aux nombreux pétales filamenteux]. Petits arbustes très ramifiés, à croissance lente et longue durée de vie, formant des coussins. Feuilles fermes et coriaces, gris vert, soudées en gaine, effilées et carénées ou non. Fleurs blanches, isolées ou réunies en cymes. Fruits en capsules à 8 à 12 loges, dotés d'opercules et d'obturateurs. – Petit genre comprenant 2 espèces poussant sur les sols pierreux des collines et montagnes du Karoo à succulentes du nord du Namaqualand (Northern Cape). Les pluies s'élèvent à 100–300 mm annuels et tombent essentiellement en hiver. Ces plantes sont faciles à multiplier par semis ou bouturage. Réduire les arrosages durant les mois d'été. [nom commun: Vleisbos]*

● **P. albiflora** [Lat. 'albus', weiß; Lat. '-florus', -blütig]. Steife, gerundete Kleinsträucher. Blätter zu einer Scheide verwachsen, bis 12 mm lang. Blüten im Winter, bis 18 mm Durchmesser, weiß. Verbreitung: Namaqualand, auf Granithügeln in Succulent Karoo-Vegetation.

Polymita albiflora

● **P. albiflora** [du lat. 'albus', blanc et '-florus', à fleurs]. Petits arbustes rigides et arrondis. Feuilles soudées en gaine et mesurant jusqu'à 12 mm de long. Fleurs en hiver, blanches et mesurant jusqu'à 18 mm de diam. Habitat: Karoo à succulentes dans le Namaqualand.

Prenia

Prenia *[Gr. 'prenes', vornüber geneigt; wegen der niederliegenden Zweige]. Ausdauernde, opportunistische und rasch wüchsige Pflanzen mit langen, kriechenden Zweigen und abgeflachten Blättern. Fruchtkapseln 4-fächerig, Plazentation axillär, Fächerdecken und Verschlusskörperchen fehlend. – In den Winterregengebieten (Namibia, Northern Cape, Eastern Cape, Western Cape) weit verbreitet. Die kleine Gattung zählt 4 Arten.*

● **P. pallens** [Lat., bleich]. Niederliegend mit verlängerten Zweigen. Basale Blätter aufrecht und grösser, Blätter linealisch-lanzettlich, graugrün, bis 20 × 6 mm. Blüten im Frühling und Sommer, bis 35 mm Durchmesser, hellrosa oder weiß. Verbreitung: Western Cape. Recht häufig, in Renosterveld und Succulent Karoo zwischen Felsen und an gestörten Stellen vorkommend. Opportunistisch, zweijährig.

● **P. sladeniana** [Nach Percy Sladen]. Rasch wachsende, niederliegende Pflanzen, bis 2 m Durchmesser. Blätter breit eiförmig, flach und oft konkav, mit puderigem Reif bedeckt, bis 40×25 mm. Blüten im Frühling und Sommer, bis 30 mm Durchmesser, weiß oder rosa mit weißem Zentrum. Verbreitung: Northern Cape, Richtersveld, in Succulent Karoo. – Felsenratten lieben die Blätter dieser Art. Sie wird leicht aus Samen oder durch Stecklinge vermehrt. Die becherförmig aufgerichteten Blätter an den Triebspitzen schliessen sich früh morgens zusammen, wodurch beträchtliche Mengen von Wasser aus dem Tau oder den Küstennebeln gesammelt werden. Wüchsig. [Volksnamen: Bakoortjie, Skotteloortjie.]

Prenia pallens

Prenia *[du grec 'prenes', courbé en avant; référence aux rameaux prostrés]. Plantes vivaces, opportunistes et poussant rapidement, à longs rameaux rampants et feuilles aplaties. Fruits en capsules à 4 loges, à placentation axile, sans opercules ni obturateurs. – Largement répandu dans les régions à pluies hivernales (Namibie, Northern Cape, Eastern Cape, Western Cape). Ce petit genre compte 4 espèces.*

● **P. pallens** [du lat. pâle]. Port prostré et rameaux allongés. Grandes feuilles basales érigées, les autres étant linéaires-lancéolées, gris vert et mesurant jusqu'à 20 mm de long pour 6 mm de large. Fleurs au printemps et été, rose clair ou blanches et mesurant jusqu'à 35 mm de diam. Habitat: régions sèches du Western Cape. Très fréquent dans le Renosterveld et le Karoo à succulentes, poussant dans les lieux dévastés et parmi les pierres. Plantes bisannuelles et opportunistes.

● **P. sladeniana** [d'après Percy Sladen]. Plantes prostrées, à croissance rapide, atteignant jusqu'à 2 m de diam. Feuilles largement ovoïdes, couvertes d'une pruine poudreuse et mesurant jusqu'à 40×25 mm. Fleurs au printemps et été, blanches ou roses à cœur blanc, mesurant jusqu'à 30 mm de diam. Habitat: Karoo à succulentes du Richtersveld, Northern Cape. On la multiplie facilement par semis ou bouturage. Les feuilles en gobelet dressé de l'extrémité des tiges se replient tôt le matin, ce qui permet à la plante de capter des quantités non négligeables d'eau par le biais de la rosée et des brouillards côtiers. [noms communs: Bakoortjie, Skotteloortjie]

Prenia pallens

Prenia sladeniana

Prenia vanrensburgii

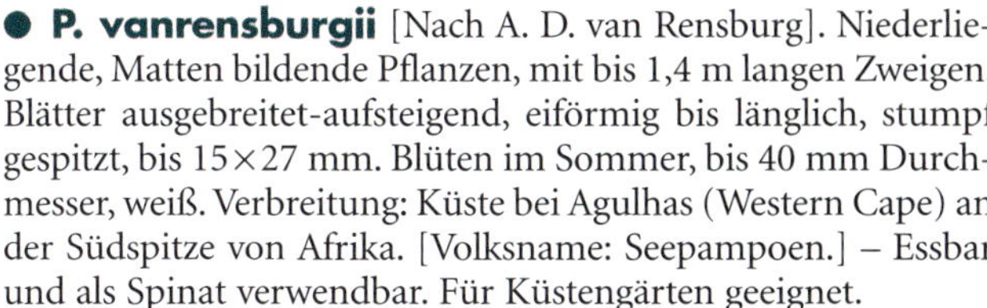

● **P. vanrensburgii** [Nach A. D. van Rensburg]. Niederliegende, Matten bildende Pflanzen, mit bis 1,4 m langen Zweigen. Blätter ausgebreitet-aufsteigend, eiförmig bis länglich, stumpf gespitzt, bis 15×27 mm. Blüten im Sommer, bis 40 mm Durchmesser, weiß. Verbreitung: Küste bei Agulhas (Western Cape) an der Südspitze von Afrika. [Volksname: Seepampoen.] – Essbar und als Spinat verwendbar. Für Küstengärten geeignet.

● **P. vanrensburgii** [d'après A. D. van Rensburg]. Plantes prostrées formant des tapis et possédant des rameaux mesurant jusqu'à 1,4 m de long. Feuilles étalées redressées, ovoïdes à oblongues, obtuses et mesurant jusqu'à 15×27 mm. Fleurs en été, blanches et mesurant jusqu'à 40 mm de diam. Habitat: côte au voisinage d'Agulhas (Western Cape), à la pointe sud de l'Afrique. [nom commun: Seepampoen] – Comestible et utilisable comme des épinards. Convient aux jardins côtiers.

Prepodesma

Prepodesma *[Gr. 'prepein', auffällig, ausgezeichnet; Gr. 'desma', Bündel, Band; wegen der im Blütenzentrum gebündelten Staubblätter]. Zwergige, kompakte, Polster bildende, sukkulente Pflanzen, bis 8 cm Durchmesser. Zweige kurz, mit bis zu 6 Blattpaaren. Blätter gegenständig, gedrängt, eiförmig-lanzettlich, dunkel graugrün, gekielt, basal verwachsen, ganzrandig. Blüten im Herbst und Winter, einzeln, kurz gestielt, gelb, am Nachmittag öffnend. Fruchtkapseln 6-fächerig, Oberseite gerundet, Fächerdecken vorhanden oder reduziert, Verschlusskörperchen fehlend. Verbreitung: Eine monotypische, in der zentral-nördlichen Karoo auf die Gegend von Campbell (Northern Cape) beschränkte Gattung. Die Pflanzen wachsen in Kalkgeröll zusammen mit Titanopsis in Karoo-Vegetation. Regen fällt hauptsächlich im Sommer, und die Menge beträgt 250–350 mm pro Jahr. Leicht durch Stecklinge oder aus Samen zu vermehren und in Kultur leicht zu pflegen. [Volksname: Campbellvygie.]*

Prepodesma *[du grec 'prepein', remarquable et 'desma', bouquet, botte; référence aux étamines réunies en bouquet au centre de la fleur]. Plantes succulentes naines, compactes et formant des coussins atteignant jusqu'à 8 cm de diam. Rameaux courts portant jusqu'à 6 paires de feuilles. Feuilles opposées, serrées, ovoïdes lancéolées, gris vert foncé, carénées, connées et à bordure entière. Fleurs en automne et hiver, isolées, brièvement pétiolées, jaunes et s'ouvrant l'après-midi. Fruits en capsules à 6 loges, à sommet obtus, à opercules présents ou réduits mais sans obturateurs. Habitat: genre monospécifique limité au centre et au nord du Karoo, dans la région de Campbell (Northern Cape). Ces plantes poussent dans les éboulis calcaire, dans la formation végétale du Karoo, avec le Titanopsis. Les pluies y tombent surtout en été, à raison de 250–350 mm par an. Facile à multiplier par bouturage ou semis et aisé à cultiver. [nom commun: Campbellvygie]*

● **P. orpenii** [Nach R. Orpen]. (= *Aloinopsis orpenii*) Zwergige, Polster bildende Sukkulenten. Blätter aufsteigend, glatt und blaugrün, keulig, bis 40×12 mm, mit deutlichem Kiel, Oberflächen ohne Warzen. Blüten im Herbst und Winter, bis 20 mm Durchmesser, gelb, am späten Nachmittag öffnend. Verbreitung: Great Karoo, nahe Campbell im Northern Cape.

● **P. orpenii** [d'après R. Orpen]. (= *Aloinopsis orpenii*) Succulentes naines formant des coussins. Feuilles dressées, lisses et glauques, mesurant jusqu'à 40×12 mm, à carène nette et épiderme dépourvu de verrues. Fleurs en automne et hiver, jaunes, mesurant jusqu'à 20 mm de diam. et s'ouvrant en fin d'après-midi. Habitat: Great Karoo, près de Campbell (Northern Cape).

Prepodesma orpenii

Psammophora

Psammophora *[Gr. 'psammos', Sand; Gr. '-phoros', tragend; wegen der klebrigen und mit Sand bedeckten Blätter]. Zwergige, kompakte Kleinsträucher mit klebrigen, mit Sand und Staub bedeckten Blättern. Blätter blaugrün bis bräunlich grün. Blüten im Winter, weiß bis hellrosa, einzeln. Fruchtkapseln 5- bis 6-fächerig, Fächerdecken fehlend oder reduziert. Verbreitung: Südliche Küstengebiete von Namibia sowie nördlicher Teil des Richtersveldes (Northern Cape). [Volksname: Gomvygie.]*

Psammophora *[du grec 'psammos', sable et '-phoros', portant; référence aux feuilles collantes et couvertes de sable]. Petits arbustes nains et compacts dont les feuilles collantes sont couvertes de sable et de poussière. Feuilles glauques à vert brunâtre. Fleurs en hiver, blanches à rose clair et isolées. Fruits en capsules à 5 à 6 loges, à opercules manquants ou réduits. Habitat: zone côtière du sud de la Namibie ainsi que partie nord du Richtersveld (Northern Cape). [nom commun: Gomvygie]*

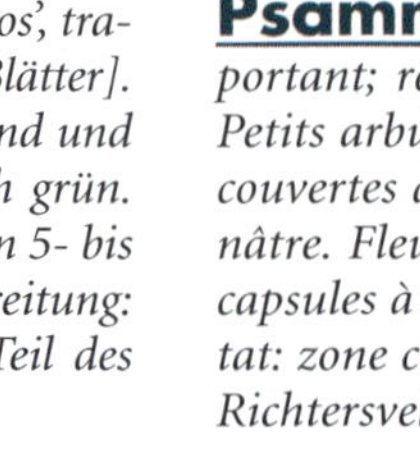

● **P. nissenii** [Nach Nissen]. Zwergige Kleinsträucher, bis 10 cm hoch, mit keuligen und etwas dreikantigen, klebrigen, graugrünen bis rötlich grünen Blättern, Blätter 40×6 mm. Blüten im Winter, bis 12 mm Durchmesser, weiß oder hellrosa. Verbreitung: Südliche Küste Namibias, in Succulent Karoo-Vegetation wachsend.

Psammophora nissenii

● **P. nissenii** [d'après Nissen]. Petits arbustes nains atteignant jusqu'à 10 cm de haut, à feuilles claviformes et légèrement trigones, collantes, gris vert à vert rougeâtre. Feuilles mesurant jusqu'à 40×6 mm. Fleurs en hiver, blanches ou rose clair et mesurant jusqu'à 12 mm de diam. Habitat: dans le Karoo à succulentes du sud de la côte de Namibie.

Psilocaulon

Psilocaulon *[Gr. 'psilos', nackt, kahl; Gr. 'kaulos', Trieb, Zweig]. Ausgebreitete bis aufrechte, sukkulente Pflanzen mit sukkulenten, manchmal gegliederten Zweigen. Blüten klein, in endständigen Cymen. Fruchtkapseln 4- bis 5-fächerig, hygrochastisch, mit axillärer Plazentation, Fächer ohne Flügel oder Verschlusskörperchen. Verbreitung: Aus den Trockengebieten des Kaps wurden über 70 Arten beschrieben. Selten kultiviert, aber für die Herstellung von Seife etc. geeignet (siehe einleitende Kapitel). [Volksnamen: Skerpioenvygie, Asbos, Asbosvygie, Loogasbossie, Seepbossie, Groot Lidjies.]*

● **P. absimile*** [Lat., unähnlich]. Sträucher, bis 60 cm hoch. Zweige graugrün, winzig papillös, bis 3 mm Durchmesser. Blätter gegenständig, rasch abfallend. Blüten Frühling bis Sommer, rosa, bis 5 mm Durchmesser. Verbreitung: Im Northern Cape und Western Cape weit verbreitet. – Selten kultiviert.

● **P. dinteri** [Nach Kurt M. Dinter (1868–1945), deutscher Botaniker]. Zweige niederliegend, gegliedert und an den Knoten eingeschnürt, oft rötlich. Blätter zylindrisch, bis 10×3 mm. Blüten weiß. Verbreitung: Südküste Namibias und küstennahes Richtersveld (Northern Cape). [Volksname: Skerpioenvygie.]

Psilocaulon *[du grec 'psilos', nu, glabre et 'kaulos', tige, rameau] Plantes succulentes étalées à érigées, à rameaux succulents et parfois articulés. Petites fleurs en cymes terminales. Fruits en capsules hygrochastiques à 4 à 5 loges, à placentation axile, sans ailettes ni obturateurs. Habitat: plus de 70 espèces ont été décrites dans les zones sèches du Cap. Rarement cultivées mais permettant de confectionner du savon (voir chapitre d'introduction). [noms communs: Skerpioenvygie, Asbos, Asbosvygie, Loogasbossie, Seepbossie, Groot Lidjies]*

● **P. absimile*** [du lat. dissemblable]. Arbustes atteignant jusqu'à 60 cm de haut. Rameaux gris vert, porteurs de minuscules papilles et mesurant jusqu'à 3 mm de diam. Feuilles opposées, tombant rapidement. Fleurs au printemps et été, roses et mesurant jusqu'à 5 mm de diam. Habitat: largement répandu dans les Northern et Western Capes. Rarement cultivé.

● **P. dinteri** [d'après Kurt M. Dinter (1868–1945), botaniste allemand]. Rameaux prostrés, souvent rougeâtres, articulés et étranglés au niveau des nœuds. Feuilles cylindriques mesurant jusqu'à 10×3 mm. Fleurs blanches. Sud de la côte de Namibie et zone côtière du Richtersveld (Northern Cape). [nom commun: Skerpioenvygie]

Psilocaulon dinteri

Psilocaulon junceum

Psilocaulon longipes

Psilocaulon pageae

Psilocaulon parviflorum

● **P. framesii*** [Nach Percyval Ross Frames (1863–1947), südafrikanischer Sukkulentensammler]. Ausgebreitete Kleinsträucher. Blätter ausgebreitet, bis 20×2 mm, bald abfallend. Blüten im Frühling, bis 14 mm Durchmesser, weiß. Verbreitung: Western Cape, zwischen Touwsrivier und Ladismith, in Succulent Karoo-Vegetation. (Ohne Abbildung)

● **P. junceum** [Lat., binsenartig]. Ausgebreitete Kleinsträucher, bis 70 cm hoch. Zweige gegliedert, kahl. Blätter bis 3×2 mm. Blüten im Frühling, endständig, 3 oder mehr zusammen, bis 12 mm Durchmesser, weißlich violett. Verbreitung: Northern Cape und Western Cape, Karoo. [Volksnamen: Asbos, Loogbossie.]

● **P. longipes*** [Lat. 'longus', lang; Lat. 'pes', Fuss; wegen der Triebe]. Niederliegend-ausgebreitete Sukkulenten mit Zweigen bis 7 mm Durchmesser. Blätter bis 23×2 mm, rasch hinfällig. Blüten im Sommer, bis 10 mm Durchmesser, gelb. Verbreitung: Northern Cape und zentrale Karoo, in Succulent Karoo-Vegetation.

● **P. pageae*** [Nach Mary Page (1867–1925), aus England gebürtige Pflanzenmalerin in Südafrika]. Ausgebreitete Kleinsträucher. Zweige kahl, bis 4 mm Durchmesser. Blätter bis 14 mm lang, rasch eintrocknend. Blüten im Frühling, bis 12 mm Durchmesser, violettrosa. Verbreitung: Western Cape, nahe Montagu, in Succulent Karoo-Vegetation.

● **P. parviflorum** [Lat. 'parvus', klein; Lat. '-florus', -blütig]. Triebe ausgebreitet. Blätter fleischig, drehrund, blaugrün, 5–10 mm lang. Blüten im Frühling und Sommer, weiß, 6–7 mm Durchmesser. Verbreitung: Western Cape, Renosterveld und Küstengebiete, v.a. in der Region von Caledon bis Riversdale. – Selten kultiviert. [Volksnamen: Asbos, Loogbos.]

● **P. framesii*** [d'après Percyval Ross Frames (1863–1947), collectionneur de succulentes sud-africain]. Petits arbustes étalés. Feuilles étalées, tombant rapidement et mesurant jusqu'à 20×2 mm. Fleurs au printemps, blanches et mesurant jusqu'à 14 mm de diam. Habitat: Karoo à succulentes, entre Touwsrivier et Ladismith, Western Cape. (non illustré)

● **P. junceum** [du lat. jonciforme]. Petits arbustes étalés et atteignant jusqu'à 70 cm de haut. Rameaux articulés et glabres. Feuilles mesurant jusqu'à 3×2 mm. Fleurs au printemps, terminales, groupées par 3 ou plus, violet blanchâtre et mesurant jusqu'à 12 mm de diam. Habitat: Karoo, Northern et Western Capes. [noms communs: Asbos, Loogbossie]

● **P. longipes*** [du lat. 'longus', long et 'pes', pied; référence aux tiges]. Succulentes prostrées et étalées, à rameaux atteignant jusqu'à 7 mm de diam. Feuilles tombant rapidement et mesurant jusqu'à 23×2 mm. Fleurs en été, jaunes et mesurant jusqu'à 10 mm de diam. Habitat: Northern Cape et Karoo central, dans le Karoo à succulentes.

● **P. pageae*** [d'après Mary Page (1867–1925), peintre de plantes]. Petits arbustes étalés. Rameaux glabres et mesurant jusqu'à 4 mm de diam. Feuilles se desséchant rapidement et mesurant jusqu'à 14 mm de long. Fleurs au printemps, violet rose et mesurant jusqu'à 12 mm de diam. Habitat: dans le Karoo à succulentes, près de Montagu, Western Cape.

Psilocaulon absimile cf.

● **P. parviflorum** [du lat. 'parvus', petit et '-florus', à fleurs]. Tiges étalées. Feuilles charnues, fusiformes, glauques et mesurant 5 à 10 mm de long. Fleurs au printemps et été, blanches et mesurant 6–7 mm de diam. Habitat: Western Cape, Renosterveld et zone côtière, surtout dans la région comprise entre Caledon et Riversdale. – Rarement cultivé.

Rabiea

Rabiea *[Nach Pfarrer W. A. Rabie, Free State]. Kompakte, Gruppen bildende Pflanzen. Blätter graugün, punktiert, bootförmig, gekielt. Blüten Herbst bis Frühwinter, bis 40 mm Durchmesser, gelb. Fruchtkapseln fast kugelig, Fächerdecken vorhanden, Verschlusskörperchen fehlend. Verbreitung: Northern Cape, Eastern Cape, Free State und Lesotho, in Nama Karoo zwischen Felsen vorkommend. – Häufig kultiviert. [Volksnamen: (Sotho) S'keng-keng.]*

Rabiea *[d'après le pasteur W. A. Rabie, Free State]. Plantes compactes formant des groupes. Feuilles gris vert, ponctuées, en forme de bateau et carénées. Fleurs en automne–début d'hiver, jaunes et mesurant jusqu'à 40 mm de diam. Fruits en capsules presque sphériques, à opercules mais sans obturateurs. Habitat: Northern Cape, Eastern Cape, Free State et Lesotho, parmi les pierres du Nama Karoo. – Fréquemment cultivé. [nom commun: (Sotho) S'keng-keng]*

Rabiea albinota

Rabiea difformis

● **R. albinota** [Lat. 'albus', weiß; Lat. 'nota', Merkmal, Fleck]. Kompakte, Gruppen bildende Sukkulenten, bis etwa 20 cm Durchmesser. Blätter graugrün, bis 100×10 mm, punktiert, bootförmig, gekielt. Blüten Herbst bis Winter, bis 35 mm Durchmesser, gelb. Verbreitung: Northern Cape, Lesotho and Eastern Cape (Graaff Reinet, Cradock und Middelburg), in Nama Karoo zwischen Felsen vorkommend.

● **R. difformis** [Lat., ungleich, abweichend]. Kompakte, Gruppen bildende Pflanzen. Blätter kurz, dreikantig und seitlich zusammengedrückt, leicht sichelförmig, graugrün, bis 40 ×9 mm. Blüten im Herbst, gelb, bis 40 mm Durchmesser. Verbreitung: Südlicher Free State und Northern Cape, zwischen Felsen in trockenem Grasland und in Karoo-Vegetation. [Volksnamen: (Sotho) S'keng-keng.]

● **R. albinota** [du lat. albus, blanc et 'nota', marque] Succulentes compactes poussant en groupes et atteignant jusqu'à environ 20 cm de diam. Feuilles gris vert, ponctuées, en forme de bateau et carénées, mesurant jusqu'à 100×10 mm. Fleurs en automne-hiver, jaunes et mesurant jusqu'à 35 mm de diam. Habitat: Northern Cape, Lesotho et Eastern Cape (Graaff Reinet, Cradock et Middelburg), parmi les pierres du Nama Karoo.

● **R. difformis** [du lat. inégal, différent]. Plantes compactes poussant en colonies. Feuilles courtes, trigones et comprimées latéralement, légèrement falciformes, gris vert et mesurant jusqu'à 40×9 mm. Fleurs en automne, jaunes et mesurant jusqu'à 40 mm de diam. Habitat: sud du Free State et Northern Cape, parmi les pierres des prairies sèches et du Karoo. [nom commun: (Sotho) S'keng-keng]

Rhinephyllum

Rhinephyllum *[Gr. 'rhine', Feile; Gr. 'phyllon', Blatt; wegen der rauhen Blätter]. Kurztriebige (mit versteckten Internodien) oder reichlich verzweigende Kleinsträucher (mit sichtbaren Internodien); Zweige mit 2–4 Paaren gegenständiger Blätter. Blätter keulig oder zur Spitze verdickt, Oberseite flach, Unterseite rund oder leicht gekielt, Oberflächen mit kleinen, weißlichen Wärzchen bedeckt und dadurch rauh. Blüten einzeln, endständig, bis 25 mm Durchmesser, goldgelb oder gelblich weiß, meist vom Nachmittag bis zum späten Abend geöffnet, selten schon vom späten Morgen an. Fruchtkapseln 5-fächerig, klein, kurz verkehrt konisch, Oberseite flach, Nähte leicht erhaben und spreizend.–Leicht aus Samen oder durch Stecklinge zu vermehren. [Volksname: Raspervygie.]*

● **R. frithii*** [Nach Frank Frith (1872–1954), südafrikanischer Sukkulentenliebhaber]. Niederliegende, kahle Sukkulenten, bis 6 cm hoch; Zweige niederliegend, 9 cm lang und mit alten Blattresten bedeckt. Blätter eines Paares ungleich, aufsteigend, geneigt bis ausgebreitet einwärts gebogen, basal erweitert, dreikantig, spitz oder spitz zulaufend, ganzrandig oder selten Rand gezähnt, gelblich grün bis grün, bis 40×8 mm. Blüten im Sommer, gelb und bis 25 mm Durchmesser. Verbreitung: Wes-

Rhinephyllum *[du grec 'rhine', lime et 'phyllon', feuille; référence aux feuilles rugueuses]. Petits arbustes à tiges courtes (à entre-nœuds dissimulés) ou très ramifiés (à entre-nœuds visibles). Rameaux porteurs de 2–4 paires de feuilles opposées. Feuilles claviformes ou à pointe épaissie, à avers plat et revers arrondi ou légèrement caréné. Epiderme rendu rugueux par de petites verrues blanchâtres. Fleurs isolées, terminales, jaune d'or à blanc jaune, mesurant jusqu'à 25 mm de diam. et s'ouvrant généralement depuis l'après-midi jusqu'en fin de soirée, plus rarement depuis la fin de la matinée. Fruits en capsules à 5 loges, petits, brièvement obconiques et à sommet aplati. Les sutures sont légèrement en relief et ouvertes. – Facile à multiplier par semis ou bouturage. [nom commun: Raspervygie]*

● **R. frithii*** [d'après Frank Frith (1872–1954), amateur de succulentes sud-africain]. Succulentes prostrées et glabres atteignant jusqu'à 6 cm de haut. Rameaux prostrés, de 9 cm de long, couverts des reliquats des anciennes feuilles. Feuilles inégales dans une même paire, dressées, pliées à élargies et recourbées vers l'intérieur, à base évasée, trigones, aiguës ou acuminées. Dotées d'une bordure entière ou, plus rarement, dentée, les feuilles vertes à vert jaunâtres mesurent jusqu'à 40

Rabiea frithii

Rabiea muirii

Rabiea macradenium

tern Cape und Eastern Cape, um Aberdeen Road, Grootfontein und Willowmore, in Succulent Karoo-Vegetation.

● **R. macradenium*** [Gr. 'makros', gross; Gr. 'aden', Drüse; wegen den Nektardrüsen]. Vielköpfige Sukkulenten, Gruppen oder Polster bildend; Triebe kurz und niederliegend mit sehr kurzen, aufsteigenden, mit Blattresten bedeckten Seitenzweigen. Blätter etwas ungleich, kahl, halbzylindrisch, im Spitzenbereich aufgeblasen bis dreikantig, stumpf bis leicht zugespitzt, grün, bis 60×8 mm. Blüten Frühling bis Sommer, bis 25 mm Durchmesser, goldgelb mit weißlichem Zentrum, bis 60 mm lang gestielt. Verbreitung: Northern Cape, Western Cape; Tanqua-Karoo und Karoo nordwestlich von Prince Albert.

● **R. muirii** [Nach Dr. J. Muir (1874–1947), schottischer Arzt und Pflanzensammler, der sich in Südafrika niederliess]. Zwergige Sukkulenten mit einem fleischigen Caudex, Gruppen aus zahlreichen Trieben bildend. Blätter schief stehend, bis 25×10 mm, Unterseiten nur wenig über die stumpfe Spitze vorgezogen, kahl, grün bis olivbraun bis rötlich braun, unterer Teil glatt, oberer Teil mit sehr kleinen, weißlichen Warzen bedeckt, Ränder und Kiel mit weißer, knorpeliger Kante. Blüten im Frühling, bis 14 mm Durchmesser, gelblich weiß. Verbreitung: Quarzitfelder in der Little Karoo, in den Bezirken Ladismith und Swellendam (Western Cape).

×8 mm. Fleurs en été, jaunes et mesurant jusqu'à 25 mm de diam. Habitat: Karoo à succulentes près d'Aberdeen Road, Grootfontein et Willowmore, Western et Eastern Capes.

● **R. macradenium*** [du grec 'makros', grand et 'aden', glande; référence aux glandes nectarifères]. Succulentes à plusieurs pieds formant des colonies ou des coussins. Tiges courtes et prostrées, à très courts rameaux latéraux redressés et couverts des restes des anciennes feuilles. Feuilles un peu dissemblables, glabres, semi-cylindriques, renflées à trigones vers le sommet, obtuses à légèrement aiguës, vertes et mesurant jusqu'à 60×8 mm. Fleurs en printemps-été, jaune d'or à cœur blanchâtre, mesurant jusqu'à 25 mm de diam. et dotées d'un pédoncule atteignant jusqu'à 60 mm de long. Habitat: Tanqua-Karoo et Karoo au nord-ouest de Prince Albert, Northern et Western Capes.

● **R. muirii** [d'après le Dr. J. Muir (1874–1947), médecin écossais et collectionneur de plantes installé en Afrique du Sud]. Succulentes naines à caudex charnu, formant des groupes grâce à ses nombreuses tiges. Feuilles disposées obliquement, mesurant jusqu'à 25×10 mm, dont le revers est très légèrement en retrait du sommet arrondi, glabres, vertes à brun olive ou brun rougeâtre. Partie inférieure lisse et partie supérieure couverte de petites verrues blanchâtres. Les bords et la carène possèdent des arêtes cartilagineuses. Fleurs au printemps, blanc jaune et mesurant jusqu'à 14 mm de diam. Habitat: champs de quartztite dans le Little Karoo, dans les districts de Ladismith et de Swellendam (Western Cape).

Rhombophyllum

Rhombophyllum *[Gr. 'rhombos', Rhombus; Gr. 'phyllon', Blatt; wegen der Blattform]. Zwergige, Gruppen bildende, sukkulente Pflanzen mit fleischigen, oft karottenähnlichen Wurzeln. Blätter dicht gedrängt, kreuzgegenständig, an der Basis etwas verwachsen, halbzylindrisch, zur Spitze gekielt, Unterseite kinnartig vorgezogen, Oberseite etwa linealisch, zur Spitze etwas erweitert oder fast gänzlich schief rhomboid, ganzrandig oder mit 1–2 kurzen Zähnen bewehrt, Oberflächen glatt und fast glänzend, kräftig grün mit weißlichen Punkten, die gegen das Licht sichtbar sind. Blüten Winter bis Frühling, 3–7 auf einem gemeinsamen Schaft, goldgelb. Fruchtkapseln 5-fächerig, Fächerdecken steif, Verschlusskörperchen flach, winzig oder sehr gross, weiß, mit 2 kugeligen, durchscheinenden Warzen. Verbreitung: Eastern Cape, von Graaff Reinet im Westen bis Port Elizabeth im Osten. – Leicht aus Samen zu ziehen und reich blühend.*

Rhombophyllum *[du grec 'rhombos', rhombe, losange et 'phyllon', feuille; référence à la forme de la feuille]. Plantes succulentes naines, poussant en colonies, à racines charnues ressemblant souvent à des carottes. Feuilles bien serrées, opposées en croix, légèrement connées, semi-cylindriques et à sommet caréné. Revers protubérant comme un menton et avers un peu linéaire, à extrémité un peu évasée ou presque tout à fait obliquement rhomboïdale. Bordure entière ou dotée de 1–2 courtes dents. Epiderme lisse et presque luisant, d'un vert soutenu marqué de points blancs visibles à contre-jour. Fleurs en hiver-printemps, par 3–7 sur une hampe commune, jaune doré. Fruits en capsules à 5 loges, à opercules rigides. Obturateurs aplatis et blancs, minuscules ou très gros, dotés de 2 verrues sphériques et translucides. Habitat: Eastern Cape, depuis Graaff Reinet à l'ouest jusqu'à Port Elizabeth à l'est. – Facile à multiplier par semis et très florifère.*

● **R. dolabriforme** [Lat. 'dolabra', Haue, Brechaxt; Lat. '-formis', förmig; wegen der Blätter]. Kleinsträucher, zuerst Gruppen bildend, ältere Pflanzen strauchig und bis 30 cm hoch werdend. Blätter ausgebreitet, bis 30×15 mm, Oberseite lang verjüngt, flach, Unterseite halbzylindrisch, mit einem keilförmigen, verbreiterten und vorgestreckten, bis 15 mm hohen und zahnartig vorspringenden Kiel, Oberfläche glatt, grasgrün bis bläulich grün, mit durchscheinenden Punkten. Blüten Frühling bis Frühsommer, bis 40 mm Durchmesser, goldgelb. Verbreitung: Nordöstliche Karoo, z. B. um Prince Albert (Western Cape), auf zu Tage tretendem Fels, und zwischen Klaarstroom und Willowmore (Eastern Cape). [Volksname: Takbokvygie.]

Rhombophyllum dolabriforme

● **R. dolabriforme** [du lat. 'dolabra', pioche et '-formis', en forme de; référence à la feuille] Petits arbustes poussant tout d'abord en colonies puis devenant buissonnants et atteignant jusqu'à 30 cm de haut. Feuilles étalées mesurant jusqu'à 30×15 mm, à avers longuement effilé et aplati et à revers semi-cylindrique doté d'une carène claviforme, évasée et protubérante, atteignant jusqu'à 15 mm de haut et saillant comme une dent. Epiderme lisse, gris vert à vert bleuté, marqué de points translucides. Fleurs au printemps-début d'été, jaune d'or et mesurant jusqu'à 40 mm de diam. Habitat: sur les roches affleurantes du nord-est du Karoo, par exemple vers Prince Albert (Western Cape), et aussi entre Klaarstroom et Willowmore (Eastern Cape). [nom commun: Takbokvygie]

Ruschia

Ruschia *[Nach Ernst Rusch (1867–1957), Farmer in Namibia]. Aufrechte bis niederliegende, sukkulente Kleinsträucher oder Sträucher. Blätter gegenständig, den Trieb umfassend, mit aufgesetztem Spitzchen. Blüten in Grösse und Farbe unterschiedlich; Staubblätter und Staminodien oft zu einem Kegel zusammentretend. Fruchtkapseln 4- bis 5-fächerig, Fächerdecken und Verschlusskörperchen vorhanden. – Unterscheidet sich von Antimima durch das Fehlen von ausdauernden Blattscheiden. Ruschia ist auch mit Lampranthus und Disphyma verwandt, aber ersterer hat keine Verschlusskörperchen, letztere zweilappige Verschlusskörperchen. Ruschia ist mit etwa 300 Arten die grösste Gattung der Familie und kommt in Fynbos, Renosterveld, Grasland, Nama Karoo und Succulent Karoo vor. Viele Arten werden kultiviert. Einige sind gute Bodendecker und werden leicht durch Stecklinge oder aus Samen vermehrt. [Volksnamen: Beesvygie, Veldvygie, Muisvygie.]*

● **R. acuminata** [Lat., zugespitzt; wegen der Blätter]. Kräftige Kleinsträucher, bis 30 cm hoch, blühende Zweige aufrecht. Blätter aufsteigend, stumpf gekielt, bis 25×7 mm, spitz bis zugespitzt und zurückgebogen, Oberflächen gräulich grün, fein aufgerauht. Blüten im Sommer, in reichblütigen, cymösen Blütenständen, bis 20 mm Durchmesser, weiß oder hellrosa. Verbreitung: Nordhänge des Langeberg, am Eingang zum Robinson Pass (Western Cape).

● **R. amoena*** [Lat., lieblich, hübsch]. Sukkulente Kleinsträucher, halbkugelige Polster bis 15 cm Durchmesser bildend. Blätter ausgebreitet, bis 25×8 mm, Oberseite lang dreieckig, zur Spitze etwas zurückgebogen, mit kurzem, aufgesetztem Spitzchen, flach oder leicht konvex, Unterseite halbkreisrund mit einem nahtähnlichen Kiel, leuchtend bläulich grün, mit durchscheinenden, hellen Punkten besetzt. Blüten im Winter, einzeln, bis 15 mm Durchmesser, rötlich purpurn. Verbreitung: Northern Cape, Namaqualand östlich von Port Nolloth.

Ruschia *[d'après Ernst Rusch (1867–1957), exploitant agricole en Namibie]. Arbustes ou petits arbustes succulents, érigés à prostrés. Feuilles opposées, amplexicaules et mucronées. Fleurs variables en taille et en couleur. Etamines et staminodes souvent réunis en cône. Fruits en capsules à 4 à 5 loges, dotés d'opercules et d'obturateurs. – Se différencie de l'Antimima par l'absence de gaines foliaires durables. Ruschia est également apparenté au Lampranthus et au Disphyma mais le premier est dénué d'obturateurs et chez le second, ils sont bilobés. Avec environ 300 espèces, Ruschia est le plus grand genre de cette famille et pousse spontanément dans le Fynbos, le Renosterveld, les prairies, le Nama Karoo et le Karoo à succulentes. De nombreuses espèces sont cultivées. Certaines font de bons couvre-sol et se multiplient facilement par bouturage ou semis. [noms communs: Beesvygie, Veldvygie, Muisvygie]*

● **R. acuminata** [du lat. pointu; référence à la feuille]. Vigoureux petits arbustes atteignant jusqu'à 30 cm de haut. Rameaux florifères érigés. Feuilles dressées, à carène arrondie, mesurant jusqu'à 25×7 mm, aiguës à acuminées et à pointe retroussée en arrière. Epiderme vert grisâtre et finement granuleux. Fleurs en été, blanches à rose clair, regroupées en grand nombre en cymes et mesurant jusqu'à 20 mm de diam. Habitat: versant nord du Langeberg, à l'entrée du col de Robinson (Western Cape).

● **R. amoena*** [du lat. charmant]. Petits arbustes succulents formant des coussins hémisphériques atteignant jusqu'à 15 cm de diam. Feuilles évasées mesurant jusqu'à 25×8 mm, à avers longuement triangulaire, plat ou légèrement convexe, à extrémité légèrement recourbée en arrière et brièvement mucronée. Revers semi-circulaire à carène à aspect de suture. Epiderme vert bleuté lumineux et couvert de points clairs et translucides. Fleurs en hiver, isolées, pourpre rougeâtre et me-

Ruschia acuminata

Ruschia amoena

Ruschia caroli

Ruschia centrocapsula

Ruschia cradockensis subsp. triticiformis

Ruschia crassa

Ruschia decurrens cf.

Ruschia dichroa cf.

Ruschia dichroa var. alba cf.

● **R. caroli** [Vermutlich nach Charles F. Juritz]. Ausgebreitete Kleinsträucher mit niederliegenden Zweigen, bis 60× 80 cm. Blätter fast drehrund, bis 100×5 mm. Blüten im Frühling, rosa, bis 25 mm Durchmesser, gestreift. Verbreitung: Western Cape, Gebiete mit Succulent Karoo-Vegetation von Clanwilliam bis zur Little Karoo.

● **R. centrocapsula** [Lat. 'centrum', Mitte; Lat. 'capsula', Kapsel; wegen der verdornten Blütenstände mit einer Frucht im Zentrum der Verzweigung]. Zwergige, dornige Kleinsträucher, bis 20 cm hoch. Blätter bis 10×3 mm. Blüten im Frühling, purpurrosa, bis 16 mm Durchmesser. Verbreitung: Bushmanland (Northern Cape), in Karoo-Vegetation wachsend.

● **R. cradockensis subsp. triticiformis** [Nach dem Vorkommen bei der Stadt Cradock; und Lat. 'triticum', Weizen; Lat. '-formis', -förmig; Bezug unklar]. Zwergige, gerundete, dornige Sträucher, bis 30 cm hoch. Blätter länglich, bis 8× 2,5 mm. Blüten im Winter, in einem verdornten Blütenstand, rosa. Verbreitung: Weit verbreitet von Calvinia bis Namaqualand (Northern Cape).

● **R. crassa** [Lat., dick]. Robuste Sträucher, bis 70 cm hoch. Zweige hell blaugrün, bis 9 mm Durchmesser, gegliedert, mit feinen, weichen und weißen Haaren bedeckt. Blätter aufgeblasen, bis 20 mm lang, gekielt, mit aufgesetztem Spitzchen, Kiel mit undeutlichem Zahn. Blüten im Frühling, weiß, bis 22 mm Durchmesser, mit bis 10 mm langem Stiel. Verbreitung: Great Karoo (Western Cape), auf Kieselebenen.

● **R. decurrens** [Lat., herablaufend; wegen der Blätter]. Aufrechte, Kissen bildende Sträucher mit steifen Zweigen, bis 15 cm hoch. Blätter an der Basis den Trieben entlang herablaufend, unterschiedlich, kürzere Blätter bis 8×5 mm, seitlich konvex, surant jusqu'à 15 mm de diam. Habitat: Namaqualand à l'est de Port Nolloth, Northern Cape.

● **R. caroli** [probablement d'après Charles F. Juritz]. Petits arbustes étalés à rameaux prostrés, mesurant jusqu'à 60× 80 cm. Feuilles presque fusiformes et mesurant jusqu'à 100× 5 mm. Fleurs au printemps, roses, rayées et mesurant jusqu'à 25 mm de diam. Habitat: région du Karoo à succulentes depuis Clanwilliam jusqu'au Little Karoo, Western Cape.

● **R. centrocapsula** [du lat. 'centrum', milieu et 'capsula', capsule; référence aux inflorescences épineuses qui portent un fruit au centre de leur ramification]. Petits arbustes nains et épineux atteignant jusqu'à 20 cm de haut. Feuilles mesurant jusqu'à 10×3 mm. Fleurs au printemps, rose pourpre et atteignant jusqu'à 16 mm de diam. Habitat: Bushmanland (Northern Cape), dans le Karoo.

● **R. cradockensis susp. triticiformis** [d'après l'habitat près de la ville de Cradock; du lat. 'triticum', blé et '-formis', en forme de; référence obscure]. Arbustes nains, arrondis et épineux, atteignant jusqu'à 30 cm de haut. Feuilles oblongues mesurant jusqu'à 8×2,5 mm. Fleurs en hiver, roses et groupées en inflorescences épineuses. Habitat: largement répandu depuis Calvinia jusqu'au Namaqualand (Northern Cape).

● **R. crassa** [du lat. charnu, épais]. Robustes arbustes atteignant jusqu'à 70 cm de haut. Rameaux glauque clair, articulés, mesurant jusqu'à 9 mm de diam. et couverts de poils fins, souples et blancs. Feuilles renflées mesurant jusqu'à 20 mm de long, carénées, mucronées et dotées de dents indistinctes le long de la carène. Fleurs au printemps, blanches, mesurant jusqu'à 22 mm de diam. et portées par un pédon-

Ruschia geminiflora

Ruschia indurata

Ruschia intrusa

halbkugelig, übrige Blätter bis 18×4 mm, Seitenflächen flach und erweitert, Oberseite flach, Spitzen schief und kurz spitz zulaufend, aufgesetztes Spitzchen zurückgebogen. Blüten im Winter, bis 16 mm Durchmesser, von hell bis dunkler rosa variierend, sehr attraktiv. Verbreitung: Zwischen Vredendal und Vanrhynsdorp (Western Cape), auf sandigen Böden.

● **R. dichroa var. dichroa** [Gr. 'di-', zwei; Gr. 'chroos', Farbe; wegen der Blüten]. Niederliegende, reich verzweigte Kleinsträucher. Blätter 4–6 zusammen, ausgebreitet, linealisch verlängert, spitz, dreikantig, dick, Oberseite konvex, Unterseite stumpf gekielt, mit kleinen Punkten bedeckt, grünlich purpurn, 60×9 mm, Ränder fein gezähnt. Blüten im Herbst, fast sitzend, bis 40 mm Durchmesser, fleischfarben bis rot, Zentrum weiß. Verbreitung: Western Cape, Pakhuis- und Botterkloof-Pass nahe Clanwilliam, sowie Gifberg Pass, nahe Vynrhynsdorp.

● **R. dichroa var. alba*** [Lat. 'albus', weiß]. Ähnlich wie var. *dichroa*, aber mit weißen Blüten. Zweige verlängert, niederliegend bis kriechend. Blätter kugelig und eiförmig spitz zulaufend, gelblich grün. Blüten im Herbst, bis 30 mm Durchmesser, wachsweiß. Verbreitung: Passhöhe des Vanrhyns-Passes.

● **R. filamentosa*** [Lat., voller Fäden; wegen der Blütenblätter]. Niederliegend, an den Knoten wurzelnd, junge Triebe rötlich. Blätter in der Anzahl unterschiedlich, bis 60 mm lang und 10 mm Durchmesser, spitz gekielt, Ränder winzig gesägt. Blüten Winter bis Frühling, bis 30 mm Durchmesser, purpurrosa, blühende Triebe nicht über das Laub reichend. Verbreitung: Western Cape, Fynbos. – Von *R. geminiflora* durch die kurzen, nicht über das Laub reichenden Blütentriecule mesurant jusqu'à 10 mm de long. Habitat: étendues gravillonneuses du Great Karoo (Western Cape).

● **R. decurrens** [du lat. prolongé; référence à la feuille]. Arbustes érigés à rameaux rigides, formant des coussins qui atteignent jusqu'à 15 cm de haut. Feuilles décurrentes, variables: les plus courtes mesurent jusqu'à 8×5 mm et sont hémisphériques, à faces convexes. Autres feuilles mesurant jusqu'à 18×4 mm, à faces plates et évasées, à avers plat, à sommet oblique et brièvement acuminé où le mucron est retroussé vers l'arrière. Très belles fleurs en hiver, variant du rose clair au rose foncé et mesurant jusqu'à 16 mm de diam. Habitat: sur les sols sableux entre Vredendal et Vanrhynsdorp (Western Cape).

● **R. dichroa var. dichroa** [du grec 'di-', deux et 'chroos', couleur; référence à la fleur]. Petits arbustes prostrés et très ramifiés. Feuilles groupées par 4–6, évasées, linéaires effilées, aiguës, trigones, épaisses, finement dentées et mesurant 60×9 mm. Avers convexe et revers à carène arrondie. Epiderme pourpre verdâtre et finement pointillé. Fleurs en automne, presque sessiles, rose carné à rouges à cœur blanc, mesurant jusqu'à 40 mm de diam. Habitat: Western Cape, cols de Pakhuis et de Botterkloof près de Clanwilliam ainsi que qu'au col de Gifberg près de Vanrhynsdorp.

● **R. dichroa var. alba*** [du lat. 'albus', blanc]. Semblable à la var. *dichroa* mais à fleurs blanches. Longs rameaux prostrés à rampants. Feuilles sphériques et ovoïdes acuminées, vert jaunâtre. Fleurs en automne, blanc cireux et mesurant jusqu'à 30 mm de diam. Habitat: sommet du col de Vanrhyns.

● **R. filamentosa*** [du lat. filamenteux; référence aux pétales]. Plantes prostrées dont les nœuds émettent des racines et dont les jeunes tiges sont rougeâtres. Feuilles en nombre va-

Ruschia karrooica

Ruschia langebaanensis

Ruschia knysnana

Ruschia lineolata

Ruschia macowanii

be unterschieden. Wird gelegentlich kultiviert. Eine nützliche Sukkulente für Steingärten. (Ohne Abbildung)

● **R. geminiflora** [Lat. 'geminus', Zwilling; Lat. '-florus', -blütig; wegen der oft in Paaren erscheinenden Blüten]. Niederliegende Sukkulenten, an den Knoten wurzelnd, blühende Triebe aufrecht und bis zu 20 cm lang, junge Zweige rötlich. Blätter spitz gekielt und winzig gesägt, oft an der Spitze zurückgebogen, bis 80 mm lang und 5 mm breit. Blüten im Winter und Frühling, in cymösen, bis 9-blütigen Blütenständen, bis 20 mm Durchmesser, purpurrosa. Verbreitung: Häufig auf sandigen Böden in küstennahem Fynbos. – Ein attraktiver Bodendecker für Gärten in Küstennähe oder im Fynbos. Leicht durch Stecklinge zu vermehren.

● **R. indurata** [Lat., verhärtet]. Zwergige Kleinsträucher mit kriechenden Trieben. Blätter aufsteigend, für 3 mm verwachsen, dreikantig, Oberseite konkav mit einer etwas dornigen Spitze, Kiel unterhalb der Spitze mit einem steifen Zahn bewehrt, blaugrün, mit dunkler grünen Punkten bedeckt, freier Blattteil bis 10 × 3 mm. Blüten Spätfrühling bis Sommer, einzeln, bis 20 mm Durchmesser, purpurn oder dunkelorange. Verbreitung: Northern Cape, Steytlerville-Karoo.

● **R. intricata** [Lat., verwoben; wegen der dornigen Zweige]. Aufrechte, gerundete Kleinsträucher, bis 50 cm hoch, mit verdornten Zweigen. Blätter bis 25 × 3 mm. Blüten im Frühling, bis 20 mm Durchmesser, rosa-malvenfarben. Verbreitung: Northern Cape, Free State und North-West Province, in Nama-Karoo und trockener Bushveld-Vegetation. – Langlebige, ausdauernde Pflanzen, nach dem Abweiden oder nach einem Feuer erneut austreibend. (Abb. S. 187)

● **R. intrusa** [Lat., eingesetzt, eingedrungen; vielleicht wegen der mit den Resten alter Blätter bedeckten Triebe]. Ausgebreitet und Polster bildend. Blätter bis 55 × 9 mm, dreikantig, mit stumpfer Spitze. Blüten im Winter, rosapurpurn, bis 40 mm Durchmesser. Verbreitung: Robertson und Bonnievale (Western Cape), in Succulent Karoo-Vegetation.

● **R. karrooica** [Wegen des Vorkommens]. Aufrechte, steife, sukkulente Pflanzen, bis 30 cm hoch. Blätter bis 21 × 5 mm. Blüten im frühen Frühling, bis 50 mm Durchmesser, purpurrosa. Verbreitung: Western Cape, südliche Great Karoo nahe Matjiesfontein.

● **R. knysnana** [Nach dem Vorkommen bei Knysna]. Aufrechte, steife Kleinsträucher, bis 40 cm hoch. Blätter läng-

riable, mesurant jusqu'à 60 mm de long et 10 mm de diam., à carène aiguë, bordées de dents minuscules. Fleurs en hiver-printemps, rose pourpre, mesurant jusqu'à 30 mm de diam. Tiges florifères ne dépassant pas le feuillage. Habitat: Fynbos, Western Cape. – Se différencie du *R. geminiflora* par ses tiges florifères ne dépassant pas le feuillage. Parfois cultivé. Succulente convenant aux rocailles. (non illustré)

Ruschia marianae

● **R. geminiflora** [du lat. 'geminus', jumeau et '-florus', à fleurs; référence aux fleurs souvent en paires]. Succulentes prostrées dont les nœuds émettent des racines, à jeunes rameaux rougeâtres et à tiges florifères érigées et atteignant jusqu'à 20 cm de long. Feuilles à carène aiguë et finement dentées, à extrémité souvent recourbée en arrière, mesurant jusqu'à 80 mm de long et 5 mm de large. Fleurs en hiver-printemps, mesurant jusqu'à 20 mm de diam. et regroupées jusqu'à 9 en inflorescences rose pourpre. Habitat: fréquent sur les sols sableux
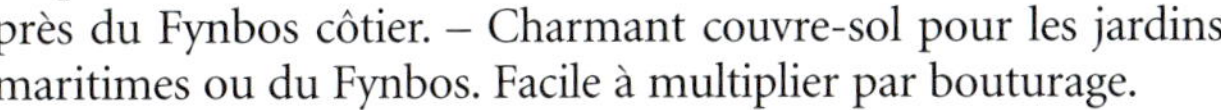
près du Fynbos côtier. – Charmant couvre-sol pour les jardins maritimes ou du Fynbos. Facile à multiplier par bouturage.

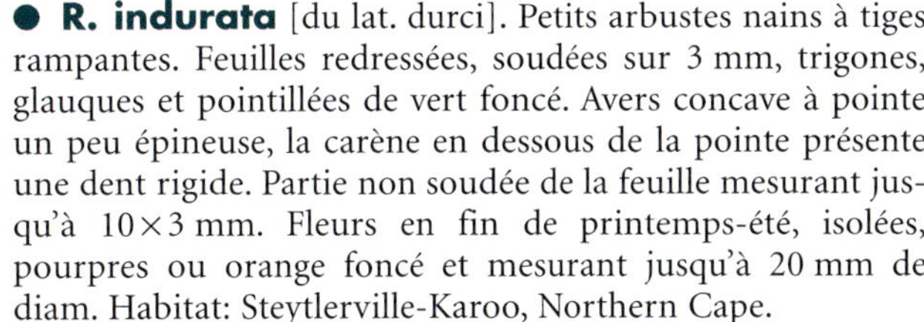
● **R. indurata** [du lat. durci]. Petits arbustes nains à tiges rampantes. Feuilles redressées, soudées sur 3 mm, trigones, glauques et pointillées de vert foncé. Avers concave à pointe un peu épineuse, la carène en dessous de la pointe présente une dent rigide. Partie non soudée de la feuille mesurant jusqu'à 10 × 3 mm. Fleurs en fin de printemps-été, isolées, pourpres ou orange foncé et mesurant jusqu'à 20 mm de diam. Habitat: Steytlerville-Karoo, Northern Cape.

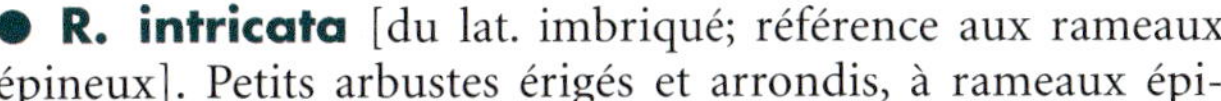
● **R. intricata** [du lat. imbriqué; référence aux rameaux épineux]. Petits arbustes érigés et arrondis, à rameaux épi-

Ruschia mathewsii cf.

Ruschia maxima

Ruschia muiriana cf.

Ruschia multiflora

Ruschia perfoliata

Ruschia polita

lich, bis 33×5 mm. Blüten im Frühling, bis 25 mm Durchmesser, leuchtend rötlich rosa. Verbreitung: Eastern Cape, nahe Knysna.

● **R. langebaanensis** [Nach dem Vorkommen bei Langebaan]. Robuste Kleinsträucher, bis 40 cm hoch, mit niederliegenden Zweigen. Blätter bis 35×4 mm. Blüten im Frühling, bis 25 mm Durchmesser, purpurrosa. Verbreitung: Western Cape, in Strandveld-Vegetation.

● **R. lineolata** [Lat., mit feinen Linien; wegen den Blütenblättern]. Niederliegende, sukkulente Pflanzen, mattenähnliche Polster bis 60 cm Durchmesser bildend. Blätter dreikantig, bis 10×4 mm. Blüten im Frühling, bis 20 mm Durchmesser, purpurn. Verbreitung: Western Cape in Renosterveld- und Succulent Karoo-Vegetation. Häufig auf Schieferrippen in trockenen Flussbetten und entlang von Strassenrändern südlich des Langebergs und des Riviersonderend-Bergs; ebenfalls häufig an geeigneten, schieferigen Stellen in den Distrikten Bonnievale, Robertson, Montagu und Barrydale.

● **R. macowanii** [Nach Peter MacOwan (1830–1909), englischer Botaniker in Südafrika]. Dicht verzweigt, bis 40 cm hoch, mit ausgebreitet-niederliegenden und an den Knoten wurzelnden Zweigen. Blätter linealisch, an der Basis verwachsen und Scheiden bis 5 mm lang, stumpf gekielt, 20–35 mm lang und bis 4 mm Durchmesser, mit rötlich gespitztem, auswärts gebogenem, aufgesetztem Spitzchen. Blütenstände cymös, bis 7-blütig. Blüten im Frühling, bis 22 mm Durchmesser, purpurrosa. Verbreitung: Eine der entlang der südafrikanischen Küsten am weitesten verbreiteten Mittagsblumen, wo sie in Strandveld vorkommt und oft grosse Gruppen bildet. Sie ist durch den dichten, niederliegenden Wuchs und die an der Basis für 5 mm verwachsenen Blätter gekennzeichnet und ein Gewinn für Küsten- und Strandveldgärten. Die Art könnte auch zur Stabilisierung von Dünen verwendet werden. Leicht aus Stecklingen zu vermehren.

● **R. marianae** [Nach Marian Marloth, Gattin des Botanikers R. Marloth]. Aufrechte Kleinsträucher, bis 31 cm hoch. Blätter bis 10×7 mm, aufrecht, halbzylindrisch. Blüten im Frühling, bis 40 mm Durchmesser, schön rot. Verbreitung: Cedarberg, nahe Clanwilliam (Western Cape), in trockener Fynbos-Vegetation.

● **R. mathewsii*** [Nach J. W. Mathews (1871–1949), erster Kurator der Kirstenbosch Botanical Gardens]. Aufrechte Kleinsträucher, bis 60 cm hoch. Bätter seitlich zusammenge-

neux, atteignant jusqu'à 50 cm de haut. Feuilles mesurant jusqu'à 25×3 mm. Fleurs au printemps, rose mauve, mesurant jusqu'à 20 mm de diam. Habitat: dans le Nama-Karoo et le Bushveld aride, Northern Cape, Free State et North-West Province. – Plantes à longue durée de vie repoussant après un incendie ou après avoir été broutées. (illustration p. 187)

● **R. intrusa** [du lat. encastré, enfoncé; peut–être référence aux restes de feuilles qui couvrent les tiges]. Plantes étalées et formant des coussins. Feuilles trigones et obtuses, mesurant jusqu'à 55×9 mm. Fleurs en hiver, rose pourpre et mesurant jusqu'à 40 mm de diam. Habitat: dans le Karoo à succulentes, Robertson et Bonnievale (Western Cape).

● **R. karrooica** [référence à l'habitat]. Plantes succulentes érigées, rigides et atteignant jusqu'à 40 cm de haut. Feuilles mesurant jusqu'à 21×5 mm. Fleurs en début de printemps, rose pourpre et mesurant jusqu'à 50 mm de diam. Habitat: au sud du Great Karoo, près de Matjiesfontein, Western Cape.

● **R. knysnana** [référence à l'habitat près de Knysna]. Petits arbustes érigés et rigides atteignant jusqu'à 40 cm de haut. Feuilles oblongues mesurant jusqu'à 33×5 mm. Fleurs au printemps, rose rouge lumineux et mesurant jusqu'à 25 mm de diam... Habitat: près de Knysna, Eastern Cape.

● **R. langebaanensis** [référence à l'habitat près de Langebaan]. Robustes petits arbustes à rameaux prostrés, atteignant jusqu'à 40 cm de haut. Feuilles mesurant jusqu'à 35×4 mm. Fleurs au printemps, rose pourpre et mesurant jusqu'à 25 mm de diam. Habitat: dans le Strandveld, Western Cape.

● **R. lineolata** [du lat. finement rayé; référence aux pétales]. Plantes succulentes prostrées formant des coussins tapissant qui atteignent jusqu'à 60 cm de diam. Feuilles trigones mesurant jusqu'à 10×4 mm. Fleurs au printemps, pourpres et mesurant jusqu'à 20 mm de diam. Habitat: dans le Renosterveld et le Karoo à succulentes, Western Cape. Fréquent sur les affleurements schisteux des lits de rivières asséchés et le long des routes au sud du Langeberg et du Riviersonderend. Egalement souvent présent dans les zones schisteuses adaptées des districts de Bonnievale, Robertson, Montagu et Barrydale.

● **R. macowanii** [d'après Peter MacOwan (1830–1909), botaniste anglais en Afrique du Sud]. Plantes très ramifiées atteignant jusqu'à 40 cm de haut et dotées de rameaux étalés-prostrés dont les nœuds émettent des racines. Feuilles linéaires, connées, à gaine mesurant jusqu'à 5 mm de long et à

Ruschia promontorii

Ruschia pulchella

Ruschia radicans

drückt, hell blaugrün, fein behaart, bis 10×4 mm. Blüten Herbst bis Frühwinter, bis 16 mm Durchmesser, rosa. Verbreitung: Western Cape, in Strandveld-Vegetation bei Saldanha Bay bis Paternoster.

Ruschia spinosa

Ruschia strubeniae

● **R. maxima** [Lat., die Grösste; wegen der Pflanzengrösse]. Aufrechte, steife Sträucher, bis 1,5 m. Blätter flach, halbmondförmig, blaugrün, bis 45×20 mm. Blüten Herbst bis Frühwinter, bis 20 mm Durchmesser, rosa. Verbreitung: Western Cape, in trockenem Fynbos, nahe Graafwater. – Hübsche Sträucher, die in Kultur gut gedeihen. Leicht aus Samen zu vermehren und für trockene Fynbos-Gärten geeignet.

● **R. muiriana** [Nach Dr. J. Muir (1874–1947), schottischer Arzt und Pflanzensammler, der sich in Südafrika niederliess]. Aufrechte Kleinsträucher, bis 20 cm hoch. Blätter aufsteigend, länglich, bis 25×3 mm, an den Spitzen etwas gebogen, Unterseite gekielt. Blüten im frühen Frühling, einzeln, rosa oder purpurn, bis 13 mm Durchmesser, mit bis 25 mm langen Blütenstielen. Verbreitung: Little Karoo (Western Cape), in Succulent Karoo vorkommend.

● **R. multiflora** [Lat. 'multi-', viel; Lat. '-flora', -blütig]. Gerundete, rasch wachsende Sträucher, bis 1 m hoch. Blätter bis 30×4 mm, dunkelgrün. Blüten im Sommer, weiß, bis 20 mm Durchmesser. Verbreitung: Western Cape, in trockenen Succulent Karoo- und Renosterveld-Gebieten, oft als Pionier an gestörten Stellen. – Gelegentlich aus Samen angezogen. Samen keimen leicht, und die Pflanzen sind sehr wüchsig und brauchen drei Jahre bis zum Erreichen ihrer Endgrösse.

● **R. perfoliata** [Lat., durchblättert; wegen der scheidig verwachsenen Blattbasen]. Spärlich verzweigte Sträucher. Blätter zu bis 2,5 mm langen Scheiden verwachsen, Spreite ausgebreitet, bis 15 mm lang, dreikantig, zur Spitze zusammengedrückt, mit aufgesetztem, rötlichem, stechendem Spitzchen, am Kiel mit 1–2 kurzen, spitzen Zähnen bewehrt, von fester Textur, hell gräulich grün. Blüten im Herbst, einzeln, bis 25 mm Durchmesser, rosarot. Verbreitung: Karoo bei Matjiesfontein und Prince Albert (Western Cape).

● **R. piscodora*** [Lat. 'piscis', Fisch; Lat. 'odor', Geruch; wegen dem unverwechselbaren Blütenduft nach Fischen]. Kompakte, kugelige, reich verzweigte Kleinsträucher, bis 30 cm hoch. Blätter bis 20×4 mm. Blüten rosa, bis 24 mm Durchmesser. Verbreitung: Nahe Beaufort West (Western Cape), in Nama Karoo-Vegetation an der Kante des Escarpments.

● **R. polita** [Lat., elegant, schmuckvoll]. Polster bildende Kleinsträucher, bis 7 cm hoch. Blätter aufsteigend bis ausgebreitet, bis 11×5 mm, spitz zulaufend, gekielt, hell blaugrün, kahl. Blüten im Frühling, bis 22 mm Durchmesser, rosa. Verbreitung: Great Karoo (Western Cape), nahe Laingsburg, auf steinigem Boden vorkommend.

carène arrondie, mesurant 20–35 mm de long et jusqu'à 4 mm de diam. Sommet mucroné, rougeâtre et recourbé vers l'extérieur. Fleurs au printemps, rose pourpre, mesurant jusqu'à 22 mm de diam. et groupées jusqu'à 7 en inflorescences. Habitat: l'une des mésembs les plus répandues le long de la côte sud-africaine où elle pousse dans le Strandveld et y forme souvent de vastes colonies. Elle se caractérise par sa silhouette prostrée et dense ainsi que par ses feuilles soudées à la base sur 5 mm. Très intéressante pour les jardins côtiers ou de type Strandveld. Cette espèce peut également permettre de stabiliser des dunes. Facile à multiplier par bouturage.

● **R. marianae** [d'après Marian Marloth, épouse du botaniste R. Marloth]. Petits arbustes érigés atteignant jusqu'à 31 cm de haut. Feuilles érigées, semi-cylindriques et mesurant jusqu'à 10×7 mm. Fleurs au printemps, d'un joli rouge, mesurant jusqu'à 40 mm de diam. Habitat: dans le Fynbos aride, Cedarberg, près de Clanwillian (Western Cape).

● **R. mathewsii*** [d'après J. W. Mathews (1871–1949), premier curateur du Jardin Botanique de Kirstenbosch]. Petits arbustes érigés atteignant jusqu'à 60 cm de haut. Feuilles comprimées latéralement, glauque clair, à fin duvet et mesurant jusqu'à 10×4 mm. Fleurs en automne-début d'hiver, roses et mesurant jusqu'à 16 mm de diam. Habitat: dans le Strandveld depuis Saldanha Bay jusqu'à Paternoster, Western Cape.

● **R. maxima** [du lat. le plus grand; référence à la taille de la plante]. Arbustes rigides et érigés qui atteignant jusqu'à 1,5 m. Feuilles aplaties, en demi-lune, glauques et mesurant jusqu'à 45×20 mm. Fleurs en automne-début d'hiver, roses et mesurant jusqu'à 20 mm de diam. Habitat: Fynbos aride près de Graafwater, Western Cape. – Charmant arbuste se plaisant bien en culture. Facile à multiplier par semis et convenant aux jardins de type Fynbos.

● **R. muiriana** [d'après le Dr. J. Muir (1874–1947), médecin écossais et collectionneur de plantes qui se fixa en Afrique du sud]. Petits arbustes érigés atteignant jusqu'à 20 cm de haut. Feuilles dressées, oblongues, mesurant jusqu'à 25×3 mm, à extrémité un peu courbe et à revers caréné. Fleurs en début de printemps, isolées, roses ou pourpres, mesurant jusqu'à 13 mm de diam. et dotées d'un pédoncule mesurant jusqu'à 25 mm de long. Habitat: Karoo à succulentes dans le Little Karoo (Western Cape).

● **R. multiflora** [du lat. 'multi-', plusieurs et '-flora', à fleurs]. Arbustes arrondis, à croissance rapide, atteignant jusqu'à 1 m de haut. Feuilles vert foncé mesurant jusqu'à 30×4 mm. Fleurs en été, blanches et mesurant jusqu'à 20 mm de diam. Habitat: dans

Ruschia tardissima cf.

Ruschia tenella

Ruschia tecta

Ruschia virens cf.

Ruschia sp.

Ruschia sp.

● **R. promontorii*** [Lat., des Kaps; wegen des Vorkommens auf der Kaphalbinsel]. Niederliegend, an den Knoten wurzelnd. Triebe bis 30 cm lang. Blätter glänzend, gekielt und eiförmig (in Seitenansicht), bis 20 mm lang und 8 mm breit, Spitze zurückgebogen. Blüten in Wintermitte, bis 30 mm Durchmesser, rosapurpurn. Verbreitung: Nur vom Cape Point bekannt, wo die Art endemisch ist und in der Nähe des Leuchtturmes vorkommt. Lokal häufig, auf quarzitischen Sandsteinfelsen.

● **R. pulchella** [Lat., hübsch, schön und klein]. Kompakt, mit kriechenden, an den Knoten wurzelnden Trieben, oft Matten bildend. Blätter gekielt, bewimpert, bis 15 mm lang und 2 mm Durchmesser. Blüten im Frühling, einzeln, bis 22 mm Durchmesser, purpurrosa. Verbreitung: Im Renosterveld auf Granit- und Schieferfelsen häufig, oft in flachen Böden. – Die alten Blätter bilden während des Sommers eine Schutzhülle um die neuen Blätter, und auf Grund dieses einmaligen Merkmales sind Verwechslungen mit anderen Mittagsblumen der Kaphalbinsel unwahrscheinlich. Leicht aus Stecklingen zu vermehren und in Fynbos- und Renosterveld-Gebieten für Steingärten nützlich.

● **R. radicans** [Lat., wurzelnd; wegen der Wuchsform]. Kriechende Kräuter mit bis 11 cm langen Zweigen. Blätter länglich, gekielt, bis 11×3 mm. Blüten im Frühling, bis 12 mm Durchmesser, rosa. Verbreitung: Northern Cape, Namaqualand, auf Granitdomen in Succulent Karoo-Vegetation.

● **R. spinosa** [Lat., dornig; wegen der dornigen Zweige]. Aufrechte, dornige Kleinsträucher, bis 30 cm hoch. Blätter länglich, bis 15×4 mm. Blütenstände 3- bis 15-blütig. Blüten im Frühling, bis 16 mm Durchmesser, rosapurpurn. Verbreitung: Western Cape, südliche Great Karoo nahe Matjiesfontein.

● **R. strubeniae** [Nach Struben]. Aufrechte, rasch wachsende Sträucher, bis 1,5 m hoch. Blätter seitlich zusammengedrückt, bootförmig, Ränder gesägt. Blüten Winter bis Frühling, bis 32 mm Durchmesser, rosa mit auffälligen, magentafarbenen Streifen. Verbreitung: Western Cape, Piketberg, in trockenem Fynbos zusammen mit *Erepsia pillansii*. – Eine rasch wüchsige, nach Feuern aus Samen erscheinende Pflanze (Pyrophyt). Leicht aus Samen zu vermehren.

● **R. tardissima** [Lat., am spätesten; wegen der Blütezeit]. Kompakte Kleinsträucher mit niederliegenden Zweigen. Blätter aufsteigend, länglich, bis 70×6 mm, Oberseiten flach, Unterseiten gekielt. Blüten im Herbst, bis 38 mm Durchmesser, mit bis 15 mm langen Blütenstielen, rosa. Verbreitung:

Ruschia sp.

les régions du Karoo à succulentes sec et du Renosterveld (Western Cape), souvent en tant que plante pionnière sur des zones dévastées. – Parfois obtenu par semis. Graines germant facilement. Ces plantes poussent vigoureusement et ne demandent que 3 ans pour atteindre leur taille définitive.

● **R. perfoliata** [du lat. perfolié; référence à la base des feuilles soudée en gaine]. Arbustes peu ramifiés. Feuilles de texture ferme, soudées en une gaine atteignant jusqu'à 2,5 mm de long, à limbe élargi, trigone, gris vert clair et mesurant jusqu'à 15 mm de long. Extrémité de la feuille comprimée, à mucron rougeâtre et piquant. Carène dotée de 1–2 courtes dents aiguës. Fleurs en automne, isolées, rouge rosé et mesurant jusqu'à 25 mm de diam. Habitat: Karoo, près de Matjiesfontein et Prince Albert (Western Cape).

● **R. piscodora*** [du lat. 'piscis', poisson et 'odor', odeur; référence à l'odeur caractéristique de poisson]. Petits arbustes compacts, sphériques et très ramifiés, atteignant jusqu'à 30 cm de haut. Feuilles mesurant jusqu'à 20×4 mm. Fleurs roses mesurant jusqu'à 24 mm de diam. Habitat: près de Beaufort West (Western Cape), au sommet des escarpements du Nama-Karoo.

● **R. polita** [du lat. élégant, charmant]. Petits arbustes formant des coussins atteignant jusqu'à 7 cm de haut. Feuilles dressées à étalées, acuminées, carénées, bleu vert clair, lisses et mesurant jusqu'à 11×5 mm. Fleurs au printemps, roses et mesurant jusqu'à 22 mm de diam. Habitat: sols pierreux du Great Karoo (Western Cape), près de Laingsburg.

● **R. promontorii*** [du lat. du cap; référence à l'habitat de la péninsule du Cap]. Plantes prostrées, à tiges atteignant jusqu'à 30 cm de long et à nœuds émettant des racines. Feuilles luisantes, carénées et ovoïdes (vues de côté), à pointe recourbée en arrière, mesurant jusqu'à 20 mm de long et 8 mm de large. Fleurs en plein hiver, rose pourpre et mesurant jusqu'à 30 mm de diam. Habitat: uniquement connu à Cape Point où l'espèce est endémique et pousse à proximité du phare. Fréquent localement sur les rocailles de grès quartzifères.

● **R. pulchella** [du lat. petit et joli]. Plantes compactes formant souvent des tapis, à tiges rampantes dont les nœuds émettent des racines. Feuilles carénées, ciliées et mesurant jusqu'à 15 mm de long et 2 mm de diam. Fleurs au printemps, isolées, rose pourpre et mesurant jusqu'à 22 mm de diam. Habitat: fréquent sur les sols souvent plats, granitiques et schisteux, du Renosterveld. – Pendant l'été, les anciennes feuilles forment une gaine protectrice autour des nouvelles et cette caractéristique rend improbable une confusion avec d'autres mésembs de la péninsule du Cap. Facile à multiplier par bouturage et convient pour les rocailles des jardins de la région du Fynbos et du Renosterveld.

● **R. radicans** [du lat. racinant; référence au port]. Herbacées rampantes à rameaux atteignant jusqu'à 11 cm de long. Feuilles oblongues, carénées et mesurant jusqu'à 11×3 mm. Fleurs au printemps, roses et mesurant jusqu'à 12 mm de diam. Habitat: Northern Cape, Namaqualand, sur les dômes granitiques du Karoo à succulentes.

Ruschia piscodora

Ruschia intricata

Tanqua-Karoo (Northern Cape und Western Cape), auf steinigen Böden.

● **R. tecta** [Lat., bedeckt; wegen der von den Staminodien bedeckten Staubblätter]. Robuste Sträucher, bis 60 cm hoch. Blätter länglich, bis 95×4 mm. Blüten in Gruppen, im Frühling, bis 35 mm Durchmesser, rosa. Verbreitung: In sandigen Böden in küstennahem Fynbos, nördlich von Kapstadt (Western Cape).

● **R. tenella** [Lat., zart, winzig]. Reich verzweigte, buschige Kleinsträucher mit zarten, fadendünnen Zweigen. Blätter basal verwachsen, dreikantig, bis 10×3 mm, leuchtend grün. Blüten im Sommer, bis 15 mm Durchmesser, weiß. Verbreitung: Little Karoo bei Muiskraal (Western Cape).

● **R. virens** [Lat., grün]. Aufrechte Kleinsträucher, bis 30 cm hoch. Blätter aufsteigend, seitlich zusammengedrückt, bis 28× 22 mm, dick fleischig. Blüten im Frühling, bis 28 mm Durchmesser, rosa. Verbreitung: Western Cape, nahe Mosselbay.

● **R. spinosa** [du lat. épineux; référence aux rameaux épineux]. Petits arbustes érigés et épineux atteignant jusqu'à 30 cm de haut. Feuilles oblongues mesurant jusqu'à 15×4 mm. Inflorescences comptant 3 à 15 fleurs. Fleurs au printemps, rose pourpre et mesurant jusqu'à 16 mm de diam. Habitat: Western Cape, au sud du Great Karoo près de Matjiesfontein.

● **R. strubeniae** [d'après Struben]. Arbustes érigés, à croissance lente, atteignant jusqu'à 1,5 m de haut. Feuilles comprimées latéralement, en forme de bateau et bordées de dents. Fleurs en hiver-printemps, roses à remarquables rayures magenta, mesurant jusqu'à 32 mm de diam. Habitat: dans le Fynbos aride, en compagnie de l'*Erepsia pillansii*, Piketberg, Western Cape. – Plantes à croissance rapide dont les graines germent après un incendie (pyrophytes). Faciles à multiplier par semis.

● **R. tardissima** [du lat. le plus tard; référence à la période de floraison]. Petits arbustes compacts à rameaux prostrés. Feuilles dressées, oblongues et mesurant jusqu'à 70×6 mm. Avers plat et revers caréné. Fleurs en automne, roses, mesurant jusqu'à 38 mm de diam. et portées par un pédoncule mesurant jusqu'à 15 mm de long. Habitat: sols pierreux du Tanqua-Karoo (Northern et Western Capes).

● **R. tecta** [du lat. couvert; référence aux étamines recouvertes par les staminodes]. Robustes arbustes atteignant jusqu'à 60 cm de haut. Feuilles oblongues mesurant jusqu'à 95× 4 mm. Fleurs en bouquets, au printemps, roses et mesurant jusqu'à 35 mm de diam. Habitat: sols sableux de la zone côtière du Fynbos, au nord de la ville du Cap (Western Cape).

● **R. tenella** [du lat. délicat, minuscule]. Petits arbustes buissonnants et très ramifiés, à délicats rameaux filiformes. Feuilles connées, trigones, vert lumineux et mesurant jusqu'à 10× 3 mm. Fleurs en été, blanches et mesurant jusqu'à 15 mm de diam. Habitat: Little Karroo près de Muiskraal (Western Cape).

● **R. virens** [du lat. vert]. Petits arbustes érigés atteignant jusqu'à 30 cm de haut. Feuilles dressées, comprimées latéralement, épaisses et charnues et mesurant jusqu'à 28×22 mm. Fleurs au printemps, roses et mesurant jusqu'à 28 mm de diam. Habitat: près de Mosselbay, Western Cape.

Ruschianthemum

Ruschianthemum *[Nach der Gattung Ruschia und Gr. 'anthemon', Blume]. Aufrechte bis ausgebreitete, verholzte Sträucher, bis 70 cm hoch. Blätter aufsteigend-ausgebreitet, keulig, bis 35×8 mm, gegenständig, undeutlich dreikantig, Spitze gerundet, Oberfläche glatt, blaugrün bis rötlich grün. Blüten Winter bis Frühling, in endständigen Cymen, klein, weiß mit rötlichen Staminodien in der Mitte, unauffällig. Fruchtkapseln kreiselförmig, 5-fächerig, in 5 Nüsschen mit je 1–2 Samen zerfallend, das faserige Skelett der Kapseln ausdauernd und körbchenförmig. Verbreitung: Auf das untere Oranje-Tal des Richtersveldes (Northern Cape) und des benachbarten Namibia beschränkt, wo die Pflanzen in Succulent Karoo-Vegetation vorkommen. Regen fällt hauptsächlich im Winter und die Menge variiert von 50–100 mm pro Jahr. – Eine monotypische Gattung, d. h. mit nur 1 Art. Die Pflanzen gedeihen in Kultur an einer sonnigen Stelle gut. Im Sommer müssen sie trocken gehalten werden, und es sind grosse Töpfe nötig. [Volksname: Mandjievygie.]*

● **R. gigas** [Lat., Riese; wegen der Pflanzengrösse]. Beschreibung wie für die Gattung.

Ruschianthemum *[d'après le genre Ruschia et du grec 'anthemon', fleur]. Arbustes ligneux, érigés à étalés et atteignant jusqu'à 70 cm de haut. Feuilles dressées et étalées, claviformes, opposées, indistinctement trigones, obtuses et mesurant jusqu'à 35 × 8 mm. Epiderme lisse, glauque à vert rougeâtre. Fleurs en hiver-printemps, petites et discrètes, blanches à staminodes centraux rougeâtres, regroupées en cymes terminales. Fruits turbinés en capsules à 5 loges se délitant en 5 petites noix renfermant chacune 1–2 graines. En forme de corbeille, l'ossature fibreuse de la capsule perdure sur la plante. Habitat: Karoo à succulentes limité à la vallée inférieure de l'Orange dans le Richtersveld (Northern Cape) et la Namibie avoisinante. Les pluies y tombent surtout en hiver à raison de 50–100 mm par an. – Genre monospécifique (une seule espèce). Ces plantes apprécient d'être cultivées en plein soleil. Elles doivent être tenues au sec durant l'été et réclament un gros pot. [nom commun: Mandjievygie]*

● **R. gigas** [du lat. géant; référence à la taille de la plante]. Description identique à celle du genre.

Ruschianthemum gigas

Ruschianthus

Ruschianthus *[Nach der Gattung Ruschia und Gr. 'anthos', Blüte]. Zwergige, Gruppen bildende, spärlich verzweigte Pflanzen. Blätter fest, graugrün, seitlich zusammengedrückt und sichelförmig. Blüten im Winter, einzeln, gelblich. Fruchtkapseln 5-fächerig, Fächerdecken fehlend. – Eine monotypische Gattung mit R. falcatus als einziger Art. Verbreitung: In der südlichen Namibwüste auf steinigem Boden auf Hügeln in Succulent Karoo. Die Regenmenge beträgt 100 mm und fällt vorwiegend während des Winters. Die Pflanzen sind einfach aus Stecklingen oder Samen zu ziehen. Während der Sommermonate sollten sie weniger gegossen werden. [Volksname: Sekelvygie.]*

● **R. falcatus** [Lat., sichelförmig; wegen der Blätter]. Beschreibung wie für die Gattung.

Ruschianthus *[d'après le genre Ruschia et du grec 'anthos', fleur]. Plantes naines, peu ramifiées et formant des colonies. Feuilles fermes, gris vert, comprimées latéralement et falciformes. Fleurs en hiver, isolées et jaunâtres. Fruits en capsules à 5 loges, sans opercules. – Genre monospécifique ne comportant que R. falcatus comme espèce. Habitat: sols pierreux des collines du Karoo à succulentes, dans le sud du désert de Namibie. Les pluies s'élèvent à 100 mm annuels et tombent principalement en hiver. Ces plantes sont faciles à multiplier par bouturage ou semis. Arrosages parcimonieux pendant les mois d'été. [nom commun: Sekelvygie]*

● **R. falcatus** [du lat. falciforme; référence à la feuille]. Même description que pour le genre.

Ruschianthus falcatus

Saphesia

Saphesia *[Gr. 'saphes', hell, deutlich, auffällig; wegen der besonderen, hygroskopischen Fruchtkapseln]. Weichfleischige, ausgebreitete, ausdauernde Pflanzen mit einer länglichen, unterirdischen Knolle. Blätter schlaff, weich, blaugrün-grün, abgeflacht. Blüten im Frühling, endständig, weiß, lang gestielt. Fruchtkapseln 5-fächerig, einmal geöffnet immer offen bleibend. – Eine monotypische Gattung. Verbreitung: Küstennaher Fynbos nahe Malmesbury, Western Cape. [Volksname: Slapstingelvygie.]*

● **S. flaccida** [Lat., schlaff; wegen der Triebe]. Eine seltene Pflanze, kaum in Kultur. Samen keimen nur mit Schwierigkeiten. Beschreibung wie für die Gattung.

Saphesia *[du grec 'saphes', clair, net; référence aux fruits hygroscopiques particuliers]. Plantes vivaces, tendres et charnues, étalées et dotées d'un long tubercule souterrain. Feuilles flasques, tendres, vert glauque et aplaties. Fleurs au printemps, terminales, blanches et longuement pédonculées. Fruits en capsules à 5 loges, demeurant définitivement ouvertes une fois qu'elles l'ont été une fois. – Genre monospécifique. Habitat: zone côtière du Fynbos près de Malmesbury, Western Cape. [nom commun: Slapstingelvygie]*

● **S. flaccida** [du lat. flasque; référence aux tiges]. Plante rare, très peu cultivée. Graines ne germant que difficilement. Description comme celle du genre.

Saphesia flaccida

Sceletium

Sceletium *[Lat. 'sceletus', Mumie, Skelett; wegen der ausdauernden Blattskelette]. Rasch wachsende, ausgebreitete Pflanzen (Zweige meist nicht wurzelnd), manchmal aus einer verdickten Basis. Blätter weich, flach, eiförmig-lanzettlich, papillös, ausdauernd und zu einem Skelett verwitternd. Blüten endständig, bis 50 mm Durchmesser, weiß, gelblich oder strohfarben. Fruchtkapseln 4- bis 5-fächerig, Fächerdecken und Verschlusskörperchen fehlend. Verbreitung: Northern Cape und Western Cape, in Winterregengebieten und in Succulent Karoo-Vegetation wachsend. Recht häufig, nur gelegentlich kultiviert und nicht blühfaul. [Volksnamen: Kougoed, Kanna, Soutvygie.] – Der Name Kannaland bezeichnet die Little Karoo, wo »Kanna« oder »Kougoed« vorkommt (siehe einleitende Kapitel). Eine kleine Gattung mit 8 Arten.*

● **S. emarcidum** [Lat., verwittert]. Aus einem zentralen Vegetationspunkt niederliegend. Blätter länglich verkehrt lanzettlich, bis 25 × 10 mm. Blüten im Frühling, weiß, bis 50 mm Durchmesser. Verbreitung: Western Cape, Eastern, Cape, in Succulent Karoo-Vegetation.

● **S. rigidum** [Lat., steif]. Aufrechte bis ausgespreizte Kleinsträucher, bis 17 cm hoch. Zweige an der Basis bis 15 mm

Sceletium *[du lat. 'sceletus', momie, squelette; référence à la structure durable de la feuille]. Plantes étalées, à croissance rapide, à rameaux n'émettant généralement pas de racines, et parfois dotées d'une base renflée. Feuilles tendres, plates, ovoïdes lancéolées, couvertes de papilles, durables et se décomposant en laissant subsister un squelette. Fleurs terminales mesurant jusqu'à 50 mm de diam., blanches, jaunâtres ou couleur paille. Fruits en capsules à 4 à 5 loges, sans opercules ni obturateurs. Habitat: dans le Karoo à succulentes et les régions à pluies hivernales, Northern et Western Capes. Assez fréquent mais parfois cultivé et assez florifère. [noms communs: Kougoed, Kanna, Soutvygie] – Le terme de Kannaland désigne le Little Karoo où pousse le «kanna» ou «kougoed» (voir le chapitre d'introduction). Petit genre regroupant 8 espèces.*

● **S. emarcidum** [du lat. décomposé]. Plantes prostrées à partir d'un point de végétation central. Feuilles oblongues, oblancéolées et mesurant jusqu'à 25 × 10 mm. Fleurs au printemps, blanches et mesurant jusqu'à 50 mm de diam. Habitat: dans le Karoo à succulentes, Western et Eastern Capes.

● **S. rigidum** [du lat. rigide]. Petits arbustes érigés à étalés atteignant jusqu'à 17 cm de haut. Rameaux à base mesurant

Sceletium emarcidum cf.

Sceletium rigidum

Durchmesser. Blätter aufsteigend, lanzettlich bis eiförmig-lanzettlich, bis 25×8 mm, grün, purpurgrün werdend. Blüten Winter und früher Frühling, sitzend, bis 22 mm Durchmesser, strohfarben. Verbreitung: Südliche Great Karoo (Western Cape), zwischen zu Tage liegenden Felsen.

Sceletium tortuosum

● **S. tortuosum** [Lat., gewunden]. Kompakt, niederliegend. Blätter ziegelig, bis 40×20 mm, eiförmig-lanzettlich, stumpf spitz zulaufend. Blüten Frühling bis Sommer, bis 50 mm Durchmesser, rosaweiß oder hell strohgelb. Verbreitung: In trockenen Succulent Karoo-Gebieten des Northern Cape und Western Cape weit verbreitet, im westlichen Teil der Little Karoo.

jusqu'à 15 mm de diam. Feuilles dressées, lancéolées à ovoïdes lancéolées, mesurant jusqu'à 25×8 mm, vertes devenant vert pourpré. Fleurs en hiver et début de printemps, sessiles, couleur paille et mesurant jusqu'à 22 mm de diam. Habitat: sud du Great Karoo (Western Cape), parmi les roches qui affleurent.

● **S. tortuosum** [du lat. tortueux]. Plantes compactes et prostrées. Feuilles imbriquées, mesurant jusqu'à 40×20 mm, ovoïdes lancéolées et obtuses-acuminées. Fleurs au printemps-été, blanc rosé ou jaune paille clair, mesurant jusqu'à 50 mm de diam. Habitat: largement répandu dans les zones sèches du Karoo à succulentes des Northern et Western Capes, également dans la partie ouest du Little Karoo.

Schlechteranthus

Schlechteranthus *[Nach Max Schlechter (1874–1960), deutscher Händler und Sukkulentensammler in Südafrika; Gr. 'anthos', Blüte]. Polster bildende, reich verzweigte, langsam wachsende, langlebige Kleinsträucher. Blätter fest, hart, graugrün, länglich dreieckig, verjüngt, gekielt. Blüten einzeln, weiß oder rosa bis purpurn. Fruchtkapseln 10- bis 12-fächerig, Fächerdecken und Verschlusskörperchen vorhanden. Verbreitung: Eine Gattung mit 2 Arten aus dem Richtersveld (nördliches Namaqualand, Northern Cape); auf steinigen Böden, auf Hügeln und Bergen in Succulent Karoo wachsend. Regen fällt hauptsächlich während des Winters, und die Menge beträgt 100–300 mm pro Jahr. Die Pflanzen sind leicht aus Stecklingen oder Samen anzuziehen. Während der Sommermonate weniger giessen. [Volksname: Vleisbos.]*

● **S. hallii** [Nach Harry Hall (1906–1986), südafrikanischer Sukkulentenspezialist]. Starre, Polster bildende, robuste, kleine Sträucher, bis 25 cm hoch und 30 cm Durchmesser; Rinde korkig, gefurcht. Blätter gedrängt, in der unteren Hälfte verwachsen, bis 25×10 mm, auf der Rückseite undeutlich gekielt, graugrün. Blüten im Winter, weiß, bis 10 mm Durchmesser. Kapseln gerundet. Verbreitung: Richtersveld (Northern Cape), zwischen Felsen auf steinigem Boden.

Schlechteranthus *[d'après Max Schlechter (1874–1960), commerçant et collectionneur de succulentes en Afrique du Sud; du grec 'anthos', fleur]. Petits arbustes à vie durable et croissance lente, très ramifiés et formant des coussins. Feuilles fermes et coriaces, gris vert, triangulaires oblongues, effilées et carénées. Fleurs en hiver, isolées, blanches ou roses à pourpres. Fruits en capsules à 10 à 12 loges, à opercules et obturateurs. Habitat: petit genre doté de 2 espèces originaires du Richtersveld (nord du Namaqualand, Northern Cape), sur les sols pierreux des collines et montagnes du Karoo à succulentes. Les pluies y tombent principalement pendant l'hiver et se montent à 100–300 mm par an. Ces plantes se multiplient facilement par bouturage ou semis. Peu d'arrosages durant l'été. [nom commun: Vleisbos]*

● **S. hallii** [d'après Harry Hall (1906–1986)]. Robustes petits arbustes rigides, formant des coussins qui atteignent jusqu'à 25 cm de haut et 30 cm de diam. Ecorce subéreuse et sillonnée. Feuilles serrées, soudées sur leur moitié inférieure, mesurant jusqu'à 25×10 mm, gris vert et à carène indistincte au revers. Fleurs en hiver, blanches et mesurant jusqu'à 10 mm de diam. Capsules arrondies. Habitat: Richtersveld.

Schlechteranthus hallii

Schlechteranthus hallii

Schlechteranthus maximiliani

● **S. maximiliani** [Wie die Gattung nach Max Schlechter benannt]. Starre, Polster bildende bis ausgebreitete Sträucher, bis 40 cm hoch und 60 cm Durchmesser. Blätter gedrängt, in der unteren Hälfte verwachsen, bis 5 mm lang, Rückseite gekielt, graugrün. Blüten im Winter, weiß bis purpurn, bis 11 mm Durchmesser. Kapseln gerundet. Verbreitung: Richtersveld (Northern Cape), zwischen Felsen auf steinigem Boden.

● **S. maximiliani** [comme le genre, d'après Max Schlechter]. Arbustes rigides, en coussin ou étalés, atteignant jusqu'à 40 cm de haut et 60 cm de diam. Feuilles serrées, soudées sur leur moitié inférieure, mesurant jusqu'à 5 mm de long, gris vert et à revers caréné. Fleurs en hiver, blanches à pourpres et mesurant jusqu'à 11 mm de diam. Capsules arrondies. Habitat: parmi les pierres des sols caillouteux du Richtersveld (Northern Cape).

Schwantesia

Schwantesia *[Nach M. H. G. Schwantes (1881–1960), deutscher Mesemb-Spezialist]. Zwergige, kompakte und Polster bildende Pflanzen, Internodien in den Blattscheiden verborgen; Triebe bis 1 cm Durchmesser, primäre Seitenzweige dicht mit den verhärteten Resten der Vorjahresblätter bedeckt; blühende Seitenzweige 2-blätterig, Blätter eines Paares ungleich. Blätter länglich, aufrecht oder aufsteigend, Oberseite flach und schief (ein Seitenrand gerade, der andere gebogen), oft spitz, scharf gekielt, Kiel asymmetrisch und die ungleichen Seitenflächen flach oder leicht konvex, ganzrandig oder gezähnt, kahl oder samtig, blaugrün bis hell blaugrün-grün, oft mit rötlichen Rändern. Blüten im Sommer, Herbst oder Winter, gelb, einzeln, nachmittags öffnend, bis 50 mm Durchmesser. Fruchtkapseln 5-fächerig, Quellleisten mit breiten Flügeln, Fächerdecken auf einen Saum reduziert, Verschlusskörperchen fehlend. Verbreitung: Eine Gattung mit 9 Arten, die auf das untere Oranje-Tal (Namibia und Südafrika) beschränkt sind und vom nordöstlichen Richtersveld nach Osten bis Upington auf steinigen Böden in Karoo-Vegetation vorkommen. Die jährliche Regenmenge beträgt weniger als 150 mm. – Die Vermehrung erfolgt sowohl durch Stecklinge wie durch Aussaat. Es handelt sich um sehr attraktive Sukkulenten mit auffälliger Form und Färbung, die von Sukkulentenliebhabern sehr gesucht sind. Sie lassen sich gut in Töpfen kultivieren. [Volksname: Dolkvygies.]*

● **S. borcherdsii** [Nach Borcherds]. Kompakte, Gruppen bildende Pflanzen, bis 6 cm hoch. Blätter aufsteigend, bis 50×17 mm, blaugrün, mit auffällig körniger Oberfläche, länglich, gekielt und mit gerundeter bis gestutzter Spitze. Blüten Herbst und Winter, gelb, bis 40 mm Durchmesser. Verbreitung: Nahe Upington (Northern Cape), in Karoo-Vegetation wachsend. [Volksname: Dolkvygie.]

● **S. herrei** [Nach Hans Herre (1895–1979), Mittagsblumenspezialist und ehemaliger Kurator am Stellenbosch University Garden]. Zwergige, Gruppen bildende Pflanzen, bis 14 cm Durchmesser. Blätter aufsteigend bis ausgebreitet, undeutlich keulig, basal verwachsen, bis 35×18 mm, gelegentlich mit einigen Randzähnen bewehrt, grünweiß bis bläulich weiß, Unterseite gekielt. Blüten Herbst und Winter, gelb, bis 35 mm Durchmesser. Verbreitung: Unteres Oranje-Tal (Northern Cape sowie südliches Namibia) vom Richtersveld nach Osten bis Pofadder, auf steinigem Boden.

Schwantesia borcherdsii

Schwantesia *[d'après M. H. G. Schwantes (1881–1960), spécialiste allemand des mésembs]. Plantes naines en coussins compacts, à entre-nœuds cachés par les gaines foliaires. Tiges mesurant jusqu'à 1 cm de diam. Premiers rameaux latéraux densément couverts des restes durcis des feuilles de l'année précédente. Rameaux latéraux florifères portant 1 paire de feuilles inégales. Feuilles oblongues, érigées ou redressées, à avers plat et oblique (un bord droit, l'autre courbe), souvent aiguës, à carène nette et asymétrique. Faces latérales et inégales de la feuille soit plates soit convexes, à bords entiers ou dentés, glabres ou veloutées et glauques à vert glauque clair souvent bordé de rougeâtre. Fleurs en été, automne ou hiver, jaunes, isolées, s'ouvrant l'après-midi et mesurant jusqu'à 50 mm de diam. Fruits en capsules à 5 loges, à bourrelet d'extension doté de larges ailettes, à opercules réduits à une bordure, et à obturateurs absents. Habitat: genre comprenant 9 espèces limitées à la vallée inférieure de l'Orange (Namibie et Afrique du sud), sur les sols pierreux du Karoo depuis le nord-est du Richtersveld jusqu'à Upington à l'est. Les pluies annuelles s'y élèvent à moins de 150 mm. – La multiplication se fait aussi bien par bouturage que par semis. Il s'agit de succulentes très attractives par leur forme et leurs couleurs, qui sont très prisées des amateurs de ce type de plantes. Faciles à cultiver en pot. [nom commun: Dolkvygie]*

● **S. borcherdsii** [d'après Borcherds]. Plantes compactes formant des groupes et atteignant jusqu'à 6 cm de haut. Feuilles redressées mesurant jusqu'à 50×17 mm, glauques, oblongues, carénées et obtuses à tronquées. Remarquable épiderme granuleux. Fleurs en automne et hiver, jaunes et mesurant jusqu'à 40 mm de diam. Habitat: dans le Karoo près d'Upington (Northern Cape).

● **S. herrei** [d'après Hans Herre (1895–1979), spécialiste des mésembs et autrefois curateur du Jardin Universitaire de Stellenbosch]. Plantes naines formant des colonies et atteignant jusqu'à 14 mm de diam. Feuilles dressées à étalées, indistinctement claviformes, connées, mesurant jusqu'à 35×18 mm, parfois bordées de quelques dents, à revers caréné, blanc vert à blanc bleuté. Fleurs en automne et hiver, jaunes et mesurant jusqu'à 35 mm de diam. Habitat: sols pierreux de la vallée inférieure de l'Orange, depuis le Richtersveld jusqu'à Pofadder à l'est (Northern Cape ainsi que sud de la Namibie).

Schwantesia herrei

Schwantesia pillansii

Schwantesia ruedebuschii

● **S. pillansii** [Nach Neville S. Pillans (1884–1964), Botaniker am Bolus-Herbarium der Universität von Kapstadt]. Kompakte, Gruppen bildende Pflanzen, bis 6 cm hoch. Blätter aufsteigend, bis 53×12 mm, blaugrün, länglich verjüngt, gekielt und spitz zulaufend. Blüten Herbst und Winter, gelb, bis 30 mm Durchmesser. Verbreitung: Zwischen Pofadder und Kakamas (Northern Cape), in Karoo-Vegetation wachsend. [Volksname: Dolkvygie.]

● **S. ruedebuschii** [Nach Ruedebusch]. Zwergige, Gruppen bildende Pflanzen, bis 10 cm hoch und 14 cm Durchmesser. Blätter aufsteigend-ausgebreitet, länglich, keulig, basal verwachsen, bis 50×12 mm, grünweiß bis bläulich weiß, Spitzen mit 4–6 Zähnen bewehrt, Rückseite gekielt. Blüten Sommer bis Herbst, gelb, bis 50 mm Durchmesser. Verbreitung: Südliches Namibia und Northern Cape, auf steinigem Boden.

● **S. pillansii** [d'après Neville S. Pillans (1884–1964), botaniste au Bolus-Herbarium de l'Université du Cap]. Plantes compactes formant des colonies et atteignant jusqu'à 6 cm de haut. Feuilles redressées, glauques, oblongues effilées, mesurant jusqu'à 53×12 mm, carénées et acuminées. Fleurs en automne et hiver, jaunes et mesurant jusqu'à 30 mm de diam. Habitat: dans le Karoo, entre Pofadder et Kakamas (Northern Cape). [nom commun: Dolkvygie]

● **S. ruedebuschii** [d'après Ruedebusch]. Plantes naines formant des colonies et atteignant jusqu'à 10 cm de haut et 14 cm de diam. Feuilles redressées étalées, oblongues, claviformes, connées, mesurant jusqu'à 50×12 mm, blanc vert à blanc bleuté. Extrémité dotée de 4–6 dents et revers caréné. Fleurs en été-automne, jaunes et mesurant jusqu'à 50 mm de diam. Habitat: sols pierreux du sud de la Namibie et du Northern Cape.

Scopelogena

Scopelogena *[Gr. 'skopelos', Bergpitze, Aussichtspunkt; Gr. '-genes', entstanden; wegen des felsigen Fundortes]. Starre, strauchige Sukkulenten, bis 60 cm hoch, oft mit regelmässiger, runder Form. Zweige ausgebreitet. Blätter gedrängt, dreikantig bis drehrund, blaugrün, einwärts gebogen. Blüten in Cymen, bis 15 mm Durchmesser. Fruchtkapseln 5-fächerig. – Mit Lampranthus verwandt, aber Klappen der Früchte ohne Flügel und Kapseln hygroskopisch und nicht wieder schliessend. Eine kleine Gattung mit 2 Arten aus dem südlichen Northern Cape und dem Western Cape.*

Scopelogena *[du grec 'skopelos', sommet de montagne et '-genes', provenant; référence à l'habitat rocheux]. Succulentes rigides et arbustives présentant souvent une forme arrondie et régulière et atteignant jusqu'à 60 cm de haut. Rameaux étalés. Feuilles serrées, trigones à fusiformes, glauques et recourbées vers l'intérieur. Fleurs en cymes, mesurant jusqu'à 15 mm de diam. Fruits en capsules à 5 loges. – Apparenté au Lampranthus mais à valves dépourvues d'ailettes et à capsules hygroscopiques ne se refermant pas. Petit genre comprenant 2 espèces originaires du sud du Northern Cape et du Western Cape.*

● **S. verruculata** [Lat., mit Wärzchen bedeckt]. Pflanzen kräftig, ausgebreitet und oft von Felsen hängend, oder gerundete, bis 60 cm hohe Sträucher. Blätter fast drehrund, blaugrün, oft aufrecht, bis 50 × 5 mm. Blüten Frühling bis Frühsommer, in bis 12-blütigen Cymen, bis 15 mm Durchmesser, gelb. Verbreitung: Western Cape, auf der Kap-Halbinsel und in den südlichen Teilen der Provinz an beinahe senkrechten Felswänden in Fynbos vorkommend, manchmal auch an schattigen, nach Süden gerichteten Stellen. – Leicht an Hand der grossen Blätter, der gelben Blüten und der hygroskopischen, sich nicht wieder schliessenden Kapseln kenntlich. Leicht aus Stecklingen zu vermehren. Die Art kann auch in leichtem Schatten gepflegt werden, wo sie trotzdem noch blüht.

Scopelogena verruculata

● **S. verruculata** [du lat. couvert de petites verrues]. Plantes vigoureuses, étalées et pendant souvent depuis un rocher, parfois aussi arrondies, atteignant jusqu'à 60 cm de haut. Feuilles mesurant jusqu'à 50 mm de long et 5 mm de large. Fleurs au printemps-début d'été, jaunes et mesurant jusqu'à 15 mm de diam. Habitat: Western Cape sur la péninsule du Cap et dans la partie sud de la province, sur les parois rocheuses verticales du Fynbos voisin et également parfois aux emplacements ombragés mais orientés au sud. – Facilement reconnaissable à ses grandes feuilles, ses fleurs jaunes et ses capsules hygroscopiques ne se refermant pas. Multiplication aisée par bouturage. Cette espèce peut également être cultivée sous une ombre légère où elle fleurira tout de même. Bel apport pour tous les jardins.

Skiatophytum

Skiatophytum *[Gr. 'skia', Schatten; Gr. 'phyton', Pflanze; wegen des schattigen Vorkommens]. Ausdauernde, kahle, niederliegende Sukkulenten. Triebe grün. Blätter gegenständig, abgeflacht, verkehrt lanzettlich, mit rötlichen Rändern. Blüten Spätwinter bis Frühsommer, 30 mm Durchmesser, weiß. Fruchtkapseln gross, 5-fächerig, hygroskopisch; Samen nierenförmig. Eine monotypische Gattung, im südwestlichen Western Cape weit verbreitet. [Volksname: Platblaarvygie.]*

Skiatophytum tripolium

Skiatophytum *[du grec 'skia', ombre et 'phyton', plante; référence à l'habitat ombragé]. Succulentes vivaces, prostrées et glabres. Tiges vertes. Feuilles opposées, aplaties, oblancéolées, à bords rougeâtres. Fleurs en fin d'hiver-début d'été, blanches et mesurant jusqu'à 30 mm de diam. Gros fruits en capsules à 5 loges, hygroscopiques, à graines réniformes. Genre monospécifique présent dans le sud ouest du Western Cape. [nom commun: Platblaarvygie]*

194

● **S. tripolium** [Lat., eine auf Klippen wachsende Pflanze]. Gelegentlich in offen bewaldeten Gegenden vorkommend und in leichtem Schatten bis voller Sonne wachsend. Verbreitung: Kap-Halbinsel (Western Cape). – Leicht zu kultivieren, aber die Samen keimen nur schwer. Wächst auch in leichtem Schatten.

● **S. tripolium** [du lat. plante poussant sur une arête rocheuse]. Poussant parfois dans des zones à boisement peu dense, en plein soleil à légèrement ombragé. Habitat: péninsule du Cap (Western Cape). – Facile à cultiver mais les graines germent difficilement. Se plaît aussi sous une ombre légère.

Smicrostigma

Smicrostigma *[Gr. 'smikros', klein; Gr. 'stigma', Narbe]. Aufsteigende, etwas schlanke Kleinsträucher, bis 40 cm hoch. Blätter verwachsen und den Trieben entlang herablaufend, bis 25 mm lang. Blüten Winter bis Frühling, bis 30 mm Durchmesser, rosapurpurn. Fruchtkapseln 7- bis 10-fächerig, gerundet, Fächerflügel vorhanden, Verschlusskörperchen fehlend. Verbreitung: Western Cape, in der Little Karoo vorkommend. – Selten kultiviert. [Volksname: Draaivygie.]*

● **S. viride** [Lat., grün]. Beschreibung wie für die Gattung.

Smicrostigma *[du grec 'smikros', petit et 'stigma', stigmate]. Petits arbustes dressés et un peu efflanqués, mesurant jusqu'à 40 cm de haut, jusqu'à 25 mm de long. Feuilles soudées et décurrentes. Fleurs en hiver–printemps, mesurant jusqu'à 30 mm de diam., rose pourpre. Fruits arrondis en capsules à 7 à 10 loges, à valves dotées d'ailettes mais sans obturateurs. Habitat: Western Cape, dans le Little Karoo. – Rarement cultivé. [nom commun: Draaivygie]*

● **S. viride** [du lat. vert]. Description: idem genre.

Smicrostigma viride

Smicrostigma viride

Stayneria

Stayneria *[Nach Frank Stayner (1907–1981), ehemaliger Kurator der Karoo Botanical Gardens, RSA]. Aufrechte Sträucher, bis 1 m hoch. Blätter länglich, bis 70×8 mm, grün. Blüten zu 3, weiß. Fruchtkapseln 7- bis 8-fächerig, holzig, starr, nach dem ersten Öffnen geöffnet bleibend, Fächerdecken vorhanden, Verschlusskörperchen fehlend. Verbreitung: Western Cape. – Die Gattung ist monotypisch. [Volksname: Heksriviervygie.]*

Stayneria *[d'après Frank Stayner (1907–1981), autrefois curateur du Jardin Botanique du Karoo, RSA]. Arbustes érigés atteignant jusqu'à 1 m de haut. Feuilles oblongues, vertes et mesurant jusqu'à 70 × 8 mm. Fleurs blanches groupées par 3. Fruits en capsules à 7–8 loges, ligneux, rigides, demeurant béants après la première ouverture, à opercules mais sans obturateurs. Habitat: Western Cape. – Genre monospécifique. [nom commun: Heksriviervygie]*

Stayneria

● **S. neilii** [Nach Mr. Neil, Gärtnereibesitzer in Südafrika]. Aufrechte Sträucher, bis 1 m hoch. Blätter bis 70×8 mm. Blüten im Frühling, bis 35 mm Durchmesser, weiß. Verbreitung: Western Cape, am Rand des trockenen Fynbos und der Succulent Karoo, z. B. in den Bezirken Worcester und Robertson. – Leicht aus Samen zu ziehen. Die Pflanzen sind rasch wüchsig. Selten kultiviert.

● **S. neilii** [d'après Mr. Neil, propriétaire d'un établissement horticole en Afrique du Sud]. Arbustes érigés atteignant jusqu'à 1 m de haut. Feuilles mesurant jusqu'à 70×8 mm. Fleurs au printemps, blanches et mesurant jusqu'à 35 mm de diam. Habitat: Western Cape, à la lisière du Fynbos aride et du Karoo à succulentes. – Facile à multiplier par semis. Plantes à croissance rapide, rarement cultivées.

Stayneria neilii

Frank Stayner mit *Stayneria*

Stoeberia

__Stoeberia__ [Nach E. Stoeber aus Lüderitz, Namibia]. Kahle, holzige Sträucher, bis 3 m hoch. Blätter länglich bis keulig, nicht ausdauernd. Blütenstände verzweigt; Blüten gewöhnlich weiß; Staubblätter zu einem Kegel zusammentretend. Fruchtkapseln hygroskopisch, nach dem ersten Öffnen geöffnet bleibend, Verschlusskörperchen fehlend. Samen leicht, geflügelt, vom Wind verbreitet. Verbreitung: Eine kleine Gattung mit 5 auf das südliche Namibia sowie das Northern Cape und Western Cape beschränkten Arten, wo sie von der Knersvlakte im Süden bis nach Lüderitz im Norden vorkommen. – Selten kultiviert. S. arborea ist die am grössten werdende Art der ganzen Familie.

● **S. arborea** [Lat., baumförmig]. Aufrechte, gerundete bis ausgebreitete, einstämmige Sträucher, bis 3 m hoch. Seitenzweige rötlich. Blätter keulig. Blüten klein, weiß. Kapseln klein. Verbreitung: Northern Cape, Richtersveld, in nach Süden gerichteten Schluchten. [Volksnamen: Rooivye, T'arrat'kooi, Rooit'kooi.]

● **S. beetzii** [Nach Beetz]. Verzweigte Sträucher mit ineinander verwobenen Zweigen, bis 50 cm hoch und höher. Blätter mehr oder weniger grün. Blütenstände im Winter, end-

__Stoeberia__ [d'après E. Stoeber de Lüderitz, Namibie]. Arbustes ligneux et glabres atteignant jusqu'à 3 m de haut. Feuilles oblongues à claviformes, éphémères. Inflorescences ramifiées; fleurs habituellement blanches et étamines réunies en cône. Fruits en capsules hygroscopiques demeurant béantes une fois ouvertes, sans obturateurs. Graines légères et ailées, disséminées par le vent. Habitat: petit genre comprenant 5 espèces originaires du sud de la Namibie ainsi que du Northern Cape et du Western Cape où elles poussent depuis le Knersvlakte au sud jusqu'à Lüderitz au nord. Rarement cultivé. S. arborea est la plus grande espèce de toute la famille.

● **S. arborea** [du lat. arborescent]. Arbustes à tronc unique, érigés, arrondis à étalés et atteignant jusqu'à 3 m de haut. Feuilles claviformes. Petites fleurs blanches. Petites capsules. Habitat: Northern Cape, dans les gorges orientées au sud du Richtersveld. [noms communs: Rooivye, T'arrat'kooi, Rooit'kooi]

● **S. beetzii** [d'après Beetz]. Arbustes ramifiés à rameaux emmêlés, atteignant jusqu'à 50 cm de haut, voire plus. Feuilles plus ou moins vertes. Inflorescences terminales en hiver, fleurs blanches mesurant jusqu'à 12 mm de diam. Habitat: Northern

Stoeberia arborea

Stoeberia beetzii

ständig, Blüten bis 12 mm Durchmesser, weiß. Verbreitung: Northern Cape und südliches Namibia, im Sandveld. [Volksname: Vaalvye.]

● **S. carpii** [Nach Bernard Carp]. Spärlich verzweigte Sträucher mit bis 1 m langen Zweigen. Blätter gross, silbergrau, keulig, bis 50–100 × 15–20 mm. Blüten Sommer bis Herbst, weiß, bis 20 mm Durchmesser. Verbreitung: Northern Cape und südliches Namibia, Richtersveld und benachbarte Gebiete. [Volksname: Slaplootvygie.]

● **S. frutescens** [Lat., strauchig]. Ausgebreitete Sträucher, bis 1,5 m hoch. Blätter länglich, bis 55 × 12 mm. Blüten im Frühling, weiß, bis 12 mm Durchmesser, an verlängerten Blütenständen. Verbreitung: Western Cape, Northern Cape, Knersvlakte und Namaqualand, als Pionier oft an gestörten Stellen in dichten Vorkommen. [Volksname: Donkievye.]

● **S. utilis** [Lat., gebräuchlich, brauchbar; wegen der Verwendung als Feuerholz]. Aufrechte bis gerundete Sträucher, bis 2 m hoch. Zweige grau, verholzt. Blätter bis 15 × 5 mm, länglich. Blüten im Frühling, weiß, bis 15 mm Durchmesser. Verbreitung: Sandveld im Western Cape und Northern Cape, von Saldanha bis Port Nolloth. [Volksname: Rooivye.]

Stoeberia frutescens cf.

Cape et sud de la Namibie, dans le Sandveld. [nom commun: Vaalvye]

● **S. carpii** [d'après Bernard Carp]. Arbustes peu ramifiés, à rameaux atteignant jusqu'à 1 m de long. Grandes feuilles claviformes, gris argenté et mesurant jusqu'à 50–100 × 15–20 mm. Fleurs en été-automne, blanches et mesurant jusqu'à 20 mm de diam. Habitat: Northern Cape et sud de la Namibie, dans le Richtersveld et les zones voisines. [nom commun: Slaplootvygie]

● **S. frutescens** [du lat. arbustif]. Arbustes étalés atteignant jusqu'à 1,5 m de haut. Feuilles oblongues mesurant jusqu'à 55 × 12 mm. Fleurs au printemps, blanches, mesurant jusqu'à 12 mm de diam. et groupées en inflorescences allongées. Habitat: Western Cape, Northern Cape, dans le Knersvlakte et le Namaqualand, souvent en colonies denses de plantes pionnières dans les zones dévastées. [nom commun: Donkievye]

● **S. utilis** [du lat. utile, utilisable; référence à l'emploi en tant que bois de chauffage]. Arbustes érigés à arrondis atteignant jusqu'à 2 m de haut. Rameaux gris et ligneux. Feuilles oblongues mesurant jusqu'à 15 × 5 mm. Fleurs au printemps, blanches et mesurant jusqu'à 15 mm de diam. Habitat: Sandveld des Western et Northern Capes, depuis Saldanha jusqu'à Port Nolloth. [nom commun: Rooivye]

Stoeberia carpii

Stoeberia frutescens

Stoeberia utilis

Stoeberia utilis

Stomatium

Stomatium *[Gr., Mäulchen, Mündchen; wegen der gezähnten, gegenständigen Blätter]. Zwergige, kompakte, Polster bis Gruppen bildende, sukkulente Pflanzen. Triebe mit bis zu 6 Blattpaaren. Blätter gegenständig, basal verwachsen, dreieckig bis breit spatelig, Ränder mit Zähnen bewehrt. Blüten Frühling bis Frühsommer, einzeln, sitzend bis kurz gestielt, gegen Abend öffnend, duftend. Fruchtkapseln 5- bis 6-fächerig, Fächerdecken vorhanden, Verschlusskörperchen fehlend. Verbreitung: Eine Gattung mit 40 Arten, hauptsächlich auf die Inlandgebiete des südlich-zentralen Escarpments (Western Cape, Northern Cape, Eastern Cape, Free State) beschränkt. Regen fällt hauptsächlich im Sommer, und die Menge beträgt 200–500 mm pro Jahr. Die Pflanzen wachsen in flachen Böden über anstehendem Fels in Karoo- und Grasland-Vegetation. Sie lassen sich leicht durch Stecklinge oder aus Samen vermehren und gedeihen in Kultur gut. [Volksnamen: Kleintandvygie, Nagvygie, Kussingvygie.]*

● **S. beaufortense** [Nach dem Vorkommen bei Beaufort West im Western Cape]. Kompakte, Gruppen bildende Sukkulenten. Blätter länglich, spitz, bis 34×14 mm, blaugrün, mit warziger Oberfläche, Unterseite undeutlich gekielt, mit 3–4 Zähnen entlang der Blattränder. Blüten Frühling bis Sommer, bis 30 mm Durchmesser, gelb, abends öffnend. Verbreitung: Great Karoo (Western Cape), auf kiesigen und steinigen Böden. [Volksnamen: Nagvygie, Kussingvygie.]

● **S. difforme** [Lat., ungleich, abweichend; wegen der Blätter]. Kompakte, Gruppen bildende Sukkulenten, bis 3,5 cm hoch. Blätter länglich, unterschiedlich in der Form, bis 25×16 mm, blaugrün, mit warziger Oberfläche, Unterseite konvex, Randzähne 13, spitz. Blüten Frühling bis Sommer, bis 22 mm Durchmesser, gelb, abends öffnend. Verbreitung: Südliche Great Karoo (Western Cape), auf kiesigen und steinigen Böden nahe Laingsburg.

● **S. loganii** [Nach James Logan, dem Gründer von Matjiesfontein]. Kompakte, Gruppen bildende Sukkulenten. Blätter länglich, bis 20×6 mm, mit gerundeter Spitze und mit 3 undeutlichen Zähnen. Blüten Frühling bis Sommer, bis 16 mm Durchmesser, gelb, abends öffnend. Verbreitung: Great Karoo (Western Cape), kiesige und steinige Böden.

● **S. niveum*** [Lat., schneeweiß, wegen der Blüten]. Zwergige, Gruppen bildende Pflanzen. Blätter etwas spatelig, bis 20 ×10 mm, blaugrün, mit warziger Oberfläche, Unterseite konvex, Ränder mit 3 undeutlichen Zähnen. Blüten Frühling bis Sommer, bis 18 mm Durchmesser, weiß, abends öffnend. Verbreitung: Bushmanland (Northern Cape), auf kiesigen und steinigen Böden.

● **S. pyrodorum*** [Gr. 'pyr', Feuer; Lat. 'odorus', duftend; wegen des Blütenduftes]. Zwergige, Gruppen bildende Pflanzen. Blätter abgeflacht, spatelig, blaugrün und fein punktiert, mit bis zu 15 deutlichen Randzähnen, bis 40×20 mm. Blüten Sommer bis Herbst, gelb, bis 20 mm Durchmesser, abends öffnend. Verbreitung: Calvinia-Bezirk (Northern Cape).

● **S. suaveolens** [Lat., süss duftend; wegen des Blütenduftes]. Zwergige, Gruppen bildende Pflanzen. Blätter un-

Stomatium *[du grec, petite gueule; référence aux feuilles opposées et dentées]. Plantes succulentes naines formant des coussins compacts ou des colonies. Tiges portant jusqu'à 6 paires de feuilles. Feuilles opposées, connées, triangulaires à largement spatulées, dentées. Fleurs au printemps-début d'été, isolées, sessiles à brièvement pédonculées, parfumées et s'ouvrant en soirée. Fruits en capsules à 5–6 loges, à opercules mais sans obturateurs. Habitat: genre comprenant 40 espèces majoritairement originaires de l'intérieur des terres du plateau sud-central (Western Cape, Northern Cape, Eastern Cape, Free State). Les pluies y tombent surtout en été, à raison de 200–500 mm annuels. Ces plantes poussent sur les sols plats à sous-sol rocheux dans le Karoo et les prairies. Il est facile de les multiplier par bouturage ou semis et elles se plaisent bien en culture. [noms communs: Kleintandvygie, Nagvygie, Kussingvygie]*

● **S. beaufortense** [d'après l'habitat près de Beaufort West, Western Cape]. Succulentes formant des groupes compacts. Feuilles oblongues, aiguës, glauques, verruqueuses et mesurant jusqu'à 34×14 mm. Revers à carène peu nette et bordure dotée de 3–4 dents. Fleurs au printemps-été, jaunes, mesurant jusqu'à 30 mm de diam. et s'ouvrant le soir. Habitat: Great Karoo (Western Cape), sur les sols gravillonneux et pierreux. [noms communs: Nagvygie, Kussingvygie]

● **S. difforme** [du lat. inégal, déviant; référence à la feuille]. Succulentes compactes formant des colonies et atteignant jusqu'à 3,5 cm de haut. Feuilles oblongues, de forme variable, glauques, verruqueuses, mesurant jusqu'à 25× 16 mm. Revers convexe et bordure garnie de 13 dents aiguës. Fleurs au printemps-été, jaunes, mesurant jusqu'à 22 mm de diam. et s'ouvrant le soir. Habitat: au sud du Great Karoo (Western Cape), sur les sols gravillonneux et pierreux près de Laingsburg.

● **S. loganii** [d'après James Logan, fondateur de Matjiesfontein]. Succulentes compactes poussant en colonies. Feuilles oblongues mesurant jusqu'à 20×6 mm, obtuses et dotées de 3 dents indistinctes. Fleurs au printemps-été, jaunes, mesurant jusqu'à 16 mm de diam. et s'ouvrant le soir. Habitat: Great Karoo (Western Cape), sur les sols gravillonneux et pierreux.

● **S. niveum*** [du lat. blanc neigeux; référence aux fleurs]. Plantes naines formant des colonies. Feuilles un peu spatulées, glauques, mesurant jusqu'à 20×10 mm, verruqueuses, à revers convexe et bordées de 3 dents peu nettes. Fleurs au printemps-été, blanches, s'ouvrant le soir et mesurant jusqu'à 18 mm de diam. Habitat: sur les sols gravillonneux et rocailleux du Bushmanland (Northern Cape).

● **S. pyrodorum*** [du grec 'pyr', feu et du lat. 'odorus', odorant; référence au parfum des fleurs]. Plantes naines formant des colonies. Feuilles aplaties, spatulées, glauques et finement pointillées, bordées de jusqu'à 15 dents nettes, mesurant jusqu'à 40×20 mm. Fleurs en été-automne, jaunes, s'ouvrant le soir et mesurant jusqu'à 20 mm de diam. Habitat: district de Calvinia (Northern Cape).

Stomatium beaufortense

Stomatium difforme

Stomatium loganii cf.

Stomatium niveum

Stomatium pyrodorum

deutlich keulig, bis 20×15 mm, blaugrün bis purpurgrün, mit warziger Oberfläche, Unterseite konvex, Ränder mit 1–5 kleinen Zähnen. Blüten Frühling bis Sommer, bis 15 mm Durchmesser, gelb, abends öffnend. Verbreitung: Roggeveld (Northern Cape), auf kiesigen und steinigen Böden, im Winter mit starkem Frost.

● **S. suricatinum** [Nach der Gattung *Suricata* (»Meerkatze«); Bezug unklar]. Kompakte, Polster bildende Sukkulenten. Blätter aufrecht, länglich, bis 30×7 mm, blaugrün bis olivgrün, mit warziger Oberfläche, Unterseite undeutlich gekielt, entlang der Blattränder mit 5–6 Zähnen. Blüten Frühling bis Sommer, bis 20 mm Durchmesser, zitronengelb, abends öffnend. Verbreitung: Nördlicher Teil der Little Karoo (Western Cape), auf kiesigen und steinigen Böden.

● **S. trifarium** [Lat., in 3 Reihen; weil die Blätter 3 Zahnreihen haben]. Kompakte, Gruppen bildende Sukkulenten. Blätter länglich, bis 25×9 mm, blaugrün, mit warziger Oberfläche, Ränder mit 2–4 Zähnen. Blüten Frühling bis Sommer, bis 25 mm Durchmesser, gelb, abends öffnend. Verbreitung: Great Karoo (Northern Cape), auf kiesigen und steinigen Böden.

● **S. suaveolens** [du lat. à parfum suave; référence au parfum des fleurs]. Plantes naines formant des colonies. Feuilles indistinctement claviformes, mesurant jusqu'à 20× 15 mm, glauques à vert pourpré, verruqueuses. Revers convexe et bordure dotée de 1–5 petites dents. Fleurs au printemps-été, jaunes, s'ouvrant le soir et mesurant jusqu'à 15 mm de diam. Habitat: Roggeveld (Northern Cape), sur les sols gravillonneux et rocailleux; hivers à gelées sévères.

● **S. suricatinum** [d'après le genre *Suricata* (suricate); référence obscure]. Succulentes compactes formant des coussins. Feuilles érigées, oblongues, mesurant jusqu'à 30×7 mm, glauques à vert olive, verruqueuses, à revers indistinctement caréné, bordées de 5–6 dents. Fleurs au printemps-été, jaune citron, s'ouvrant le soir et mesurant jusqu'à 20 mm de diam. Habitat: sur les sols caillouteux de la partie nord du Little Karoo (Western Cape).

● **S. trifarium** [du lat. sur 3 rangs; référence aux 3 rangs de dents qui bordent les feuilles]. Succulentes compactes formant des groupes. Feuilles oblongues, glauques, mesurant jusqu'à 25×9 mm, verruqueuses et bordées de 2–4 dents. Fleurs au printemps-été, jaunes, s'ouvrant l'hiver et mesu-

Stomatium suaveolens

Stomatium trifarium cf.

Stomatium suaveolens

Stomatium suricatinum cf.

● **S. villetii** [Nach A. C. T. Villet, Sukkulentenliebhaber in Worcester, Südafrika]. Zwergige, Gruppen bildende Pflanzen. Blätter länglich, bis 25×7 mm, blaugrün, mit warziger Oberfläche, Unterseite konvex, Ränder mit bis zu 4 auffälligen Zähnen. Blüten früher Frühling bis Sommer, bis 15 mm Durchmesser, gelb, nachmittags öffnend. Verbreitung: Great Karoo (Western Cape), auf kiesigen und steinigen Böden, mit Winterfrost.

Stomatium villetii

rant jusqu'à 25 mm de diam. Habitat: sur les sols caillouteux du Great Karoo (Northern Cape).

● **S. villettii** [d'après A. C. T. Villet, amateur de succulentes à Worcester, Afrique du Sud]. Plantes naines poussant en groupes. Feuilles oblongues, glauques, verruqueuses, à revers convexe, bordées de jusqu'à 4 dents bien nettes, mesurant jusqu'à 25×7 mm. Fleurs du début de printemps à l'été, jaunes, s'ouvrant l'après-midi et mesurant jusqu'à 15 mm de diam. Habitat: Great Karoo (Western Cape), sur les sols rocailleux; gelées hivernales.

Tanquana

Tanquana *[Nach dem Vorkommen in der Tanqua-Karoo]. Zwergige, einzelne oder kompakte und Polster bildende Pflanzen. Blätter eiförmig, dreieckig bis gerundet und basal verwachsen, Oberfläche glatt, bräunlich bis rötlich grün, punktiert. Blüten im Herbst, gelb, einzeln in der Mitte der Blattpaare. Fruchtkapseln 10-fächerig, mit Fächerdecken und Verschlusskörperchen. Verbreitung: Eine kleine Gattung mit 3 Arten, hauptsächlich in der südlichen Great Karoo sowie in den nördlichen Teilen der Little Karoo vorkommend (Western Cape). Die Pflanzen bevorzugen steinige Böden (hauptsächlich Schiefer) bzw. kiesige Stellen und sind schwierig zu finden. Sie sind in Kultur schwer zu pflegen und benötigen spezialisierte Bedingungen. In der Natur fällt Regen im Sommer wie im Winter, und die Mengen betragen durchschnittlich weniger als 150 mm pro Jahr. Die Vermehrung erfolgt mehrheitlich aus Samen. Im Winter darf nur spärlich gegossen werden. [Volksnamen: Nabank-Vygie, Tankwa-Beesklou.]*

● **T. archeri** [Nach Joseph Archer (1871–1954), erster Kurator der Karoo Botanical Gardens, Whitehill]. Zwergpflanzen mit meist einem einzigen Paar gegenständiger Blätter. Blätter ausgebreitet, bis 25×20 mm, bräunlich grün, eiförmig-dreieckig, punktiert. Blüten Spätsommer und Herbst, bis 35 mm Durchmesser, goldgelb. Verbreitung: Südliche Great Karoo zwischen Schieferschutt, schwierig zu finden. [Volksname: Tankwa-Beesklou.]

● **T. hilmarii** [Nach Hilmar Lückhoff, *Lithops*-Liebhaber und ehemals Direktor des Forest Research Institute in Pretoria]. Zwergpflanzen mit meist einem einzigen Paar gegenständiger Blätter, teilweise im Boden eingesenkt. Blätter ausgebreitet, bis 25×16 mm, bräunlich grün, eiförmig-dreieckig. Blüten im Herbst, bis 35 mm Durchmesser, goldgelb. Verbreitung: Nördliche Little Karoo (Western Cape), auf Ebenen mit Schieferschutt, und schwierig zu finden.

● **T. prismatica** [Lat., prismatisch; wegen der Blätter]. Zwergige, Gruppen bildende Pflanzen. Blätter bis 40×30 mm, glatt, grünlich braun, Unterseite konvex. Blüten Spätsommer und Herbst, bis 40 mm Durchmesser, gelb. Verbreitung: Tanqua-Karoo (Western Cape), auf steinigen Ebenen.

Tanquana *[d'après l'habitat du Tanqua-Karoo]. Plantes naines isolées ou formant des coussins. Feuilles ovoïdes, triangulaires à arrondies et connées. Epiderme lisse, vert brunâtre à vert rougeâtre et ponctué. Fleurs en automne, jaunes, isolées au centre d'une paire de feuilles. Fruits en capsules à 10 loges, à opercules et obturateurs. Habitat: petit genre comprenant 3 espèces principalement originaires du sud du Great Karoo ainsi que de la partie nord du Little Karoo (Western Cape). Ces plantes préfèrent les sols pierreux (surtout schisteux) et les emplacements gravillonneux où elles sont difficiles à détecter. Il est ardu de les cultiver et elles réclament des conditions spéciales. Dans la nature, les pluies tombent en été et en hiver à raison, en moyenne, de moins de 150 mm par an. La multiplication se fait surtout par semis. Arrosages parcimonieux en hiver. [noms communs: Nabank-Vygie, Tankwa–Beesklou]*

● **T. archeri** [d'après Joseph Archer (1871–1954), premier curateur du Jardin botanique du Karoo de Whitehill]. Plantes naines possédant généralement une seule paire de feuilles opposées. Feuilles étalées, vert brunâtre, ovoïdes triangulaires, ponctuées et mesurant jusqu'à 25×20 mm. Fleurs en fin d'été et automne, jaune d'or et mesurant jusqu'à 35 mm de diam. Habitat: parmi les éboulis schisteux du sud du Great Karoo, difficile à détecter. [nom commun: Tankwa-Beesklou]

● **T. hilmarii** [d'après Hilmar Lückhoff, amateur de *Lithops* et autrefois directeur du Forest Research Institute à Prétoria]. Plantes naines partiellement encastrées au sol et ne possédant généralement qu'une seule paire de feuilles opposées. Feuilles étalées, vert brunâtre, ovoïdes triangulaires et mesurant jusqu'à 25×16 mm. Fleurs en automne, jaune doré et mesurant jusqu'à 35 mm de diam. Habitat: nord du Little Karoo (Western Cape), sur les étendues d'éboulis schisteux, difficile à détecter.

● **T. prismatica** [du lat. en prisme; référence à la feuille]. Plantes naines formant des groupes. Feuilles lisses, brun verdâtre, à revers convexe, mesurant jusqu'à 40×30 mm. Fleurs en fin d'été et automne, jaunes et mesurant jusqu'à 40 mm de diam. Habitat: étendues caillouteuses du Tanqua-Karoo (Western Cape).

Tanquana archeri

Tanquana hilmarii

Tanquana prismatica

Titanopsis

Titanopsis *[Gr. 'titanos', Kalk; Gr. 'opsis', Aussehen; wegen des kalkverkrusteten Aussehens der Blätter, verursacht durch auffällige Warzen auf der Oberfläche]. Zwergige, Gruppen bildende Pflanzen, oft mit fleischigem Wurzelstock. Blätter flach auf dem Boden, in Rosetten, spatelig bis keulig, oft gewarzt. Blüten gelblich, bis 20 mm Durchmesser. Fruchtkapseln 5- bis 10-fächerig, Fächerdecken vorhanden, Verschlusskörperchen fehlend. [Volksname: Kalkveldvygie.]*

● **T. calcarea** [Lat., kalkig; wegen des Vorkommens auf Kalkboden]. Gruppen bildende, zwergige, ausdauernde, sukkulente Pflanzen. Blätter spatelig-dreieckig, bis 25×12 mm, gewarzt. Blüten im Winter, gelb, 20 mm Durchmesser. Verbreitung: Northern Cape und Free State, auf kalkigen Ebenen, in Nama Karoo wachsend. Von Sukkulentenspezialisten gelegentlich kultiviert. Benötigt einen kalkhaltigen Boden. [Volksnamen: Kalkblommetjies, Skilpadvoetjie.]

● **T. fulleri*** [Nach E. B. Fuller (fl. 1886)]. Zwergpflanzen mit kompaktem Wuchs; Rosetten mit 5–6 Blattpaaren. Blätter ausgebreitet, spatelig, bis 22×10 mm, Oberfläche flach oder leicht trogförmig, Unterseite rundlich gekielt, schön blaugrün mit rötlichem Hauch, völlig mit kaum erhabenen, dunklen Punkten übersät, welche an den Kanten der dreieckigen Blattspitze in gräulich braune Warzen übergehen, Blattspitze mit purpurner Grundfarbe. Blüten im Winter, bis 16 mm Durchmesser, dunkelgelb. Verbreitung: Northern Cape, Griqualand West, nahe Prieska. [Volksname: Oorvygie.]

Titanopsis *[du grec 'titanos', craie et 'opsis', aspect; référence à l'aspect de croûte crayeuse sur les feuilles, du en fait à de remarquables verrues]. Plantes naines formant des groupes et souvent dotées d'un rhizome charnu. Feuilles en rosettes étalées au sol, spatulées à claviformes, souvent verruqueuses. Fleurs jaunâtres mesurant jusqu'à 20 mm de diam. Fruits en capsules à 5 à 10 loges, à opercules mais sans obturateurs. [nom commun: Kalkveldvygie]*

● **T. calcarea** [du lat. calcaire; référence à l'habitat sur sols calcaires]. Plantes succulentes, vivaces, naines et formant des colonies. Feuilles spatulées triangulaires, verruqueuses et mesurant jusqu'à 25×12 mm. Fleurs en hiver, jaunes et mesurant jusqu'à 20 mm de diam. Habitat: Northern Cape et Free State, sur les étendues calcaires du Nama Karoo. Parfois cultivé par les spécialistes des succulentes. Réclame un sol calcaire. [nom commun: Kalkblommetjies, Skilpadvoetjie]

● **T. fulleri*** [d'après E. B. Fuller (vers 1886)]. Plantes naines à silhouette compacte, formant des rosettes de 5–6 paires de feuilles. Feuilles étalées, spatulées et mesurant jusqu'à 22×10 mm, à avers plat ou légèrement concave et revers à carène arrondie. Epiderme d'un joli glauque teinté de rougeâtre, totalement couvert de points sombres à peine en relief qui deviennent des verrues brun grisâtres sur les arêtes de l'extrémité triangulaire et pourprée de la feuille. Fleurs en hiver, jaune foncé et mesurant jusqu'à 16 mm de diam. Habitat: Northern Cape, ouest du Griqualand, près de Prieska. [nom commun: Oorvygie]

Titanopsis calcarea

Titanopsis fulleri

Titanopsis hugo-schlechteri

Titanopsis hugo-schlechteri

Titanopsis luederitzii

● **T. hugo-schlechteri** [Nach Hugo Schlechter]. Zwergige, Gruppen bildende Pflanzen, bis 5 cm Durchmesser. Blätter bis 15×4 mm, verkehrt dreieckig-spatelig, graugrün oder bräunlich grün, gewarzt. Blüten Spätwinter bis Frühling, gelblich mit hellerer Mitte. Verbreitung: Südliches Namibia, zwischen Kalkgeröll in Karoo-Vegetation wachsend. [Volksname: Paddavoetjies.]

● **T. luederitzii*** [Nach dem Vorkommen bei Lüderitz]. Zwergige, Gruppen bildende Pflanzen, bis 5 cm Durchmesser. Blätter bis 15×4 mm, verkehrt dreieckig-spatelig, graugrün, gewarzt. Blüten Spätwinter bis Frühling, bis 20 mm Durchmesser, gelb. Verbreitung: Südliches Namibia, bei Lüderitz, in Succulent Karoo wachsend.

● **T. primosii*** Zwergige, Gruppen bildende Pflanzen, bis 8 cm Durchmesser. Blätter bis 15×4 mm, verkehrt dreieckig-spatelig, graugrün, gewarzt. Blüten im Frühling, bis 20 mm Durchmesser, primelgelb. Verbreitung: Bushmanland (Northern Cape), zwischen Kalkgeröll in Karoo-Vegetation wachsend.

● **T. schwantesii** [Nach M. H. G. Schwantes (1881–1960), deutscher Mesemb-Spezialist]. Zwergige, Gruppen bildende Pflanzen, bis 5 cm Durchmesser. Blätter bis 15×4 mm, verkehrt dreieckig-spatelig, graugrün, gewarzt. Blüten Spätwinter bis Frühling, bis 20 mm Durchmesser, leuchtend gelb. Verbreitung: Bushmanland (Northern Cape), zwischen Kalkgeröll in Karoo-Vegetation wachsend.

● **T. hugo-schlechteri** [d'après Hugo Schlechter]. Plantes naines formant des groupes atteignant jusqu'à 5 cm de diam. Feuilles obtriangulaires spatulées mesurant jusqu'à 15×4 mm, gris vert ou vert brunâtre et verruqueuses. Fleurs en fin d'hiver-printemps, jaunâtres à cœur plus clair. Habitat: sud de la Namibie, parmi les éboulis calcaires du Karoo. [nom commun: Paddavoeetjies]

● **T. luederitzii*** [d'après l'habitat près de Lüderitz]. Plantes naines poussant en colonies et atteignant jusqu'à 5 cm de diam. Feuilles obtriangulaires spatulées mesurant jusqu'à 15×4 mm, gris vert et verruqueuses. Fleurs en fin d'hiver-printemps, jaunes et mesurant jusqu'à 20 mm de diam. Habitat: sud de la Namibie, dans le Karoo à succulentes près de Lüderitz.

● **T. primosii*** Plantes naines poussant en groupes et atteignant jusqu'à 8 cm de diam. Feuilles obtriangulaires spatulées mesurant jusqu'à 15×4 mm, gris vert et verruqueuses. Fleurs au printemps, jaune primevère et mesurant jusqu'à 20 mm de diam. Habitat: Bushmanland (Northern Cape), parmi les éboulis calcaires du Karoo.

● **T. schwantesii** [d'après M. H. G. Schwantes (1881–1960), spécialiste allemand des mésembs]. Plantes naines poussant en colonies et atteignant jusqu'à 5 cm de diam. Feuilles obtriangulaires spatulées mesurant jusqu'à 15×4 mm, gris vert et verruqueuses. Fleurs en fin d'hiver-printemps, jaune lumineux et mesurant jusqu'à 20 mm de diam. Habitat: Bushmanland (Northern Cape), parmi les éboulis calcaires du Karoo.

Titanopsis primosii

Titanopsis schwantesii

Trichodiadema

Trichodiadema *[Gr. 'trix, trichos', Haar; Gr. 'diadema', Krone; wegen der Blattspitzen]. Zwergige Kleinsträucher, manchmal kompakt und gebüschelt, oft mit knolligen Wurzeln. Blätter länglich, papillat, an der Spitze mit einem Büschel steifer Haare (Borsten). Blüten bis 50 mm Durchmesser. Fruchtkapseln bis 8-fächerig, Fächerdecken vorhanden, Verschlusskörperchen fehlend. Verbreitung: Von Namibia zum Free State, zur North-West Province und zum Eastern Cape weit verbreitet und sowohl in Winter- wie in Sommerregengebieten vorkommend. – Gelegentlich kultiviert und eine gute Futterpflanze für Rinder und Schafe. Leicht aus Samen und durch Stecklinge zu vermehren. Die langlebigen, ausdauernden Pflanzen treiben nach dem Abweiden wieder aus. In Kultur benötigen viele Arten zum Erhalt eines kompakten Wuchses regelmässigen Rückschnitt. [Volksnamen: Doringkroonvygie, Kareemoervygie, Kierievygie, Perdevygie, Donkievygie, Soutaartappel.]*

Trichodiadema *[du grec 'trix, trichos', poil et 'diadema', couronne; référence à la pointe des feuilles]. Petits arbustes nains, parfois compacts et en touffe, souvent dotés de rhizomes tubéreux. Feuilles oblongues couvertes de papilles, couronnées d'une touffe de poils raides (soies). Fleurs mesurant jusqu'à 50 mm de diam. Fruits en capsules comptant jusqu'à 8 loges, à opercules mais sans obturateurs. Habitat: largement répandu depuis la Namibie jusqu'au Free State, à la North-West Province et à l'Eastern Cape. Aussi bien présent dans les zones à pluies hivernales qu'estivales. – Parfois cultivé et fournissant un bon fourrage pour les bovins et les ovins. Facile à multiplier par bouturage ou semis. Ces plantes vivaces à longue durée de vie repoussent après avoir été broutées. Cultivées, de nombreuses espèces requièrent des tailles régulières pour conserver leur port compact. [noms communs: Doringkroonvygie, Kareemoervygie, Kierievygie, Perdevygie, Donkievygie, Soutaartappel]*

Trichodiadema attonsum

***Trichodiadema barbatum* (links/gauche) + *T. densum* (rechts/droite)**

● **T. attonsum** [Lat., geschoren, rasiert; nach dem Erscheinungsbild der Borsten an den Blattspitzen]. Kleine, polsterförmige Sukkulenten, bis 10 cm hoch. Blätter bis 15×4 mm, ausgebreitet, Oberseite konvex, Unterseite gerundet, Ränder undeutlich, zur Spitze verschmälert, Spitze mit 1–3 aufrechten Borsten, Oberflächen grün, mit rundlichen bis eiförmigen Papillen besetzt. Blüten früher Frühling, einzeln, bis 20 mm Durchmesser, weiß. Verbreitung: Little Karoo, Bezirke Ladismith und Prince Albert, Western Cape.

● **T. barbatum** [Lat., bärtig]. Ausgebreitete, niederliegende Kleinsträucher, mit karottenförmigen, sukkulenten Wurzeln. Blätter bis 12×4 mm, steif geneigt, halbzylindrisch, leicht zurückgebogen, durch spitze Papillen graugrün, Blattspitze mit 8–10 schwarzen Borsten. Blüten im Frühling, bis 30 mm Durchmesser, intensiv rötlich purpurn. Verbreitung: Northern Cape, Karoo nahe Cradock, sowie Uitenhage.

● **T. decorum** [Lat., elegant, schmuckvoll]. Zwergige Kleinsträucher, bis 20 cm hoch, aus einem knolligen Wurzelstock. Blätter bläulich grün, bis 9×2 mm, mit weißen Borsten. Blüten im Herbst, gelblich orange, bis 40 mm Durchmesser. Verbreitung: Eastern Cape.

● **T. densum** [Lat., dicht]. Zwergige, gebüschelte Pflanzen, bis 10 cm Durchmesser. Blätter dunkelgrün, bis 20×5 mm, papillat, mit grossen, weißen Borsten. Blüten Winter und Frühling, purpurrosa, bis 50 mm Durchmesser. Verbreitung: Western Cape, Little Karoo und südliche Great Karoo, in Succulent Karoo-Vegetation. – Populär und leicht zu vermehren. Gedeiht in Kultur gut und besitzt ansehnliche Blüten.

● **T. attonsum** [du lat. tondu, rasé; référence à l'aspect des soies au sommet de la feuille]. Petites succulentes en coussin atteignant jusqu'à 10 cm de haut. Feuilles mesurant jusqu'à 15×4 mm, étalées, à avers convexe, revers arrondi, bordure indistincte et pointe s'effilant et portant 1–3 soies hérissées. Epiderme vert, couvert de papilles arrondies à ovoïdes. Fleurs isolées, en début de printemps, blanches et mesurant jusqu'à 20 mm de diam. Habitat: Little Karoo, districts de Ladismith et Prince Albert, Western Cape.

● **T. barbatum** [du lat. barbu]. Petits arbustes prostrés et étalés, à racines succulentes semblables à des carottes. Feuilles mesurant jusqu'à 12×4 mm, rendues gris vert par les pointes des papilles. Feuilles couronnées de 8–10 soies noires. Fleurs au printemps, d'un pourpre rougeâtre intense, mesurant jusqu'à 30 mm de diam. Habitat: Northern Cape, dans le Karoo près de Cradock et de Uitenhage.

● **T. decorum** [du lat. élégant, décoratif]. Petits arbustes nains atteignant jusqu'à 20 cm de haut et dotés d'un rhizome tubéreux. Feuilles vert bleuté mesurant jusqu'à 9×2 mm, à soies blanches. Fleurs en automne, jaune orangé et mesurant jusqu'à 40 mm de diam. Habitat: Eastern Cape.

● **T. densum** [du lat. dense]. Plantes naines en touffes, atteignant jusqu'à 10 cm de diam. Feuilles vert foncé mesurant jusqu'à 20×5 mm, dotées de papilles et de grandes soies blanches. Fleurs en hiver et printemps, rose pourpre et mesurant jusqu'à 50 mm de diam. Habitat: Western Cape, dans le Karoo à succulentes du Little Karoo et du sud du Great Karoo. – Plantes populaires et faciles à multiplier. Se comportent bien en culture et donnent de jolies fleurs.

Trichodiadema barbatum

Trichodiadema decorum

Trichodiadema densum

● **T. emarginatum** [Lat., ausgerandet; wegen den Blütenblättern]. Zwergige, gebüschelte Kleinsträucher aus einem knolligen Wurzelstock. Blätter länglich, ziegelig, bis 15× 6 mm, papillös, Spitze mit bis zu 10 weißen Borsten. Blüten im Herbst, bis 30 mm Durchmesser, rosa. Verbreitung: Little Karoo (Western Cape), in Succulent Karoo-Vegetation.

● **T. fergusoniae** [Nach Mrs. E. Ferguson, Kapstadt]. Niedrige, Gruppen bildende Kleinsträucher mit niederliegenden Zweigen, Caudex gross und spindelig, bis 12 cm lang. Blätter gräulich grün, aufsteigend bis aufrecht, spitz und 9 mm lang und 2,5 mm breit, mit Haaren bedeckt, Spitze mit einer Anzahl auffälliger Borsten. Blüten 30–35 mm Durchmesser, hellbeige, jedes Blütenblatt mit auffälligem, dunkler rosabräunlichem oder rostfarbenem Mittelstreifen. – Wird am Typfundort (Oakdale, nahe Riversdale) als ausgestorben betrachtet, konnte aber kürzlich an einer felsigen Hügelseite nahe der Stadt Heidelberg (Western Cape) wieder entdeckt werden. Von einigen Taxonomen wird diese Art zu *Drosanthemum* gestellt, aber auf Grund der charakteristischen Merkmale betrachten wir sie weiterhin als Art der Gattung *Trichodiadema*.

● **T. hallii** [Nach Harry Hall (1906–1986), südafrikanischer Sukkulentenspezialist und früher Kurator der Sukkulentensammlung an den Kirstenbosch Botanical Gardens]. Verzweigte, büschelige Kleinsträucher, bis 10 cm hoch, aus einem knolligen Wurzelstock. Blätter aufsteigend, ziegelig, länglich, bis 18 ×4 mm, Spitzen mit bis zu 10 hellbraunen Borsten. Blüten Spätwinter bis Frühling, bis 46 mm Durchmesser, rosa mit weißem Zentrum, ansehnlich. Verbreitung: Little Karoo (Western Cape), in Succulent Karoo-Vegetation wachsend.

● **T. emarginatum** [du lat. à extrémité un peu abrégée; référence aux pétales]. Petits arbustes nains, en touffes, dotés d'un rhizome tuberculeux. Feuilles oblongues, imbriquées, mesurant jusqu'à 15×6 mm, garnies de papilles et dont la pointe porte jusqu'à 10 soies blanches. Fleurs en automne, roses et mesurant jusqu'à 30 mm de diam. Habitat: Karoo à succulentes dans le Little Karoo (Western Cape).

● **T. fergusoniae** [d'après Mrs. E. Ferguson, Le Cap]. Petits arbustes bas formant des colonies. Rameaux rampants mesurant jusqu'à 12 cm de long et grand caudex naviculaire. Feuilles vert grisâtre, redressées à érigées, aiguës, mesurant 9 mm de long et 2,5 mm de large, velues et couronnées d'un bon nombre de soies. Fleurs de 30–35 mm de diam., beige clair, chaque pétale étant joliment rayé de brun rosé foncé ou de rouille. – Etait réputé disparu de son habitat naturel (Oakdale, près de Riversdale) mais fut redécouvert récemment sur la pente rocailleuse d'une colline près de la ville de Heidelberg (Western Cape). Pour certains taxonomistes, cette espèce est classée parmi les *Drosanthemum* mais ses caractéristiques nous ont finalement incités à la resituer dans le genre *Trichodiadema*.

● **T. hallii** [d'après Harry Hall (1906–1986), spécialiste sud-africain des succulentes et autrefois curateur de la collection de succulentes du Jardin Botanique de Kirstenbosch]. Petits arbustes ramifiés, en touffes, mesurant jusqu'à 10 cm de haut et dotés d'un rhizome tubéreux. Feuilles redressées, imbriquées, oblongues, mesurant jusqu'à 18×4 mm et couronnées de jusqu'à 10 soies brun clair. Jolies fleurs en fin d'hiver-printemps, roses à cœur blanc, mesurant jusqu'à 46 mm de diam. Habitat: Karoo à succulentes dans le Little Karoo (Western Cape).

Trichodiadema densum

Trichodiadema emarginatum cf.

Trichodiadema fergusoniae

Trichodiadema hallii

Trichodiadema pygmaeum

Trichodiadema intonsum

Trichodiadema mirabile

Trichodiadema peersii

● **T. intonsum** [Lat., unrasiert, wegen der Borsten an den Blattspitzen]. Ausgebreitete Kleinsträucher mit niederliegenden Zweigen. Blätter bis 13×4 mm, halbzylindrisch, mit spitzen Papillen bedeckt, gräulich grün, Spitze mit 8–10 bräunlichen Borsten. Blüten im Frühling, bis 20 mm Durchmesser, weiß. Verbreitung: Eastern Cape, auf Ebenen entlang von Zondags- und Zwartkops-River.

● **T. mirabile** [Lat., wunderbar]. Buschige Kleinsträucher, bis 8 cm hoch. Blätter bis 20×6 mm, stumpf, grün, mit rhombischen, spitzen Papillen bedeckt, Spitze mit 8–14 aufrechten, dunkelbraunen, bis 2 mm langen Borsten. Blüten im Sommer, bis 40 mm Durchmesser, reinweiß, sehr ansehnlich. Verbreitung: Karoo, von Laingsburg bis Prince Albert und Willowmore, im Osten bis Uitenhage (Western Cape, Eastern Cape).

● **T. peersii** [Nach Victor Peers (1874–1940), Sukkulentensammler und Amateur-Archäologe]. Kleinsträucher, bis 9 cm hoch. Blätter bis 8×4 mm, kugelig, papillös, Spitze mit 8–9 aufrechten, hellbraunen, bis 3 mm langen Borsten. Blüten im Sommer, bis 38 mm Durchmesser, weiß, ansehnlich. Verbreitung: Karoo, Willowmore (Eastern Cape).

● **T. pygmaeum** [Lat., zwergig; wegen der Pflanzengrösse]. Halbniederliegende, zwergige Sukkulenten, Matten bildend. Blätter aufsteigend, länglich, bis 6×3 mm, mit auffälligen, haarartigen Borsten bedeckt. Blüten im Winter, rosapurpurn, bis 20 mm Durchmesser. Verbreitung: Western Cape nahe Swellendam, in Renosterbosveld-Vegetation.

● **T. rogersiae** [Nach Bertha Rogers (fl. 1928)]. Verzweigte, büschelförmige Kleinsträucher, bis 10 cm hoch, aus einem knolligen Wurzelstock. Blätter aufsteigend, ziegelig, länglich, bis 18×4 mm, Spitze mit bis zu 10 hellbraunen Borsten. Blüten im Frühling, bis 46 mm Durchmesser, rosa. Verbreitung: Zentrale Karoo (Eastern Cape).

● **T. intonsum** [du lat. non rasé; référence aux soies au sommet des feuilles]. Petits arbustes étalés à rameaux prostrés. Feuilles mesurant jusqu'à 13×4 mm, semi-cylindriques, couvertes de papilles pointues, vert grisâtre et couronnées de 8–10 soies brunâtres. Fleurs au printemps, blanches et mesurant jusqu'à 20 mm de diam. Habitat: Eastern Cape, le long des rivières Zondags et Zwartkops.

● **T. mirabile** [du lat. merveilleux]. Petits arbustes buissonnants atteignant jusqu'à 8 cm de haut. Feuilles mesurant jusqu'à 20×6 mm, vert éteint, couvertes de papilles rhomboïdales et aiguës, et couronnées de 8–14 soies dressées, brun foncé et mesurant jusqu'à 2 mm de long. Très jolies fleurs en été, blanc pur et mesurant jusqu'à 40 mm de diam. Habitat: dans le Karoo, depuis Laingsburg jusqu'à Prince Albert et Willowmore, et vers l'est jusqu'à Uitenhage (Western et Eastern Capes).

● **T. peersii** [d'après Victor Peers (1874–1940), collectionneur de succulentes et archéologue amateur]. Petits arbustes atteignant jusqu'à 9 cm de haut. Feuilles mesurant jusqu'à 8×4 mm, sphériques, couvertes de papilles et couronnées de 8–9 soies dressées, brun clair et mesurant jusqu'à 3 mm de long. Fleurs en été, blanches, charmantes et mesurant jusqu'à 38 mm de diam. Habitat: Karoo, Willowmore (Eastern Cape).

● **T. pygmaeum** [du lat. nain; référence à la taille de la plante]. Succulentes naines semi-prostrées et formant des tapis. Feuilles redressées, oblongues, mesurant jusqu'à 6×3 mm et couvertes de remarquables soies. Fleurs en hiver, rose pourpre et mesurant jusqu'à 20 mm de diam. Habitat: Western Cape près de Swellendam, dans le Renosterbosveld.

● **T. rogersiae** [d'après Bertha Rogers (vers 1928)]. Petits arbustes ramifiés et en touffes, atteignant jusqu'à 10 cm de haut et dotés d'un rhizome tubéreux. Feuilles redressées, imbriquées, oblongues, mesurant jusqu'à 18×4 mm et couronnées de jusqu'à 10 soies brun clair. Fleurs au printemps, roses et mesurant jusqu'à 46 mm de diam. Habitat: Karoo central (Eastern Cape).

Trichodiadema rogersiae cf.

Vanheerdea

Vanheerdea *[Nach Oom Piet von Heerde, ehemaliger Lehrer und Sukkulentensammler in Springbok]. Kompakte und Gruppen bildende Pflanzen, mit kurzen bis länglichen und manchmal zylindrischen, an der Basis verwachsenen Blattpaaren. Blätter eingesenkt oder über den Boden vorstehend, grau bis gelblich grün, Spitze gestutzt bis verjüngt, manchmal gekielt und mit kleinen Zähnen. Blüten im Winter und Frühling, gelb. Fruchtkapseln gerundet und 7- bis 15-fächerig, Fächerflügel und Verschlusskörperchen fehlend, aber Fächerdecken vorhanden. Verbreitung: Im Bushmanland (Northern Cape) endemisch und auf Quarz- oder Kalkgeröll vorkommend. Regen fällt vorwiegend im Herbst und Frühling, und die Menge beträgt pro Jahr etwa 200 mm oder weniger. – Die Pflanzen sind in Kultur schwierig zu halten. Nur spärlich giessen. Die Hauptwachstumszeit fällt in den Herbst. Die Gattung umfasst 2 Arten. [Volksname: Boesmanvingers.]*

● **V. roodiae** [Nach Petrusa Rood (1861–1946), südafrikanische Pflanzensammlerin]. Gruppen bildende, sukkulente Pflanzen. Blätter in der unteren Hälfte verwachsen, bis 60×25 mm, gekielt und fein gezähnt, Oberfläche samtig. Blüten im Winter und Frühling, bis 40 mm Durchmesser, attraktiv goldgelb, auf bis 25 mm langen Stielen. Verbreitung: Bushmanland.

Vanheerdea roodiae

Vanheerdea *[d'après Oom Piet von Heerde, autrefois professeur et collectionneur de succulentes à Springbok]. Plantes compactes formant des colonies, possédant des paires de feuilles soudées à la base, courtes à allongées et parfois cylindriques. Feuilles encastrées ou émergeant du sol, grises à vert jaunâtre, obtuses à effilées, parfois carénées et finement dentées. Fleurs jaunes en hiver et printemps. Fruits arrondis en capsules à 7 à 15 loges, sans ailettes ni obturateurs mais avec opercules. Habitat: endémique dans le Bushmanland (Northern Cape) et poussant sur les éboulis quartzifères ou calcaires. Les pluies y tombent surtout en automne et au printemps, à raison d'environ 200 mm par an ou moins. – Ces plantes sont difficiles à cultiver. Arrosages parcimonieux. La plus forte période de croissance se situe en automne. Genre regroupant 2 espèces. [nom commun: Boesmanvingers]*

● **V. roodiae** [d'après Petrusa Rood (1861–1946), collectionneuse de plantes sud-africaine]. Plantes succulentes poussant en colonies. Feuilles soudées sur leur moitié inférieure, mesurant jusqu'à 60×25 mm, carénées, finement dentées et à épiderme velouté. Fleurs en hiver et printemps, d'un beau jaune doré, mesurant jusqu'à 40 mm de diam. et portées par un pédoncule atteignant jusqu'à 25 mm de long. Habitat: Bushmanland.

Vanzijlia

Vanzijlia *[Nach Dorothy van Zijl, Pflanzenliebhaberin aus Clanwilliam]. Ausgebreitete, niedrige Kleinsträucher mit drahtigen, niederliegenden Zweigen, bis 15 cm hoch. Blätter gegenständig, dimorph mit unterschiedlichen Paaren; kleinere Blattpaare länglich oder kugelig, fast vollständig verwachsen, mit oder ohne kleine, freie Blattspitzen; grössere Blattpaare aus zylindrischen bis halbzylindrischen Blättern, nur an der Basis verwachsen und dort oft aufgeblasen, manchmal punktiert, glatt und bis 25×4 mm, hellgrün, verjüngt. Blüten einzeln, bis 60 mm Durchmesser. Fruchtkapseln 10-fächerig, Quellleisten spreizend, mit Flügeln, Fächerdecken vorhanden, Verschlusskörperchen vorhanden. – Heutzutage wird nur eine einzige Art anerkannt. [Volksname: Vredendalvygie.]*

Vanzijlia *[d'après Dorothy van Zijl, amateur de plantes de Clanwilliam]. Petits arbustes bas et étalés, à rameaux grêles et prostrés, atteignant jusqu'à 15 cm de haut. Feuilles opposées, dimorphes et en paires variables. Dans les paires plus petites, feuilles oblongues ou sphériques, presque totalement soudées, avec ou sans petite extrémité libre. Dans les paires plus grandes, feuilles cylindriques à semi-cylindriques, uniquement connées puis souvent renflées, lisses, vert clair parfois ponctué, effilées et mesurant jusqu'à 25 × 4 mm. Fleurs isolées mesurant jusqu'à 60 mm de diam. Fruits en capsules à 10 loges, à bourrelet d'expansion ouvert, à ailettes, opercules et obturateurs. – On ne connaît aujourd'hui qu'une seule espèce. [nom commun: Vredendalvygie]*

● **V. annulata** [Lat., mit Ringen versehen, wegen der etwa 10 mm langen, eingeschnürten Blattbasen an der Basis der alten Blätter]. Beschreibung wie für die Gattung. Blüten Spätherbst bis Winter, hellrosa bis wachsweiß, bis 60 mm Durchmesser. Verbreitung: Küstensande entlang der Küste des Western Cape von Saldanha bis Hondeklip Bay im Northern Cape. – Die Pflanzen fühlen sich in den Küstengärten des Western Cape wohl.

Vanzijlia annulata

● **V. annulata** [du lat. entouré d'anneaux; référence aux bases des feuilles étranglées et d'environ 10 mm de long, présentes à la base des anciennes feuilles]. Même description que pour le genre. Fleurs en fin d'automne-hiver, rose clair à blanc cireux et mesurant jusqu'à 60 mm de diam. Habitat: sables côtiers le long de la côte du Western Cape, depuis Saldanha jusqu'à Hondeklip Bay (Northern Cape). – Ces plantes se plaîsent dans les jardins du littoral du Western Cape.

Vlokia

Vlokia *[Nach J. Vlok, Fynbos-Ökologe]. Gruppen bildende, kleinstrauchige Pflanzen. Blätter graugrün bis purpurgrün, seitlich zusammengedrückt, kurz, verjüngt und undeutlich gekielt, Kiel manchmal asymmetrisch. Blüten Winter bis Frühling, einzeln, rosa, kurz gestielt. Fruchtkapseln mit flacher Oberseite, 5- bis 7-fächerig, Fächerdecken vorhanden, Verschlusskörperchen fehlend. Verbreitung: Vlokia ist eine monotypische Gattung und in den höheren Bergregionen nordwestlich von Montagu (Western Cape) endemisch. Die Pflanzen kommen in flachem, mineralarmem, quarzitischem Sandsteingeröll über anstehendem Fels in Fynbos-Vegetation vor. Regen fällt hauptsächlich im Winter, und die Menge beträgt 400–500 mm pro Jahr. Im Winter müssen die Pflanzen gelegentlich Schnee aushalten. Die Pflanzen sind in Kultur wüchsig, aber das Substrat sollte sandig, sauer und mineralarm sein. Die Vermehrung erfolgt durch Stecklinge oder aus Samen, der rasch keimt.*

● **V. atra** [Lat., schwarz; wegen der Farbe der alten Blätter]. Beschreibung wie für die Gattung.

Vlokia *[d'après J. Vlok, écologiste du Fynbos]. Petites plantes arbustives formant des colonies. Feuilles gris vert à vert pourpre, comprimées latéralement, courtes, effilées et indistinctement carénées; carène parfois asymétrique. Fleurs en hiver-printemps, isolées, roses et brièvement pédonculées. Fruits en capsules à sommet aplati, à 5–7 loges, dotés d'opercules mais sans obturateurs. Habitat: le Vlokia est un genre monospécifique endémique dans les hautes régions montagneuses de Montagu (Western Cape). Ces plantes poussent dans le Fynbos, sur des éboulis étalés de grès quartzifères, pauvres en minéraux, au-dessus d'affleurements rocheux. Les pluies y tombent principalement en hiver et s'élèvent à 400–500 mm par an. En hiver, ces plantes doivent parfois supporter la neige. Elles se cultivent bien mais leur substrat doit être sableux, acide et pauvre en minéraux. La multiplication se fait grâce aux boutures ou aux graines qui germent rapidement.*

● **V. atra** [du lat. noir; référence à la couleur des anciennes feuilles]. Même description que pour le genre.

Vlokia atra

Wooleya

Wooleya *[Nach Major C. H. F. Wooley]. Ausgespreizte, verzweigte Kleinsträucher mit niederliegenden Zweigen. Blätter länglich, aschgrau, stumpf. Blüten im Winter, endständig, weiß. Fruchtkapseln 11- bis 12-fächerig, Fächerdecken vorhanden, Verschlusskörperchen fehlend. Verbreitung: Endemisch im Northern Cape, auf küstennahen, sandigen Böden vorkommend. – Regen fällt vorwiegend im Winter, und die Menge beträgt 100 mm oder weniger pro Jahr. Die Pflanzen sind in Kultur pflegeleicht und lassen sich leicht aus Stecklingen anziehen. Die Gattung ist monotypisch.*

● **W. farinosa** [Lat., mit Mehl bedeckt]. Ausgebreitete Kleinsträucher, bis 20 cm hoch und 50 cm Durchmesser. Blätter länglich, manchmal auch keulig, grauweiß, bis 35 × 9 mm. Blüten in Wintermitte, weiß, bis 25 mm Durchmesser. Kapseln 12-fächerig, Fächerdecken vorhanden, Verschlusskörperchen fehlend. Verbreitung: Auf die Küste des nördlichen Namaqualandes (Northern Cape) beschränkt, in Sand wachsend. – Muss im Sommer trocken gehalten werden und wird am besten in einem Gewächshaus gepflegt. [Volksnamen: Meelvygie, Vaalvygie.]

Wooleya *[d'après le Major C. H. F. Wooley]. Petits arbustes ramifiés et évasés, à rameaux prostrés. Feuilles oblongues, gris cendré et obtuses. Fleurs en hiver, terminales et blanches. Fruits en capsules à 11 à 12 loges, à opercules mais sans obturateurs. Habitat: endémique au Northern Cape, sur les sols sableux près de la côte. Les pluies tombent surtout en hiver à raison de 100 mm annuels ou moins. Ces plantes sont faciles à cultiver et se multiplient aisément par bouturage. Genre monospécifique.*

● **W. farinosa** [du lat. fariné]. Petits arbustes étalés atteignant jusqu'à 20 cm de haut et 50 cm de diam. Feuilles oblongues, parfois aussi claviformes, blanc gris et mesurant jusqu'à 35 × 9 mm. Fleurs en plein hiver, blanches et mesurant jusqu'à 25 mm de diam. Capsules à 12 loges, à opercules mais sans obturateurs. Habitat: uniquement sur la côte du nord du Namaqualand (Northern Cape). Plantes arénicoles. – Doivent être tenues au sec en été et il est conseillé de les cultiver sous serre. [noms communs: Meelvygie, Vaalvygie]

Wooleya farinosa

Wooleya farinosa

Wooleya farinosa

Zeuktophyllum

Zeuktophyllum *[Gr. 'zeuktos', verbunden; Gr. 'phyllon', Blatt; wegen der eng stehenden Blätter]. Zwergige, langlebige und langsam wachsende Kleinsträucher. Blätter fest und hart, seitlich zusammengedrückt, verjüngt und gekielt, graugrün, Ränder und Kiel sehr fein gesägt oder glatt. Blüten einzeln, purpurn oder weiß. Fruchtkapseln 6- bis 10-fächerig, Fächerdecken und Verschlusskörperchen fehlend. – Zeuktophyllum ist eine kleine Gattung mit zwei in der westlichen Little Karoo (Western Cape) endemischen Arten. Sie kommen auf steinigen Böden in Succulent Karoo-Vegetation vor. Die Regenmenge beträgt etwa 200–300 mm pro Jahr, und Regen fällt im Winter wie im Sommer. Die Pflanzen wachsen leicht aus Samen oder Stecklingen. Z. suppositum wurde seit seiner Entdeckung nicht wieder gefunden. [Volksname: Spookvygie.]*

● **Z. calycinum** [Gr., mit einem Kelch]. Zwergige, verzweigte Kleinsträucher, bis 15 cm hoch und 30 cm Durchmesser. Blätter in der unteren Hälfte verwachsen, bis 12×8 mm, seitlich zusammengedrückt, gekielt, blaugrün. Blüten im Sommer und Herbst, weiß, sitzend, bis 12 mm Durchmesser. Kapseln 8 mm Durchmesser. Verbreitung: Nahe Warmwaterberg, westliche Little Karoo (Western Cape), an Hügelseiten.

Zeuktophyllum *[du grec 'zeuktos', attaché et 'phyllon', feuille; référence aux feuilles rapprochées]. Petits arbustes nains, à longue durée de vie et croissance lente. Feuilles fermes et coriaces, comprimées latéralement, effilées et carénées, gris vert. Bordure et carène très finement dentées ou lisses. Fleurs isolées, pourpres ou blanches. Fruits en capsules à 6 à 10 loges, sans opercules ni obturateurs. – Le Zeuktophyllum est un petit genre regroupant 2 espèces endémiques dans l'ouest du Little Karoo (Western Cape). Elles poussent sur les sols caillouteux du Karoo à succulentes. Les pluies s'élèvent à environ 200–300 mm par an et tombent en hiver et en été. Ces plantes se développent facilement à partir de graines ou de boutures. Depuis sa découverte, Z. suppositum n'a plus jamais été revu. [nom commun: Spookvygie]*

● **Z. calycinum** [du grec doté d'un calice]. Petits arbustes nains et ramifiés qui atteignent jusqu'à 15 cm de haut et 30 cm de diam. Feuilles soudées sur leur moitié inférieure, mesurant jusqu'à 12×8 mm, comprimées latéralement, carénées et glauques. Fleurs en été et automne, blanches, sessiles et mesurant jusqu'à 12 mm de diam. Habitat: sur le flanc des collines, près de Warmwaterberg, à l'ouest du Little Karoo (Western Cape).

Zeuktophyllum calycinum

Kultur
Culture

Einleitung
Introduction

Warum wollen wir überhaupt Mittagsblumen pflegen? Blühende Mittagsblumen werden oft bewundert und gehören für viele, die ihre Blüten gesehen haben, zu den gesuchten Pflanzen. Nach der Blütezeit werden sie aber viel zu häufig wieder vergessen. Die Nachfrage nach Mittagsblumen kommt grundsätzlich von drei verschiedenen Interessengruppen: In erster Linie sind es allgemein an Gärten und Gartengestaltung interessierte Personen, welche Mittagsblumen wegen ihrer Massenwirkung als Steingartenpflanzen kultivieren, sowie wegen der spektakulären Frühlingsblüte. Darüber hinaus werden Mittagsblumen auch von Gärtnern zur Stabilisierung von steilen Böschungen geschätzt. In zweiter Linie pflegen Sukkulentenliebhaber zahlreiche verschiedene Mittagsblumen, einerseits wegen der attraktiven Körperformen und -farben, andererseits auch wegen der Herausforderung, sie auf Dauer erfolgreich zu halten. Es gibt kaum etwas Befriedigenderes, als Sämlinge keimen und wachsen zu sehen und zu beobachten, wie die erstaunlichen, an die harten Bedingungen ihrer trockenen Heimat angepassten Formen erscheinen. Drittens werden sie auch von Botanikern gepflegt, welche die Pflanzen taxonomisch untersuchen, ihre Entwicklung beobachten, oder um Material zum Pressen etc. zur Verfügung zu haben. Wer auch immer zu den Liebhabern der Mittagsblumen gehören mag – dieses Buch soll Freude bereiten und wird hoffentlich das Interesse an dieser faszinierenden Familie stimulieren.

Aus dem Blickwinkel der Kultur können die Mittagsblumen in zwei Gruppen gegliedert werden: einerseits die rasch wachsenden, opportunistischen, einjährigen und kurzlebigen Arten, andererseits die langsamer wachsenden, langlebigen, ausdauernden Arten. Dieses Kapitel hat zum Ziel, die Leserschaft mit den Bedingungen für eine erfolgreiche Kultur der Mittagsblumen vertraut zu machen, sowohl im Freiland wie unter Glas bzw. im Haus. Kultur umfasst die Vermehrung durch Samen und vegetative Methoden, aber auch die Pflege im Garten oder im Gewächshaus. Entsprechend werden prinzipielle Leitlinien zur Vermehrung sowie zu den grund-

Pourquoi vouloir cultiver des mésembs? Les mésembs sont souvent très admirées et, pour ceux qui les ont vues, elles font partie des plantes recherchées. Après la floraison, elles sont encore trop fréquemment de nouveau oubliées. La demande en mésembs émane essentiellement de 3 styles de personnes: tout d'abord, celles qui s'intéressent en général au jardin, qui sont attirées par ces plantes pour leur effet de masse, pour les cultiver en rocailles et pour leur spectaculaire floraison printanière. A cela, il faut ajouter leur précieux potentiel pour stabiliser les talus escarpés. En second lieu arrivent les amateurs de succulentes qui cultivent de nombreuses espèces différentes, d'une part pour leurs formes et coloris attractifs et d'autre part pour relever le défi qui consiste à les conserver sur la durée. C'est une grande satisfaction que de voir les graines germer et se développer ces formes étonnantes qui reflètent les conditions difficiles de leur habitat aride. Enfin, troisièmement, ces végétaux sont aussi cultivés par des botanistes pour les examiner au niveau taxonomique, observer leur développement ou avoir à disposition des sujets à faire sécher ou à conserver. Quelque style d'amateur de mésembs que vous soyez, le but de cet ouvrage est de vous apporter du plaisir et, nous l'espérons, de stimuler l'intérêt pour cette fascinante famille.

Au niveau de la culture, les mésembs peuvent être divisées en 2 groupes, d'une part les espèces opportunistes, annuelles, à courte durée de vie et croissance rapide et d'autre part, les espèces vivaces, durables et à croissance lente. Ce chapitre a pour objectif de familiariser le public avec les conditions permettant de cultiver fructueusement ces plantes, que ce soit en pleine terre ou à l'intérieur. La culture comprend aussi la multiplication par semis et par méthodes végétatives, ainsi que les soins à donner dans le jardin ou sous serre. Pour ce faire, nous donnons les lignes directrices de base pour la multiplication ainsi que pour les besoins fondamentaux comme l'arrosage, les engrais et les autres mesures permettant une croissance optimale. Prendre soin des plantes fait partie des plus anciens et des plus durables des hobbies populaires.

Mittagsblumen können im Freien kultiviert werden, oder in feuchten oder kalten Klimagebieten in Gewächshäusern.
Les mésembs peuvent être cultivées en pleine terre ou sous serre dans les zones climatiques humides ou froides.

Multiplier ses propres plantes et maîtriser leur culture avec succès apporte beaucoup de satisfaction et décuple l'intérêt. S'occuper des plantes est un art qui s'acquière avec l'expérience et de nombreuses succulentes comptent parmi les végétaux les plus faciles à cultiver alors que d'autres font partie des plus délicates. Pour les premières, il n'est pas nécessaire d'avoir les «doigts verts» et le succès est presque assuré quand on respecte les conditions de base décrites plus loin. Souvent, il s'agit d'un processus de type «essayer et se tromper» et les erreurs permettent d'apprendre beaucoup et donc d'acquérir de l'expérience. Il vaut mieux commencer tout d'abord par des plantes faciles à cultiver puis s'attaquer progressivement à des espèces plus difficiles. Enfin, la multiplication des espèces succulentes contribue également à leur conservation, surtout lorsqu'il s'agit de plantes devenues rares. La multiplication constitue une étape importante pour augmenter le nombre d'individus ainsi que pour pouvoir éventuellement réintroduire des espèces dans la nature. Les plantes peuvent être multipliées soit par semis, soit par bouturage.

Ces deux méthodes revêtent une importance stratégique dans l'obtention des plantes. En effet, les individus issus de semis sont uniques et

legenden Bedürfnissen wie Giessen, Düngen und sonstigen Massnahmen für optimales Wachstum gegeben. Das Pflegen von Pflanzen ist eines der ältesten und dauerhaft beliebtesten Hobbies.

Die Vermehrung der eigenen Pflanzen sowie das Beherrschen einer erfolgreichen Pflege bringt viel Freude und fördert das weitere Interesse. Die Pflanzenpflege ist eine auf Erfahrung beruhende Kunstfertigkeit, und viele sukkulente Pflanzen gehören zu den am einfachsten zu pflegenden Pflanzen, während andere Sukkulenten zu den schwierigsten gehören. Ein »grüner Daumen« ist bei den zuerst genannten nicht erforderlich, und der Erfolg ist fast garantiert, wenn die im Folgenden beschriebenen Grundlagen beachtet werden. Oft handelt es sich um ein Vorgehen nach dem Prinzip »Versuch und Irrtum«, und Fehler sind ein wichtiger Teil des Lernens bzw. der Erfahrung. Es ist am besten, zuerst mit einfach zu pflegenden Arten zu beginnen und sich dann langsam mit den schwierigeren Arten zu befassen. Schliesslich leistet das Vermehren von sukkulenten Pflanzenarten auch einen Beitrag zu ihrem Schutz, v.a. wenn es sich um selten gewordene Pflanzen handelt. Die Vermehrung der Pflanzen ist ein wichtiger Schritt zur Erhöhung der Individuenzahl und für Projekte, Arten wieder in die Natur auszuwildern.

Pflanzen können entweder durch Samen oder vegetativ durch Stecklinge vermehrt werden. Beide Methoden sind auch bei der Pflanzenzüchtung wichtige Strategien. Aus Samen angezogene Individuen sind einmalig und unterscheiden sich geringfügig voneinander. Aus Stecklingen gezogene Pflanzen hingegen sind identische Kopien der Mutterpflanze.

Sukkulente Pflanzen sind in einmaliger Weise an eine bestimmte Kombination von Umweltbedingungen angepasst, die in Kultur oft schwierig zu simulieren sind. Je ähnlicher das lokale Klima demjenigen der natürlichen Vorkommensgebiete der kultivierten Sukkulenten ist, desto grösser ist die Chance einer erfolgreichen Kultur und Vermehrung. Je mehr aber die Klimabedingungen abweichen, desto grösser ist die Gefahr von Misserfolgen, und ein Gewächshaus, das ein künstliches Klima ermöglicht, wird zu einer Notwendigkeit. Entsprechend ist die geographische Distanz zu den Heimatgebieten nicht unbedingt von grosser Bedeutung, da die klimatischen Bedingungen auch in einer Entfernung von vielen Hundert Kilometern ähnlich sein können, andererseits aber manchmal schon innerhalb von wenigen Kilometern deutlich abweichen.

Die südafrikanische Familie der Mittagsblumen war seit der Ankunft der ersten Arten in Europa wie in Amerika im 17. und 18. Jahrhundert populär, und ihre Popularität unter den Gärtnern hat sich nicht vermindert. Fast jedes Jahr werden in Südafrika neue und interessante Sukkulentenarten entdeckt. Die meisten amerikanischen und europäischen Sukkulentenliebhaber oder -botaniker besuchen Südafrika regelmässig, um Sukkulenten zu suchen und zu untersuchen. Glücklicherweise werden unsere Pflanzen heute sowohl in Europa wie in den USA verbreitet kultiviert, und es ist deshalb nicht nötig, Pflanzen an den natürlichen Fundorten zu sammeln.

Was ist es, was sukkulente Pflanzen für so viele Leute so faszinierend macht? Ist es der ausgeklügelte, an Trockenheit angepasste Bau, oder die mit ihrer Kultur verbundene Herausforderung? Was es auch sein mag – sukkulente Pflanzen werden von einer grossen Zahl von Liebhabern verehrt, während andere weniger Interesse zeigen. Die Kirstenbosch Botanical Gardens bekommen sogar gelegentlich Angebote von neuen Gartenbesitzern, »verwaiste« Sukkulenten zu übernehmen, oft verbunden mit den Worten: »Bitte nehmen Sie alle sukkulenten Pflanzen mit – meine Frau / mein Mann kann sie nicht leiden«. Andere sind meist fasziniert und bewundern und pflegen diese hübschen Pflanzen in ihren Gärten und Sammlungen.

Eine in einem Gewächshaus nach formalen Kriterien angeordnete *Lithops*-Sammlung.
Collection de Lithops *classée selon des critères formels dans une serre.*

divergent légèrement les uns des autres alors que les plantes bouturées sont des copies conformes de la plante-mère.

Les plantes succulentes se sont adaptées de manière unique à une combinaison précise de conditions environnementales qu'il est souvent difficile de reproduire en culture. Plus le climat local sera proche de celui de l'habitat naturel de l'espèce cultivée, plus les chances seront élevées pour la conservation et la multiplication de cette plante. A l'opposé, plus les conditions climatiques divergeront, plus les risque d'échec seront importants et il deviendra nécessaire d'employer une serre où l'établissement d'un climat artificiel sera possible. A ce sujet, l'écart géographique avec l'habitat naturel n'est pas vraiment très important car les conditions climatiques peuvent être semblables à des centaines de kilomètres de distance et nettement diverger à quelques kilomètres près.

Dès l'arrivée des premières espèces en Europe comme en Amérique, aux XVIIème et XVIIIème siècles, la famille sud-africaine des Mésembryanthémacées est devenue populaire et cette popularité ne s'est pas démentie parmi les jardiniers. Presque chaque année, on découvre de nouvelles et intéressantes espèces de succulentes en Afrique du Sud. La plupart des amateurs de succulentes ou des botanistes spécialisés, américains et européens, visitent l'Afrique du Sud régulièrement afin de chercher et d'examiner des succulentes. Heureusement, nos plantes sont aujourd'hui largement cultivées, aussi bien en Europe qu'aux USA, et il n'est donc plus nécessaire de les collecter dans leur environnement naturel.

Qu'est ce qui rend les plantes succulentes si fascinantes pour tant de gens? Est-ce leur structure originale et adaptée à la sécheresse ou le défi que constitue leur culture? Quoi qu'il en soit, les succulentes sont très prisées par un grand nombre d'amateurs alors que d'autres leur montrent peu d'intérêt. Le Jardin Botanique de Kirstenbosch reçoit des offres de succulentes «orphelines» de la part de nouveaux propriétaires de jardin, souvent accompagnées des mots «S'il vous plaît, prenez toutes ces succulentes, mon mari/ma femme ne les supporte pas». Les autres sont généralement fascinés et intrigués et prennent soin de ces jolies plantes dans leur jardin et leur collection.

Vermehrung
Multiplication

Die Vermehrung kann durch Samen oder vegetativ durch Stecklinge (Blatt- oder Stammstecklinge), Ausläufer oder Teilung geschehen. Wichtige Grundlagen sind Wachstumszeit, Temperatur, Licht, Giessen, Düngen sowie die Behandlung von Schädlingen und Krankheiten.

La multiplication peut être effectuée par semis ou de manière végétative, par bouturage (de feuille ou de tronc), par drageonnement ou par division. La période de végétation, la température, la lumière, l'arrosage, l'engrais ainsi que la lutte contre les parasites et les maladies constituent des notions de base importantes.

Werkzeuge und Geräte
Outillage et matériel

Ideal für die Vermehrung ist ein kleines Gewächshaus oder ein Frühbeetkasten. Das ist aber keine Vorbedingung, denn fast alle Arten können auch auf einer Veranda oder auf dem Fensterbrett vermehrt werden. Zu den nötigen Grundlagen zählen eine saubere Arbeitsfläche, alte Zeitungen (um den Boden von Töpfen auszulegen), Schaufeln, Pikierhölzer, eine Giesskanne mit feiner Brause, ein handbedienter Wasserzerstäuber, ein scharfes Messer, eine Gartenschere, Pflanzschalen, ein Werkzeug zum Andrücken des Substrates, Töpfe, Topferde, Sand, Etiketten und ein weicher Bleistift, ein Sieb (3 mm Maschenweite), und Substratbestandteile. Wie im Falle eines Spitals werden Krankheiten durch Kontamination übertragen und Sauberkeit bei allen Arbeiten kann den Verlust von Pflanzen und die zugehörige Frustration weitgehend vermeiden. Weil sich Stecklinge von Sukkulenten rasch bewurzeln, sind Bewurzelungshormone keine Notwendigkeit.

Pour la multiplication, l'idéal est d'avoir une petite serre ou un châssis. Cela n'est tout de même pas une obligation car presque toutes les espèces peuvent être multipliées sous une véranda ou sur un rebord intérieur de fenêtre. Le matériel nécessaire consiste en un plan de travail propre, de vieux journaux (pour garnir le fond des pots), une truelle, des bâtonnets de bois, un arrosoir à pomme fine, un pulvérisateur, un couteau aiguisé, un sécateur, des plateaux, une planchette pour tasser le substrat, des pots, de la terre de rempotage, du sable, des étiquettes et un crayon tendre, un tamis (à maillage de 3 mm) et du compost. Comme à l'hôpital, les maladies se diffusent par contamination et travailler dans la propreté peut grandement éviter la perte des plantes et la frustration qui en résulte. Les boutures de succulentes racinent rapidement ce qui rend inutile l'emploi d'hormones de racinement.

Vermehrung aus Samen
Multiplication par semis

Die Vermehrung von Mittagsblumen aus Samen ist oft schwieriger als die Vermehrung durch Stecklinge, aber durch die Variation unter den Nachkommen in der Regel sehr lohnenswert. Besonders wichtig sind der Zeitpunkt der Aussaat, die Temperatur, der Boden und das Licht. Der Aussaatzeitpunkt hängt von der Art ab. Auch wenn viele Mittagsblumenarten aus Winterregengebieten stammen, können sie doch praktisch während des ganzen Jahres ausgesät werden. In der Regel ist es jedoch immer besser, die Pflanzen während ihrer natürlichen Vegetationszeit anzuziehen. Entsprechend sollten die Samen deshalb gemäss der Herkunft der Pflanzen (Sommer- oder Winterregengebiet) ausgesät werden. Es ist leicht einsehbar, dass Mittagsblumen aus Winterregengebieten an eine Keimung während der kühleren, nassen Winterzeit angepasst sind, und die beste Jahreszeit für die Aussaat der Herbst oder Winter ist, wenn die Tage kurz sind. Mit Blick auf die während des Winters kühleren Temperaturen ist für die Keimung weniger Wasser nötig, und das Gegenteil trifft natürlich auf die Mittagsblumen aus Sommerregengebieten zu. Mittagsblumen aus den südlichen und östlichen Kapgebieten (z. B. *Faucaria*, *Glottiphyllum*), welche sowohl im Winter wie im Sommer Regen erhalten, können praktisch während des ganzen Jahres angezogen werden.
Wichtig ist auch das Alter des Samens. Glücklicherweise keimen die meisten Mittagsblumen besser, wenn der Same älter als ein Jahr ist.

Behandlung des Saatgutes

Samen sind oft anfällig für Pilzbefall, der sich rasch durch die Sämlinge ausbreitet und Fäulnis verursacht.

La multiplication des mésembs par semis est souvent plus délicate que par bouturage mais, en général, les variations chez les descendants sont très intéressantes. Le moment du semis, la température, le sol et la lumière sont particulièrement importants. La période du semis dépend de l'espèce. Comme de nombreuses mésembs sont originaires des régions à pluies hivernales, il est pratiquement possible de les semer durant toute l'année. En règle générale, il est toutefois toujours plus adapté de multiplier les plantes pendant leur période de végétation naturelle. Ainsi, les graines doivent donc être semées en fonction de l'origine de l'espèce (région à pluies hivernales ou estivales). Il est facile de remarquer que les plantes des régions à pluies hivernales sont programmées pour une germination durant la période hivernale humide et fraîche et la meilleure saison pour les semis est l'automne ou l'hiver, lorsque les jours sont courts. Les températures hivernales étant plus fraîches, le processus de germination nécessite moins d'eau et, naturellement, c'est le contraire pour les espèces des régions à pluies estivales. Les mésembs du sud et de l'est de la région du Cap (par ex. *Faucaria*, *Glottiphyllum*) bénéficient de pluies aussi bien en hiver qu'en été et peuvent pratiquement être semées pendant toute l'année.
L'âge des graines est également important. Par chance, les graines de la plupart des espèces germent mieux lorsqu'elles ont plus d'un an.

Traitement des semences

Les graines sont souvent attaquées par des champignons qui se diffusent rapidement parmi les jeunes plants et provoquent leur pourrissement.

Oben rechts: Ein Topf mit Sämlingen von *Conophytum* sp.
Unten rechts: *Lithops*-Sämlinge in Nahaufnahme.
Oben links: Keimende *Lithops*, in kleine Töpfe ausgesät.
En haut à droite: pot de jeunes plants de Conophytum *sp.*
En bas à droite: gros plant de plantules de Lithops.
En haut à gauche: Lithops *en cours de germination dans des godets.*

Dies ist oft das Result von übermässigem Giessen und schlechtem Wasserabzug. Eine Behandlung der Samen mit einem systemischen Fungizid ist sehr wirkungsvoll, und es braucht nur eine kleine Menge des Mittels, die zusammen mit den Samen in einem verschlossenen, kleinen Behälter geschüttelt wird. Die jungen Sämlinge nehmen das Fungizid auf und werden so für lange Zeit geschützt sein. Die Samen einiger Arten müssen zum Brechen der Keimruhe vorbehandelt werden. Glücklicherweise keimen aber die meisten Mittagsblumensamen leicht. Einige jedoch, wie *Caryotophora, Skiatophytum* und *Saphesia*, sind schwer aus Samen anzuziehen. Durch die Anwendung organischer Säuren können die Samen aber erfolgreich vorbereitet werden. Diese Säuren entsprechen der Wirkung der Substanzen, welche das Regenwasser nach Feuern aus dem Rauch der verbrannten Vegetation aufnimmt. Die Kirstenbosch Botanical Gardens stellen zu diesem Zweck mit Rauch imprägnierte Filterpapiere in Plastikbehältern zur Verfügung. Die Filterpapiere werden in einer geringen Menge Regenwasser eingeweicht, und die Samen werden dann vor der Aussaat für einige Stunden in die erhaltene Lösung gelegt.

Saatschalen, Substratmischungen, Aussaat und Giessen

Kleine Töpfe (8 cm Durchmesser) sind ideal, aber auch die gewöhnlichen, grösseren Standardschalen können verwendet werden. Auch die wegwerfbaren Topfplatten aus Plastik sind für die Aussaat kleiner Samenportionen (bis etwa 50 Samen) brauchbar. Vor der Aussaat sollten die Samenschalen gut gewaschen und gereinigt werden, um Pilzbefall vorzubeugen. Sie können auch mit Desinfektionsmittel behandelt werden. Die Samen können in eine allgemeine Topferde ausgesät werden, welche aus 2 Teilen reinem Sand, 1 Teil gesiebtem Kompost und 1 Teil Gartenerde besteht. Die hoch sukkulenten Mittagsblumen wie *Argyroderma, Gibbaeum, Pleiospilos* und *Lithops* keimen am besten in einem mineralischen Boden mit weniger organischen Bestandteilen, und eine geeignete Mischung für diese Arten besteht aus 2 Teilen sandigem Kies und 1 Teil gesiebtem (3-mm-Sieb) Lehm. Es ist aber nicht nötig, diesen Mischungsverhältnissen genau zu folgen, da Gartenerde je nach Herkunft sehr unterschiedlich zusammengesetzt ist. Die am besten geeignete Mischung für bestimmte Sukkulentenarten muss durch Experimentieren ermittelt werden. Erde enthält oft Schadorganismen, wie z. B. den Pilz *Pythium*, der für keimende Sämlinge tödlich ist.

C'est souvent le résultat d'arrosages trop abondants et d'un mauvais drainage. Traiter les graines avec un fongicide systémique s'avère très efficace et ne nécessite qu'une petite quantité de produit que l'on secouera avec les graines dans un petit récipient bien fermé. Les jeunes plants absorbent le fongicide et sont protégés sur une longue période. Les graines de certaines espèces doivent être traitées afin de rompre le sommeil germinatif. Heureusement, la plupart des graines de mésembs germent facilement. Toutefois, certaines comme les *Caryotophora*, les *Skiatophytum* et les *Saphesia* sont difficiles à obtenir de semis. L'utilisation d'acides organiques peut cependant préparer ces graines avec succès. Ces acides reproduisent l'action des substances dissoutes dans l'eau de pluie et tirées de la fumée des feux de brousse. Pour cet usage, le Jardin Botanique de Kirstenbosch propose des papiers-filtres imprégnés de fumée et enfermés dans des pots de plastique. Ces papiers filtres sont rincés dans une faible quantité d'eau de pluie, puis les graines sont immergées durant quelques heures dans la solution obtenue avant d'être semées.

Plateaux de semis, substrats, semis et arrosage

Les petits godets de 8 cm de diam. sont parfaits mais les plateaux habituels, de taille standard, peuvent aussi être employés. Les plaques d'alvéoles jetables conviennent également pour semer de petites quantités de graines (jusqu'à environ 50 graines). Avant de semer, les plateaux doivent être soigneusement nettoyés et lavés afin d'éviter les maladies cryptogamiques. On peut également utiliser un produit désinfectant. Les graines peuvent être semées dans une terre de rempotage classique, composée pour moitié de sable pur, d'un quart de compost tamisé et d'un quart de terre de jardin. Les genres très succulents comme *Argyroderma*, *Gibbaeum*, *Pleiospilos* et *Lithops* germent de manière optimale dans un substrat minéral comportant peu d'éléments organiques et le mélange adapté à ces plantes se compose de 2/3 de gravier sableux et 1/3 d'argile tamisée (maillage de 3 mm). La terre contient souvent des organismes nuisibles, comme le champignon *Pythium* par ex., qui s'avèrent mortels pour les plantules naissantes. On peut éviter la contamination en employant un substrat stérile et en traitant les graines avant semis avec un fongicide systémique. L'utilisation de terre stérilisée est également recommandée.

Saatschalen mit Keimlingen von *Acrodon purpureostylus* (links) und *Glottiphyllum sp.* (rechts).
Plateaux de semis contenant des Acrodon purpureostylus *(gauche) et des* Glottiphyllum sp. *(droite).*

Eine Kontamination kann durch die Verwendung von sterilisiertem Substrat sowie einer Behandlung der Samen vor der Aussaat mit einem systemischen Fungizid verhindert werden. Auch zur Vermeidung anderer bodenbürtiger Krankheiten ist die Verwendung von sterilisierter Erde anratenswert.

Der Boden der Aussaatbehälter wird mit etwas Zeitungspapier oder mit Topfscherben belegt, um das Herausfallen des Aussaatsubstrates zu verhindern. Die Behälter werden gefüllt, und das Substrat mit einem Stück Holz oder von Hand so angedrückt, dass ein Giessrand von 5–10 mm entsteht. Vor der Aussaat sollte das Substrat zuerst durchdringend gegossen werden. Dadurch kleben die feineren Samen später besser an den Bodenbestandteilen. Die Samen werden gleichmässig auf die feuchte Substratoberfläche verteilt, was am besten durch Mischen der Samen mit feinem Sand und anschliessendem Ausstreuen bewerkstelligt wird. Wenn zu dicht ausgesät wird, kann sich durch Pilze verursachte Fäulnis rasch zwischen keimenden Sämlingen ausbreiten. Die Samen werden mit einer dünnen Sandschicht (1–3 mm) bedeckt und mit einer feinen Brause oder einem Wasserzersträuber angefeuchtet. Um den Boden (verursacht durch ungleich grosse Wassertropfen) nicht zu sehr zu verschwemmen, muss der Giesstrahl neben der Aussaatschale begonnen werden, und erst wenn das Wasser regelmässig fliesst, wird die Schale bewässert. Es kann auch von unten gegossen werden, indem die Saatschale in einen flachen, mit Wasser gefüllten Behälter gestellt wird. Durch Kapillarkraft wird so das Wasser in die Saatschale aufgezogen. Diese Methode ist besonders bei sehr kleinen Samen praktisch. Die meisten Sämlinge wachsen langsam, können aber nach wenigen Wochen oder Monaten (oder mehr) in wegwerfbare Topfplatten, Einzeltöpfe, oder einfach in Reihen in grössere Behältnisse pikiert werden. Das Umpflanzen erfolgt am besten mit Hilfe eines Pikierholzes. Die Sämlinge werden mit einer Hand gehalten, während die andere Hand mit dem Pikierholz ein Loch vorbereitet. Dann wird der Sämling mit Hilfe des Pikierholzes gepflanzt und das Loch geschlossen. Anschliessend wird durchdringend gegossen. Alle zwei Monate kann auch mit Erfolg verdünnter, organischer Flüssigdünger verwendet werden.

Une fois les godets remplis, le substrat doit être tassé à la main ou avec un morceau de bois afin de créer une petite cuvette d'arrosage de 5–10 mm. Le substrat doit avoir été bien arrosé avant de semer. Ainsi les graines les plus petites pourront mieux adhérer aux particules du mélange. Les graines doivent être uniformément réparties sur la surface unie du substrat et le plus facile est de les mélanger à du sable fin et de les disperser immédiatement après. La pourriture d'origine cryptogamique peut rapidement se propager entre jeunes plantules si les semis ont été trop serrés. Les graines doivent être recouvertes d'une fine couche de sable (1–3 mm) et humidifiées avec une fine pomme d'arrosoir ou un pulvérisateur. Il est également possible d'humidifier les godets par en dessous en posant le plateau dans un récipient plat et empli d'eau. L'eau remontera dans les godets par capillarité. Cette méthode est particulièrement pratique pour les graines très fines. La plupart des plantules poussent lentement mais peuvent être repiquées dans des plaques de godets jetables, des pots individuels ou tout simplement en rangées dans un conteneur plus grand, après quelques semaines ou mois (ou plus!). Il est plus facile de transplanter à l'aide d'un bâtonnet de bois. Tenez les plantules d'une main alors que de l'autre main vous faites un trou avec votre outil. Ensuite, utilisez toujours votre bâtonnet vous replanter le jeune plant et refermer le trou. Enfin, arrosez abondamment. Tous les 2 mois, il est possible d'apporter un engrais organique liquide et dilué avec de bons résultats.

Les plateaux de semis ne doivent pas rester en plein soleil mais dans un endroit chaud et ombragé. La meilleure température pour la germination des graines se situe entre 16 et 24 °C. avec environ 30 % d'ombrage. Cependant, les exigences en matière de température et d'ombrage varient selon chaque espèce semée. Par exemple, les espèces d'*Haworthia*, de *Gasteria* et de *Stapelia* sont des succulentes dont les graines réclament plus d'ombre alors que celles des Mésembryanthémacées nécessitent plus de lumière. L'idéal est de disposer d'un châssis vitré. Il s'agit d'une armature de bois avec, si possible, sur l'un des côtés, un couvercle incliné garni de plexiglas ou d'une vitre. Ce châssis protège les jeunes plants, assure une juste humidité de l'air et réduit les variations de température. Un châssis de 1 m × 2 m, d'une hauteur de 30 cm derrière et 15 cm devant, est parfait et tout jardinier pourra facilement en fabriquer un. Il pourra aussi servir pour les semis d'autres plantes. La germination intervient généralement dans un laps de temps de 3 semaines, lorsque les premières minuscules préfeuilles vertes émergent du sable.

Die Saatschalen sollten nicht in der vollen Sonne stehen, sondern an einem schattigen, warmen Ort. Die beste Temperatur für die Samenkeimung liegt zwischen 16 und 24 °C bei etwa 30 % Schatten. Die Anforderungen an Temperatur und Beschattung variieren aber auch je nach ausgesäten Arten. Bei Arten von *Haworthia, Gasteria* und *Stapelia* z. B. handelt es sich um Sukkulenten, deren Samen mehr Schatten benötigen, während die Samen der Mittagsblumen mehr Licht brauchen. Idealerweise steht ein Frühbeetkasten zur Verfügung. Dabei handelt es sich um eine hölzerne Kiste mit einem möglichst auf eine Seite geneigten Deckel aus Fiberglas oder Glas. Dieser Kasten schützt die jungen Sämlinge, sorgt für eine gewisse Luftfeuchtigkeit, und reduziert Temperaturschwankungen. Ein Kasten von 1 × 2 m mit 30 cm hoher Rückseite und 15 cm hoher Frontseite ist ideal, kann leicht von jedem Gärtner gebaut werden, und kann auch für die Aussaat anderer Pflanzen verwendet werden. Die Keimung erfolgt in der Regel innerhalb von drei Wochen, wenn die ersten, winzigen, grünen Blättchen über dem Sand erscheinen.

In diesem Stadium sind die Sämlinge für vom Vermehrungspilz verursachte Fäulnis sehr empfindlich, falls sie nicht mit einem Fungizid behandelt worden sind. Die regelmässige Zugabe eines Fungizides zum Giesswasser kann Abhilfe schaffen. Während des ersten Jahres brauchen die Sämlinge mehr Wasser als die ausgewachsenen Pflanzen. Während der kühleren Wintermonate sollte das Giessen aber reduziert werden. Das Wachstum der Sämlinge hängt von der Art ab, aber auch von Faktoren wie Temperatur, Ernährung und Substrat. In der Regel können die Sämlinge nach einem Jahr ausgepflanzt werden. Die Jungpflanzen können durch wöchentliche Anwendung eines verdünnten, organischen Düngers ernährt werden.

10–15 cm lange Stecklinge strauchiger Arten wie *Lampranthus* bewurzeln sich in einer sandigen Mischung leicht.
Les jeunes plants de 10–15 cm des espèces arbustives comme le Lampranthus *s'enracinent facilement dans un mélange sableux.*

A ce stade, les plantules sont très sensibles à la pourriture occasionnée par la prolifération fongique s'ils n'ont pas été préalablement traités avec un fongicide. L'adjonction régulière d'un fongicide à l'eau d'arrosage peut améliorer la situation. Pendant leur première année, les plantules réclament plus d'eau que les plantes adultes. Il faut toutefois réduire les arrosages pendant les mois d'hiver plus frais. La croissance des plantules dépend de l'espèce mais aussi de facteurs comme la température, l'alimentation et le sol. En général, les plantules peuvent être plantées après une année. Les jeunes plants peuvent bénéficier d'un apport hebdomadaire d'engrais organique dilué.

Vegetative Vermehrung
Multiplication végétative

Mittagsblumen können vegetativ durch Blatt- oder Triebstecklinge sowie durch Ausläufer, Teilung und Ableger vermehrt werden.

Triebstecklinge

Die meisten Mittagsblumen wachsen leicht aus während der warmen Sommermonate geschnittenen Stecklingen. Kleinere Stecklinge von Arten wie *Conophytum* werden am besten während der herbstlichen Vegetationszeit bewurzelt, oder während der Wintermonate. Die Grösse bzw. Länge der Stecklinge richtet sich nach der Art. Stecklinge von zwergigen Arten müssen offensichtlich nur wenige Zentimeter lang sein. In der Regel braucht es für die Bewurzelung nur ein oder zwei Internodien. Die gewöhnlichen, farbenfrohen Straucharten unter den Mittagsblumen bewurzeln sich leicht, wenn 10–15 cm lange Stecklinge verholzter Triebe geschnitten werden. Die Triebe sollten gerade unterhalb eines Blattknotens abgeschnitten werden, und überzählige Blätter werden entfernt. Das beste Bewurzelungssubstrat für Stecklinge ist sauberer Sand. Als Behälter kommen übliche Saatschalen in Frage. Triebstecklinge benötigen mit Blick auf das durchlässige, sandige Substrat regelmässiges Giessen, aber das hängt auch von der Temperatur und dem Wetter ab. Stecklinge der strauchigen Mittagsblumen können auch im Gartenbeet oder direkt im Steingarten in durchlässigem Boden bewurzelt werden. Auch Frühbeetkästen eignen sich ideal für die Bewurzelung von Stecklingen. Stecklinge bewurzeln sich vielleicht bei Anwendung eines Bewurzelungshormones rascher, aber bei Mittagsblumen ist das in der Regel nicht notwendig.

Les mésembs peuvent être multipliées végétativement par boutures de feuilles ou de tiges, ainsi que par drageonnement, division ou marcottage.

Boutures de tiges

La plupart des mésembs se développe facilement à partir de boutures prélevées pendant les chauds mois d'été. Les petites boutures de genre comme le *Conophytum* racinent le mieux pendant la période végétative automnale ou durant les mois d'hiver. La longueur des boutures dépend de l'espèce concernée. Les boutures d'espèces naines ne doivent bien évidemment mesurer que quelques centimètres. Généralement, un ou deux entre-nœuds suffisent à l'émission de racines. Dans cette famille, les habituelles espèces arbustives joliment colorées émettent facilement des racines lorsqu'il s'agit de boutures de 10–15 cm sur tiges lignifiées. Sectionnez la tige juste en dessous d'un nœud feuillé et supprimez les feuilles superflues. Le sable propre constitue le meilleur substrat pour que les boutures racinent. Comme contenant, on retrouve les habituels plateaux pour semis. Les boutures de tiges demandent des arrosages réguliers à cause de leur substrat léger et sableux mais cela dépend aussi de la température et du temps qu'il fait. Les boutures des genres arbustifs peuvent aussi être mises à raciner directement dans un massif ou une rocaille au sol bien drainé. Les châssis vitrés se montrent aussi parfaits pour le racinement des boutures. Celles-ci racineront peut-être plus rapidement en employant des hormones mais ces produits ne sont généralement pas nécessaires pour les mésembs.

Kultur in der Praxis
Conseils pratiques de culture

Sukkulente Pflanzen finden in unterschiedlicher Art und Weise sowohl im Haus wie im Freien Verwendung. Der üblichen gärtnerischen Praxis folgend, können Mittagsblumen in der Landschaftsarchitektur und der Gartengestaltung als Teil der Gartenplanung einbezogen werden. Sukkulente Pflanzen werden durch die wohlmeinenden aber manchmal überschwänglich enthusiastischen Besitzer oft übermässig gewichtet. So werden sie manchmal auf rasch angelegten, mehr einem Hundegrab ähnelnden Steingärten gepflanzt. Die folgenden Abschnitte sollen dem Leser bei der Wahl der Pflanzen helfen, damit sowohl die Pflanzen wie auch deren Besitzer anhaltend Freude daran haben. Der ernsthafte Sukkulentenliebhaber wird die Sammlung – sei es im Haus oder im Freiland – entsprechend der eigenen Vorlieben beginnen, z. B. mit allen Arten einer bestimmten Gattung etc., und hat folglich bei der Gestaltung auch einen unterschiedlichen Zweck im Sinn.

Les plantes succulentes peuvent être employées de diverses manières à l'intérieur ou à l'extérieur. La plus simple pratique du jardinage permet d'intégrer ces plantes dans l'architecture et l'atmosphère du jardin. Les succulentes sont souvent surestimées par leurs propriétaires, certes bien intentionnés, mais parfois trop enthousiastes. Il arrive donc que des rocailles trop rapidement conçues finissent par ressembler à une «tombe d'un chien»!!! Les paragraphes suivants ont pour but d'aider le lecteur dans son choix afin que plantes et propriétaires s'apportent une satisfaction réciproque. L'amateur sérieux de succulentes commencera sa collection, intérieure ou extérieure, en fonction de ses propres intérêts, par ex. rassembler toutes les espèces d'un genre donné, etc., et donc, aura un autre objectif en vue que le seul agencement paysager.

Pflege im Freiland
Culture en pleine terre

Allgemeines zum Gärtnern mit Mittagsblumen und sukkulenten Pflanzen, zur Gartengestaltung und zur Pflanzenwahl

Viele südafrikanische Sukkulentenarten können unter den lokalen Klimabedingungen an vielen Orten erfolgreich im Freien kultiviert werden, aber es ist immer ratsam, diejenigen Arten zu berücksichtigen, die den Eigentümlichkeiten der jeweiligen Region entsprechen. Das südafrikanische Klima ist sehr abwechslungsreich, mit Winter- und Sommerregengebieten, und von subtropischen bis warm-gemässigten Gebieten bis zu Wüsten variierend. Südafrika wird deshalb oft als »Welt in einem Land« beschrieben. Sukkulenten werden im Freiland am besten in einem Klima gedeihen, das demjenigen ihrer Heimat ähnlich ist. Diese Verwendung von Sukkulenten kann als »ökologisches Gärtnern« bezeichnet werden, d. h. Gärtnern in Harmonie mit der Natur. Die Pflanzen werden entsprechend an die vorherrschenden klimatischen Bedingungen angepasst sein, sie werden weniger Schwierigkeiten machen, und können z. B. Teil eines Highveld-, Bushveld-, Karoo- oder Fynbos-Gartens sein. In dieser Weise werden sie zusammen mit anderen xerophytischen und nicht-xerophytischen Pflanzne kultiviert werden, was eine natürliche, wohl proportionierte Gartenwelt ergibt. Geeignete Sukkulenten können aus der Vielfalt der unter den einzelnen Regionen erwähnten Arten ausgewählt werden. Einige Mittagsblumen und andere sukkulente Pflanzen, v.a. solche aus dem südöstlichen Kap-Gebiet, tolerieren einen grossen Bereich verschiedener Bedingungen und passen sich unterschiedlichen Gärten leicht an, sogar auch an Vernachlässigung. Hier sind einige Arten von *Glottiphyllum, Delosperma* oder *Faucaria* zu nennen, sowie *Crassula ovata, C. tetragona* und der Spekboom (*Portulacaria afra*), Arten von *Aloe* (z. B. *A. arborescens, A. ferox*) etc. In Gebieten mit gelegentlichem starkem Frost ist nur eine beschränkte Zahl von Arten für die Kultur im Freiland geeignet. Die Anlage eines Gartens im Bushveld oder im Gebiet von Pretoria wird sich deutlich von einem Namaqualand-Garten unterscheiden. Zum Erreichen einer möglichst gefälligen Wirkung sollten Pflanzen verwendet werden, die auch natürlicherweise zusammen vorkommen. Die grösseren Arten werden mehr im Hintergrund angeordnet, die kleineren mehr im Vordergrund. Im gärtnerischen Sinn können Sukkulenten in mehrere Kategorien eingeteilt werden. Die baumförmigen Arten (110 südafrikanische Arten) variieren

Généralités sur la culture des mésembs et des plantes succulentes, sur l'agencement d'un jardin et sur le choix des plantes

Beaucoup de succulentes sud-africaines peuvent être cultivées avec succès à de nombreux emplacements dans le jardin, dans les conditions climatiques locales. Toutefois, il est conseillé de prendre en compte les espèces qui correspondent aux caractéristiques de la région concernée. Le climat sud-africain est très diversifié, avec des régions à pluies estivales ou hivernales et des zones tropicales, tempérées-chaudes ou désertiques. C'est pour cela que l'on dit souvent que l'Afrique du Sud est «tout un monde dans un seul pays». En pleine terre, le mieux est de cultiver des succulentes sous un climat semblable à celui de leur habitat naturel. Cette utilisation des succulentes pourrait s'appeler du «jardinage écologique» c'est à dire, un jardinage en harmonie avec la nature. Les plantes adaptées aux conditions climatiques dominantes posent moins de problèmes et peuvent s'intégrer, par exemple, dans un jardin de type Highveld, Bushveld, Karoo ou Fynbos. De cette manière, elles seront associées à d'autres xérophytes mais aussi à des plantes qui ne le sont pas, ce qui aboutit à un jardin naturel et équilibré. Les succulentes qui conviennent peuvent être choisies parmi celles décrites en rapport avec une région particulière. Certaines mésembs et d'autres succulentes, surtout celles du sud-est de la région du Cap, tolèrent un vaste éventail de conditions différentes et s'adaptent facilement à divers jardins, voire à la négligence. Il s'agit de certaines espèces de *Glottiphyllum, Delosperma* ou *Faucaria* ainsi que la *Crassula ovata, C. tetragona* et le Spekboom (*Portulacaria afra*) et également des espèces d'*Aloe* (par ex. *A. arborescens, A. ferox*), etc. Pour les régions connaissant parfois des gelées sévères, le nombre d'espèces cultivables en pleine terre reste limité. L'aménagement d'un jardin dans le Bushveld ou dans la région de Prétoria divergera nettement de ce qu'est un jardin dans le Namaqualand. Pour obtenir l'effet le plus attractif possible, il vaut mieux choisir des plantes qui poussent également ensemble dans la nature. Les genres les plus grands seront plutôt à l'arrière-plan alors que les plus petits seront plus en avant. D'un point de vue horticole, les succulentes peuvent être divisées en plusieurs catégories. Les espèces arborescentes (110 en Afrique du Sud) vont de l'arbuste à l'arbre de 1–20 mètres de haut. Celles-ci sont souvent employées en sujets isolés à des endroits bien précis du jardin et regroupent des espèces comme *Euphorbia ingens, E. cooperi,*

von Sträuchern zu Bäumen von 1–20 Meter Höhe. Diese werden oft als Solitärpflanzen in entsprechenden Nischen im Garten verwendet und umfassen Arten wie *Euphorbia ingens, E. cooperi, Aloe barberae, A. dichotoma*. Kleinere Sträucher können als Hintergrund für diese Solitärpflanzen gewählt werden. Hier finden Arten wie *Aloe arborescens, Portulacaria afra* und *Senecio barbertonicus* Verwendung. Viele Arten aus dieser Gruppe wie etwa *Portulacaria afra, Crassula ovata, Aloe arborescens* oder Arten von *Euphorbia* können auch effektvoll als Hecken gepflanzt werden. Bei anderen handelt es sich um Kletter- und Schlingpflanzen in Bäumen oder entlang von Zäunen. Hierher zählen *Cissus quadrangularis, C. rotundifolius, Senecio angulatus* und *Aloe ciliaris*. Bodendeckende Sukkulenten verhindern Bodenerosion und unterdrücken das Aufkommen von Unkraut. Diese Kategorie umfasst eine besonders grosse Auswahl und enthält sowohl an sonnige Stellen wie auch an Schatten angepasste Arten. Einige bilden Matten, während andere wie *Sansevieria* oder Schatten liebende *Aloe*-Arten mit gefleckten Blättern unter Bäumen etc. Gruppen bilden. *Lampranthus* und viele *Ruschia*-Arten sind gute Polsterpflanzen mit auffälligen, rosafarbenen bis purpurnen Blüten. Andere Sukkulenten können zum Setzen von Akzenten verwendet werden, z. B. der Elefantenfuss (*Dioscorea elephantipes*) oder *Adenia glauca, Pachypodium lealii* subsp. *saundersii* und *Adenium*-Arten. Schliesslich dürfen die einjährigen Mittagsblumen aus den Winterregengebieten nicht vergessen werden, also Arten wie Bokbaaivygies (*Dorotheanthus bellidiformis*), Vetkousie (*Carpanthea pomeridiana*) und andere. Die Auswahl ist grenzenlos.

Eine systematische Freilandsammlung

Abgesehen von einer ökologischen Verwendung wie obenstehend erklärt, kann eine Sammlung auch aus einer bestimmten Gruppe von Mittagsblumenarten bestehen.

Hier besteht das Problem darin, dass die unterschiedlichen Arten aus unterschiedlichen Gebieten auch eine unterschiedliche Pflege benötigen. Wenn sie alle zusammen in einem einzigen Steingarten gepflanzt sind, werden diejenigen mit den abweichendsten Standortansprüchen leiden. Diese sollten deshalb besser in einem Gewächshaus unter kontrollierten Bedingungen kultiviert werden. Viele Pflanzen wurden deshalb umgebracht, weil wohlmeinende Sammler eine vollständige Sammlung verwirklichen wollten.

Anlage eines Steingartens und generelle Verwendung von sukkulenten Pflanzen

Natürliche Steingärten« sind meist auf hügelige oder bergige Gebiete, Flusstäler etc. beschränkt. Bei der Anlage eines Steingartens ist eine Arbeit in Harmonie mit der Natur der Schlüssel zum Erfolg. Selbstverständlich ist eine natürliche Felsböschung oder ein anstehender Fels wünschenswert, aber wenn das fehlt, kann ein Steingarten auch künstlich angelegt werden, muss sich aber in den umgebenden Garten einfügen. Wichtig ist die Wahl einer sonnigen Stelle, in feuchten Gebieten auf der Südhalbkugel am besten nach Norden ausgerichtet.

Der anstehende Boden muss zuerst mit einem Spaten grob in die gewünschte Form gebracht werden, wobei die grösste Fläche am besten auf die Sonnenseite zeigt. Wenn nicht genügend Oberboden zur Verfügung steht, kann das Innere des entstehenden Hügels auch mit irgend einem sandigen Boden, oder mit Steinen, alten Ziegeln,

Aloe barberae et *A. dichotoma*. Les arbustes plus petits peuvent servir de fond à ces sujets isolés. Il s'agit d'espèces comme *Aloe arborescens, Portulacaria afra* et *Senecio barbertonicus*. Dans ce groupe, de nombreuses espèces comme *Portulacaria afra, Crassula ovata, Aloe arborescens* ou certaines *Euphorbia* peuvent également faire beaucoup d'effet comme plantes de haie. D'autres sont des grimpantes ou des volubiles qui poussent dans les arbres ou le long des clôtures. Il s'agit entre autres de *Cissus quadrangularis, C. rotundifolius, Senecio angulatus* et *Aloe ciliaris*. Les succulentes couvre-sol évitent l'érosion du sol et limitent la croissance d'adventices. Cette catégorie regroupe un nombre particulièrement important d'espèces aussi bien adaptées au soleil qu'à l'ombre. Certaines forment des tapis alors que d'autres, comme *Sanseveria* ou bien les espèces d'*Aloe* à feuilles tachetées appréciant l'ombre, notamment des arbres, constituent des colonies. Les *Lampranthus* et de nombreuses espèces de *Ruschia* sont de bonnes plantes en coussins, à remarquables fleurs roses à pourpres. D'autres succulentes permettent de ponctuer l'ensembles, par ex. le pied d'éléphant (*Dioscorea elephantipes*) ou *Adenia glauca, Pachypodium lealii* ssp. *saundersii* et les espèces d'*Adenium*. Enfin, il ne faut pas oublier les mésembs annuelles originaires des régions à pluies hivernales, c'est à dire des espèces comme les Bokbaaivygies (*Dorotheanthus bellidiformis*), les Vetkousie (*Carpanthea pomeridiana*) et d'autres. Le choix est illimité.

Collection systématique pour la pleine terre

En dehors d'un emploi écologique tel que nous l'avons expliqué précédemment, une collection peut également se composer d'un groupe précis de mésembs.

Ici se pose un problème car les différentes espèces viennent de régions différentes et réclament des soins différents. Si vous les plantez toutes dans une seule et même rocaille, celles dont les exigences diffèrent vont souffrir. Il vaut donc mieux les cultiver sous serre, dans des conditions contrôlées. De nombreuses plantes ont ainsi été sacrifiées par des collectionneurs bien intentionnés qui souhaitaient réunir une collection complète.

Aménagement d'une rocaille et utilisations générales des plantes succulentes

Dans la nature les «rocailles» sont généralement limitées aux régions de collines et de montagnes ainsi qu'aux vallées flu-

Felsbrocken etc. gefüllt werden. Die ganze Oberfläche muss anschliessend mit einer 15–30 cm dicken Schicht aus gutem Oberboden bedeckt werden. Dieser Boden muss gut wasserdurchlässig sein und besteht mit Vorteil aus sandiger Erde. Der Wasserabzug kann durch Beifügen von Sand oder Kies verbessert werden. Am besten wird gleich auch etwas Kompost und Knochenmehl zugefügt und gut eingearbeitet. Anschliessend kann der Boden durch Trampeln angedrückt werden. Als nächster Schritt wird nach Wahl ein möglichst natürlich aussehendes Felsvorkommen gebaut, wobei die Grundlage aus angewitterten Felsen besteht. Am einfachsten werden die lokal vorhandenen Felsvorkommen kopiert, wodurch ein »Hundegrab« als Endresultat vermieden wird.

Schiefer, Sandstein, Dolomit-, Dolerit- und Quarzitfelsen sind zum Erzielen eines natürlichen Steingartens sehr geeignet. Idealerweise werden lokal vorkommende Felsformationen verwendet. Ein Nebeneinander von zwei oder mehr verschiedenen geologischen Formationen im gleichen Steingarten sollte vermieden werden. Die Arbeit macht von unten nach oben Fortschritte. So können Terrassen konstruiert werden und Felsstücke werden so positioniert, dass die schönste Seite (d. h. die verwitterte Seite) nach aussen weist. Gleichzeitig ist es wichtig, dass alle Schichten in die gleiche Richtung laufen oder vielleicht etwas nach hinten abgewinkelt sind. Die grösseren Felsstücke werden mit Vorteil an der Basis und als »Rahmen« verbaut, während kleinere Stücke und Steine ein möglichst natürliches Erscheinungsbild ergeben. Damit die Felsstücke in eine stabile Lage gebracht werden können, werden mit dem Spaten oder von Hand Vertiefungen gegraben. Je nach Situation muss nur ein kleiner Teil der Felsen eingegraben werden, und der grössere Teil bleibt sichtbar. Das Substrat um die Felsstücke muss kräftig angedrückt werden, um alle leeren Stellen zu füllen. Nach der Fertigstellung wird der Boden noch einmal angedrückt, und dann aufgeräumt. Jetzt kann der Steingarten bepflanzt werden. Ein gut konstruierter Steingarten besteht aus verschiedenen Typen trockenheitsresistenter Sträucher, krautigen Mehrjährigen, Zwiebeln, Einjährigen und unterschiedlichen Typen von Sukkulenten, welche alle zusammen in einer natürlichen Einheit wachsen. Agressiv wachsende Pflanzen sind zu vermeiden, da sie rasch andere überwuchern und ersticken werden. Wüchsige Pflanzen werden bei Bedarf zurückgeschnitten. Geeignete, trockenheitsresistente Pflanzen können als »Ammenpflanzen« Schatten für kleinere, Schatten liebende Arten liefern. Zu die-

Oben: Ein Garten im trockenen Winterregengebiet ist ideal für eine Mittagsblumen-Massenpflanzung (*Drosanthemum speciosum*).
Gegenüber liegende Seite: *Lampranthus roseus* als Topfpflanze an einer sonnigen Stelle im Garten ist besonders im Frühling attraktiv.
En haut: un jardin dans une région sèche à pluies hivernales est un cadre idéal pour une plantation de masse de mésembs (Drosanthemum speciosum)*.*
Page précédente: cultivé en pot à un emplacement ensoleillé, le Lampranthus roseus *s'avère particulièrement attrayant au printemps.*

viales. Pour l'aménagement d'une rocaille, la clef du succès réside dans un travail en harmonie avec la nature. Bien entendu, un talus pierreux ou un affleurement rocheux sont souhaitables mais, en leur absence, il est également possible d'aménager une rocaille artificielle si elle s'intègre bien dans le jardin environnant. Il est important de choisir un emplacement ensoleillé, orienté au nord dans les régions humides de l'hémisphère Sud.

Le sol doit tout d'abord être grossièrement façonné à la pelle dans la forme souhaitée et en orientant de préférence le plus grand espace vers le soleil. Si la couche superficielle de terre est insuffisante, il est possible de combler les cavités rocheuses soit avec un substrat sableux, soit avec des cailloux, de vieilles tuiles ou des éclats rocheux. Enfin, toute la surface de la rocaille doit finalement être recouverte d'une couche de bonne terre de 15–30 cm d'épaisseur. Ce sol doit être bien drainé et de préférence sableux. Le drainage peut être amélioré en ajoutant de sable ou du gravier. Il est conseillé d'ajouter également un peu de compost et de poudre d'os et de bien les mélanger à la terre. Enfin, il est temps de tasser le terrain en le piétinant. L'étape suivante consiste à élaborer, selon votre choix, un décor rocheux à l'aspect le plus naturel possible, sur la base de rochers érodés. Le plus simple est d'imiter les environnements rocheux locaux car cela limitera les risques d'avoir une «tombe de chien» en résultat final.

Schistes, grès, galets dolomitiques, doléritiques ou quartzifères conviennent très bien pour réaliser une rocaille naturelle. Dans l'idéal, il est conseillé d'utiliser les roches présentes localement. Il vaut mieux éviter de faire cohabiter plusieurs formations géologiques dans la même rocaille. Le travail se réalise de bas en haut. On peut ainsi construire des terrasses et positionner les roches de manière à ce qu'elles montrent leur meilleur côté (celui qui est érodé). En même temps, il est important que toutes les strates soient orientées de la même

Oben: Am besten werden Felsen verwendet, die lokal im Gebiet vorkommen. Der Schlüssel zum Erfolg ist ein Arbeiten in Harmonie mit der Umgebung, sodass der Steingarten ein natürliches Aussehen bekommt (im Vordergrund *Drosanthemum speciosum*).
Rechts: Mittagsblumen gedeihen auch problemlos in trockenen Mauern. *Lampranthus spectabilis* in einer senkrechten Mauer in den Kirstenbosch Botanical Gardens (Western Cape, Südafrika).
Gegenüber liegende Seite: Massenpflanzung farbenfroher Mittagsblumen in den Karoo National Botanical Gardens.
En haut: Le mieux est d'employer des roches trouvées localement. La clef du succès est de travailler en harmonie avec l'environnement afin que la rocaille ait un aspect naturel (en fond, Drosanthemum speciosum*).*
A droite: Les mésembs poussent aussi sans problème sur les murs de pierres sèches. Ici, Lampranthus spectabilis *sur un mur vertical dans le Jardin Botanique de Kirstenbosch (Western Cape, Afrique du Sud).*
Page suivante: Plantations en masse de mésembs joliment colorées dans le Jardin Botanique National du Karoo.

sen Sträuchern gehören die Karoo Noem-Noem (*Carissa haematocarpa*), Granaat-Bos (*Rhigozum obovatum*), Kerkei (*Crassula ovata*), *C. arborescens*, Spekboom (*Portulacaria afra*), *Felicia filifolia*, Renosterbos (*Elytropappus rhinocerotis*), *Diospyros austro-africana*, etc. Andere, kleinere, Schatten spendende Sträucher sind *Crassula tetragona* subsp. *tetragona, C. sarcocaulis, Lampranthus*-Arten, *Ruschia*-Arten, *Felicia heterophylla* etc. Pflanzen, die vorher an einer schattigen Stelle kultiviert wurden, sollten nie direkt an einen sonnigen Platz gepflanzt werden, sondern müssen vorher allmählich an die helleren Bedingungen gewöhnt (abgehärtet) werden, und dieser Prozess benötigt mehrere Wochen. In Gebieten mit höheren Regenfällen können Unkräuter problematisch werden. Durch eine Abdeckung mit einer Schicht aus Kieselsteinen kann das Aufkommen von Unkraut unterdrückt werden, und gleichzeitig erhält der Steingarten ein ordentliches Aussehen. Auf dem Markt sind unterschiedlichste Grössen, Texturen und Farben erhältlich. Sobald der Steingarten einmal vollständig stabilisiert und zugewachsen ist, werden Unkräuter kaum mehr ein Problem sein, denn Unkräuter sind opportunistische Pflanzen, welche zur Keimung gestörte Bodenbedingungen und hohe Lichtintensität brauchen.

Die meisten Sukkulenten lassen sich wegen ihrer Trockenheitsresistenz leicht verpflanzen. Stecklinge von Mittagsblumen, *Aloe, Crassula* und *Haworthia* können direkt am gewünschten Ort gepflanzt werden und bewurzeln sich rasch. Unnötige Wurzeln werden zurückgeschnitten, und verletzte

manière ou, peut-être, soient légèrement inclinées vers l'arrière. Les plus grandes roches permettent avec avantage de réaliser la base et la structure de l'ensemble alors que les plus petites, ainsi que les pierres apportent l'aspect le plus naturel possible. Lorsque les roches doivent être bien stabilisées, il est nécessaire de creuser des cuvettes, à la main ou avec une pelle. Une petite portion de la roche doit être enterrée à chaque fois, tout le reste demeurant visible. Le substrat doit être soigneusement tassé autour des rochers afin de combler tous les vides. Une fois la mise en place terminée, il faut encore tasser le sol et nettoyer. La rocaille peut maintenant accueillir des plantes. Une rocaille bien conçue comporte différents types d'arbustes résistant à la sécheresse, des vivaces pluriannuelles, des bulbes, des annuelles et diverses sortes de succulentes qui formeront tout un ensemble naturel. Il faut éviter les plantes concurrentielles qui submergeront et étoufferont rapidement les autres. Les espèces envahissantes seront taillées si besoin est. Les espèces adaptées et résistant à la sécheresse pourront servir de «nourrice» et offrir un ombrage pour les plantes plus petites et appréciant l'ombre.

Dans cette catégorie, on rencontre le Noem-Noem du Karoo (*Carissa haematocarpa*), le Grant-Bos (*Rhigozum obovatum*), le Kerkei (*Crassula ovata*), la *C.arborescens*, le Spekboom (*Portulacaria afra*), le *Felicia filifolia*, le Renosterbos (*Elytropappus rhinocerotis*), le *Dyospyros austro-africana*, etc. D'autres arbustes plus petits et dispensateurs d'ombrage regroupent par exemple les *Crassula tetragona* subsp. *tetragona*

Teile mit Schwefelblüte bestäubt. Bei Sukkulenten mit adventivem Wurzelsystem (*Aloe* und Verwandte) sollten die Wurzeln vor dem Verpflanzen bis auf die Stammbasis zurückgeschnitten werden. Nach dem Einpflanzen muss das Substrat um die Pflanze gefestigt werden. Arten von *Gasteria, Haworthia* und die Schatten liebenden Arten von *Crassula* müssen auf der Schattenseite eines Felsens oder im Schatten einer genügend grossen »Ammenpflanze« platziert werden. Allerdings kann am Anfang auch ein Schattentuch zwischen Teilen des Steingartens aufgespannt werden, damit sich Schatten liebende Arten etablieren können. Kleinere Arten können in Substrattaschen an der Schattenseite von Felsen gepflanzt werden. Die meisten Arten haben ein flach streichendes Wurzelgeflecht, das rasch auf die Verabreichung von Dünger reagiert, v.a. während der wärmeren Monate. Im Frühling ist organisches Material in der Form von Kompost oder Lauberde sowie reichlich Knochenmehl nötig, um den Boden mit Nährstoffen anzureichern. In Gebieten mit grösseren Regenmengen ist kein Giessen erforderlich.

Senkrechte Mauern und steile Böschungen. Arten von *Senecio* sowie einige Arten von *Othonna, Aloe, Crassula* und *Gasteria* sowie Mittagsblumen sind auch ideal zur Pflanzung in Ritzen von senkrechten Mauern. Die Pflanzen werden vorzugsweise eingepflanzt, solange sie noch klein sind. Auch mit Steinen gefüllte Drahtkörbe können mit kriechenden Sukkulentenarten bepflanzt einen schönen Effekt geben.

Düngen und weitere Pflege der Freilandpflanzen. Alle Pflanzen benötigen für die regulären Lebensprozesse »Futter«, aber diese Bedürfnisse variieren von einer Gruppe zur anderen in weitem Rahmen. *Aloe*-Arten sind sehr nährstoffhungrig und wachsen am besten, wenn sie jedes Jahr eine Kompostpackung erhalten. Mittagsblumen benötigen weniger Nährstoffe, reagieren aber auf die Gabe von gut verrottetem Kompost ebenfalls positiv. Sukkulenten sind auch mit anorganischen Düngern (NPK-Verhältnis 2:3:2) zufrieden, und mit etwas Vorsicht erleiden die Pflanzen keine Verbrennungen.

Rückschnitt. Einige Sukkulenten wachsen rasch und benötigen einen gelegentlichen Rückschnitt. Andere sind langsam wachsend und brauchen sehr wenig Aufmerksamkeit. Die farbigen, rasch wachsenden *Lampranthus*-Arten müssen zum Erreichen bester Resultate alle drei oder vier Jahre aus Steck-

et *C. sarcocaulis*, des espèces de *Lampranthus* et de *Ruschia*, les *Felicia heterophylla*, etc. Les plantes qui étaient auparavant installées à l'ombre ne doivent jamais être directement transplantées au soleil mais doivent être progressivement accoutumées à des conditions plus lumineuses (endurcissement) et ce processus demande plusieurs semaines. Dans les régions plus pluvieuses, les adventices peuvent poser problème. Etaler une couche de graviers peut limiter la survenue des mauvaises herbes et, en même temps, assurera un aspect soigné à la rocaille. Il est possible de trouver dans le commerce différentes textures, tailles et couleurs. Une fois que la rocaille sera stabilisée et occupée, le problème des adventices sera quasiment réglé car il s'agit de plantes opportunistes qui ont besoin de sols perturbés et de beaucoup de lumière pour germer.

La majorité des succulentes se laisse facilement transplanter de par leur capacité de résistance à la sécheresse. Les plantules d'*Aloe*, *Crassula* et *Haworthia* peuvent être directement plantées à l'endroit voulu et s'enracineront rapidement. Les racines inutiles seront supprimées et les parties endommagées seront traitées à la fleur de soufre. Chez les succulentes à racines adventives (comme les *Aloe* et leurs parents), les racines doivent être rabattues jusqu'à la base de la tige principale avant la transplantation. Après la plantation, le sol doit être tassé autour de la plante. Les espèces de *Gasteria*, *Haworthia* et celles qui aiment l'ombre parmi les *Crassula* doivent être placées du côté ombragé d'un rocher ou à l'ombre d'une «plante nourrice» suffisamment grande. Toutefois, il est également possible, au début, de tendre une ombrière au-dessus de certaines parties de la rocaille afin de permettre aux espèces aimant l'ombre de s'installer. Les espèces les plus petites peuvent être placées dans de petites poches de substrat du côté ombragé des rochers. La plupart des espèces possède un chevelu étalé qui réagit rapidement aux apports d'engrais, surtout durant les mois d'été. Au printemps, il est nécessaire de fournir des matières organiques sous forme de compost, de terreau de feuilles et de beaucoup d'os broyé afin d'enrichir le sol en éléments nutritifs. Il n'est pas nécessaire d'arroser dans les régions à fortes pluies.

Murets verticaux et talus abrupts. Les espèces de *Senecio* ainsi que certaines d'*Othonna*, *Aloe*, *Crassula* et *Gasteria* ainsi que des mésembs sont également parfaites pour habiller les fis-

Weitere Mittagsblumen auf einer Trockenmauer (im Vordergrund *Drosanthemum hispidum*, im Hintergrund *D. speciosum*).
D'autres mésembs sur un muret de pierres sèches (au premier-plan, Drosanthemum hispidum *et en arrière-plan* D. speciosum*).*

lingen neu angezogen werden. Einige Arten überwuchern die anderen, und das kann durch Zurückschneiden korrigiert werden. Eine regelmässige Kontrolle ist wichtig, vor allem auch zum Entdecken von Schädlingen und Krankheiten. Eine erkrankte Pflanze fällt rasch auf, und je rascher die Behandlung einsetzt, desto eher können ernsthafte Probleme oder ein Absterben vermieden werden.

sures des murets verticaux. Les plantes seront plantées de préférence quand elles sont encore petites. Même une corbeille de fil de fer remplie de cailloux peut être garnie de succulentes rampantes pour un résultat très attrayant.

Engrais et autres soins des plantes en pleine terre. Toutes les plantes ont besoin de se «nourrir» afin d'assurer leur processus vital mais les besoins en la matière varient beaucoup d'un groupe à un autre. Les *Aloe* sont très gourmandes et pousseront au mieux si on leur fournit annuellement du compost. Les mésembs en réclament moins mais réagiront toutefois positivement à un apport de compost bien décomposé. Les succulentes apprécient également les engrais minéraux (azote-phosphore-potassium à proportion de 2–3–2) et avec un peu d'attention, les plantes ne subiront pas de brûlures.

Taille. Certaines succulentes poussent rapidement et doivent parfois être taillées. D'autres ont une croissance lente et ne réclament que très peu d'interventions. Colorés et vigoureux, les *Lampranthus* doivent être remplacés tous les 3 ou 4 ans par des boutures afin d'obtenir un résultat optimal. D'autres espèces submergent les plantes voisines, ce qui peut être rectifié par un rabattage. Il est nécessaire de contrôler les plantes régulièrement, surtout pour détecter les parasites et les maladies. Une plante malade se remarque vite et plus le traitement sera précoce, mieux on évitera les problèmes sérieux, voire la mort.

Kultur unter Glas
Culture à l'intérieur

Das Gewächshaus

Der Hauptgrund für die Anschaffung eines Gewächshauses für die Mittagsblumenkultur ist die Möglichkeit, so eine künstliche Umwelt zu schaffen, welche das Klima an den natürlichen Fundorten dieser Pflanzen nachahmt. Dabei stellt sich das Problem, dass unsere sukkulente Flora derart reichhaltig ist und Arten sowohl aus subtropischen wie auch aus warm-gemässigten Gebieten umfasst. Einige benötigen im Winter Wasser, andere im Sommer, und einige während des ganzen Jahres. Einige brauchen volle Sonne, und andere bevorzugen Schatten. So ist für die erfolgreiche Kultur dieser Pflanzen unter Glas eine genaue Kenntnis der Herkunftsgebiete nötig. Dank der grossen Anpassungsfähigkeit vieler unserer Mittagsblumen können viele verschiedene Arten zusammen gepflegt werden, aber ihre individuellen Bedürfnisse müssen berücksichtigt werden. Entsprechend ist es von Vorteil, wenn jeweils Sukkulenten aus einem bestimmten Gebiet wie z. B. der Succulent Karoo zusammen gepflanzt werden, um die Pflege zu vereinfachen.

Wenn sich das Klima für eine Kultur im Freien nicht eignet, ist ein kleineres oder grösseres Gewächshaus oder auch nur eine leichte Fiberglas-Konstruktion oder ein offenes Anlehnhaus nötig, um vor Regen und allenfalls Frost zu schützen. Während der trockenen Jahreszeit können die Pflanzen ins Freie gestellt und zu Beginn der Regenzeit wieder einge-

La serre

La principale raison d'acquérir une serre pour la culture des mésembs réside dans la possibilité de fournir un environnement artificiel qui imite le climat de l'habitat naturel de ces plantes. Le problème vient de ce que notre flore succulente est très riche et que les espèces viennent aussi bien des régions subtropicales que tempérées-chaudes. L'une demande de l'eau en hiver, l'autre en été et d'autres encore durant toute l'année. Certaines ont besoin du plein soleil alors que d'autres préfèrent l'ombre. Il est donc nécessaire de bien connaître les régions d'origine pour cultiver ces plantes avec succès sous serre. Grâce à leur grande capacité d'adaptation, beaucoup de nos mésembs peuvent être soignées en compagnie de nombreuses autres plantes mais il faut prendre en compte leurs exigences individuelles. Dans cette optique, il est avantageux de cultiver ensemble des plantes originaires d'une même zone, le Karoo à succulentes par exemple, afin de simplifier les soins à prodiguer.

Lorsque le climat ne convient pas à la culture en pleine terre, il est nécessaire d'avoir recours à une serre plus ou moins grande, voire une simple structure en plexiglas, ou à un appentis ouvert afin d'offrir une protection contre la pluie et surtout le gel. Les plantes peuvent être laissées à l'extérieur durant la saison sèche et doivent être rentrées au début de la saison des pluies. Elles peuvent être cultivées avec

räumt werden. Die Pflanzen können erfolgreich auch auf Fensterbänken oder in Blumenfenstern kultiviert werden, aber auch in ungeheizten Kästen. Die meisten Mittagsblumen jedoch stammen aus der Succulent Karoo mit Winterregen und wachsen in Gebieten, welche im Winter keine starken Fröste erhalten. In südafrikanischen Städten wie Kapstadt, Durban, Johannesburg oder Pretoria ist der Schutz vor Regen das grössere Problem als der Schutz vor Frost. In solchen Gebieten ist keine Zusatzheizung nötig. Die Kultur unter Glas bringt auch Probleme mit sich. Eines der grössten Probleme ist im südlichen Afrika dabei, auch im Sommer eine erträgliche Temperatur und genügend frische Luft zu gewährleisten. Schädlinge und Krankheiten treten meist gehäuft während des Sommers auf, und Pflanzen unter Glas sind dazu anfällig auf Sonnenbrand, wenn sie während der Hitzeperioden nicht schattiert werden. Sukkulenten sind im Gewächshaus für ihr Wohlergehen hauptsächlich von der Pflege abhängig, und der Erfolg hängt von andauernder Beobachtung und Aufmerksamkeit ab. Auch wenn Heizkabel in kalten Regionen Frost und durch tiefe Temperaturen bedingte Verluste vermeiden können, ist Elektrizität kostspielig. Der gleiche Grund spricht auch gegen die grosszügige Verwendung von kühlenden Ventilatoren im Sommer. Auch der Unterhalt, wie z. B. gelegentliche Glasreparaturen, kann teuer sein. Gewächshaussammlungen werden in der Regel von engagierten Liebhabern gepflegt. Es gibt zahlreiche unterschiedliche Grössen und Typen von Gewächshäusern. Einige Standardtypen können im Fachhandel erworben werden, während andere nach den speziellen Bedürfnissen gebaut werden. Dabei müssen insbesondere die Ventilation und die Lichtverhältnisse berücksichtigt werden. Für die meisten Sukkulenten und v.a. für die Mittagsblumen ist Glas zu bevorzugen, denn Fiberglas wird mit der Zeit trüb und dunkler. Trotzdem kann es unter bestimmten Bedingungen für andere Arten vorteilhafter sein. Wegen des abgeschlossenen Luftraumes im Gewächshaus können die Temperaturen im Sommer übermässig steigen, was zu Pflanzenverlusten führt. Bei Bedarf muss das Glas deshalb mit Schattierfarbe gestrichen werden, oder das Gewächshaus wird mit Schattiertuch bedeckt. Dies ist vor allem für die winterwachsenden Mittagsblumen notwendig, welche während der Sommermonate ihre Ruhezeit haben.

succès sur un rebord de fenêtre ou dans une véranda et également sous un châssis non chauffé. Toutefois, la plupart des mésembs est originaire du Karoo à succulentes à pluies hivernales et pousse dans des régions où il ne gèle jamais sévèrement en hiver. Dans les villes sud-africaines comme Le Cap, Durban, Johannesburg ou Prétoria, la protection contre la pluie est plus cruciale que celle contre le gel. Aucun chauffage d'appoint n'est nécessaire dans de telles régions. La culture sous serre comporte aussi ses propres problèmes. En Afrique du Sud, l'un des principaux réside dans la difficulté pour garantir une température supportable et suffisamment d'air frais. Parasites et maladies apparaissent généralement ensemble pendant l'été et les plantes sous verre sont sujettes aux brûlures du soleil si elles ne sont pas ombragées pendant les chaleurs. Sous serre, le bien-être des succulentes dépend essentiellement des soins et le succès est lié à une observation et une attention permanentes. Même si dans certaines régions froides l'emploi de résistances électriques permet de limiter les pertes dues au gel et aux températures basses, il n'en reste pas moins que l'électricité est coûteuse. Le même inconvénient se retrouve dans l'emploi fréquent de ventilateurs pour rafraîchir en été. Même l'entretien, comme par exemple la réparation des vitres, peut s'avérer onéreux. En général, ce sont des amateurs éclairés qui se possèdent des collections de plantes sous serre. Il existe de nombreux types et tailles différents de serres. Certains types standard sont disponibles dans les magasins spécialisés alors que d'autres sont construits selon des exigences précises. A ce sujet, il faut particulièrement veiller à la ventilation et à l'éclairage. Pour la majorité des succulentes et surtout pour les mésembs, il faut préférer le verre au plexiglas qui finit par se rayer et devenir opaque. Toutefois, cette matière peut présenter des avantages dans des conditions bien définies. Dans l'espace fermé que constitue une serre, les températures peuvent trop s'élever en été, ce qui

Links: Die meisten zwergigen Mittagsblumen fühlen sich in kleinen Töpfen wohl, wie dieses *Argyroderma theartii*.
Rechts: *Glottiphyllum depressum* wächst sogar über den Topf hinaus.
À gauche: les principales mésembs naines se plaisent dans de petits pots, comme cet Argyroderma theartii.
À droite: Glottiphyllum depressum *dépassant les limites de son pot.*

Neuerdings ist auch ein Glastyp auf dem Markt, welcher vorwiegend die blauen Lichtanteile durchlässt, nicht aber Infrarot. Das ergibt gesündere, kompaktere Pflanzen und beugt Überhitzung vor.

Die Sammlung unter Glas

Stellagen. In einem Gewächshaus werden die getopften Pflanzen meist auf Stellagen angeordnet. Die Pflanzen können aber auch direkt in ein Mittelbeet gepflanzt werden, was jedoch meist einen Platzverlust bedeutet. Stellagen sind ideal, und Töpfe mit Schatten liebenden Arten können darunter platziert werden. Für allgemeine Sammlungen ist es zudem vorteilhaft, die Pflanzen in Töpfen zu pflegen, weil sich so Krankheiten weniger rasch ausbreiten und befallene Pflanzen besser behandelt werden können. Hängekörbe oder -töpfe für hängend wachsende Sukkulenten können an der Dachkonstruktion aufgehängt werden.

Arbeitsfläche und Lagerraum. Eine Arbeitsfläche sowie ein Gestell zum Versorgen der Geräte sind in einem Gewächshaus sehr nützlich. Als Werkzeuge sind kleine Schaufeln, Rechen, Scheren, ein 3-mm-Sieb, etwas zum Festdrücken des Substrates und Dünger zu nennen. Praktisch ist auch eine Möglichkeit, Substrat zu lagern. Substrat aus alten Töpfen kann rezykliert werden, aber nur nach Sterilisation und Anreicherung mit Knochenmehl, Phosphatdünger, Eisenchelat und Kompost.

A

B

Hygiene. Durchgehende Sauberkeit im Gewächshaus beugt Krankheiten vor. Gebrauchte Töpfe werden vor einer neuen Verwendung mit einem Desinfektionsmittel gewaschen. Auch die Bodenflächen des Hauses können gelegentlich damit behandelt werden.

Aufbewahrung von Saatgut. Saatgut wird in trockenen Tüten aufbewahrt und mit Nummer, Name und Herkunft beschriftet. Samen von *Aloe* werden am besten im Kühlschrank bei 3–10 °C aufbewahrt, aber nicht eingefroren. So kann die Keimfähigkeit dieses Saatgutes verlängert werden.

Substrat. Auch wenn Mittagsblumen in fast jedem Substrat wachsen, so ist die folgende, einfache Mischung bewährt und enthält genügend Nährstoffe: 2 Teile Sand oder kiesiger Sand, 1 Teil Lauberde oder Kompost, und 1 Teil lehmiger Boden (Landerde, Gartenerde). Auf den Inhalt einer Schubkarre wird 250 ml Knochenmehl zugefügt, und das Ganze gut gemischt. Als Ersatz für das Knochenmehl kann auch Phosphatdünger verwendet werden. Gut ernährte Pflanzen sind gegen Krankheiten widerstandsfähiger als Pflanzen, die unter Mangelernährung leiden.

Töpfe und Eintopfen. Fast jede Art von Behälter kann verwendet werden, solange genügend Abzugsmöglichkeiten für das Wasser vorhanden sind. Bei sehr feuchten Klimabedingungen bieten Tontöpfe besseren Wasserabzug und bessere Durchlüftung. Wenn eine Sukkulentensammlung neu begonnen wird, werden mit Vorteil einheitliche Töpfe verwendet, da sich so ein schönerer Anblick ergibt. Viereckige Plastiktöpfe verschwenden am wenigsten Platz und erscheinen be-

provoquera des pertes en plantes. En cas de besoin, les vitres doivent être passées au blanc d'Espagne ou bien recouvertes d'une ombrière. Ceci est particulièrement nécessaire pour les espèces qui poussent en hiver et dont la phase de repos se situe en été.

Récemment, un nouveau type de verre est arrivé sur le marché. Il laisse principalement passer les rayons lumineux bleus mais pas les infrarouges. Cela donne des plantes plus compactes et plus saines et évite la surchauffe.

Une collection sous serre

Tréteaux. Dans une serre, les plantes en pot sont généralement placées sur des tréteaux. Les plantes peuvent bien sûr être directement plantées dans une plate-bande centrale mais cela entraîne généralement une perte de place. Les tréteaux sont parfaits et les pots accueillant les espèces d'ombre peuvent être installés en dessous. Dans le cadre d'une collection classique, il est intéressant de cultiver les plantes en pots car les maladies se propageront moins vite ainsi et les sujets atteints pourront mieux être traités. Des pots ou des corbeilles adéquats et adaptés aux succulentes retombantes peuvent être suspendus à la structure du toit.

Plans de travail et espace de stockage. Un plan de travail et un support pour ranger les outils sont très utiles dans une serre. L'outillage se compose de petites pelles, d'un râteau, d'un sécateur, d'un tamis à maillage de 3 mm et de quelque chose pour tasser le substrat et l'engrais. Il est aussi pratique d'avoir la possibilité de stocker du substrat. La terre des anciens pots peut être recyclée mais seulement après stérilisation et apport d'os broyé, d'engrais phosphaté, de chélate de fer et de compost.

Hygiène. La propreté permanente dans une serre fait barrage aux maladies. Les pots déjà usagés doivent être lavés au désinfectant avant tout nouvel usage. Même le sol de terre battue de la serre peut être traité de la même manière.

Conservation des graines. Les graines doivent être stockées dans des sachets secs où la quantité, le nom et l'origine doivent être inscrits. Le mieux est de stocker les graines d'*Aloe* au réfrigérateur, entre 3 et 10 °C., mais sans qu'elles ne gèlent. Ceci peut faire durer le potentiel de germination des graines.

Substrat. Même si les mésembs poussent dans presque tous les terreaux, le mélange suivant, facile à réaliser, est conseillé et contient suffisamment de matières nutritives: la moitié de sable ou de graviers sableux, un quart de terreau de feuilles ou de compost et un quart de terre argileuse (terre de jardin ou de champs). Ajouter 250 ml d'os broyé au contenu d'une brouette et bien mélanger le tout. Il est possible d'employer un engrais phosphaté en remplacement de l'os broyé. Les plantes bien nourries sont plus résistantes face aux maladies que celles qui souffrent de carences nutritives.

Pots et rempotage. Presque tous les types de contenant peuvent être utilisés tant qu'ils permettent une possibilité d'évacuation d'eau suffisante. Sous des conditions climatiques très

sonders ordentlich. Viele der kleineren Arten sind an enge Platzverhältnisse angepasst und können in sehr kleinen Töpfen gezogen werden. Schalen ergeben auch hübsche Geschenke. Der Boden wird mit einem Stück Zeitungspapier ausgelegt, damit das Substrat nicht aus den Abzugslöchern rieselt und gleichzeitig der Wasserabzug optimal ist. Zu diesem Zweck können auch grober Kies, kleine Kiesel oder Topfscherben verwendet werden. Vor dem Einpflanzen werden die alten Wurzeln der Pflanzen mit einer scharfen Schere oder einem Messer gekürzt, und die Schnittflächen zur Vermeidung von bodenbürtigen Krankheiten mit Schwefelblüte bestäubt. Dann wird das Substrat eingefüllt, sodass die Pflanze in Bezug auf die Pflanztiefe korrekt positioniert ist. Anschliessend wird das Substrat mit einem geeigneten Werkzeug oder von Hand angedrückt. Die Oberfläche soll sich etwa 10 mm unterhalb des Topfrandes befinden, um besser Giessen zu können. Schliesslich kann die Oberfläche mit einer Schicht aus feinem Kies abgedeckt werden, um Unkrautwuchs zu unterdrücken.

Mittagsblumen für kleine und mittlere Topfgrössen (8 × 8 und 9 × 9 cm). Zwergige, für kleine Töpfe geeignete Sukkulentenarten sind alle Arten von *Conophytum* und *Lithops* und alle weiteren kleinen Mittagsblumen. Ausgehend von einer einzigen Pflanzen füllen einige dieser Arten einen kleinen Topf innerhalb von zwei bis drei Jahren, indem sie sich durch Verzweigung, Ableger oder Ausläufer vermehren.

Mittagsblumen für mittelgrosse Töpfe (12,5 × 12,5 bis 17,5 × 17,5 cm). Diese umfassen die meisten Arten von *Gibbaeum, Glottiphyllum, Cheiridopsis, Odontophorus* und ähnliche sukkulente Arten.

Mittagsblumen für grössere Töpfe (23 × 23 bis 26 × 26 cm und bei Bedarf größer). Diese umfassen die meisten grösseren Arten wie *Namaquanthus vanheerdei, Wooleya farinosa, Mitrophyllum* und andere Sukkulenten von ähnlicher Grösse.

Dabei ist im Auge zu behalten, dass die meisten Mittagsblumenarten beengte Platzverhältnisse tolerieren und die Pflanzen viele Jahre im selben Topf gepflegt werden können, solange die Pflanzen gesund sind und ausreichend gedüngt werden.

Umtopfen. Auch wenn viele Pflanzen für mehrere Jahre im gleichen Topf bleiben können, müssen andere wie *Glottiphyllum* und weitere rasch wüchsige Arten regelmässig umgetopft werden. Dicht polsterförmig wachsende Arten können dabei mit einem scharfen Messer geteilt werden. Die Schnittflächen werden mit Schwefelblüte oder einem Fungizid bestäubt und vor dem Einpflanzen für etwa eine Woche abgetrocknet. Dann wird in neues Substrat gepflanzt. Das alte Substrat sollte nur wieder verwendet werden, wenn es mit Kompost oder Lauberde ergänzt wurde.

Umgebungsbedingungen. Die meisten Mittagsblumen passen sich je nach vorhandenem Licht an. Bei weniger hellen Bedingungen werden die Pflanzen grüner und grösser, und bei sehr hellen Bedingungen trifft das Gegenteil zu. Die meisten Mittagsblumen bevorzugen in der Regel volle Sonne, aber

humides, les pots de terre cuite assurent un meilleur drainage et une meilleure circulation de l'air. Il est intéressant de commencer une collection de succulentes en employant un seul type de pots afin d'offrir un tableau de meilleur aspect. Les godets de plastique carrés économisent l'espace et donnent un résultat très ordonné. Beaucoup des espèces les plus petites sont accoutumées aux espaces restreints et peuvent être cultivées dans de très petits pots. Les coupes produisent aussi un bel effet. Le fond doit être tapissé d'un morceau de papier journal afin que le substrat n'obstrue pas l'orifice d'écoulement et que le drainage soit optimal. Pour cet usage, il est également possible d'employer des graviers grossiers, de petits galets ou des tessons de pots. Avant la plantation, raccourcir les vieilles racines avec un sécateur ou un couteau aiguisé et pulvériser de la fleur de soufre sur les plaies occasionnées afin d'éviter les maladies en dormance dans le substrat. Ensuite, emplir le pot de substrat de manière à ce que la plante se retrouve à une hauteur correcte. Continuer en tassant le substrat, soit avec la main, soit avec un outil adapté. La surface doit se situer à environ 10 mm en dessous du bord du pot afin de faciliter l'arrosage. Enfin, la surface du pot peut être recouverte d'une couche de petits graviers qui limiteront l'apparition des mauvaises herbes.

Mésembs pour les pots de taille petite à moyenne (8 × 8 et 9 × 9 cm). Les espèces naines de succulentes convenant à ces

Von links: A) Zwergige Mittagsblumen fühlen sich in Schalen wohl, und Miniaturgärten sind rasch angelegt. Der Boden muss genügend Abzugslöcher aufweisen und wird mit Kieselsteinen belegt. B) und C) Eine Substratmischung aus Kies, Sand und Landerde wird nun eingefüllt und angedrückt. Anschliessend können die Pflanzen gepflanzt werden. D) Die fertigen Schalen mit *Argyroderma* und anderen, im Winter wachsenden Sukkulenten. Mit Hilfe einer Abdeckung aus Quarzkies und grösseren Quarzkieseln wird das Bild vervollständigt.

À partir de la gauche: A) les mésembs naines se plaisent dans les coupes et il est rapide de réaliser un jardin miniature. Le fond doit posséder suffisamment de tous d'évacuation et sera recouvert de graviers. B) et C) un mélange de gravier, de sable et de terre arable est maintenant mis en place et tassé. Il est alors possible de planter. D) la coupe une fois garnie d'Argyroderma et d'autres succulentes à croissance hivernale. Le tableau sera complet avec une couche de graviers et quelques plus gros galets de quartz.

pots sont toutes les espèces de *Conophytum* et de *Lithops* ainsi que d'autres petites mésembs. A partir d'un seul sujet, certaines de ces plantes arrivent à remplir un petit pot en l'espace de 2 à 3 ans au cours desquelles elles se multiplient par ramification, marcotte ou drageon.

Mésembs pour les pots de taille moyenne (12,5 × 12,5 à 17,5 × 17,5 cm). Ce groupe rassemble la majorité des espèces de *Gibbaeum, Glottiphyllum, Cheiridopsis, Odontophorus* et autres espèces succulentes similaires.

Mésembs pour les pots de grande taille (23 × 23 à 26 × 26 cm, voire plus en cas de nécessité). Il s'agit là de la plupart des

einige, wie z. B. einige Arten von *Delosperma*, tolerieren auch Schatten. Ein Gewächshaus bietet den Vorteil, dass die Schattierung je nach den Bedürfnissen der Pflanzen variiert werden kann. So kann auch bei beschränkten Platzverhältnissen eine schöne Sammlung aufgebaut werden, obwohl sich die Wahl von kleineren Arten natürlich aufdrängt.

Abhärtung. Mittagsblumen wie auch andere Sukkulenten sind anfällig auf Sonnenbrand, v.a. wenn sie zuerst an einer schattigen Stelle gepflegt wurden und dann plötzlich in die volle Sonne gestellt werden. Bereits eine halbe Stunde voller Sonnenschein kann eine nicht abgehärtete Pflanze stark schädigen. Die Pflanzen sollten allmählich vom Schatten an teilweise sonnige Bedingungen gewöhnt werden. Dasselbe gilt auch für kleine Sämlinge.

Dokumentation und Etikettierung. Die meisten Sammler machen Aufzeichnungen, und das ist wichtig. Es ist unmöglich, die Herkunft jeder Pflanze im Gedächtnis zu behalten, v.a. wenn die Sammlung wächst. Die Pflanzen sollten nummeriert werden, und diese Nummern werden zusammen mit Namen, Datum, Herkunft, Sammler und weiteren Bemerkungen notiert. Natürlich können diese Angaben auch per Computer erfasst werden. Auch das Etikettieren ist wichtig, wobei Plastiketiketten ideal sind. Es gibt jedoch unterschiedliche Qualitäten, und einige verwittern in der Sonne rascher, während andere langlebiger sind. Beschriftungen mit Filzstiften bleichen rasch aus, was zu Enttäuschungen führt. Eine Beschriftung mit einem weichen Bleistift ist dauerhafter und daher geeigneter. Bei der Aussaat von Samen wird am besten auch das Aussaatdatum vermerkt, sowie das Datum der Keimung und vielleicht auch der Zeitpunkt des ersten Blühens. Diese Angaben sind interessant, wenn später vielleicht einmal ein Zeitschriftenbeitrag verfasst oder sonst Information ausgetauscht wird.

Bestäubung

Bestäubung. Um keimfähige Samen zu erhalten, ist bei den meisten sukkulenten Pflanzen eine Bestäubung mit Blütenstaub einer anderen Pflanze derselben Art nötig. Die meisten Mittagsblumen sind selbst-steril (selbst-inkompatibel), und zum Erreichen eines Erfolgs muss Pollen eines anderen Klons (genetisch unterschiedlich, aber von der gleichen Art) verwendet werden. Am natürlichen Standort werden Mittagsblumen in der Regel durch Insekten bestäubt. Mittagsblumen können aber auch mit Hilfe eines kleinen Kamelhaarpinsels oder sogar mit den Fingern künstlich bestäubt werden. Mittagsblumen sind zwitterig, d. h. der männliche Blütenstaub und die weiblichen Narben finden sich in der gleichen Blüte. Bei den meisten Arten ist die Bestäubung einfach. Blütenstaub wird von einer Pflanze gesammelt und auf die Narben der Blüten einer anderen Pflanze gebracht. Die gleiche Technik gilt auch für die Bestäubung der meisten anderen Sukkulenten. Insekten wie z. B. Bienen verirren sich oft in Gewächshäuser und können bei der Bestäubung »mitmischen«. Entsprechend sollten die Blüten im Bedarfsfall mit einem feinen Netz geschützt werden, um unbeabsichtigte Bestäubung durch die Insekten zu verhindern. Das gilt auch für die andere Sukkulenten. Die Arten der *Asclepiadaceae* und *Apocynaceae* sind komplizierter und eine erfolgreiche Bestäubung kann nur mit viel Übung erreicht werden.

Samen sammeln, reinigen und lagern. Nach einer erfolgreichen Bestäubung schwillt der Fruchtknoten an und die Samen entwickeln sich. Die Kapselfrüchte der Mittagsblumen können geerntet werden, sobald sie trocken sind. Die Samen haben in der Regel eine sehr lange Lebensdauer. Bis zur Aussaat werden sie am besten einfach in den Früchten belassen. Das Ernten der Samen aus den meist harten, holzigen Kapseln ist nicht einfach und benötigt etwas Geschick. Die Früchte können zwischen zwei Papierstücke gelegt und mit einem Holzhammer oder einem ähnlichen Gegenstand geknackt werden. Einmal geöffnet, können die Samen aus den Frucht-

grandes espèces comme le *Namaquanthus vanheerdei*, le *Wooleya farinosa*, le *Mitrophyllum* et d'autres succulentes de même taille. Il faut d'ailleurs conserver à l'esprit le fait que ces plantes tolèrent les espaces resserrés et qu'elles pourront demeurer de nombreuses années dans le même pot, tant qu'elles demeureront saines et recevront suffisamment d'engrais.

Rempotage. Même si de nombreuses plantes peuvent rester dans le même pot pendant plusieurs années, d'autres comme le *Glottiphyllum* et d'autres espèces à croissance rapide doivent être régulièrement rempotées. Les espèces formant des coussins denses peuvent d'ailleurs être divisées à cette occasion, à l'aide d'un couteau aiguisé. Les plaies seront traitées à la fleur de soufre ou avec un fongicide, puis laissées à sécher pendant environ une semaine. Ensuite intervient la plantation dans un nouveau substrat. L'ancien substrat ne pourra être réutilisé que s'il est complété avec du compost ou de la terre arable.

Emplacement. La majorité des mésembs s'adapte à la luminosité disponible. Lorsqu'elle se fait plus rare, les plantes deviennent plus vertes et plus grosses et le contraire se produit en contexte très éclairé. La plupart de ces plantes préfère généralement le plein soleil mais certaines, comme par exemple quelques espèces de *Delosperma*, tolèrent aussi l'ombre. Une serre présente l'avantage d'offrir la possibilité de faire varier l'ombrage en fonction des besoins des plantes. Il est ainsi possible de rassembler une belle collection dans un espace restreint, même si, naturellement, le choix de petites espèces s'impose.

Endurcissement. Comme d'autres succulentes, les mésembs souffrent des brûlures du soleil, surtout si elles étaient précédemment installées à l'ombre et qu'on les transfère brusquement en plein soleil. Une plante non endurcie peut gravement souffrir après juste une demi-heure de plein soleil. Il faut donc les habituer progressivement à un environnement partiellement ensoleillé. Ce procédé vaut aussi pour les jeunes plantules.

Enregistrement et étiquetage. Il est impossible de garder en tête l'origine de chaque plante, surtout à mesure que la collection s'étoffe. Les plantes doivent donc être numérotées et ces numéros consignés par écrit avec le nom, la date, l'origine, le collecteur et d'autres informations. Naturellement, il est possible de gérer toutes ces données sur ordinateur. L'étiquetage est également important et les étiquettes de plastique s'avèrent les mieux adaptées. Il existe cependant plusieurs qualités et certaines passent rapidement au soleil alors que d'autres résistent mieux. Les annotations au feutre s'effacent rapidement ce qui provoque des confusions. Le mieux est d'utiliser un crayon gras, plus durable et donc mieux adapté.

Pollinisation

Pollinisation. Chez la majorité des plantes succulentes, il est nécessaire d'utiliser le pollen d'un autre individu de la même espèce pour obtenir des graines capables de germer. La plupart des mésembs sont auto-stériles (auto-incompatibles) et afin de réussir, il faut avoir recours au pollen d'un autre clone (génétiquement différent mais de la même espèce). Dans la nature, les mésembs sont généralement pollinisées par les insectes. Toutefois, elles peuvent aussi être fécondées artificiellement à l'aide d'un petit pinceau en poils de chameau ou même avec le doigt. Ces plantes sont bisexuées, c'est à dire que le pollen mâle et le stigmate femelle coexistent dans la même fleur. La pollinisation est simple et facile pour la plupart des espèces. Le pollen est collecté sur une plante et transporté jusqu'au stigmate d'une autre plante. La même technique vaut aussi pour la pollinisation de la majorité des autres succulentes. Les insectes comme les abeilles, par exemple, s'égarent souvent dans les serres et peuvent participer à la pollinisation. Il faut donc éventuellement protéger les fleurs avec un filet fin afin d'éviter des pollinisations intempestives par les insectes. Cela vaut aussi pour les autres succulentes. Les espèces d'*Asclepiadaceae* et d'*Apocynaceae* sont complexes et une pollinisation réussie demande beaucoup de pratique.

fächern geklaubt werden. Bei einigen Arten sind die Samen noch am Samenstrang angeheftet und nur mit Schwierigkeiten zu entfernen, aber bei anderen lassen sie sich leicht herausschütteln. Mit Hilfe eines geeigneten Siebes können die Samen dann von den Kapselbruchstücken getrennt werden. Eine Alternative ist das Befeuchten der Kapseln, bis sich die Fächer öffnen. Die Samen können dann mit einer Nadel oder einem anderen spitzen Gegenstand herausgeschabt werden. Bis zur Aussaat werden die Samen dann an einem trockenen Ort gelagert. Durch kühle Lagerung kann die Keimfähigkeit länger erhalten werden, wobei Minustemperaturen zu vermeiden sind.

Auswahl, Cultivare, Züchtung und Hybridisierung

Cultivare. Die Variation innerhalb einer Pflanzengruppe ist die Grundlage aller unserer populären Gartenpflanzen. In der ganzen Welt werden Pflanzen laufend auf unterschiedliche Eigenschaften geprüft, und es werden neue Formen (Cultivare genannt) ausgewählt. Cultivare sind nicht notwendigerweise Hybriden, sondern können auch simple Auslesen sein. Der Cultivarname folgt dem Artnamen und wird durch Hochkommas gekennzeichnet, z. B. *Aloe arborescens* 'Huntley'. Dieser Cultivar wurde aus der Natur in die Kultur eingeführt. Einige Sukkulentenarten variieren beträchtlich, und es wurden zahlreiche Cultivare beschrieben. Diese stammen alle aus der Natur, werden heute aber unter den Cultivarnamen gepflegt und gehandelt. Wie die Bezeichnung »Cultivar« bereits sagt, handelt es sich um kultivierte Pflanzen, und in der Natur wachsende Arten können keinen Cultivarnamen tragen. Es muss sich also um eine kultivierte Auslese handeln. Cultivarnamen wurden mit dem vorrangigen Ziel geschaffen, kultivierte Pflanzen zu benennen. Dabei kann es sich auch um Hybriden oder Mutationen handeln.

Mutationen. Mutationen (Genveränderungen) kommen bei Pflanzen spontan vor oder werden auch gezielt durch Bestrahlung erzeugt. Es handelt sich um permanente Genveränderungen, und alle vegetativ erzielten Nachkommen der Mutation werden die identische Mutation zeigen.

Hybridisierung. Nicht alle lieben Hybriden. Die Puristen bevorzugen die echten Arten, aber andere lieben das Hybridisieren und Auswählen, um neue und herausragende, lohnende Cultivare zu erzielen. Glücklicherweise gibt es Bereiche sowohl für den Puristen wie für den Züchter. Eine Hybride ist das Resultat einer Kreuzung zwischen zwei kompatiblen Elternpflanzen verschiedener Arten, wobei die Nachkommen Merkmale beider Eltern zeigen. Neue Cultivare können nicht nur durch Hybridisierung verschiedener Arten erzielt werden, sondern auch durch Kreuzung verschiedener Varietäten oder Formen der gleichen Art.

Wenn zwei Arten hybridisiert werden, müssen die zu verwendenden Pflanzen sorgfältig ausgelesen werden, und es muss bestimmt werden, welche die »Mutter« (erhält Blütenstaub) und welche der »Vater« (gibt den Blütenstaub) sein soll. Die zu bestäubenden Blüten der »Mutter« werden mit kleinen Etiketten (wie z. B. von Juwelieren verwendet) gekennzeichnet, wobei sowohl der Name der »Mutter« wie auch der Name des »Vaters« notiert wird. Die Bestäubung kann dann wie weiter oben zum Erzielen von Samen beschrieben ausgeführt werden.

Die Entwicklung von neuen Cultivaren durch Hybridisierung ist ein langsamer Prozess. Wenn die Früchte einmal reif sind, kann der erhaltene Samen ausgesät werden. Bei einigen Hybriden werden die Resultate rasch sichtbar, während bei anderen mehr Zeit benötigt wird.

Giessen und Düngen

Zu wissen, wieviel Wasser eine Pflanzen braucht, ist zuerst schwierig, aber es handelt sich um eine Fertigkeit, die sich mit zunehmender Erfahrung rasch einstellt. Die meisten Sukku-

Collecter, nettoyer et stocker les graines. Après une pollinisation fructueuse, l'ovaire enfle et les graines se développent. Les capsules des mésembs peuvent être récoltées dès qu'elles sont sèches. En général, les graines ont une très longue durée de vie. Le mieux est de tout simplement les laisser dans le fruit jusqu'aux semis. Récolter les graines dans ces capsules généralement coriaces et lignifiées n'est pas facile et réclame un peu de dextérité. Les fruits peuvent être placés entre deux morceaux de papier et cassés avec un maillet de bois ou un autre objet semblable. Une fois ouverts, il est possible de sortir les graines des loges des capsules. Chez certaines espèces, les graines demeurent attachées et il est difficile de les prélever alors que chez d'autres elles se désolidarisent aisément. Un tamis adapté permet alors de les trier parmi les débris des capsules. Il est aussi possible d'humidifier les capsules jusqu'à ce que les loges s'ouvrent. On peut alors déloger les graines avec une aiguille ou un autre ustensile pointu. Ensuite, les graines seront stockées dans un endroit sec jusqu'aux semis. Un stockage au frais peut allonger la durée du potentiel germinatif mais il faut éviter les températures négatives.

Sélection, cultivars, reproduction et hybridation

Cultivars. Les variations qui existent au sein d'un groupe de plantes sont à l'origine de toutes nos formes horticoles populaires. Les cultivars ne sont pas nécessairement des hybrides et peuvent aussi être de simples sélections. Le nom de cultivar suit celui de l'espèce et est écrit entre guillemets simples, par ex. *Aloe arborescens* 'Huntley'. Ces cultivars passent de la nature à la culture horticole. Quelques espèces de succulentes sont très variables et ont permis la description de nombreux cultivars. Ils sont tous d'origine naturelle mais sont aujourd'hui cultivés et commercialisés sous leur nom de cultivar. Comme le terme même de «cultivar» le souligne, il s'agit de plantes cultivées et les espèces poussant dans la nature ne peuvent porter de tels noms. Cela peut également concerner une simple sélection cultivée. Les noms de cultivars ont été créés dans le but principal de donner un nom aux plantes cultivées. Il peut donc s'agir aussi d'hybrides ou de mutations.

Mutations. Les mutations (variations) se produisent spontanément chez les plantes ou peuvent aussi être provoquées par des irradiations. Ce sont des modifications permanentes et tous les rejetons issus végétativement de cette mutation montreront la même variation.

Hybridation. Tout le monde n'aime pas les hybrides. Les puristes préfèrent les espèces types mais d'autres apprécient les hybrides et les sélections pour obtenir de nouveaux cultivars intéressants. Fort heureusement, puristes et obtenteurs ont tous leur place. Un hybride résulte du croisement entre deux plantes-mères d'espèces différentes mais compatibles et rassemble les caractéristiques de ses deux parents. Les nouveaux cultivars peuvent être obtenus non seulement par l'hybridation entre deux espèces différentes mais aussi par des croisements entre diverses variétés et formes d'une même espèce.

Lorsque l'on hybride deux espèces, il faut soigneusement sélectionner les plantes utilisées et décider de celle qui sera la «mère» (réceptrice du pollen) et le «père» (fournisseur du pollen). Les fleurs de la «mère» qui seront pollinisées porteront de petites étiquettes (comme celles, par ex. utilisées par les bijoutiers) mentionnant le nom de la «mère» et celui du «père». La pollinisation peut alors être réalisée comme décrit précédemment afin d'obtenir des graines.

L'obtention de nouveaux cultivars par hybridation est un lent processus. Une fois que les fruits sont mûrs, les graines obtenues peuvent être semées. Chez certains hybrides, les résultats sont rapidement visibles alors que chez d'autres, cela demandera plus de temps.

Arrosage et engrais

Savoir la quantité d'eau que nécessite une plante semble difficile d'emblée mais c'est une faculté qui se développe rapidement

lenten können lange Trockenzeiten überstehen, aber für optimales Wachstum braucht es gelegentlich auch durchdringendes Giessen. Wenn das Substrat sehr nährstoffarm ist, kann jährlich zweimal mit einem Flüssigdünger gegossen werden. Wenn die Blätter während der Vegetationszeit runzelig werden, ist das normalerweise ein Zeichen, dass die Pflanzen Wasser benötigen. Ein Zuviel an Wasser kann bei vielen hoch sukkulenten Mittagsblumen Fäulnis oder auch ein Zerreissen des Blattgewebes verursachen. Die richtige Wassermenge hängt von vielen Faktoren wie Jahreszeit, Luftfeuchtigkeit, Temperatur, Alter der Pflanze, Grösse des Topfes, und Substratart ab. In einem feuchten Klima mit häufigen Regenfällen zum Beispiel wird das Substrat nach dem Giessen während eines längeren Zeitraumes feucht bleiben als im Falle einer Pflanze in einem sonnigen Winkel in einem trockeneren Gebiet. Sukkulente Pflanzen tolerieren ein übermässiges Giessen nur, wenn der Wasserabzug gewährleistet ist. Dann können die Pflanzen häufiger gegossen werden, als wenn sie in einem weniger durchlässigen Lehmboden stehen. Im Botanischen Garten Kirstenbosch werden viele Sukkulenten im Freiland gepflegt, und die jährlichen Regenfälle während der kühleren Wintermonate betragen 1750 bis 2000 mm – mehr als das Doppelte des Durchschnittes an den heimatlichen Standorten. Dies wäre aber unmöglich, wenn das Substrat nicht sehr durchlässig oder das lokale Klima wärmer wäre und deshalb mit häufigeren Pilzkrankheiten gerechnet werden müsste. Während der Ruhezeit benötigen die Pflanzen keinerlei Feuchtigkeit. So schaden Ferienabwesenheiten bis zu drei Monaten und länger den Pflanzen während der Ruhezeit nicht.

avec l'expérience. La majorité des succulentes peut supporter de longues périodes de sécheresse mais elle demande parfois aussi des arrosages abondants pour pousser au mieux. Quand le substrat est très pauvre, il est possible de faire deux fois par an un apport d'engrais liquide. Durant la période de végétation, si les feuilles commencent à se rider cela veut normalement dire que les plantes ont besoin d'eau. Chez de nombreuses mésembs très succulentes, un excès d'eau peut provoquer une pourriture ou une déchirure des tissus foliaires. La quantité d'eau adaptée dépend de nombreux facteurs comme la saison, l'hygrométrie, la température, l'âge de la plante, la taille du pot et le type de substrat. Par exemple, sous un climat humide à pluies fréquentes, le substrat conservera plus longtemps son humidité après un arrosage que si la plante est dans un coin ensoleillé et dans une région sèche. Les plantes succulentes ne tolèrent les arrosages surabondants que si le drainage est vraiment garanti. Ainsi, les plantes peuvent être arrosées plus souvent que si elles poussaient dans un sol argileux et moins perméable. Au Jardin botanique de Kirstenbosch, de nombreuses succulentes poussent en pleine terre alors que les pluies annuelles durant les mois d'hiver plus frais s'élèvent à 1750–2000 mm, soit plus du double de ce qu'il tombe en moyenne dans leur patrie d'origine. Cela serait impossible si le substrat n'était pas aussi perméable et si le climat local était plus chaud car il faudrait alors compter avec de fréquentes maladies cryptogamiques. Ces plantes ne demandent aucune humidification pendant la période de repos. Ainsi, les absences pendant les vacances peuvent durer jusqu'à 3 mois, voire plus, sans entraîner de dommages.

Schädlinge und Krankheiten
Parasites et maladies

Hygiene

Kleine Sukkulentensammlungen sind meist einigermassen frei von Krankheiten, aber vor allem bei grösseren Sammlungen, in welchen viele Arten (oft auf engem Raum) zusammen gepflegt werden, können unterschiedliche Krankheiten und Schädlingen zu Verlusten führen. Pilze können bei ausgewachsenen Pflanzen wie bei Sämlingen plötzliche Fäulnis verursachen. Vorbeugen ist besser als Heilen, und viele Krankheiten und Schädlinge können vermieden werden, wenn der Hygiene Beachtung geschenkt wird. Dazu gehört zum Beispiel das Waschen und Desinfizieren alter Pflanzgefässe und der Werkzeuge. Die Arbeitsoberfläche soll sauber sein und kann gelegentlich zusammen mit dem Boden mit einem Desinfektionsmittel behandelt werden. Es soll nur sterilisiertes Substrat verwendet werden. Alte, kränkliche Pflanzen müssen entfernt werden und gehören nicht in den Kompost, da auf diesem Weg gesunde Pflanzen infiziert werden könnten. Beim Auftreten von Pilzkrankheiten muss sofort reagiert werden.

Regelmässig nach ersten Anzeichen von Problemen zu schauen, ist eine gute Gewohnheit. Bei Arten der *Aloe*-Gewächse zum Beispiel soll das Herz der Rosetten auf Blatt-, Woll- und Schildläuse kontrolliert werden. Mittagsblumen müssen immer auf das Vorhandensein von Raupen, Schildläusen oder Mehltau untersucht werden. Sämlinge müssen in Bezug auf das Auftreten des Vermehrungspilzes kontrolliert werden. Bei *Pleiospilos, Faucaria, Aloinopsis* und verwandten Gattungen sind Spinnmilben oft ein Problem. Diese verursachen eine Verhärtung der Blattoberflächen, was zum Tod der befallenen Pflanze führen kann. Auch hier ist Vorbeugen besser als Heilen. Alle neu erhaltenen Pflanzen sollten genau auf Schädlinge untersucht werden. Schliesslich muss nochmals daran erinnert werden, dass ausreichend gedüngte, gesunde Pflanzen weit weniger anfällig sind als Pflanzen mit Mangelsymptomen.

Hygiène

Les petites collections de succulentes sont généralement assez bien protégées contre les maladies mais c'est surtout dans les collections plus importantes, qui rassemblent de nombreuses espèces (effet de concentration), que des pertes peuvent être occasionnées par différents parasites et maladies. Les champignons peuvent déclencher subitement des pourrissements, aussi bien chez des sujets adultes que chez des plantules. il vaut mieux prévenir que guérir et de nombreux parasites et maladies peuvent être évités en veillant à l'hygiène. Par exemple, laver et désinfecter tous les pots et les outils. Les plans de travail doivent être propres et peuvent aussi être lavés au désinfectant, de même que le sol de la serre. Seuls les substrats stérilisés devront être employés. Toutes les plantes vieilles et malades doivent être éliminées sans être ajoutées au compost afin d'éviter que les plantes saines ne soient infectées. Il faut réagir immédiatement dès l'apparition d'une maladie cryptogamique.

C'est une bonne habitude que d'observer régulièrement les plantes pour détecter les premiers signes de problème. Par exemple, pour les espèces de la famille des *Aloe*, il faut contrôler le cœur des rosettes à la recherche de pucerons des feuilles, de pucerons lanigères ou de cochenilles. Les mésembs doivent toujours être examinées pour détecter la présence de chenilles, de cochenilles ou de mildiou. Les plantules seront contrôlées pour la survenue des champignons. Les araignées rouges sont souvent un problème pour les *Pleiospilos, Faucaria, Aloinopsis* et autres genres apparentés. Elles provoquent un durcissement de la surface de la feuille, ce qui peut provoquer la mort de la plante infestée. Ici aussi, la prévention vaut mieux que le traitement. Toutes les plantes nouvellement acquises doivent être soigneusement examinées pour détecter les parasites. Enfin, il faut encore rappeler que les plantes saines et suffisamment alimentées sont largement moins sensibles que les plantes carencées.

Oben: Schildläuse auf *Gibbaeum heathii.* Mittagsblumen können durch Befall mit Schildläusen ernsthafte Schädigungen erleiden. Eine Behandlung ist mit Mineralölpräparaten einfach.
Rechts: Reichliches Giessen und schattige Aufstellung führen manchmal zum Aufreissen der Blätter.
Unten: Schildläuse auf *Stoeberia arborea.*
Ci-dessus: Cochenilles sur un Gibbaeum heathii.
Les mésembs peuvent subir de graves dommages à cause des cochenilles. Il est facile de traiter avec une préparation à base d'huile minérale.
A droite: un arrosage abondant et une exposition ombragée provoquent parfois des déchirures des feuilles.
Ci-dessous: Cochenilles sur un Stoeberia arborea.

Biologische Bekämpfung

Bei der Behandlung verschiedener Schädlinge kann die biologische Bekämpfung sehr wirkungsvoll sein, und diese ist immer besser als die Verwendung gefährlicher Chemikalien. Es gibt Firmen, welche Eier gewisser Insekten verkaufen, die bestimmte Blattlausarten und Spinnmilben parasitieren, und solche Eier können jedes Jahr im Gewächshaus verteilt werden. Selbstverständlich kann nicht gleichzeitig mit Chemie gearbeitet werden.

Insekten, Spinnmilben und Schnecken.

Dickmaulrüssler. Die kleinen Rüsselkäfer werden am Abend aktiv und fressen kleine Löcher von etwa 3 mm Durchmesser in Blätter und Triebe vieler sukkulenter Pflanzen.Die Frassstellen werden meistens braun oder schwarz. Besonders befallen werden die Blattränder vieler Mittagsblumen. Vor allem im Winter werden auch viele strauchige Arten befallen. Die kleinen Löcher verursachen Blattfall, und ein starker Befall kann die Pflanze zum Absterben bringen. Diese Schadinsekten können aber mit Insektiziden (z. B. Cypermethrin) einfach bekämpft werden. Sekundärer Befall der Frassstellen durch Pilze verursacht weiteren Schaden und oft auch den Tod der Pflanzen.

Blattläuse *(Aphididae)*. Es gibt zahlreiche verschiedene Blattlausarten, die sehr mühselig sein können, aber glücklicherweise leicht bekämpfbar sind. Blattläuse sind kleine, 2 bis 3 mm lange Insekten, welche sich rasch vermehren und deshalb so rasch wie möglich bekämpft werden müssen. Meistens leben sie vom Saft junger Pflanzenteile. Blattläuse scheiden ein süsses, tauartiges Sekret aus, welches von verschie-

Oben: Das Schadbild des Dickmaulrüsslers ist unansehnlich (hier bei *Machairophyllum*), und stark befallene Pflanzen können absterben.
Ci-dessus: les dégâts causés par les charançons sont très inesthétiques (ici sur un Machairophyllum*) et les plantes très attaquées peuvent mourir.*

densten Ameisen geschätzt wird, welche deshalb die Blattläuse beschützen. Gelegentlich wächst auf den Ausscheidungen der Blattläuse auch ein schwarzer Russpilz, was zu Verfärbungen von Blättern und Trieben führt. Blattläuse können mit verschiedensten (auch systemisch wirkenden) Insektiziden oder flüssigen Seifenpräparaten bekämpft werden. Marienkäfer und ihre Larven fressen Blattläuse, werden aber natürlich durch Insektizide ebenfalls geschädigt.

Wollläuse (Schmierläuse) und Wurzelläuse. Diese sind grösser als Blattläuse, und bis 6 mm gross. Wurzelläuse leben unterirdisch und befallen die Wurzeln und Triebbasis vieler Sukkulenten. Sie können mittels durchdringendem Giessen mit einem Insektizid während der Vegetationszeit behandelt werden. Wie der Name schon sagt, haben sie eine wollig erscheinende Oberfläche, aber wegen der unterirdischen Lebensweise sind Wurzelläuse nicht einfach zu entdecken.

Schildläuse. Schildläuse sind bei vielen Mittagsblumen ein häufiger Schädling. Sie sind mit auf Öl basierenden Insektiziden leicht zu bekämpfen. Es gibt zahlreiche Arten von Schildläusen und ein starker Befall kann zum Tod von Arten von *Lithops, Gibbaeum, Argyroderma* und anderen Gattungen

Lutte biologique

La lutte biologique peut être très efficace pour agir sur différents parasites et cela vaut toujours mieux que l'emploi de produits chimiques dangereux. Il existe des entreprises qui commercialisent les œufs de certains insectes précis qui parasitent les pucerons et les araignées rouges. Ces œufs peuvent être distribués dans la serre chaque année. Bien entendu, il ne faut pas utiliser de produits chimiques en même temps.

Insectes, acariens et escargots

Charançons. Les petits charançons sont actifs le soir et percent de petits trous d'environ 3 mm de diamètre dans les feuilles et les tiges de nombreuses plantes succulentes. Les points de piqûre sont généralement bruns ou noirs. Le bord des feuilles de nombreuses mésembs est particulièrement attaqué. De nombreuses espèces arbustives sont surtout infestées en hiver. Les petites perforations provoquent la chute des feuilles et une attaque sévère peut avoir raison de la plante. Toutefois, ces insectes peuvent être facilement combattus avec des insecticides. Les traces de morsure peuvent permettre une infestation secondaire par des champignons et occasionner d'autres dégâts pouvant aussi souvent tuer la plante.

Pucerons des feuilles *(aphidiens).* Il existe plusieurs espèces différentes de pucerons qui peuvent être très pénibles mais se combattent heureusement facilement. Les pucerons sont de petits insectes de 2 à 3 mm de long qui se reproduisent vite et

doivent donc être combattus aussi rapidement que possible. Généralement, ils se nourrissent de la sève des parties juvéniles des plantes. Les pucerons sécrètent une substance sucrée ressemblant à de la rosée et très appréciée par les fourmis qui protègent donc les pucerons. Parfois, un champignon à aspect de suie (fumagine) s'installe sur les lésions provoquées par les pucerons, ce qui colore les feuilles et les tiges.

Il est possible de combattre les pucerons avec différents insecticides (également systémiques) ou des préparations liquides à base de savon. Les coccinelles et leurs larves dévorent ces insectes mais ils seraient évidemment également intoxiqués par les insecticides.

Pucerons verts ou noirs. Ceux-ci endommagent parfois les jeunes inflorescences de certaines mésembs. Ils sont toutefois faciles à repérer et à combattre par un insecticide de contact.

Pucerons lanigères, pucerons des racines. Ceux-ci sont plus grands que les pucerons des feuilles et atteignent jusqu'à 6 mm de long. Les pucerons des racines vivent de manière souterraine et attaquent les racines et la base des tiges de nombreuses succulentes. On peut les traiter par des arrosages abondants d'insecticide pendant la période de végétation. Comme leur nom l'indique, ils ont un aspect laineux mais il est difficile de les détecter à cause de leur habitat souterrain.

Cochenilles. Les cochenilles parasitent fréquemment de nombreuses mésembs. On les élimine facilement avec des in-

Links: Starker Befall durch Mehltau kann bei *Lampranthus roseus* und vielen anderen strauchigen Mittagsblumen zu raschem Absterben führen.
Unten: Nematoden können Pflanzen zum Absterben bringen (*Cheiridopsis robusta*).
À gauche: une forte attaque de mildiou chez le Lampranthus roseus *et beaucoup d'autres mésembs arbustives peut rapidement aboutir à la mort.*
*Ci-dessous: les nématodes peuvent tuer les plantes (*Cheiridopsis robusta*)*

Spinnmilben können bei *Pleiospilos, Aloinopsis* etc. problematisch sein. Hier ein starker Befall bei *Corpuscularia.*
Les araignées rouges peuvent être problématiques pour les Pleiospilos, Aloinopsis, *etc. Ici, une forte infestation chez un* Corpuscularia.

führen. Befallene Pflanzen faulen häufig, wenn sie nicht rechtzeitig behandelt werden.

Heuschrecken. Diese sind manchmal bei einigen Sukkulentenarten mit weichem Gewebe ein Problem, können aber leicht mit einem Kontaktinsektizid oder einem systemisch wirkenden Mittel in Schach gehalten werden.

Spinnmilben (Rote Spinne). Dies ist ein sehr bekannter und häufiger Schädling vieler Pflanzenarten. Vor allem bei Mittagsblumen aus Sommerregengebieten wie *Pleiospilos, Aloinopsis, Faucaria* und *Stomatium* handelt es sich um einen mühseligen Schädling. Die Spinnmilben erscheinen als kleine, rote Punkte, und bilden ein zartes Spinnengewebe über die Blätter. Dadurch wird die Blattoberfläche verhärtet und verbräunt. Für die Behandlung stehen mehrere Insektizide zum Sprühen zur Verfügung. In der Obstproduktion werden räuberische Milben verwendet, welche eine sichere und bessere Kontrolle des Befalls erlauben. Diese Milben ähneln in ihrem Aussehen den Spinnmilben, welche sie parasitieren.

Schnecken und Nacktschnecken. Beide fressen nächtlicherweise sukkulentes Blattgewebe und verstecken sich während

secticides à base d'huile. Il existe de nombreuses espèces de cochenilles et une infestation sévère peut tuer les *Lithops*, *Gibbaeum*, *Argyroderma* et d'autres genres. Les plantes atteintes pourrissent souvent quand elles ne sont pas traitées à temps.

Chenilles. Les chenilles peuvent être très problématiques, surtout en Afrique du Sud. La chenille des mésembs (*Paramaenas strigosa*), velue, peut occasionner de graves dégâts lors de ses repas nocturnes sur les mésembs et les espèces à feuilles charnues apparentées.

Sauterelles. Elles peuvent parfois poser des problèmes aux tissus tendres de certaines espèces succulentes. Il est facile de les mettre en échec grâce à un insecticide de contact ou systémique.

Acariens («araignées rouges»). C'est un parasite très fréquent et bien connu de nombreuses espèces végétales. Il est surtout pénible chez les mésembs des zones à pluies estivales comme les *Pleiospilos*, *Aloinopsis*, *Faucaria* et *Stomatium*. Les araignées rouges apparaissent comme de petits points rouges et tissent une fine toile sur les feuilles. Celles-ci deviennent coriaces et brunes. Il existe plusieurs insecticides à pulvériser pour réaliser le traitement. Dans la production fruitière, on emploie des acariens prédateurs qui permettent un contrôle plus fiable des attaques. Ces acariens ont le même aspect que les araignées rouges qu'ils parasitent.

Escargots et limaces. Les deux dévorent les tissus foliaires succulents durant la nuit et se cachent pendant la journée. En gé-

des Tages. Nacktschnecken leben in der Regel unter den Töpfen und Schalen, während die übrigen Schnecken sich hinter Blättern oder in Felsritzen verstecken. Besonders mühsam sind diese Schädlinge bei Sämlingen, welche sie pro Nacht zu Hunderten verschlingen. Zu den natürlichen Feinden der Schnecken zählen verschiedene Vögel, aber auch die harmlose südafrikanische Schlange *Duberria lutrix*. Diese Schlange wird allerdings im ganzen südlichen Afrika aus Unwissenheit oft tot geschlagen, während das Schneckenproblem bleibt.

Ameisen. Ameisen sind keine direkten Pflanzenschädlinge. Hingegen schützen und verbreiten sie Blattläuse, welche als Todfeinde von *Aloe-*, *Gasteria-* und *Haworthia*-Arten gelten können. Ameisen können durch geeignete Mittel leicht und sicher in Schach gehalten werden.

Nematoden (Älchen). Nematoden sind mühsame, unterirdisch lebende Organismen. Mehrere verschiedene Arten attackieren die Wurzeln unterschiedlicher Sukkulentenarten. In der Regel sind sie wirtsspezifisch und saugen Pflanzensaft aus den Wurzeln. Die kompakt wachsenden Mittagsblumen sind besonders anfällig auf Befall durch Älchen. Die Mittagsblumen-Nematode ist an den Wurzeln nur schwer sichtbar. Anzeichen für einen Befall ist ein Vergilben der Pflanzen und eine langsame Verschlechterung ihres Zustandes. Ein einmal befallenes Substrat kann nur durch Sterilisation vom Schädling befreit werden. Glücklicherweise befällt dieser Schädling nur den Wurzelbereich, und die oberirdischen Pflanzenteile bleiben frei, sodass leicht Stecklinge gemacht werden können. Es ist deshalb wichtig, befallenes Substrat erst nach Sterilisierung wieder zu verwenden. Eine Sterilisation ist durch Hitze (1–2 Stunden bei mindestens 65–70 °C) zu erreichen.

Pilzliche Krankheiten

Vermehrungspilz. Junge Sämlinge sind sehr anfällig auf den Vermehrungspilz. Das erste Anzeichen ist ein Umfallen einiger Sämlinge, die weich werden und bald zerfallen. Durch die Anwendung eines Fungizides bei jedem Giessen kann auch vorbeugend behandelt werden. Darüberhinaus ist anzuraten, die Samen nicht zu dicht zu säen. Zusätzlich können die Samen auch vorbeugend gebeizt werden.

Weichfäule. Diese durch *Pythium*-Pilze verursachte Fäulnis befällt vor allem Sämlinge, und sie kann in kurzer Zeit ohne Behandlung ganze Saatschalen vernichten. Wie der Name bereits sagt, werden die Sämlinge weich und fallen in sich zusammen. Der beste Weg zur Vermeidung von Weichfäule ist die Zugabe eines Fungizides zum Giesswasser, oder ein Beizen der Samen vor der Aussaat.

Mehltau. Bei dieser Krankheit handelt es sich oft um ein regional beschränktes Problem. In Südafrika sind auf der Kaphalbinsel vor allem einige Arten von *Lampranthus* und *Ruschia* häufig von Mehltau befallen. Ein Befall kann durch regelmässige Anwendung von Schwefelblüte oder durch Anwendung eines speziellen Fungizides verhindert werden.

néral, les limaces vivent sous les pots et les coupes alors que l'escargot ordinaire se cache sous les feuilles ou dans des fissures. Ces parasites sont particulièrement dommageables pour les plantules qu'ils engloutissent par centaines en une seule nuit. Divers oiseaux comptent parmi les ennemis naturels des escargots mais aussi l'inoffensif serpent sud-africain *Duberria lutrix*. Cependant, ce serpent est souvent exterminé par ignorance dans toute l'Afrique du Sud et le problème des escargots demeure.

Fourmis. Les fournis ne parasitent pas directement les plantes. Par contre, elles protègent et permettent la diffusion des pucerons qui sont des ennemis mortels des *Aloe*, *Gasteria* et *Haworthia*. Il est possible et aisé de repousser les fourmis avec des produits appropriés.

Nématodes (anguillules). Les nématodes sont des organismes pathogènes et souterrains. Plusieurs espèces différentes attaquent les racines de diverses espèces de succulentes. En général, ils ont des hôtes spécifiques et aspirent la sève des racines. Les mésembs compactes sont particulièrement sensibles aux attaques des anguillules. Ce nématode est difficile à repérer sur les racines. Les symptômes d'une infestation sont le jaunissement de la plante et une lente détérioration de son état. Un substrat infesté une fois ne peut être débarrassé des parasites que par une stérilisation. Heureusement, les nématodes n'attaquent que la zone racinaire et les parties aériennes demeurent intactes, ce qui permet de prélever facilement des boutures. Il est donc important de ne réutiliser un substrat infesté qu'après une stérilisation. Celle-ci se fait par la chaleur (1–2 heures à au moins 65–70 °C.).

Rats-taupes. Ces petits rongeurs sud-africains (Mole rat) peuvent poser des problèmes dans leur pays d'origine à différentes mésembs à rhizome tubéreux. Les dommages apparaissent quand ces parties tubéreuses sont dévorées. En Afrique du Sud, les rats-taupes sont pourchassés par le serpent *Pseudaspis cana*. Ce serpent inoffensif et très utile a malheureusement été exterminé de vastes régions d'Afrique du Sud où les rats-taupes sont alors devenus vraiment problématiques.

Maladies cryptogamiques

Fonte des semis. Les jeunes plantules sont très sensibles à ce champignon. Le premier symptôme est l'affaissement de certaines plantules qui deviennent molles puis se décomposent rapidement. L'ajout d'un fongicide à chaque arrosage peut aussi être fait préventivement. Il est conseillé de ne pas semer les graines de manière trop dense. Il est également possible de traiter les graines de manière préventive.

Pourriture molle. Cette pourriture occasionnée par le champignon *Pythium* attaque surtout les jeunes plantules et peut ravager des plateaux entiers sans traitement rapide. Comme le nom le laisse supposer, les plantules deviennent molles et meurent. Le meilleur moyen d'éviter la pourritue molle est d'ajouter un fongicide à l'eau d'arrosage ou d'effectuer un traitement préventif des graines.

Mildiou. Cette maladie est souvent circonscrite à une région. En Afrique du Sud, sur la péninsule du Cap, ce sont surtout certaines espèces de *Lampranthus* et de *Ruschia* qui y sont sensibles. Une attaque peut être évitée par des applications préventives de soufre ou contrée par l'application d'un fongicide spécifique.

Erklärungen der Fachbegriffe
Glossaire des termes botaniques

Ammenpflanze: Eine meist strauchige Pflanze, welche anderen Pflanzen und vor allem Sämlingen Schutz (z. B. einen geschützten Wuchsort) bietet.

Braktee: Tragblatt, Hochblatt oder Vorblatt, d. h. die bei Mittagsblumen oft am Blütenstiel vorkommenden, paarigen, kleinen Blätter.

Bushveld: Ein durch das Vorherrschen von Sträuchern bestimmter Vegetationstyp (siehe S. 18).

Capensis: Das Florenreich der Kap-Vegetation.

Caudex: Knolliges Speicherorgan an der Pflanzenbasis. Ein Caudex kann aus Gewebe der Wurzeln oder der Triebbasis bestehen.

cymös: Eine Blütenstandsform mit Verzweigungen ausschliesslich aus den Achseln der Vorblätter (Brakteen).

dimorph: Zweigestaltig, bei Mittagsblumen oft auf die im Laufe einer Vegetationszeit sich folgenden unterschiedlichen Blattpaare bezogen.

Epidermis: Oberhaut.

Fächerdecken: Die einzelnen Fächer der Fruchtkapseln der Mittagsblumen haben bei vielen Gattungen eine Bedeckung, um das sofortige Ausstreuen der Samen zu verhindern.

Florenreich: Die Gesamtheit der Pflanzenvorkommen der Welt wird auf Grund der Entwicklungsgeschichte und des Vorkommens bestimmter Pflanzengruppen in eine Reihe von Reichen eingeteilt. Die Capensis ist ein solches Florenreich.

Fynbos: Eine von Sträuchern dominierte Vegetation auf mineralarmen, sauren Böden in Südafrika (siehe S. 13).

blaugrün: Eine bläulich grüne Färbung mit leichter Bereifung.

Halophyt: Salztolerante Pflanze.

Herbivore Tiere: Pflanzenfresser.

hygrochastisch: Bezeichnet bei den Mittagsblumen Fruchtkapseln, welche sich bei Befeuchtung öffnen und beim anschliessenden Austrocknen wieder schliessen.

hygroskopisch: Bezeichnet bei den Mittagsblumen Fruchtkapseln, welche sich bei Befeuchtung öffnen, anschliessend aber auch beim Austrocknen geöffnet bleiben.

Internodien: Zwischenknotenstücke, d. h. die Triebstücke zwischen den Blattansätzen.

Kapsel: Aus mehreren, verwachsenen Karpellen entstehende Früchte, die in der Regel bei Reife auftrocknen und sich meist spontan öffnen.

Karpell: Fruchtblatt.

karroid: Karroo-ähnlich.

Karoo: Der Begriff des Khoi-Volkes für »Trockengebiet«; eine von sukkulenten und zerstreuten Zwergsträuchern dominierte Vegetation in Südafrika (siehe S. 14–16).

Klappen: Die sich öffnenden Teile beidseits jedes Faches der Fruchtkapseln der Mittagsblumen.

Klappenflügel: Eine flügelartige Struktur an den Klappen der Fruchtkapseln einiger Mittagsblumenarten.

kleistogam: Blüten, die sich normalerweise nicht öffnen, aber durch spontane Selbstbestäubung Früchte bilden.

Knersvlakte: Ein Gebiet aus Hügeln und Ebenen zwischen Vanrhynsdorp und Nuwerus im Winterregengebiet der Succulent Karoo im Western Cape, gekennzeichnet durch das Vorherrschen von Böden aus Quarzkies und -geröll.

Knoten: Die Stelle der Triebe mit einem Blattansatz.

konkav: ausgehölt, eingesenkt.

konvex: erhaben, erhöht, gebuckelt.

linealisch: lang und schmal mit parallelen Seiten.

Ailette: structure ailée située sur les valves des capsules des mésembs.

Animal herbivore: qui consomme les plantes.

Bourrelet: partie de la capsule qui enfle en cas d'humidification et fait s'ouvrir les valves.

Bractées: petites feuilles en paires qui, chez les mésembs, sont souvent situées sur le pédoncule de la fleur.

Bushveld: formation végétale caractérisée par la domination des arbustes (voir p. 18).

Capensis: formation végétale de la flore du Cap.

Capsule: fruit composé de plusieurs carpelles soudés, qui se dessèche généralement à maturité et s'ouvre spontanément la plupart du temps.

Carpelle: feuille modifiée et spécialisée entourant les ovules.

Caudex: organe de stockage tubéreux situé à la base de la plante.

Cléistogame: fleurs ne s'ouvrant normalement pas et produisant des fruits par auto-pollinisation spontanée.

Concave: déprimé, creusé.

Convexe: bombé, renflé.

Cyme: forme d'inflorescence dont les ramifications partent exclusivement de l'aisselle des bractées

Dimorphe: de deux formes; chez les mésembs, il est fréquent que des paires de feuilles différentes se succèdent au cours d'une saison de végétation.

Entre-nœud: portion de tige séparant deux points d'insertion de feuilles.

Flore: l'ensemble des éléments végétaux du monde entier a été classé en groupes selon leur strate de développement et leur habitat. Le capensis est l'un de ces groupes.

Fynbos: formation végétale dominée par les arbustes et située, en Afrique du Sud, sur des sols acides et pauvres en minéraux (voir p.14)

Glauque: couleur vert bleuté et légèrement pruineuse.

Halophyte: plante tolérant le sel.

Hygrochastique: qualifie les capsules des mésembs qui s'ouvrent en cas d'humidification et se referment en séchant.

Hygroscopique: qualifie les capsules des mésembs qui s'ouvrent en cas d'humidification et demeurent ouvertes par la suite.

Karoo: mot khoi désignant les «régions sèches»; formation végétale d'Afrique du Sud dominée par les succulentes et les arbustes nains épars.

Karoo à succulentes: une des formations végétales sud-africaines dominée par les succulentes vivaces (voir p. 16).

Knersvlakte: région de collines et de plaines entre Vanrhynsdorp et Nuwerus, dans la zone à pluies hivernales du Karoo à succulentes du Western Cape. Elle se caractérise par ses sols d'éboulis et de graviers quartzifères.

Linéaire: long et étroit, à côtés parallèles.

Little Karoo: zone semi-aride du Karoo, entre le Swartberg et le Langeberg dans le Western Cape.

Monospécifique: genre ne comprenant qu'un seule espèce.

Morphologie: étude de la forme et de l'aspect extérieurs ainsi que du développement.

Nama Karoo: région du Karoo à pluies estivales (voir p. 17).

Nectaire: tissus glandulaires de la fleur produisant et secrétant le nectar.

Nœud: zone d'insertion des feuilles sur la tige.

Obturateur: chez de nombreuses mésembs, chaque loge d'une capsule est non seulement dotée d'un opercule mais aussi de corpuscules ronds et plus ou moins gros (obturateurs) qui obstruent partiellement son ouverture. De cette manière, les graines ne quittent les loges qu'une par une de temps en temps.

Little Karoo: Ein halbtrockenes Karoo-Gebiet zwischen dem Swartberg und dem Langeberg im Western Cape.
monotypisch: Eine Gattung, welche nur eine einzige Art umfasst.
Morphologie: Die Untersuchung der äusserlichen Form und Gestalt sowie deren Entwicklung.
Nama Karoo: Ein Karoo-Gebiet mit Sommerregen (siehe S. 16).
Nektarium: Die Nektar produzierenden und ausscheidenen Drüsengewebe in den Blüten.
opportunistisch: Kurzlebige Pflanzen, welche bei günstigen Gelegenheiten (d. h. nach Regenfällen) rasch wachsen, blühen und fruchten.
Perianth: Blütenhülle, d. h. die Blütenblätter der Mittagsblumen.
petaloid: ähnlich wie ein Blütenblatt.
Pyrophyt: Eine Pflanze, welche von Feuern gefördert wird bzw. nach Feuern besonders gut austreibt oder nur nach Feuern keimt.
Quellleiste: Derjenige Teil der Fruchtkapseln, welcher bei Befeuchtung quillt und dadurch die Fächerklappen öffnet.
Richtersveld: Eine an Sukkulenten besonders reiche Region in der Succulent Karoo im unteren Tal des Oranje im nördlichen Northern Cape, zwischen Vioolsdrif und Noordoewer (siehe Karte S. 11).
Staminodien: Umgebildete Staubblätter (bei den Mittagsblumen zu Blütenblättern umgebildet).
Succulent Karoo: Eine von mehrjährigen Sukkulenten dominierte Vegetation in Südafrika (siehe S. 15).
Sukkulenz: Wasserspeicherung als Anpassung an periodische Trockenheit. Die Wasserspeicherung erfolgt in der Wurzel, der Sprossachse, oder den Blättern.
sympatrisch: Gemeinsam vorkommend, mit gemeinsamem Verbreitungsgebiet.
Taxonomie: Klassifikation (Einteilung) der (pflanzlichen) Vielfalt.
Verschlusskörperchen: Bei vielen Mittagsblumen sind die einzelnen Fächer der Fruchtkapseln nicht nur mit einer Fächerdecke bedeckt, sondern die verbleibende Öffnung ist noch durch ein mehr oder weniger grosses, rundliches Gebilde, das Verschlusskörperchen, teilweise verschlossen. Dadurch können die Samen die Fächer nur einzeln und nach und nach verlassen.
Xerophyt: An periodische oder dauernde Trockenheit angepasste Pflanze. Sukkulenz ist eine solche Anpassung.

Opercule: chez de nombreux genres de mésembs, chaque loge des capsules possède un couvercle afin d'éviter la dissémination immédiate des graines.
Opportuniste: plante à courte durée de vie qui, dans les conditions adéquates (par ex. après des averses) pousse, fleurit et fructifie rapidement.
Périanthe: gaine florale, c'est à dire les pétales chez les mésembs.
Pétaloïde: qui ressemble à un pétale.
Plante-nourrice: plante généralement arbustive qui offre une protection à d'autres plantes ou plantules (par ex. un emplacement protégé).
Pyrophyte: plante pour laquelle le feu est un élément favorisant et qui repart particulièrement bien ou ne germe qu'après un incendie.
Richtersveld: région particulièrement riche en succulentes située dans le Karoo à succulentes, dans la vallée inférieure de l'Orange au nord du Northern Cape, entre Vioolsdrif et Noordoewer (voir carte p. 11).
Staminode: étamine modifiée (en pétale chez les mésembs).
Succulence: stockage de l'eau comme adaptation à la sécheresse périodique. L'eau est stockée dans les racines, la tige principale ou les feuilles.
Taxonomie: classification d'un ensemble (végétal).
Valves: parties qui s'ouvrent de chaque côté de chaque loge des capsules des mésembs.
Xérophyte: plante qui s'est adaptée à la sécheresse permanente ou périodique. La succulence est l'une de ces adaptations.

Eine neue Klassifikation der Mittagsblumen
Nouvelle classification des Mésembs

Bemerkung des Übersetzers: Als das Manuskript für dieses Buch abgeschlossen wurde, stand, wie in den Danksagungen der Autoren erwähnt, keine vollständige Übersicht über die Taxonomie der Familie der Mittagsblumen-Gewächse zur Verfügung. Mit dem Erscheinen der beiden Aizoaceen-Bände des *Illustrated Handbook of Succulent Plants* (Hartmann 2001) hat sich dies geändert. Mit diesem lexikographischen Handbuch steht erstmals seit vielen Jahrzehnten eine vollständige Übersicht über die Taxonomie der Familie zur Verfügung. Diese neueste Sicht der Familie stimmt nicht in allen Details mit der im vorliegenden Buch verwendeten Einteilung überein. Namensänderungen betreffen einerseits Arten, die auch von Hartmann und Mitarbeitenden anerkannt werden, aber nun zu einer anderen Gattung gezählt werden (bzw. als Unterart zu einer anderen Art), andererseits aber auch Taxa, die neuerdings als Synonyme von anderen Arten betrachtet werden, oder Arten, welche aus nomenklatorischen Gründen einen anderen Namen bekommen haben. Um den Interessierten den Zugang zu dieser neuesten Klassifikation der Mittagsblumen zu erleichtern, werden deshalb in der folgenden Liste die von Änderungen betroffenen Namen mit einem Hinweis auf die aktuelle Behandlung im Handbuch von Hartmann (2001) aufgezählt. Diese Namen sind im Textteil dieses Buches mit einem Stern (*) gekennzeichnet.

Remarque du traducteur: lorsque le manuscrit de ce livre fut terminé, il n'existait pas de vue d'ensemble complète de la taxonomie de la famille des Mésembs, ce que stipulent d'ailleurs les auteurs dans leurs remerciements. Cette situation a changé depuis la parution des deux tableaux sur les Aizoacées de *l'Illustrated Handbook of Succulent Plants* (Hartmann 2001). Ce guide lexicographique offre pour la première fois depuis des dizaines d'années, une vision complète de la taxonomie de cette famille. Les points de vue les plus récents ne correspondent pas dans tous les détails avec la classification employée dans le présent ouvrage. Les changements de noms concernent d'une part les espèces qui sont reconnues par Hartmann et ses collaborateurs mais sont rattachées à un autre genre (comme sous-espèce d'une autre espèce), d'autre part des taxons qui ont été récemment déclarés synonymes d'autres espèces et enfin des espèces qui ont reçu un nom différent pour des raisons de nomenclature. Afin de faciliter l'approche de cette toute nouvelle classification des Mésembs, nous fournissons dans la liste suivante les noms qui ont été modifiés et la nouvelle dénomination employée dans le livre de Hartmann (2001). Dans le texte du livre, ces noms sont signalés par une astérisque (*).

Acrodon
– *duplessiae* = *Acrodon bellidiflorus*
– *purpureostylus* = *Cerochlamys purpureostyla*
Aloinopsis
– *lodewyckii* = *Aloinopsis luckhoffii*
– *schooneesii* var. *acutipetala* = *Aloinopsis schooneesii*
– *schooneesii* var. *willowmorensis* = *Aloinopsis schooneesii*
– *setifera* = *Aloinopsis luckhoffii*
– *villetii* = *Aloinopsis luckhoffii*
Amphibolia
– *maritima* = *Amphibolia laevis*
Argyroderma
– *hallii* = *Argyroderma framesii* subsp. *hallii*
Bergeranthus
– *artus* = *Bergeranthus multiceps*
Carpobrotus
– *sauerae* = *Carpobrotus quadrifidus*
Carruanthus
– *caninus* = *Carruanthus ringens*
Cephalophyllum
– *spongiosum* = *Jordaaniella spongiosa*
Cerochlamys
– *pachyphylla* var. *albiflora* = *Cerochlamys pachyphylla*
Cheiridopsis
– *cigarettifera* = *Cheiridopsis namaquensis*
Conophytum
– *ectypum* subsp. *ectypum* var. *brownii* = *Conophytum ectypum* subsp. *ectypum*
– *minutum* var. *pearsonii* = *Conophytum minutum*
– *obcordellum* subsp. *obcordellum* var. *ceresianum* = *Conophytum obcordellum* subsp. *obcordellum*
– *pellucidum* subsp. *pellucidum* var. *neohallii* = *Conophytum pellucidum* subsp. *pellucidum*
– *truncatum* subsp. *truncatum* var. *wiggettiae* = *Conophytum truncatum* subsp. *truncatum*
Cylindrophyllum
– *dyeri* = *Cylindrophyllum calamiforme*
Dactylopsis = *Phyllobolus*
– *digitata* = *Phyllobolus digitatus* subsp. *digitatus*
– *littlewoodii* = *Phyllobolus digitatus* subsp. *littlewoodii*
Delosperma
– *angustifolium* = *Corpuscularia angustifolia*
– *grandiflorum* = *Drosanthemum longipes*
– *pruinosum* = *Delosperma echinatum*
– *taylorii* = *Corpuscularia taylorii*
Dinteranthus
– *microspermus* subsp. *puberulus* = *Dinteranthus puberulus*
– *wilmotianus* subsp. *impunctatus* = *Dinteranthus inexpectatus*
Dorotheanthus
– *muirii* = *Dorotheanthus bellidiformis* subsp. *bellidiformis*
– *ulularis* = *Dorotheanthus bellidiformis* subsp. *bellidiformis*
Dracophilus
– *montis-draconis* = *Dracophilus dealbatus*
– *proximus* = *Dracophilus dealbatus*
Drosanthemopsis = *Jacobsenia*
– *vaginata* = *Jacobsenia vaginata*
Drosanthemum
– *barwickii* = *Drosanthemum subcompressum*
Erepsia
– *tuberculata* = *Erepsia aspera*
Eurystigma = *Mesembryanthemum*
– *clavatum* = *Mesembryanthemum eurystigmatum*
Faucaria
– *albidens* = *Faucaria bosscheana*
– *paucidens* = *Faucaria bosscheana*
Gibbaeum
– *cryptopodium* = *Gibbaeum nuciforme*
– *haagei* var. *parviflorum* = *Gibbaeum haagei*
– *tischleri* = *Gibbaeum petrense*
Hammeria
– *salteri* = *Hammeria meleagris*
Jordaaniella
– *anemoniflora* = *Jordaaniella dubia*
– *maritima* = *Jordaaniella dubia*

Juttadinteria
– *tetrasepala* = *Juttadinteria deserticola*
Lampranthus
– *albus* = *Oscularia alba*
– *aurantiacus* = *Lampranthus glaucoides*
– *cedarbergensis* = *Oscularia cedarbergensis*
– *excedens* = *Oscularia excedens*
– *falciformis* = *Oscularia falciformis*
– *falciformis* var. *maritimus* = *Oscularia falciformis*
– *lunatus* = *Oscularia lunata*
– *maximiliani* = *Braunsia maximiliani*
– *ornatus* = *Oscularia ornata*
– *thermarum* = *Oscularia thermarum*
Leipoldtia
– *britteniae* = *Leipoldtia schultzei*
Lithops
– *bromfieldii* var. *insularis* = *Lithops bromfieldii*
– *divergens* var. *amethystina* = *Lithops divergens*
– *fulleri* = *Lithops julii* subsp. *fulleri*
Malephora
– *crocea* var. *purpureo-crocea* = *Malephora purpureo-crocea*
Nananthus
– *transvaalensis* = *Nananthus vittatus*
– *wilmaniae* = *Nananthus aloides*
Nelia
– *meyeri* = *Nelia pillansii*
Oophytum
– *nordenstamii* = *Oophytum oviforme*
Psilocaulon
– *absimile* = *Psilocaulon coriarium*
– *framesii* = *Psilocaulon junceum*
– *longipes* = *Caulipsolon rapaceum*
– *pageae* = *Psilocaulon dinteri*
Rhinephyllum
– *frithii* = *Peersia frithii*
– *macradenium* = *Peersia macradenia*
Ruschia
– *amoena* = *Antimima amoena*
– *dichroa* var. *alba* = *Ruschia dichroa*
– *filamentosa* = *Erepsia forficata*
– *mathewsii* = *Antimima mathewsii*
– *piscodora* = *Antimima piscodora*
– *promontorii* = *Amphibolia laevis*
Stomatium
– *niveum* = *Stomatium alboroseum*
– *pyrodorum* = *Stomatium mustelinum*
Titanopsis
– *fulleri* = *Titanopsis calcarea*
– *luederitzii* = *Titanopsis schwantesii*
– *primosii* = *Titanopsis schwantesii*

Verwendete Literatur
Bibliographie

Barkhuizen, B. P. 1978. Succulents of Southern Africa. Purnell, Cape Town / Johannesburg.

Cole, D. T. 1988. Lithops. Flowering Stones. Acorn Books, Randburg / Russel Friedman Books, Halfway House.

Court, D. 1981. Succulent Flora of southern Africa. A. A. Balkema, Cape Town.

Hammer, S. A. 1993. The genus *Conophytum*. A conograph. Succulent Plant Publications, Pretoria.

Hammer, S. A. 1995. Mastering the art of growing Mesembs. Cactus and Succulent Journal (US) 67: 195–247.

Hammer, S. A. 1999. *Lithops* – Treasures of the Veld. British Cactus and Succulent Society.

Hartmann, H. E. K. (Ed.) 2001. Illustrated Handbook of Succulent Plants. *Aizoaceae*. 2 Bände. Springer, Berlin etc.

Herre, H. 1971. The genera of the *Mesembryanthemaceae*. Tafelberg Uitgewers Beperk, Cape Town.

Jacobsen, H. 1960. A handbook of succulent plants. 3 Bände. Blandford Press, London.

Jacobsen, H. 1970. Lexicon of succulent plants. Blandford Press, London.

Nel, G. C. 1953. The *Gibbaeum* handbook. Blandford Press, London.

Rawe, R. 1986. Succulents in the Veld. Howard Timmins, Cape Town.

Schwantes, G. 1957. Flowering stones and mid-day flowers. Ernest Benn Ltd., London.

Smith, C. A. 1966. Common names of South African plants. Government Printer, Pretoria.

Smith, G. et al. 1997. List of southern African succulent plants. Umdaus Press, Pretoria.

Smith, G. et al. 1998. Mesembs of the world. Briza Publications, Arcadia.

Danksagungen
Remerciements

Mit Blick auf die Tatsache, dass zum Zeitpunkt des Schreibens dieses Buches keine komplette systematische Darstellung der Mittagsblumen-Gewächse zur Hand war, mussten die Autoren notwendigerweise auf zahlreiche ältere Publikationen wie z. B. Jacobsen (1960), Herre (1971) sowie Smith et al. (1998) zurückgreifen, sowie für die Volksnamen auf Smith (1966). Die Nutzung aller dieser umfassenden und wichtigen Quellen und systematischen Beschreibungen für dieses Buch wird hier mit Dankbarkeit festgehalten.

Comme au moment de la rédaction de ce livre, il n'existait pas de présentation complète de la classification des Mésembryanthémacées, les auteurs ont du se référer par la force des choses à de nombreuses publications plus anciennes comme, par exemple, Jacobsen (1960), Herre (1971) ainsi que Smith et al. (1998) et Smith (1966) pour les noms vernaculaires. Nous soulignons avec gratitude l'emploi de ces sources importantes et des descriptions systématiques dans l'élaboration de ce livre.

Einband, Vorderseite: Steffen Hauser Stock Photography, gezeigt wird *Dorotheanthus oculatus*

Bibliografische Information der Deutschen Bibliothek
Die Deutsche Bibliothek verzeichnet diese Publikation in der Deutschen Nationalbibliografie; detaillierte bibliografische Daten sind im Internet über http://dnb.ddb.de abrufbar.

Deutsche Ausgabe
© 2004 Eugen Ulmer GmbH & Co., Stuttgart
Internet: www.ulmer.de
ISBN 3-8001-4186-8

Edition française
(en langues allemande et française)
© 2004 Edition Eugen Ulmer S.A.R.L., Paris
Internet: www.editions-ulmer.fr
ISBN 2-84138-224-9

Lektorat: Antoine Isambert, Hermine Tasche, Sabine Hesemann
Herstellung: Silke Reuter
DTP: Satz+Layout Fruth GmbH, München
Druck und Bindung: Eurolitho S.p.A., Mailand
Printed in Italy

Die Autoren
Les auteurs

Ernst van Jaarsveld wurde 1953 in Johannesburg im damaligen Transvaal geboren und studierte am Pretoria Technikon, wo er 1975 sein »National Diploma in Horticulture« erhielt. 1988 begann er an der Natal University sein Diplomstudium in Systematik, das er 1990 mit Erfolg abschloss. Seit dem Abschluss der Collegezeit 1974 ist er an den National Botanical Gardens angestellt, wovon zwei Jahre an den Lowveld Botanical Gardens, Nelspruit, verbracht wurden. Besondere Erfahrungen hat er in der Verwendung und Förderung südafrikanischer Pflanzen als Gartenschmuckstauden (hauptsächlich in Verbindung mit ökologischem Gärtnern), und in diesem Feld vor allem in Bezug auf die Flora der Trockengebiete. Dies kommt auch im Rahmen seines besonderen Interesses an den Mittagsblumen zum Ausdruck, welche er während der vergangenen 24 Jahren im Zuge seiner Arbeit in Kirstenbosch besonders gesammelt, gepflegt und untersucht hat. Er ist Autor von über 100 Beiträgen (volkstümlicher, halbwissenschaftlicher und wissenschaftlicher Natur) sowie eines Buches über die Gattung *Gasteria* und je einer umfangreichen Broschüre zur Gattung *Plectranthus* und über die Pflanzenwelt des Eastern Transvaal. In letzter Zeit hat er vier noch unveröffentlichte Bücher über sukkulente Pflanzen bzw. über das Gärtnern mit einheimischen Pflanzen fertig gestellt. Es ist auch Autor von über 20 in den letzten Jahren beschriebenen sukkulenten Pflanzenarten, von welchen die Verbreitung bei dreien bis nach Namibia reicht. Ein Teil seiner Diplomarbeit über *Gasteria* (»A synoptic review of the genus *Gasteria*«) wurde im Juni-Heft 1992 der Zeitschrift »Aloe« veröffentlicht. Zudem hat er Beiträge über die südafrikanischen Crassulaceen, Lamiaceen und weiterer Familien zum IOS-Sukkulentenlexikon (herausgegeben von Urs Eggli) beigesteuert. Er ist Mitglied der »Species Survival Commission« der IUCN und war an der Erarbeitung eines strategischen Plans für den Naturschutz der *Aloaceae* in der südafrikanischen Subregion beteiligt.

Zur Zeit ist Ernst van Jaarsveld für das neue Gewächshaus in Kirstenbosch verantwortlich, für welches er die Bepflanzung plante, welche alle wichtigen Trockenregionen von Südafrika und Namibia berücksichtigt. Im Rahmen des ganzheitlichen Ansatzes wurden auch die relevanten geologischen Formationen berücksichtigt und besondere Schwerpunkte auf die reiche Sukkulentendiversität Südafrikas sowie der sukkulenten Anpassungen gelegt. Für dieses Projekt erhielt er 1996 eine Auszeichnung. Im September 1996 wurde er zum »Fellow« der Succulent Society of America ernannt. Zur Zeit schreibt er auch regelmässige wöchentliche oder monatliche Kolumnen in verschiedenen südafrikanischen Zeitschriften.

Ernst van Jaarsveld

Ernst van Jaarsveld est né en 1953 à Johannesburg dans le Transvaal d'alors et a fait ses études au Pretoria Technikon où il a obtenu son «National diploma in Horticulture» en 1975. En 1988, il a entamé une maîtrise de systématique à l'université du Natal et l'a terminé avec succès en 1990. Depuis la fin de ses études secondaires (1974), il est employé au National Botanical Gardens, dont 2 années passées au Lowvel Botanical Gardens, Nelspruit. Son expérience particulière se situe dans l'utilisation et la promotion des plantes sud-africaines en tant que vivaces très décoratives (surtout en relation avec des horticulteurs écologistes), surtout celles de la flore des régions sèches. Ceci se matérialise par son intérêt pour les mésembs qu'il a particulièrement collectées, soignées et étudiées au cours des dernières 24 années de son travail à Kirstenbosch. Il est l'auteur de plus de 100 publications (vulgarisation, textes semi-scientifiques et scientifiques) ainsi que d'un ouvrage sur le genre *Gasteria* et d'une brochure très complète sur le genre *Plectranthus* et la flore de l'est du Transvaal. Récemment, il a terminé quatre ouvrages non encore publiés sur les plantes succulentes et le jardinage avec les plantes autochtones. Il est l'auteur de plus de 20 descriptions de plantes succulentes ces dernières années, dont trois d'entre elles occupent un habitat s'étendant jusqu'à la Namibie. Une partie de sa thèse sur les *Gasteria* («A synoptic review of the genus *Gasteria*») fut publiée dans le numéro de juin 1992 de la revue *Aloe*. De plus, il a contribué au Lexique des succulentes IOS (dirigé par Urs Eggli) sur les Crassulacées, Lamiacées et d'autres familles sud-africaines. Il est membre de la «Species Survival Commission» de l'IUCN et fut partie prenante à un plan stratégique pour la protection des *Aloaceae* dans la zone sud-africaine.

Aujourd'hui, Ernst van Jaarsveld est responsable de la nouvelle serre à Kirstenbosch où il a prévu de représenter toutes les régions arides importantes d'Afrique du Sud et de Namibie. Dans le cadre d'une approche globale, y seront aussi présentées les formations géologiques correspondantes avec un accent sur la grande diversité des succulentes sud-africaines ainsi que sur leurs adaptations au milieu. Ce projet lui valut une distinction en 1996. En septembre 1996, il fut nommé membre de la Succulent Society of America. Il écrit régulièrement des rubriques hebdomadaires ou mensuelles dans différentes revues sud-africaines.

Dr. U. de V. Pienaar wurde am 12. August 1930 in Johannesburg geboren und erhielt seine Schulung an der Jan Celliers Primary and Helpmekaar High School in Johannesburg. Er studierte an der University of the Witwatersrand, wo er 1949 in Histologie und Biochemie abschloss und 1953 mit einer Dissertation über die Hämatologie südafrikanischer Reptilien promovierte. Nach einigen Jahren als Dozent in Histologie an der Witwatersrand University Medical School nahm er 1955 eine Stelle als Junior Ranger im Kruger-Nationalpark an. Auf Grund seiner wissenschaftlichen Ausbildung bewarb er sich 1957 um eine Stelle in der National Parks Research Division in Skukuza, wo er von 1957 bis 1961 als Biologieassistent arbeitete. Er wurde zum leitenden Biologen und schliesslich zum Chief Research Officer befördert (1961–1970). 1970 wurde er Chief Nature Conservator in der Nationalparkverwaltung, und 1974 Director of Nature Conservation. 1978 übernahm er die Leitung des Kruger-Nationalparks, des wichtigsten Nationalparks der Republik Südafrika. 1987 wurde er schliesslich zum Chief Director der Nationalparkverwaltung in Pretoria ernannt.

Während seiner langen Karriere im Kruger-Nationalpark (1955–1987) veröffentlichte Tol Pienaar zahlreiche Bücher über das Tierleben im Park, sowie über 100 wissenschaftliche Zeitschriftenbeiträge über verschiedene Themen wie Ökologie und Leitung des Parks, aber auch ein wichtiges Werk über die Geschichte des Parks.

Nach der Pensionierung und dem Ausscheiden aus der Nationalparkverwaltung zog er 1991 nach Still Bay im südlichen Kap, wo er sich bald mit seinem zweiten Interessengebiet befasste, nämlich mit dem Studium von meernahen Gebieten und dem küstennahen Fynbos. Dabei wuchs sein Interesse an einer seit langem vernachlässigten Gruppe der südafrikanischen Flora, den Mittagsblumen-Gewächsen. Deshalb baute er sich ein kleines Gewächshaus, wo er in den vergangenen bald 10 Jahren Mittagsblumen aus Samen zog und untersuchte. Zudem fotografierte er Mittagsblumen durch das ganze Verbreitungsgebiet dieser faszinierenden Gruppe. Tol Pienaar ist mit Annette verheiratet und Vater zweier Söhne, die beide ebenfalls im Gebiet des Naturschutzes aktiv sind.

Dr U. de V. Pienaar

Le Dr. U. de V. Pienaar est né le 12 août 1930 à Johannesburg et a fait ses études au Jan Celliers Primary et à la Helpmekaar High School de Johannesburg. Il a étudié à l'université de Witwatersrand où il obtint une maîtrise en histologie et biochimie en 1949 et un doctorat en 1953, sur l'hématologie des reptiles sud-africains. Après quelques années en tant que maître de conférence en histologie à la Witwatersrand University Medical School, il devint ranger junior en 1955 dans le Parc National Kruger. Sa formation scientifique lui permit de postuler en 1957 à la National Parks Research Division à Skukuza où il travailla comme assistant biologiste de 1957 à 1961. Il devint biologiste en chef puis enfin Chief Research Officer (1961–1970). En 1970, il est promu Chief Nature conservator au Bureau des Parcs Nationaux et en 1974, Director of Nature Conservation. En 1978, il prit la direction du Parc National Kruger, le parc national le plus important de toute l'Afrique du Sud. Enfin, en 1978, il fut nommé Chief Director du Bureau des parcs nationaux à Prétoria.

Durant sa longue carrière au Parc National Kruger (1955–1987), Tol Pienaar publia de nombreux livres sur la vie animale du parc ainsi que plus de 100 contributions à des revues scientifiques sur différents thèmes comme l'écologie et la gestion des parcs, ainsi qu'un travail important sur l'histoire du parc.

Après sa retraite du Bureau des Parcs Nationaux, il s'installa en 1991 près de Still Bay, dans le sud du Cap où il se consacra bientôt à sa seconde passion, l'étude des régions maritimes et du Fynbos côtier. C'est ainsi qu'il se prit d'intérêt pour un groupe végétal de la flore sud-africaine depuis longtemps négligé, celui des Mésembryanthémacées. Il se construisit donc une petite serre dans laquelle il étudie et élève ces plantes à partir de semis depuis bientôt 10 ans. De plus, il a photographié les mésembs à travers tout l'habitat de ce groupe fascinant. Tol Pienaar est marié avec Annette et père de deux fils, qui oeuvrent également tous les deux pour la protection de la nature.